O Rouxinol

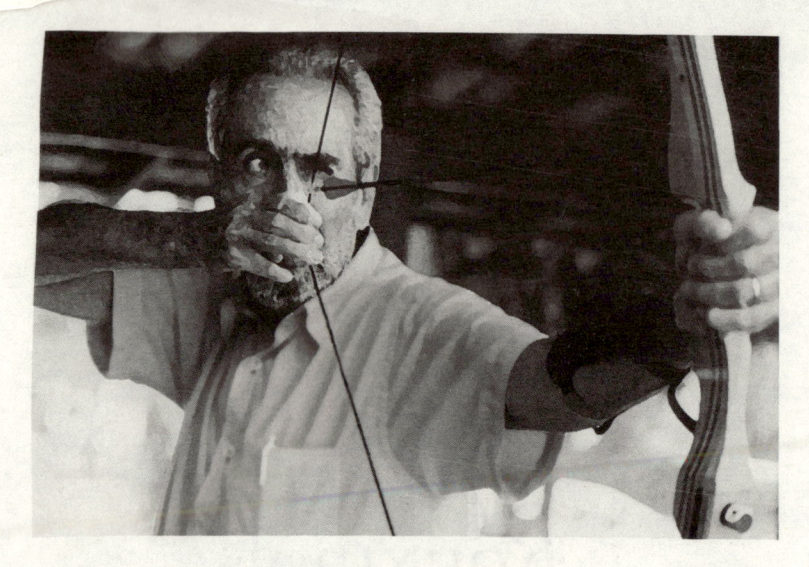

O ARQUEIRO

GERALDO JORDÃO PEREIRA (1938-2008) começou sua carreira aos 17 anos, quando foi trabalhar com seu pai, o célebre editor José Olympio, publicando obras marcantes como *O menino do dedo verde*, de Maurice Druon, e *Minha vida*, de Charles Chaplin.

Em 1976, fundou a Editora Salamandra com o propósito de formar uma nova geração de leitores e acabou criando um dos catálogos infantis mais premiados do Brasil. Em 1992, fugindo de sua linha editorial, lançou *Muitas vidas, muitos mestres*, de Brian Weiss, livro que deu origem à Editora Sextante.

Fã de histórias de suspense, Geraldo descobriu *O Código Da Vinci* antes mesmo de ele ser lançado nos Estados Unidos. A aposta em ficção, que não era o foco da Sextante, foi certeira: o título se transformou em um dos maiores fenômenos editoriais de todos os tempos.

Mas não foi só aos livros que se dedicou. Com seu desejo de ajudar o próximo, Geraldo desenvolveu diversos projetos sociais que se tornaram sua grande paixão.

Com a missão de publicar histórias empolgantes, tornar os livros cada vez mais acessíveis e despertar o amor pela leitura, a Editora Arqueiro é uma homenagem a esta figura extraordinária, capaz de enxergar mais além, mirar nas coisas verdadeiramente importantes e não perder o idealismo e a esperança diante dos desafios e contratempos da vida.

KRISTIN HANNAH

O Rouxinol

ARQUEIRO

Título original: *The Nightingale*

Copyright © 2015 por Kristin Hannah
Copyright da tradução © 2015 por Editora Arqueiro Ltda.

tradução: Claudio Carina
preparo de originais: Natalia Klussmann
revisão: Carolina Rodrigues, Clarissa Peixoto e
Jean Marcel Montassier
diagramação: Valéria Teixeira
capa: www.buerosued.de por Aufbau Verlag GmbH & Co. KG;
© Andrea Kamal / Getty Images (foto de fundo)
adaptação de capa: Miriam Lerner | Equatorium Design
impressão e acabamento: Associação Religiosa Imprensa da Fé

CIP-BRASIL. CATALOGAÇÃO NA PUBLICAÇÃO
SINDICATO NACIONAL DOS EDITORES DE LIVROS, RJ

H219r

Hannah, Kristin
    O Rouxinol / Kristin Hannah ; tradução Claudio Carina. - 2. ed.
- São Paulo : Arqueiro, 2021.
    544 p. ; 20 cm.

    Tradução de : The Nightingale
    ISBN 978-65-5565-085-3

    Ficção americana. I. Carina, Claudio. II. Título.

20-67812   CDD: 813
                                 CDU: 82-3(73)

Meri Gleice Rodrigues de Souza - Bibliotecária - CRB-7/6439

Todos os direitos reservados, no Brasil, por
Editora Arqueiro Ltda.
Rua Funchal, 538 – conjuntos 52 e 54 – Vila Olímpia
04551-060 – São Paulo – SP
Tel.: (11) 3868-4492 – Fax: (11) 3862-5818
E-mail: atendimento@editoraarqueiro.com.br
www.editoraarqueiro.com.br

Para Matthew Shear. Amigo. Mentor.
Campeão. Sentimos sua falta.
E para Kaylee Nova Hanna,
a nova estrela do nosso mundo.
Seja bem-vinda, garotinha.

UM

9 de abril de 1995
Costa do Oregon

Se há uma coisa que aprendi nesta minha longa vida foi o seguinte: no amor, nós descobrimos quem desejamos ser; na guerra, descobrimos quem somos. Os jovens de hoje querem saber tudo sobre todo mundo. Acham que falar a respeito vai resolver um problema. Eu venho de uma geração mais calada. Nós entendemos o valor do esquecimento, o fascínio da reinvenção.

Porém, ultimamente, tenho pensado sobre a guerra e sobre o meu passado, sobre as pessoas que perdi.

Perdi.

Pode parecer que estou dizendo que as pessoas que eu amava se extraviaram; talvez que eu as tenha deixado em um lugar ao qual não pertenciam e tenha ido embora, confusa demais para refazer meus passos.

Mas elas não estão perdidas. Nem estão em um lugar melhor. Morreram. Com a proximidade do fim dos meus dias, sei que a dor, assim como o remorso, se fixa em nossas células e se torna parte de nós para sempre.

Envelheci nesses meses, desde a morte do meu marido e de quando recebi o meu diagnóstico. Minha pele tem a aparência enrugada de uma folha de papel-manteiga que alguém tentou desamassar para usar de novo. Meus olhos falham com frequência – no escuro, ou com o piscar dos faróis, ou quando chove. É enervante não poder confiar na própria visão. Talvez seja por isso que me pegue olhando para trás. O passado tem uma nitidez que já não vejo no presente.

Quero imaginar que haverá paz quando eu partir, que vou reencontrar todas as pessoas que amei e perdi. Pelo menos que serei perdoada.

Mas sei que não é bem assim, não é?

Minha casa, que recebeu o nome de The Peaks pelo barão da madeira que a construiu um século atrás, está à venda, e estou me preparando para me mudar porque meu filho acha que é o que devo fazer.

Ele tenta cuidar de mim para mostrar quanto me ama nestes tempos tão difíceis, por isso aceito seu jeito controlador. Que importância tem onde vou morrer? Essa é a questão, na verdade. Não importa mais onde eu viva. Estou encaixotando a vida que estabeleci em uma praia do Oregon quase cinquenta anos atrás. Não tem muito que eu queira levar comigo. Mas há uma coisa.

Alcanço a manivela que controla a escada para o sótão. A escada se desdobra a partir do teto, como um cavalheiro que estende a mão.

Os frágeis degraus balançam sob meus pés quando subo. O sótão tem cheiro de mofo. Uma única lâmpada pende do teto. Puxo a correntinha.

É como estar a bordo de um antigo navio a vapor. Tábuas de madeira largas forram as paredes; teias de aranha deixam as reentrâncias prateadas e pendem em madeixas dos vãos entre as tábuas. O teto é tão íngreme que só consigo ficar em pé bem no meio do recinto.

Vejo a cadeira de balanço que usava quando meus netos eram crianças, um velho berço e um cavalo de balanço capenga assentado sobre molas enferrujadas, a cadeira que minha filha estava restaurando quando adoeceu. Há caixas guardadas ao longo das paredes, marcadas com "Natal", "Ação de Graças", "Páscoa", "Dia das Bruxas", "Louça", "Esportes". Dentro das caixas, as coisas que não uso mais, mas das quais não consigo me separar. Para mim, admitir que não vou mais enfeitar uma árvore de Natal é como desistir de algo, e nunca fui boa em abrir mão das coisas. Enfurnado em um canto está o que procuro: um velho baú coberto de etiquetas de viagem.

Com certo esforço, arrasto o pesado baú até o meio do sótão, até que fique embaixo da lâmpada do teto. Ajoelho-me ao lado dele, mas a dor nos joelhos é lancinante, por isso chego para trás e me sento apoiada nos calcanhares.

Pela primeira vez em trinta anos, abro a tampa do baú. Dentro, há uma bandeja cheia de recordações de bebês. Sapatinhos, moldes de mãos em cerâmica, desenhos feitos com giz de cera povoados por bonequinhos e sóis sorridentes, boletins escolares, fotos de apresentações de dança.

Levanto a bandeja, pousando-a ao lado do baú.

As lembranças no fundo dele são uma pilha bagunçada: diversos jornais desbotados com encadernação de couro; um maço de antigos cartões-postais amarrados com uma fita de cetim azul; uma caixa de papelão com um dos cantos amassado; uma coleção de livros finos de poesia de Julien Rossignol; e uma caixa de sapatos com centenas de fotografias em preto e branco.

Em cima da caixa, um pedaço de papel amarelado e desbotado.

Minhas mãos tremem quando o pego. É uma *carte d'identité*, uma carteira de identidade, da guerra. Olho para a pequena foto de uma mulher jovem, do tamanho de uma foto de passaporte. *Juliette Gervaise*.

– Mãe?

Ouço meu filho nos degraus que rangem na escada, passos que combinam com as batidas do meu coração. Será que ele já tinha me chamado antes?

– Mãe? A senhora não devia subir aí. Os degraus estão bambos. – Ele fica a meu lado. – Se a senhora cair...

Seguro a perna da calça dele, balanço a cabeça devagar. Não consigo olhar para cima.

– Não. – É tudo o que consigo dizer.

Ele se abaixa, senta-se a meu lado. Sinto o perfume de sua loção pós-barba, um tanto refinada e sedutora, e também há um leve cheiro de tabaco. Foi fumar um cigarro escondido lá fora, um hábito do qual desistira décadas atrás e ao qual retornou depois de meu recente diagnóstico. Não há motivo para expressar minha desaprovação em voz alta: ele é médico; sabe melhor do que eu.

Meu instinto diz para jogar a carteira de identidade no baú e fechar a tampa para escondê-la de novo. É o que fiz a vida inteira.

Mas agora estou morrendo. Não depressa, talvez, mas tampouco lentamente, e me sinto compelida a examinar meu passado.

– Mãe, a senhora está chorando.

– Estou?

Quero dizer a verdade, mas não consigo. Sinto-me constrangida e envergonhada por essa falha. Na minha idade, eu não deveria ter mais medo de nada – com certeza não do meu passado.

– Quero levar esse baú – digo apenas.

– É grande demais. Eu posso pôr o que a senhora quiser numa caixa menor.

Sorrio ante sua tentativa de me controlar.

– Eu amo você e estou doente de novo. É por essas razões que deixo você me controlar, mas ainda não estou morta. Quero levar esse baú comigo.

– Por que precisa disso tudo? São só desenhos nossos e outras bobagens.

Se eu tivesse contado a verdade muito tempo atrás, ou tivesse bebido mais, dançado mais, talvez ele me visse como eu *sou*, não como uma mãe normal e dependente. Meu filho ama uma versão incompleta de mim. Sempre pensei que isto era o que eu desejava: ser amada e admirada. Agora, acho que talvez eu preferisse ser conhecida.

– Pense nisso como meu último desejo.

Percebo que ele quer me dizer para não falar desse jeito, mas tem medo de que sua voz traia seus pensamentos. Pigarreia.

– A senhora já venceu essa luta duas vezes. Vai vencer mais uma.

Nós dois sabemos que isso não é verdade. Eu estou fraca. Não consigo nem comer nem dormir sem ajuda de remédios.

– Claro que vou.

– Só quero que não se arrisque.

Sorrio. Os americanos conseguem ser muito ingênuos.

Houve uma época em que partilhei desse otimismo. Achava que o mundo era um lugar seguro. Mas isso foi há muito tempo.

– Quem é Juliette Gervaise? – pergunta Julien, e fico um pouco chocada de ouvir aquele nome dito por ele.

Fecho os olhos naquela escuridão com cheiro de mofo e vidas passadas, e meus pensamentos voltam no tempo, uma linha lançada através de anos e continentes. Contra minha vontade – ou talvez a favor; quem sabe agora? –, eu me recordo.

DOIS

As luzes se apagam por toda a Europa;
nunca mais as veremos acesas.

— Sir Edward Grey, sobre a Primeira Guerra Mundial

Agosto de 1939
França

Vianne Mauriac saiu da cozinha fresca com parede de estuque e foi para a varanda da frente. Na linda manhã de verão no vale do Loire, tudo estava florescendo. Lençóis brancos se agitavam na brisa e, como sorrisos dispostos em cascatas, as rosas cobriam a velha muralha de pedra que escondia sua casa da estrada. Um par de abelhas trabalhava entre os botões de flor. Ao longe, ela ouviu o matraquear rítmico de um trem, seguido pelo som meigo da risada de uma garotinha.

Sophie.

Vianne sorriu. Provavelmente a filha de 8 anos estava correndo pela casa, com o pai fazendo todas as suas vontades, enquanto eles se preparavam para o piquenique de sábado.

– Sua filha é uma tirana – disse Antoine, aparecendo na porta.

Veio andando na direção dela, o cabelo preto luzindo de brilhantina sob o sol. Estivera trabalhando com os móveis naquela manhã – lixando uma cadeira que já parecia lisa como cetim – e uma fina camada de pó salpicava seu rosto e seus ombros.

Era um homem grande, alto e de ombros largos, com um rosto áspero e uma sombra escura no queixo que exigia constantes esforços para não se transformar em uma barba.

Passou o braço em torno dela e puxou-a para mais perto.

– Eu te amo, Vi.

– Eu também te amo.

Era o fato mais verdadeiro do mundo. Ela amava tudo naquele homem: o sorriso, o jeito de murmurar enquanto dormia, como ele dava risada depois de espirrar ou como cantava ópera no chuveiro.

Tinha se apaixonado por ele fazia quinze anos, no pátio da escola, antes mesmo de saber o que era o amor. Ele foi seu primeiro tudo – o primeiro beijo, o primeiro amor, o primeiro amante. Antes dele, Vianne era uma garota magricela, desajeitada e ansiosa que tendia a gaguejar quando se sentia intimidada, o que era frequente.

Uma garota órfã de mãe.

Agora você vai ser a adulta, disse o pai a Vianne quando chegaram àquela mesma casa pela primeira vez. Ela estava com 14 anos, os olhos inchados de tanto chorar, sentindo uma tristeza inconsolável. Em um instante, a casa tinha deixado de ser o refúgio de verão da família para se transformar em uma espécie de prisão. A mãe tinha morrido havia menos de duas semanas quando o pai desistiu de ser pai. Ao chegarem ali, ele não segurou a mão dela e passou os braços em volta de seus ombros, nem ao menos ofereceu um lenço para enxugar suas lágrimas.

M-mas... eu ainda sou uma menina, disse Vianne.

Não é mais.

Vianne olhou para a irmã mais nova, Isabelle, que aos 4 anos ainda chupava o polegar e não fazia ideia do que estava acontecendo. Isabelle não parava de perguntar quando a mãe iria voltar para casa.

Quando a porta se abriu, surgiu uma mulher alta e magra, com um nariz que parecia uma torneira e olhos tão miúdos que pareciam uvas-passas.

Essas são as meninas?, perguntou a mulher.

O pai aquiesceu.

Não serão problema.

Tudo aconteceu muito depressa. Vianne nem entendeu direito. O pai abandonou as filhas como duas trouxas de roupa suja, deixando-as com uma estranha. A diferença de idade entre as meninas era tão grande que as duas poderiam ser de famílias diferentes. Vianne gostaria de consolar Isabelle – queria muito –, mas se sentia tão triste que era impossível pensar em outra pessoa, em especial numa garota tão voluntariosa, espalhafatosa e impaciente como Isabelle. Vianne ainda se lembrava daqueles primeiros dias ali: Isabelle gritando e madame espancando-a. Vianne tentava convencer a irmã, dizendo vezes sem conta: *Mon Dieu, Isabelle, pare com esses gritos. Faça o que ela mandar.* Mas, mesmo aos 4 anos, Isabelle já se mostrava intratável.

Vianne ficara abalada e frágil com tudo aquilo – com a tristeza pela morte da mãe, a dor pelo abandono do pai, a súbita mudança de vida e o cansaço que a solidão e a carência de Isabelle lhe causavam.

Foi Antoine quem salvou Vianne. Naquele primeiro verão depois da morte da mãe, os dois se tornaram inseparáveis. Com ele, Vianne encontrou uma saída. Aos 16 anos, estava grávida; aos 17, estava casada e era a senhora de Le Jardin. Dois meses depois, sofreu um aborto e ficou perdida por algum tempo. Não havia outra forma para descrever seu estado. Aninhou-se em seu pesar como que em um casulo, indiferente a qualquer coisa ou a qualquer um – principalmente a uma irmã carente e rabugenta.

Mas tudo aquilo eram coisas do passado. Não era o tipo de lembrança que desejasse ter num dia lindo como aquele.

Abraçou o marido enquanto a filha corria até eles, anunciando:

– Já estou pronta. Vamos.

– Bem, já que a princesa está pronta, é melhor irmos logo – comentou Antoine.

Vianne sorriu e foi até a casa para pegar o chapéu em

um cabide à porta. Com seus cabelos muito claros, uma pele fina como porcelana e olhos azuis como o mar, ela sempre se protegia do sol. Quando terminou de colocar o chapéu de abas largas, de pegar suas luvas de renda e a cesta de piquenique, Sophie e Antoine já estavam do outro lado do portão.

Vianne os acompanhou pelo caminho de terra que levava à casa deles. Na largura, mal cabia um automóvel. À frente, estendiam-se acres de campo de feno, os tons de verde aqui e acolá pontilhados de papoulas vermelhas e flores azuis conhecidas como escovinha. Os bosques se espalhavam como remendos. Nessa região do vale do Loire, os campos produziam mais feno que uvas. Embora só ficasse a duas horas de trem de Paris, parecia um mundo totalmente diferente. Poucos turistas visitavam o local, mesmo durante o verão.

De vez em quando passava um automóvel roncando, um ciclista ou uma carroça puxada por boi, mas durante a maior parte do tempo eles andavam pela estrada completamente sozinhos. Moravam a pouco mais de 1 quilômetro de Carriveau, uma cidade com menos de mil habitantes e que era conhecida principalmente por ter sido um ponto de parada na peregrinação de Joana d'Arc. A cidade não tinha indústrias e a oferta de empregos era pequena – a não ser para os que trabalhavam no aeroporto, que era o orgulho de Carriveau. O único de seu tipo em quilômetros.

Na cidade, estreitas ruas de paralelepípedos passavam por antigas construções de calcário apoiadas umas nas outras. A argamassa se desfazia nas paredes de pedra e a hera escondia a decadência – que não era vista, mas sempre sentida. A aldeia havia sido construída parte a parte – ruas tortas, escadas irregulares, becos sem saída –, durante centenas de anos. As cores avivavam as construções de pedra: toldos vermelhos emoldurados em metal preto, sacadas de ferro trabalhado enfeitadas com gerânios plantados em vasos de terracota. Tudo na cidade atraía o olhar: um balcão repleto de macarons em tons pastel, cestas de vime artesanais repletas de queijo, presunto e *saucisson*, caixotes de tomates, berinjelas e pepinos coloridos. As cafeterias estavam lotadas naquele dia de sol. Homens sentavam-se ao redor de mesas de metal, tomando café, fumando cigarros pardos enrolados à mão e discutindo em voz alta.

Um dia típico em Carriveau: monsieur LaChoa varrendo a calçada em frente à sua *saladerie*, madame Clonet limpando a vitrine de sua loja de chapéus, uma turma de garotos adolescentes vagando pela cidade, ombro a ombro, chutando latas de lixo e passando cigarros de mão em mão.

Quando chegaram ao limite da cidade, eles tomaram a direção do rio. Em um trecho plano e gramado próximo à margem, Vianne depositou sua cesta e abriu uma manta sob a sombra de uma nogueira. Da cesta de piquenique, retirou uma baguete crocante, um naco de queijo cremoso, duas maçãs, algumas fatias de presunto de Bayonne tão finas quanto papel e uma garrafa de Bollinger 1936. Serviu um copo de champanhe para o marido e sentou-se a seu lado enquanto Sophie corria até a margem do rio.

O dia transcorreu em um torpor prazeroso acalentado pelo sol. Todos conversaram e deram risada no piquenique familiar. Foi só mais tarde, quando Sophie estava afastada com sua vara de pescar e Antoine fazia uma coroa de margaridas para a filha, que ele falou:

– Logo Hitler vai nos arrastar para essa guerra dele.

Guerra.

Era só sobre isso que todos falavam naquele tempo, mas Vianne não queria ouvir a respeito. Principalmente em um dia de verão tão adorável.

Sombreou os olhos com uma das mãos e olhou para a filha. Depois do rio, o grande vale do Loire surgia cultivado com cuidado e precisão. Não havia cercas nem limites, apenas quilômetros de campos verdes ondulantes e aglomerados de árvores, com ocasionais celeiros ou casas de pedra.

Minúsculos botões de flor flutuavam no ar como chumaços de algodão.

Vianne se levantou e bateu palmas.

– Vamos, Sophie. Está na hora de voltar pra casa.

– Não se pode ignorar esse fato, Vianne.

– Eu devo me preocupar? Por quê? Você está aqui para nos proteger.

Sorrindo (talvez não com muito entusiasmo), ela recolheu os itens do piquenique, reuniu a família e tomou a direção da estrada de terra.

Em menos de trinta minutos estavam diante do sólido portão de madeira de Le Jardin, a casa de pedra que pertencia à sua família havia trezentos anos. Mais cinzenta que a cor original devido à passagem do tempo, era uma construção de dois andares, com as venezianas azuis das janelas dando para o pomar. A hera subia as duas chaminés e cobria os tijolos da base. Restavam somente sete acres do terreno original. Os outros duzentos haviam sido vendidos ao longo dos dois últimos séculos para compensar a redução da fortuna da família. Sete acres eram o suficiente para Vianne. Nem conseguia imaginar como poderia precisar de mais do que aquilo.

Vianne fechou a porta depois de entrar na casa. Na cozinha, panelas e frigideiras de cobre e ferro fundido pendiam de uma armação de ferro acima do fogão. Lavanda, alecrim e tomilho caíam em tufos secos da madeira exposta das vigas do teto. Uma pia de cobre, esverdeada pelo tempo, era grande o bastante para dar banho em um cachorro pequeno.

O reboco das paredes internas estava descascado aqui e ali, revelando pinturas antigas. A sala de estar era uma mistura eclética de móveis e tecidos – sofá forrado com tapeçaria, tapetes em estilo renascentista, porcelana chinesa antiga, cadeiras estofadas com estampas de cenas clássicas ou motivos florais. Alguns quadros nas paredes eram de boa qualidade – talvez até importantes – e outros eram amadores. Parecia a mistura de fortuna dissipada com bom gosto ultrapassado; um pouco desgastada, porém confortável.

Vianne parou um pouco no salão, olhando pelas portas envidraçadas que levavam ao quintal, onde Antoine empurrava Sophie no balanço que havia construído para ela.

Pendurou o chapéu no cabide da porta com cuidado e pegou o avental, amarrando-o na cintura. Enquanto Sophie e Antoine brincavam lá fora, Vianne preparou o jantar. Pegou um filé rosado de porco e o enrolou, depois amarrou tudo com barbante e untou com óleo quente. Enquanto a carne assava no forno, ela preparou o resto da refeição. Às oito horas, pontualmente, chamou todos para o jantar e não pôde deixar de sorrir ante o tropel de passos, a algaravia da conversa e o arrastar de pés de cadeiras pelo assoalho quando se sentaram.

Sophie sentou-se à cabeceira da mesa, usando a coroa de margaridas que Antoine fizera para ela na margem do rio.

Vianne serviu os pratos. O aroma da comida se espalhava pelo ar – porco assado, com bacon crocante e maçãs recobertas com um molho de vinho encorpado, sobre um leito de batatas coradas. Havia também uma tigela de ervilhas frescas nadando em manteiga temperada com o estragão do jardim. E, claro, a baguete que Vianne havia feito na manhã do dia anterior.

Como sempre, Sophie falou durante toda a refeição. Era um pouco como sua *tante* Isabelle nesse aspecto – não conseguia conter a própria língua.

Quando afinal chegaram à sobremesa – *île flottante*: ilhas de merengue tostado flutuando num espesso *crème anglaise* –, pairou um silêncio satisfeito na mesa.

– Bem – disse Vianne afinal, empurrando o prato de sobremesa quase vazio –, hora de lavar a louça.

– Ahh, mamãe... – resmungou Sophie.

– Sem choramingar – observou Antoine. – Não na sua idade.

Vianne e Sophie foram para a cozinha, como faziam todas as noites, para seus postos – Vianne na grande pia de cobre, Sophie na bancada de pedra –, e as duas começaram a lavar e a enxugar os pratos. Vianne sentia o cheiro doce e penetrante do cigarro pós-refeição de Antoine flutuando pela casa.

– Papai não riu de nenhuma das minhas histórias hoje – disse Sophie enquanto Vianne guardava os pratos no armário de madeira rústica afixado na parede. – Tem alguma coisa errada com ele.

– Não riu? Ora, com certeza isso é motivo de *alarme*.

– Ele está preocupado com a guerra.

A guerra. De novo.

Vianne enxotou a filha da cozinha. No andar de cima, no quarto de Sophie, Vianne sentou-se na cama de casal, ouvindo a filha tagarelar enquanto vestia o pijama e escovava os dentes antes de colocá-la para dormir.

Quando se abaixou para dar um beijo de boa-noite na filha, Sophie falou:

– Eu estou com medo. Vai ter guerra mesmo?

– Não tenha medo – tranquilizou-a Vianne. – Papai vai proteger a gente. – Mas, enquanto falava aquelas palavras, lembrou-se de outra ocasião, quando sua mãe lhe dissera o mesmo: *Não tenha medo*.

Quando o pai dela foi convocado para a guerra.

Sophie não pareceu convencida.

– Mas...

– Mas nada. Não há por que se preocupar. Agora vá dormir.

Beijou a filha mais uma vez, deixando os lábios por mais tempo que o habitual na bochecha da menininha.

Vianne desceu a escada e foi ao quintal. Lá fora, a noite estava abafada; o ar cheirava a jasmim. Encontrou Antoine sentado em uma das cadeiras de ferro na grama, as pernas esticadas, o corpo pendendo desconfortavelmente para um lado.

Parou perto dele e pôs uma das mãos sobre seu ombro. Ele exalou a fumaça e deu uma longa tragada no cigarro. Depois olhou para ela. Sob a luz da lua, seu rosto pareceu pálido e sombreado. Quase desconhecido. Enfiou a mão no bolso do colete e tirou um pedaço de papel.

– Fui convocado, Vianne. Assim como a maioria dos homens entre 18 e 35 anos.

– Convocado? Mas... nós não estamos em guerra. Eu não...

– Preciso me apresentar na terça-feira.

– Mas... mas... você é carteiro.

Antoine manteve o olhar nos olhos dela e de repente ela não conseguia mais respirar.

– Parece que agora eu sou soldado.

TRÊS

Vianne sabia algumas coisas sobre a guerra. Conhecia não seus estrondos, a fumaça e o sangue, mas o que vinha depois. Embora tivesse nascido em tempos de paz, suas primeiras lembranças eram da guerra. Lembrava-se da mãe chorando ao se despedir do pai. Lembrava-se da fome e de estar sempre com frio. Mas, acima de tudo, lembrava-se de quanto o pai estava diferente quando voltou para casa: mancava, suspirava e sempre se mantinha em silêncio. Foi quando ele começou a beber, a se isolar e a ignorar a família. Depois disso, ela se lembrava de portas batendo, de discussões constantes que terminavam em silêncios constrangedores, dos pais dormindo em quartos separados.

O pai que foi para a guerra não era o mesmo homem que

tinha voltado. Ela tentou ser amada por ele; mais importante, tentou continuar amando aquele homem, mas, no final, uma coisa era tão impossível quanto a outra. Depois que ele a despachou para Carriveau, Vianne organizou a própria vida. Enviou cartões de Natal e de aniversário ao pai, mas nunca recebeu nada em retorno e os dois raramente se falavam. O que mais havia a se dizer? Diferentemente de Isabelle, que parecia incapaz de se conformar, Vianne compreendeu – e aceitou – que a morte da mãe tinha dissolvido a família de forma irreparável. Era filha de um homem que simplesmente se recusava a ser pai de suas filhas.

– Eu sei como a guerra assusta você – disse Antoine.

– A linha Maginot vai resistir – replicou ela, tentando soar convincente. – Você vai estar de volta até o Natal.

A linha Maginot eram quilômetros e quilômetros de muralhas de concreto que protegiam a França. Tinham sido construídas ao longo da fronteira com a Alemanha depois da Primeira Guerra, com obstáculos e armamentos. Os alemães não conseguiriam rompê-la.

Antoine a segurou nos braços. O perfume de jasmim era inebriante e, de repente, Vianne teve a certeza de que, daquele momento em diante, sempre que sentisse o perfume de jasmim, ela se lembraria daquela despedida.

– Eu te amo, Antoine Mauriac, e espero que volte para mim.

Mais tarde, ela não conseguiria se lembrar dos dois entrando na casa, subindo a escada, deitando-se na cama e despindo um ao outro. Lembrava-se apenas de estar nua nos braços dele, deitada sob seu corpo enquanto ele fazia amor de uma forma como nunca fizera antes, com beijos frenéticos e impacientes e mãos que pareciam querer rasgá-la enquanto se abraçavam.

– Você é mais forte do que imagina, Vi – disse ele depois, quando se deitaram em silêncio e enlaçados.

– Não sou, não – sussurrou ela, baixo demais para que ele conseguisse ouvir.

Na manhã seguinte, Vianne queria manter Antoine na cama o dia todo, talvez até convencê-lo de que os dois deveriam fazer as malas e fugir como ladrões no meio da noite.

Mas para onde eles iriam? A guerra pairava sobre toda a Europa.

Quando estava lavando os pratos, depois de preparar o café da manhã, sua cabeça latejava.

– Você parece triste, mamãe – comentou Sophie.

– Como posso estar triste num lindo dia de verão em que vamos visitar as nossas melhores amigas? – O sorriso de Vianne foi um pouco alegre demais.

Já estava do lado de fora da casa, embaixo das macieiras, quando percebeu que estava descalça.

– Mamãe! – chamou Sophie, impaciente.

– Já estou indo – respondeu Vianne, enquanto ia atrás de Sophie pelo quintal, passando pelo velho pombal (agora um barracão de ferramentas de jardim) e pelo celeiro vazio.

Sophie abriu o portão dos fundos e correu pelo bem-cuidado quintal do vizinho em direção a um pequeno chalé de pedra com venezianas azuis.

A menina bateu à porta uma vez, não obteve resposta e entrou.

– Sophie! – ralhou Vianne, mas sua advertência caiu em ouvidos moucos.

Não havia necessidade de boas maneiras na casa de uma grande amiga – e Rachel de Champlain era a melhor amiga de Vianne fazia quinze anos. As duas haviam se conhecido um mês depois de o pai de Vianne abandonar as filhas de forma tão reprovável em Le Jardin.

Desde então as duas formaram uma dupla: Vianne frágil, pálida e nervosa e Rachel alta como os garotos, com sobrancelhas que cresciam mais depressa que capim e voz de fagote. Forasteiras, as duas, até se conhecerem. Tornaram-se inseparáveis na escola e continuaram amigas durante os anos seguintes. Foram à faculdade juntas e ambas se formaram professoras. Ficaram até grávidas ao mesmo tempo. Agora as duas lecionavam na escola local, em salas de aula contíguas.

Rachel apareceu na porta aberta, com o filho recém-nascido nos braços, Ariel.

As duas trocaram um olhar. Nele estava tudo o que sentiam e temiam.

– Acho que hoje o dia requer um vinho, não acha? – propôs Rachel.

– No mínimo.

Vianne entrou com a amiga em uma sala pequena, iluminada e bem-arrumada. Um vaso cheio de flores silvestres adornava uma mesa de madeira rústica sobre cavaletes, flanqueada por cadeiras descombinadas. No canto da sala de jantar havia uma valise de couro com o chapéu de feltro favorito de Marc, o marido de Rachel. A dona da casa serviu dois copos de vinho branco e pegou uma travessa de barro cheia de *canelés*. Em seguida, as duas saíram da casa.

No pequeno quintal dos fundos, rosas cresciam ao lado de cercas vivas de alfena. Uma mesa e quatro cadeiras estavam distribuídas aleatoriamente em um pátio de pedra. Lanternas antigas pendiam dos galhos de uma nogueira.

Vianne pegou um *canelé* e deu uma mordida, saboreando o recheio de creme de baunilha e a crosta crocante e levemente queimada. Ela se sentou.

Rachel sentou-se à sua frente, com o bebê dormindo no colo. O silêncio parecia se expandir entre as duas, preenchendo seus temores e apreensões.

– Fico me perguntando se ele vai conhecer o pai – disse Rachel, olhando para o bebê.

– Eles vão voltar diferentes – respondeu Vianne, lembrando-se da infância.

O pai estivera na Batalha do Somme, na qual 750 mil

homens perderam a vida. Rumores de atrocidades por parte dos alemães voltaram para casa com os poucos sobreviventes.

Rachel passou o bebê para o ombro, dando tapinhas suaves nas suas costas.

– Marc não é bom em trocar fraldas. E Ari adora dormir na nossa cama. Acho que agora não vai ter mais problema.

Vianne sentiu um esboço de sorriso. Era uma coisa pequena, essa piada, mas ajudou.

– O ronco de Antoine é um terror. Agora acho que vou dormir melhor.

– E podemos comer ovo poché no jantar.

– Só metade da roupa para lavar – continuou Vianne, mas sua voz começou a embargar. – Eu não tenho forças para isso, Rachel.

– Claro que tem. Nós vamos enfrentar isso juntas.

– Antes de eu conhecer Antoine...

Rachel fez um gesto indiferente com a mão.

– Eu sei, eu sei. Você era magra como um graveto, gaguejava quando ficava nervosa e era alérgica a tudo. Eu sei. Eu estava lá. Mas agora tudo isso acabou. Você vai ser forte. E sabe por quê?

– Por quê?

O sorriso de Rachel esmaeceu.

– Eu sei que sou grande... escultural, como eles gostam de dizer quando me vendem meias e sutiãs. Mas eu me sinto... insegura com isso, Vi. E vou precisar me apoiar em você às vezes também. Não com *todo* o meu peso, é claro.

– Então, nós não podemos desabar ao mesmo tempo.

– *Voilà* – confirmou Rachel. – Vai ser o nosso plano. Será que agora devemos passar para um conhaque ou um gim?

– São dez da manhã.

– Tem razão. É claro. Um French 75.

Quando Vianne acordou na manhã de terça-feira, a luz do sol se despejava pela janela, esmaltando as madeiras expostas.

Antoine estava sentado em uma cadeira perto da janela, uma cadeira de balanço de nogueira que havia construído durante a segunda gravidez de Vianne. Por anos aquela cadeira de balanço vazia zombara deles. Os anos dos abortos, como eles se referiam agora. Desolação em uma terra de fartura. Três vidas perdidas em quatro anos; três minúsculas pulsações cardíacas, mãos azuladas. Então, milagrosamente: um bebê sobrevivente. Sophie. Havia tristes fantasminhas nos veios da madeira daquela cadeira, mas havia também boas lembranças.

– Talvez fosse melhor você levar Sophie para Paris – sugeriu Antoine quando ela sentou na cama. – Julien poderia cuidar de vocês.

– Meu pai já deixou bem claro o que acha de morar com as filhas. Não posso esperar que ele vá nos receber bem. – Vianne empurrou a colcha de matelassê de lado e saiu da cama, pisando descalça no tapete gasto.

– Você vai ficar bem?

– Eu e Sophie vamos ficar bem. E você vai voltar logo para casa. A linha Maginot vai resistir. E Deus sabe que os alemães não são páreo para nós.

– Pena que as armas deles sejam. Tirei todo o nosso dinheiro do banco. Deixei 65 mil francos dentro do colchão. Use com cuidado, Vianne. Junto com o seu salário de professora, deve durar um bom tempo.

Vianne sentiu um lampejo de pânico. Ela não entendia quase nada de finanças. Era Antoine quem cuidava desse assunto.

Ele se levantou devagar e abraçou a mulher. Vianne quis poder engarrafar a segurança que sentiu naquele momento para poder beber mais tarde, quando estivesse ressequida de medo e solidão.

Lembre-se disso, pensou. A maneira como a luz iluminava os cabelos revoltos do marido, o amor em seus olhos castanhos, os lábios rachados que a tinham beijado uma hora atrás, no escuro.

Pela janela aberta atrás deles, Vianne ouviu o clope-clope-clope vagaroso e ritmado de um cavalo na estrada e o tilintar da carroça sendo puxada.

Era monsieur Quillian a caminho do mercado com suas flores. Se Vianne estivesse no quintal, ele pararia para lhe dar uma flor, dizendo que não se comparava a sua beleza; ela iria sorrir, dizer *merci* e lhe oferecer algo para beber.

Vianne se afastou com relutância. Foi até a penteadeira de madeira, despejou um pouco de água tépida de uma jarra azul em uma bacia e lavou o rosto. Na alcova que servia como guarda-roupa do casal, atrás de um par de cortinas brancas e douradas de tule, ela se vestiu. Alisou a meia de seda com debrum de renda até a parte de cima das pernas, prendeu-as com as ligas e entrou em um vestido de algodão de gola rendada quadrada. Quando se virou e fechou a cortina, Antoine não estava mais lá.

Pegou a bolsa e saiu pelo corredor para ir ao quarto de Sophie. Assim como o do casal, era um cômodo pequeno, com teto de madeira inclinado, assoalho de tábuas largas e uma janela que dava para o pomar. A cama de ferro trabalhado, a mesa de cabeceira com um abajur de segunda mão e o armário pintado de azul completavam o ambiente. Os desenhos de Sophie decoravam as paredes.

Vianne abriu as venezianas e deixou a luz inundar o quarto.

Como de hábito nos meses quentes de verão, Sophie tinha chutado a coberta para o chão durante a noite. O ursinho de pelúcia cor-de-rosa, Bebê, dormia encostado em sua bochecha.

Vianne pegou o ursinho, observando seu focinho desgastado de tantas carícias. No ano passado, empolgada com novos brinquedos, Sophie tinha deixado Bebê esquecido em uma prateleira perto da janela.

Agora Bebê estava de volta.

Vianne se debruçou para beijar o rosto da filha.

Sophie acordou e rolou na cama, piscando.

– Eu não quero que o papai vá embora, mamãe – murmurou.

Estendeu a mão para pegar Bebê, praticamente arrancando-o de Vianne.

– Eu sei – suspirou Vianne. – Eu sei.

Vianne andou até o armário, de dentro do qual tirou o vestidinho de marinheiro favorito de Sophie.

– Posso usar a coroa de margaridas que papai fez para mim?

A coroa de margaridas estava jogada na mesa de cabeceira, as florezinhas já ressecadas. Vianne pegou-a com cuidado e ajeitou-a na cabeça de Sophie.

Vianne achou que tudo estava indo bem, até entrar na sala de estar e ver Antoine.

– Papai? – Sophie ajeitou a coroa de margaridas ressecadas, hesitante. – Não vá embora.

Antoine se ajoelhou e puxou Sophie para um abraço.

– Preciso virar soldado para manter você e mamãe em segurança. Mas vou voltar antes do que imagina.

Vianne ouviu o embargo na voz dele.

Sophie se afastou, a coroa de margaridas pendendo de lado.

– Você promete que vai voltar para casa?

Antoine desviou o olhar do rosto sincero da filha para a expressão preocupada de Vianne.

– *Oui* – respondeu ele afinal.

Sophie assentiu com a cabeça.

Os três saíram da casa em silêncio. Caminharam de mãos dadas pela rampa que levava ao celeiro de madeira cinzenta. Um capim dourado recobria o montículo até a altura dos joelhos; arbustos de lilases, grandes como carroças de feno, cresciam ao longo dos limites do terreno. Três pequenas cruzes brancas eram tudo o que restava neste mundo para registrar os bebês perdidos por Vianne. Hoje, ela não permitiu que seu olhar vagasse por lá. Suas emoções já estavam fortes o suficiente; não poderia aumentar ainda mais esse peso com tais lembranças.

O velho Renault verde se encontrava dentro do celeiro. Quando todos estavam no automóvel, Antoine ligou o motor, saiu de ré e partiu pelas fitas de grama ressecada que seguiam para a estrada. Vianne ficou olhando através da pequena janela empoeirada, observando o vale verde passar como um borrão de imagens conhecidas – casas cobertas de telhas vermelhas, chalés de pedra, campos de feno e uvas, bosques de árvores espigadas.

Chegaram à estação ferroviária perto de Tours depressa demais.

A plataforma estava lotada de jovens carregando malas, mulheres dando beijos de despedida e crianças chorando.

Uma geração de homens indo para a guerra. Mais uma vez.

Não pense nisso, repreendeu-se Vianne. *Não se lembre de como foi da última vez, quando os homens voltaram para casa mancando, os rostos queimados, os braços e pernas amputados...*

Vianne apertou a mão do marido quando Antoine comprou as passagens e as levou até o trem. No vagão de terceira classe – quente e abafado, com pessoas amontoadas como juncos em um charco –, ela se sentou ereta, ainda segurando a mão do marido, com a bolsa no colo.

Quando chegaram ao destino, mais de uma dezena de homens desembarcaram. Vianne, Sophie e Antoine acompanharam os homens por uma rua de paralelepípedo de um vilarejo encantador, como a maioria das pequenas comunidades de Touraine. Como era possível que a guerra estivesse chegando e que essa fantástica cidadezinha, com suas flores pendentes e paredes rachadas, estivesse recrutando soldados para lutar?

Antoine a puxou pela mão, fazendo com que continuasse a andar. Quando ela havia parado?

À frente, um conjunto de portões de ferro altos, recém--construídos, se articulava em uma muralha de pedra. Atrás dela havia fileiras de abrigos temporários.

Os portões foram abertos. Um soldado montado saiu para receber os recém-chegados, a sela de couro rangendo na marcha do cavalo, o rosto empoeirado e afogueado de calor. Puxou as rédeas e o cavalo parou, bufando e balançando a cabeça. Um avião passou voando acima deles.

– Muito bem, homens – disse o soldado. – Levem seus documentos ao tenente ali perto do portão. Agora. Vamos.

Antoine beijou Vianne com uma delicadeza que quase a fez chorar.

– Eu te amo – disse com os lábios ainda nos dela.

– Eu também te amo – ecoou ela.

Mas as palavras que sempre pareceram tão grandiosas agora soaram pequenas. O que era o amor quando confrontado com a guerra?

– Eu também, papai. Eu também! – gritou Sophie, jogando-se nos braços do pai.

Os três se abraçaram uma última vez como família, até Antoine se afastar.

– Até logo – disse ele.

Vianne não conseguiu responder nada. Ficou olhando enquanto ele se afastava, viu quando se misturou à multidão de jovens que conversavam e davam risada, então não pôde mais distingui-lo. Os grandes portões de ferro se fecharam com um estrondo, o clangor de metal reverberando no ar quente e empoeirado, deixando Vianne e Sophie sozinhas no meio da rua.

QUATRO

Junho de 1940
França

*A*aldeia medieval dominava uma colina de um verde denso e exuberante. Parecia ter saído da vitrine de uma confeitaria: um castelo de caramelo esculpido, com janelas de glacê e venezianas da cor de maçãs cristalizadas. Bem mais abaixo, um lago de um azul profundo absorvia o reflexo das nuvens. Jardins bem-cuidados permitiam que os moradores da aldeia – e, mais importante, seus convidados – passeassem pelo local, onde só se falava de temas apropriados.

No salão de jantar formal, Isabelle Rossignol estava sentada de forma rígida e ereta a uma mesa coberta com uma toalha branca e que poderia acomodar 24 pessoas com facilidade. Tudo naquele recinto era claro. As paredes, o piso e o teto eram trabalhados em uma pedra cor de ostra. A cobertura se arqueava em uma abóboda de 7 metros de altura. O som reverberava pelo salão frio, tão contido quanto seus ocupantes.

Madame Dufour ocupava a cabeceira da mesa, usando um vestido preto e discreto que revelava uma depressão profunda e do tamanho de uma colher de sopa na base do pescoço longo. Seu único adorno era um solitário broche de diamantes (*Somente uma joia, senhoras, e bem-escolhida; tudo o que usamos emite um sinal, e falar muito alto é sinal de vulgaridade*). Seu rosto fino terminava em um queixo rombudo, emoldurado por mechas tão obviamente tingidas que desfaziam a desejada impressão de juventude.

– O truque – ia dizendo ela em uma voz cultivada, com

pausas e meneios – é se comportar sempre de forma discreta e silenciosa ao longo de sua tarefa.

Todas as garotas à mesa usavam o casaco e o blazer de lã que eram o uniforme da escola. Não era tão ruim no inverno, mas, nessa tarde quente de junho, o conjunto era insuportável. Isabelle sentiu que começava a suar e não havia lavanda ou sabonete que conseguissem disfarçar o cheiro forte de sua transpiração.

Olhou para a laranja com casca colocada no meio de seu prato de porcelana de Limoges. Os talheres repousavam num arranjo preciso dos dois lados do prato. Garfo para salada, garfo do prato principal, faca, colher, faca de manteiga, garfo para peixe. E assim por diante.

– Muito bem – disse madame Dufour. – Peguem os utensílios corretos... em silêncio, *s'il vous plaît*, em silêncio, e descasquem a laranja.

Isabelle pegou o garfo e tentou fincar suas pontas na casca grossa da laranja, mas ela rolou pela borda adornada do prato, fazendo a porcelana tilintar.

– *Merde* – murmurou, pegando a fruta antes que caísse no chão.

– *Merde?* – Madame Dufour estava ao lado dela.

Isabelle saltou na cadeira. *Mon Dieu*, a mulher se movia como uma víbora na mata.

– Perdão, madame – disse Isabelle, colocando a laranja novamente no prato.

– Mademoiselle Rossignol – continuou madame. – Como pode ter dado sua graça aos nossos salões por dois anos e ter aprendido tão pouco?

Isabelle espetou mais uma vez o garfo na laranja. Com um movimento deselegante – porém eficiente. Depois sorriu para a madame.

– Em geral, madame, a deficiência do aprendizado dos alunos corresponde à ineficiência no ensino dado pelos professores.

Um arquejo percorreu toda a mesa.

– Ah – respondeu madame. – Então nós somos a razão pela qual a senhorita ainda não consegue comer uma laranja de forma apropriada.

Isabelle tentou cortar a casca da laranja – com muita força, muito bruscamente. A lâmina de prata resvalou na casca rugosa e bateu no prato de porcelana.

Madame Dufour estendeu a mão, dando um bote, e seus dedos se enroscaram no pulso de Isabelle.

De todos os lados da mesa, as garotas observavam.

– Mantenham uma conversação educada, meninas – pediu madame, com um sorriso tenso. – Ninguém gosta de ser acompanhado por uma estátua durante um jantar.

Àquela observação, as garotas começaram a conversar umas com as outras em voz baixa, sobre coisas que não interessavam a Isabelle. Jardinagem, tempo, moda. Assuntos adequados para mulheres. Isabelle ouviu a garota ao lado dizer em voz baixa:

– Eu gosto muito de laçarotes. E você?

Realmente, foi difícil conter um grito de raiva.

– Mademoiselle Rossignol – continuou madame. – Vá falar com madame Allard e diga a ela que nossa experiência foi concluída.

– O que significa isso?

– Ela irá compreender. Vá.

Isabelle se afastou logo da mesa, antes que madame mudasse de ideia.

A expressão da mulher se contraiu de desgosto ante ao ruído da cadeira sendo arrastada no piso de pedra.

Isabelle sorriu.

– Sabe que na verdade eu nem gosto de laranja?

– É mesmo? – respondeu a madame, sarcástica.

Isabelle queria fugir correndo daquele salão sufocante, mas já estava com problemas demais, por isso se obrigou a sair devagar, os ombros para trás, o queixo erguido. Na escada (que ela não conseguia descer ou subir com três livros na cabeça, como exigido), olhou para os lados, viu que não havia ninguém olhando e desceu aos trotes.

No corredor abaixo, desacelerou e se aprumou. Quando chegou ao gabinete da diretora, já respirava normalmente. Bateu à porta.

Ao ouvir a voz monocórdia mandando-a entrar, Isabelle abriu a porta.

Madame Allard estava sentada atrás de uma mesa de mogno com relevos dourados na borda. Tapeçarias medievais pendiam das paredes de pedra do recinto e uma janela em arco com vidros pesados dava para os jardins, que eram tão esculturais que pareciam mais arte que natureza. Nem mesmo os passarinhos pousavam ali; sem dúvida sentiam a atmosfera tensa e passavam direto.

Isabelle sentou-se – lembrando-se tarde demais de que não deveria se sentar sem ser convidada. Voltou a se levantar.

– Perdão, madame.

– Sente-se, Isabelle.

Foi o que fez, cruzando os tornozelos e juntando as mãos, como se exige de uma dama.

– Madame Dufour pediu que eu lhe dissesse que a experiência está concluída.

A mulher pegou uma das canetas-tinteiro de Murano da mesa e começou a dar batidinhas no tampo.

– Por que está aqui, Isabelle?

– Eu odeio laranja.

– Perdão?

– E se eu *quisesse* chupar uma laranja... o que eu, honestamente, madame, não faria porque não gosto da fruta..., eu usaria as mãos, como os americanos. Aliás, como todo mundo. Garfo e faca para comer uma laranja?

– Eu quis dizer: por que você está nesta escola?

– Ah. Isso. Bem, fui expulsa do Convento do Sagrado Coração de Avignon. Por nenhum motivo, devo acrescentar.

– E a Irmandade de São Francisco?

– Ah. Eles tiveram razão para me expulsar.

– E a escola anterior?

Isabelle não sabia o que dizer.

Madame deixou a caneta-tinteiro na mesa.

– Você está com quase 19 anos.

– *Oui*, madame.

– Acho que já está na hora de sair.

Isabelle se levantou.

– Devo voltar à aula da laranja?

– Você não entendeu. Eu quis dizer que está na hora de sair da escola, Isabelle. Acho que já ficou claro que não está interessada em aprender o que temos para lhe ensinar.

– Ensinar como comer uma laranja e quando passar queijo no pão? E quem é mais importante... o segundo filho de um duque ou uma filha não herdeira ou um embaixador de um país pouco expressivo? Madame, a senhora sabe o que está acontecendo no mundo?

Isabelle podia até estar enfurnada em uma cidade do interior, mas sabia. Mesmo ali, isolada entre sebes e sufocada por boas maneiras, ela sabia o que estava acontecendo na França. À noite, em sua cela monástica, enquanto as colegas de classe dormiam, ela continuava acordada até altas horas, ouvindo a BBC em seu rádio clandestino. A França tinha se aliado à Inglaterra para declararem guerra à Alemanha e Hitler estava em movimento. Por toda a França, as pessoas estocavam comida, preparavam cortinas de blecaute e aprendiam a viver como toupeiras no escuro.

Todos estavam preparados, preocupados... por nada.

Mês após mês, nada acontecia.

No início, as pessoas só falavam da Grande Guerra, das perdas que atingiram tantas famílias, mas à medida que os meses se passavam e a guerra não *acontecia*, Isabelle começara a ouvir as professoras comentando que aquilo era uma *drôle de guerre*, uma falsa guerra. O verdadeiro horror só estava acontecendo em outro lugar da Europa; na Bélgica, na Holanda e na Polônia.

– E as boas maneiras não se aplicam à guerra, Isabelle?

– Não se aplicam *agora* – replicou Isabelle de forma impulsiva, logo desejando não ter dito nada.

A madame ficou em pé.

– Nunca fomos o lugar certo para você, mas...

– Meu pai teria me posto em qualquer lugar para se livrar de mim.

Isabelle preferia vociferar a verdade a ter de ouvir outra mentira. Havia aprendido muitas lições na série de escolas e conventos em que vinha morando fazia mais de uma década, porém, acima de tudo, aprendera que só podia contar consigo mesma. Com certeza não podia contar com o pai nem com a irmã.

Madame olhou para Isabelle. Torceu muito levemente o nariz, numa indicação de reprovação educada, embora dolorosa.

– É difícil para um homem perder a esposa.

– É difícil para uma menina perder a mãe. – Isabelle sorriu de maneira desafiadora. – Mas eu perdi pai e mãe, não foi? Ela morreu e ele virou as costas para mim. Não sei o que doeu mais.

– *Mon Dieu*, Isabelle, você sempre precisa dizer o que lhe vem à cabeça?

Isabelle vinha ouvindo aquela crítica a vida toda, mas por que deveria conter a língua? Ninguém escutava o que ela dizia mesmo.

– Então você vai embora hoje. Vou mandar um telegrama ao seu pai. Tómas vai levá-la até a estação.

– Esta noite? – Isabelle piscou. – Mas... papai não me quer.

– Ah. Consequências – disse madame. – Talvez agora você perceba que as consequências devem ser consideradas.

Mais uma vez, Isabelle estava sozinha em um trem, rumo a uma recepção desconhecida.

Olhava através do vidro sujo e sarapintado da janela para uma paisagem bucólica que passava rapidamente: campos de feno, telhados vermelhos, chalés de pedra, pontes cinzentas, cavalos.

Tudo parecia igual ao que sempre fora e isso a surpreendia. A guerra se aproximava e Isabelle imaginava que, de algum modo, suas marcas seriam visíveis no interior, mudando a cor da grama, matando as árvores ou espantando os pássaros, mas agora, viajando naquele fumegante trem rumo a Paris, ela via que tudo estava normal.

O trem parou na Gare de Lyon. Isabelle pegou a pequena valise a seus pés e a pôs no colo. Enquanto observava os passageiros passarem pelo corredor para sair do vagão, a questão que vinha evitando voltou.

Papai.

Queria acreditar que ele a receberia bem em casa, que enfim abriria os braços e diria seu nome de forma amorosa, como fazia antes, quando a mãe ainda era a cola que os mantinha juntos.

Voltou a olhar para a valise desgastada.

Tão pequena.

A maioria das garotas das escolas em que estudara chegava com uma coleção de baús amarrados por tiras de couro e cheios de rebites de latão. Ostentavam fotografias nas escrivaninhas e lembranças nas mesas de cabeceira, álbuns de fotos nas gavetas.

Isabelle tinha apenas a fotografia emoldurada de uma mulher de quem desejava se lembrar, mas não conseguia. Quando tentava fazer isso, só lhe ocorriam imagens de pessoas chorando, um médico abanando a cabeça e a mãe dizendo algo sobre segurar firme na mão da irmã.

Como se isso ajudasse. Vianne tinha abandonado Isabelle tão prontamente quanto o pai.

Ela percebeu que era a última pessoa no vagão. Pegou sua valise, levantou-se do banco e saiu do trem.

As plataformas estavam cheias de gente. Os trens formavam filas trepidantes, a fumaça enchia o ar, subindo em direção ao teto alto e abobadado. Em algum lugar soou um apito. Grandes rodas de ferro começaram a ranger. A plataforma estremeceu sob seus pés.

O pai dela se destacava, mesmo naquela multidão.

Quando ele a viu, Isabelle percebeu a irritação mudar suas feições, que se transformaram em um esgar de determinação.

O pai era um homem alto, quase 1,90 metro, mas alquebrado pela Grande Guerra. Ou ao menos era o que Isabelle se lembrava de ter ouvido uma vez. Os ombros largos pendiam para baixo, como se tudo o que se passava por sua cabeça o impedisse de pensar na própria postura. Os cabelos rareavam, eram grisalhos e despenteados. Tinha um nariz largo e achatado, como uma espátula, e lábios tão finos que mal se notavam. Nesse dia quente de verão, ele usava uma camisa branca amassada com as mangas arregaçadas, uma gravata folgada pendendo do colarinho aberto e uma calça de veludo cotelê que precisava ser lavada.

Isabelle tentou parecer... madura. Talvez fosse isso que o pai quisesse dela.

– Isabelle.

Ela agarrou a valise com as duas mãos.

– Papai.

– Expulsa de mais uma escola.

Isabelle assentiu, engolindo em seco.

– Do jeito que as coisas andam, como vamos encontrar outra escola?

Foi a abertura que ela esperava.

– Eu... quero morar com o senhor, papai.

– Comigo?

Pareceu surpreso e irritado. Mas não era normal querer morar com o pai?

Isabelle deu um passo na direção dele.

– Eu poderia trabalhar na livraria. Não vou atrapalhar sua vida.

Ela respirou fundo com um som de exasperação, esperando. De repente os sons se amplificaram. Começou a ouvir as pessoas falando, as plataformas gemendo debaixo deles, pombos batendo asas acima, um bebê chorando.

Claro, Isabelle.

Vamos para casa.

O pai deu um suspiro enfastiado e começou a andar.

– E então? – falou, olhando para trás. – Você não vem?

Deitada sobre uma manta estendida em um gramado de aroma adocicado, Isabelle lia um livro. Perto dela uma abelha zumbia, esvoaçando diligentemente ao redor de uma flor; soava como uma minúscula motocicleta em meio a todo aquele silêncio. Era um dia quente como fogo e fazia uma semana desde que tinha voltado para sua casa em Paris. Mas isso não significava que ela estivesse em *casa*. Sabia que o pai continuava tramando para se livrar dela, mas não queria pensar no assunto naquele dia maravilhoso, naquele ar que cheirava a cerejas e relva doce.

– Você lê demais – disse Christophe, mastigando um ramo de feno. – O que é isso, uma história de amor?

Isabelle rolou na direção dele, fechando o livro com um ruído. Era um livro sobre Edith Cavell, uma enfermeira da Grande Guerra. Uma heroína.

– Eu poderia ser uma heroína de guerra, Christophe.

Ele deu risada.

– Uma garota? Heroína? Que absurdo.

Isabelle se levantou depressa, pegando o chapéu e as luvas brancas femininas.

– Não fique brava – disse Christophe, sorrindo. – Só estou

cansado de toda essa conversa de guerra. E é um fato que as mulheres são inúteis na guerra. A função de vocês é esperar o nosso retorno.

Ele apoiou o rosto em uma das mãos e olhou para ela por trás da mecha de cabelos loiros que caía em seus olhos. Em seu blazer de iatista e suas calças brancas e largas, Christophe parecia ser exatamente o que era – um privilegiado universitário que nunca havia trabalhado na vida. Muitos estudantes da idade dele tinham deixado a faculdade para entrar no Exército. Mas não ele.

Isabelle subiu uma ladeira gramada e atravessou o pomar, chegando ao outeiro onde estava estacionado o Panhard conversível de Christophe.

Já estava atrás do volante, com o motor ligado, quando Christophe apareceu, o rosto bonito e convencional brilhando de suor, a cesta de piquenique vazia pendurada no braço.

– Jogue essa coisa no banco de trás – disse Isabelle com um sorriso radiante.

– Você não vai dirigir.

– Parece que vou. Entre logo.

– O carro é meu, Isabelle.

– Bem, para ser mais precisa, o carro é da sua mãe... e eu sei quanto os fatos são importantes para você, Christophe. Acho mais certo que uma mulher dirija o carro de outra mulher.

Isabelle tentou sorrir quando ele revirou os olhos e resmungou um "tudo bem" enquanto deixava a cesta atrás do banco de Isabelle. Em seguida, andando bem devagar para mostrar sua insatisfação, deu a volta pela frente do carro e ocupou o lugar ao lado dela.

Mal ele bateu a porta, Isabelle engatou a marcha e pisou no acelerador. O automóvel hesitou por um segundo antes de arrancar, soltando fumaça ao ganhar velocidade.

– *Mon Dieu*, Isabelle. Mais devagar.

Isabelle segurava o tremulante chapéu de palha com uma

das mãos enquanto dirigia com a outra. Mal reduzia a velocidade ao ultrapassar outros motoristas.

– *Mon Dieu*, mais devagar – repetiu ele.

Com certeza ele sabia muito bem que ela não iria obedecer.

– Nos tempos que correm, as mulheres podem ir para a guerra – disse Isabelle quando o trânsito de Paris afinal a obrigou a desacelerar. – Eu poderia dirigir uma ambulância, talvez. Ou ajudar a decifrar códigos. Ou seduzir o inimigo para obter informações sobre algum plano ou local secreto. Você se lembra daquele jogo...

– A guerra não é um jogo, Isabelle.

– Acho que sei disso, Christophe. Mas, se *houver* guerra, eu posso ajudar. É só o que estou dizendo.

Quando entrou na Rue de l'Amiral de Coligny, Isabelle teve de pisar forte no freio para não bater em um caminhão. Um comboio da Comédie Française saía do museu do Louvre. Aliás, havia caminhões por todos os lados, com gendarmes uniformizados coordenando o tráfego. Sacos de areia se empilhavam ao redor de vários prédios e monumentos como proteção contra algum ataque – mas não houvera nenhum ataque desde que a França tinha entrado na guerra.

Por que havia tantos policiais por ali?

– Que estranho – murmurou Isabelle, franzindo o cenho.

Christophe esticou o pescoço para ver o que acontecia.

– Estão retirando tesouros do Louvre – falou.

Isabelle viu uma brecha no trânsito e acelerou. Em pouco tempo chegou à porta da loja do pai e parou.

Acenou um adeus a Christophe e entrou na loja. O local era comprido e estreito, repleto de livros do chão ao teto. Durante anos, o pai havia construído prateleiras suspensas para tentar aumentar seu acervo. O resultado dessas "reformas" tinha sido a criação de um labirinto. As pilhas formavam um caminho sinuoso, que levava cada vez mais para o fundo da livraria, onde estavam os livros para turistas. Algumas pilhas ficavam na claridade; outras, no escuro. Não havia janelas suficientes para iluminar cada recesso ou reentrância. Mas o pai sabia onde estava cada livro, em todas as prateleiras.

– Você está atrasada – disse o pai, olhando de sua escrivaninha, onde fazia alguma coisa com a impressora de tipos móveis.

Provavelmente produzia um de seus livros de poemas, que ninguém nunca comprava. As pontas de seus dedos grossos estavam manchadas de azul.

– Imagino que você considere os rapazes mais importantes do que o emprego.

Isabelle foi para trás do balcão e sentou-se em frente à caixa registradora. Desde que começara a morar com o pai, havia uma semana, ela vinha fazendo questão de não discutir, embora isso a incomodasse. Ficava batendo o pé, impaciente. Palavras, sentenças – desculpas – clamavam para ser expressas em voz alta. Era difícil não dizer ao pai como se sentia, mas sabia quanto ele queria que fosse embora, por isso continha a língua.

– Está ouvindo isso? – perguntou ele algum tempo depois.

Será que ela adormecera?

Isabelle se endireitou na cadeira. Não tinha ouvido o pai se aproximar, mas agora ele estava a seu lado, franzindo o cenho.

Havia um som estranho na livraria, era verdade. Poeira caía do teto, as prateleiras estremeciam levemente, soando como um bater de dentes. Sombras passavam pelo vidro grosso das vitrines da entrada. Centenas de sombras.

Gente? Tanta gente assim?

O pai foi até a porta. Isabelle desceu do banquinho e o acompanhou. Quando ele abriu a porta, Isabelle viu uma multidão correndo pela rua, enchendo as calçadas.

– Que raios está acontecendo? – murmurou o pai.

Isabelle saiu na frente, abrindo caminho pela multidão.

Um homem trombou com ela com tanta força que Isabelle cambaleou, mas ele nem pediu desculpas. Mais pessoas passaram correndo.

– O que é isso? O que aconteceu? – perguntou ela a um homem corado e arfante que tentava se desvencilhar da multidão.

– Os alemães estão a caminho de Paris – respondeu ele. – Precisamos ir embora. Eu estive na Grande Guerra. Eu sei...

Isabelle ironizou.

– Alemães em Paris? Não é possível.

O homem saiu correndo, oscilando, desequilibrado, abrindo e fechando as mãos ao lado do corpo.

– Nós precisamos ir para casa – disse o pai dela, trancando a porta da livraria.

– Isso não pode ser verdade – rebateu Isabelle.

– A pior coisa sempre pode ser verdade – disse o pai em tom sombrio. – Fique perto de mim – acrescentou, se embrenhando na multidão.

Isabelle nunca tinha visto tal pânico. Luzes se acendiam dos dois lados da rua, automóveis davam partida, portas eram trancadas. Pessoas gritavam e se aproximavam umas das outras, tentando manter contato no meio da confusão.

Isabelle se manteve perto do pai. O pandemônio nas ruas dificultava a caminhada. Os túneis do metrô estavam lotados demais para se transitar por eles, por isso tiveram que ir a pé. Já caía a noite quando os dois afinal chegaram em casa. O pai precisou de duas tentativas para conseguir abrir a porta da frente do prédio, de tanto que suas mãos tremiam. Ignoraram o decrépito elevador de portas de ferro e subiram os cinco lances de escada até o apartamento.

– Não acenda as luzes – orientou o pai enquanto abria a porta.

Isabelle entrou atrás dele e correu para a janela da sala de estar, levantando uma cortina preta para ver a rua.

De longe, ouvia-se um som arrastado. Quando ele aumentou, a janela começou a trepidar, soando como uma pedra de gelo batendo em um copo.

Isabelle ouviu um zumbido alto, segundos antes de ver a esquadrilha negra no céu, como pássaros voando em formação.

Aviões.

– Os boches – sussurrou o pai.

Alemães.

Aviões alemães, voando sobre Paris.

O som do zumbido aumentou ainda mais, soando quase como um grito de mulher, e em algum lugar – talvez no segundo *arrondissement*, imaginou Isabelle – uma bomba explodiu em um clarão de luz sinistro e algo se incendiou.

A sirene de alerta de ataque aéreo começou a soar. O pai fechou todas as cortinas e levou Isabelle escada abaixo. Todos os vizinhos estavam fazendo a mesma coisa, descendo as escadas com casacos, bebês e animais de estimação a fim de chegar ao saguão, para depois continuarem por uma escada de pedra, mais estreita e sinuosa, que levava ao porão. Os dois ficaram lá no escuro, cercados de gente. O ar fedia a mofo, suor e medo – este era o cheiro mais agudo. O bombardeio continuou por muito tempo, estridente e cheio de zumbidos, enquanto as paredes do porão estremeciam ao redor deles e a poeira despencava do teto. Um bebê começou a chorar e ninguém conseguia acalmá-lo.

– Faça essa criança calar a boca, *por favor* – disparou alguém.

– Estou tentando, monsieur. Ele está assustado.

– Todos nós estamos.

Depois do que pareceu uma eternidade, fez-se silêncio. Era quase pior do que o barulho. O que havia restado de Paris?

Quando a sirene indicou que o bombardeio havia terminado, Isabelle se sentia entorpecida.

– Isabelle?

Queria que o pai a abraçasse, segurasse sua mão e a consolasse, mesmo que só por um momento, mas ele logo tomou a direção da escadaria sinuosa e escura do porão. Já no apartamento, Isabelle foi imediatamente para a janela, espiando entre as cortinas para ver a Torre Eiffel. Ainda estava lá, majestosa em meio a uma nuvem espessa de fumaça negra.

– Não fique perto da janela – alertou o pai.

Isabelle se virou lentamente. A única luz no aposento vinha de uma lamparina na mão dele, um lampejo amarelo e doentio bruxuleando no escuro.

– Paris não vai cair – disse ela.

O pai não falou nada. Franziu o cenho. Isabelle se perguntou se ele estaria pensando na Grande Guerra, no que vira nas trincheiras. Talvez seu ferimento estivesse incomodando de novo, em ressonância com o som das bombas caindo e do crepitar das chamas.

– Vá para a cama, Isabelle.

– Como é possível dormir em um momento como este?

O pai deu um suspiro.

– Você vai aprender que muitas coisas são possíveis.

CINCO

*T*odos tinham sido enganados pelas mentiras do governo. Vezes sem conta eles disseram que a linha Maginot impediria que os alemães invadissem a França.

Mentiras.

Todo aquele concreto, o aço e os soldados franceses não conseguiram deter o avanço de Hitler, e os governantes fugiram de Paris como ladrões no meio da noite. Dizia-se que estavam em Tours, elaborando estratégias, mas de que serviam estratégias quando Paris estava nas mãos do inimigo?

– Já está pronta?

– Eu não vou, papai. Já falei que não vou.

Isabelle se arrumara para viajar, como ele tinha pedido, com um vestido de verão de bolinhas e sapatos de salto baixo.

– Não vamos falar sobre isso de novo, Isabelle. Daqui a pouco os Humberts vão passar aqui para pegar você e levá-la até Tours. De lá, confio na sua criatividade para chegar à casa da sua irmã. Deus sabe que você sempre soube fugir muito bem.

– Então o senhor está me expulsando. De novo.

– Chega disso, Isabelle. O marido de sua irmã está no front. Ela está sozinha com a filha. Você vai fazer o que mandei. Vai sair de Paris.

Será que ele sabia como isso a magoava? Será que se importava?

– O senhor nunca ligou para mim nem para Vianne. E ela também não gosta de mim, igual ao senhor.

– Você vai – insistiu ele.

– Eu quero ficar e lutar, papai. Ser como Edith Cavell.

O pai revirou os olhos.

– E você lembra como ela morreu? Executada pelos alemães.

– Por favor, papai.

– Chega. Já vi o que os alemães são capazes de fazer, Isabelle. Você, não.

– Se é assim tão ruim, o senhor devia vir comigo.

– E deixar nosso apartamento e a livraria com eles?

Ele segurou a mão da filha e a arrastou para fora do apartamento e escada abaixo, o chapéu de palha e a valise de Isabelle resvalando pela parede, sua respiração entrecortada. Abriu a porta e a empurrou para a Avenue de La Bourdonnais.

Caos. Poeira. Multidão. A rua era um dragão de gente, vivo

e resfolegante, andando devagar, fungando pó, tocando buzinas; pessoas gritando por socorro, bebês chorando, o cheiro de suor pesando no ar.

Automóveis entupiam as passagens, lotados de caixas e malas. As pessoas tinham pegado o que conseguiram encontrar – carrinhos de supermercado e bicicletas, até carrinhos abertos que crianças puxavam em suas brincadeiras.

Os que não conseguiram ou não tiveram dinheiro para comprar gasolina, ou aqueles que não tinham carro ou uma bicicleta, andavam a pé. Centenas – milhares – de mulheres e crianças de mãos dadas, caminhando devagar, levando o máximo que podiam carregar. Malas, cestas de piquenique, bichos de estimação.

Os mais velhos e os muito novos já começavam a ficar para trás.

Isabelle não queria se juntar àquela multidão inútil e indefesa de mulheres, crianças e idosos. Enquanto os homens jovens estavam longe – morrendo por eles na frente de batalha –, as famílias fugiam rumo ao sul ou ao oeste, mas o que as fazia pensar que estariam mais seguras lá? As tropas de Hitler já tinham invadido a Polônia, a Bélgica e a Tchecoslováquia.

A multidão os envolveu.

Uma mulher trombou com Isabelle, murmurou um pedido de desculpas e continuou andando.

Isabelle acompanhou o pai.

– Eu posso ser útil. Por favor. Posso ser enfermeira ou dirigir uma ambulância. Posso fazer curativos e até suturar um ferimento.

Uma buzina soou ao lado deles.

O pai olhou por cima dela e Isabelle viu o alívio estampado em seu semblante. Reconheceu aquela expressão: significava que ele estava se livrando dela. Mais uma vez.

– Eles chegaram – disse o pai.

– Não me mande para longe – pediu Isabelle. – Por favor.

Ele conduziu a filha em meio aos passantes até onde um

carro preto e empoeirado estacionara. O veículo trazia, precariamente amarrados no teto, um colchão manchado, diversas varas de pescar e uma gaiola com um coelho. O porta-malas estava entreaberto, mas também amarrado. Isabelle viu uma confusão de cestas, malas e lampiões lá dentro.

Sentado ao volante, monsieur Humbert agarrava a direção como se o carro fosse um cavalo prestes a disparar a qualquer momento. Era um homem balofo, que passava os dias no açougue perto da livraria do pai. A esposa, Patricia, era atarracada, com a típica queixada de camponesa que se via com tanta frequência no interior. Fumava um cigarro e olhava pela janela como se não conseguisse acreditar no que via.

Monsieur Humbert desceu o vidro e botou a cara para fora.

– Olá, Julien. Ela já está pronta?

Julien aquiesceu.

– Sim, está pronta. *Merci*, Edouard.

Patricia se debruçou para falar com ele pelo vidro aberto.

– Nós só vamos até Orléans. E ela vai ter que pagar parte da gasolina.

– É claro.

Isabelle não aceitava ter que ir embora. Era uma covardia. Estava errado.

– Papai...

– *Au revoir* – disse o pai com firmeza, lembrando-a de que não tinha escolha.

Fez um sinal na direção do carro e ela caminhou entorpecidamente em direção ao veículo.

Isabelle abriu a porta traseira e viu três garotas pequenas e sujas, amontoadas como peixes em uma rede, comendo bolachas, bebendo de garrafas e brincando com bonecas. A última coisa que desejava era se juntar a elas, mas abriu caminho, arranjou um espaço entre aquelas desconhecidas que cheiravam vagamente a queijo e linguiça e fechou a porta.

Retorcendo-se no banco, olhou para o pai pela janela de

trás. Julien continuou olhando para ela; Isabelle viu sua boca cair levemente nos cantos e foi a única indicação de que a tinha visto. A multidão se pôs entre os dois como água ao redor de uma rocha, até que Isabelle só conseguia ver uma muralha de estranhos atarantados andando atrás do carro.

Voltou a olhar para a frente. Ao lado de sua janela, uma mulher a encarava, olhos assustados, o cabelo parecendo um ninho de passarinho, um bebê mamando no peito. O automóvel avançava lentamente, às vezes quase parando por longos períodos. Isabelle observava seus conterrâneos, ou melhor, *suas conterrâneas*: pareciam zonzas, confusas e aterrorizadas. De vez em quando uma delas esmurrava o capô ou o porta-malas do carro, pedindo alguma coisa. Eles mantiveram os vidros fechados, apesar do calor sufocante lá dentro.

A princípio, ela se sentiu triste por estar partindo, mas depois sua raiva desabrochou, ficando mais quente que o ar no banco de trás daquele carro fedorento. Isabelle estava cansada de ser considerada descartável. Primeiro, abandonada pelo pai; depois, deixada de lado por Vianne. Fechou os olhos para esconder lágrimas que não conseguia conter. Afundada no banco que fedia a linguiça, suor e fumaça, com as crianças discutindo a seu lado, ela se lembrou da primeira vez em que havia sido despachada.

A longa viagem de trem... Isabelle amontoada ao lado de Vianne, que não fez nada além de fungar, chorar e fingir que dormia.

E depois a madame olhando para elas com o nariz de cano de cobre, dizendo: *Não serão problema*.

Apesar de ser ainda muito nova – 4 anos –, Isabelle achava que tinha aprendido naquela época o que significava estar só, mas se enganara. Nos três anos em que morou em Le Jardin, ela ao menos tinha uma *irmã*, mesmo que Vianne nunca estivesse por perto. Isabelle se lembrava de ficar olhando pela janela do segundo andar, observando Vianne e as amigas de longe, rezando para que se lembrassem dela, para que a chamassem. Depois, quando Vianne se casou com Antoine e demitiu madame Maldita (não é o verdadeiro nome dela, mas com certeza se aplica), Isabelle começou a acreditar que fazia parte da família. Mas não por muito tempo. Quando Vianne sofreu o primeiro aborto, foi um *adeus, Isabelle* instantâneo. Três semanas depois – na época, com 7 anos –, ela já estava em seu primeiro internato. Foi aí que realmente aprendeu o que era estar só.

– Ei, você. Isabelle. Trouxe comida? – perguntou Patricia.

Tinha se virado no banco, olhando para Isabelle.

– Não.

– Nem vinho?

– Só trouxe dinheiro, roupas e livros.

– Livros – repetiu Patricia de forma desdenhosa, virando-se para a frente. – Isso vai ajudar muito.

Isabelle voltou a olhar pela janela. Que outros erros ela já teria cometido?

Passaram-se horas. O automóvel continuou seu trajeto lento e agonizante em direção ao sul. Isabelle se sentia grata pela poeira. Ela recobria os vidros e obscurecia a cena terrível e deprimente lá fora.

Gente. Em toda parte. Na frente do carro, atrás, ao lado; a multidão era tão compacta que o automóvel avançava um pouco e logo parava. Era como dirigir no meio de um enxame de abelhas que se abria por um segundo antes de se fechar outra vez. O sol era inclemente. Transformava o interior fedorento do automóvel em um forno e causticava as mulheres do lado de fora, que lutavam para chegar... aonde? Ninguém sabia exatamente o que estava acontecendo lá atrás ou se havia alguma segurança à frente.

De repente o carro parou com um solavanco. Isabelle foi de

encontro ao banco da frente. As crianças começaram a chamar pela mãe.

– *Merde* – resmungou monsieur Humbert.

– Monsieur Humbert! – exclamou Patricia. – Olhe as crianças.

Uma senhora esmurrou o capô do carro ao passar arrastando os pés.

– Então é isso, madame Humbert – disse ele. – Estamos sem gasolina.

Patricia ficou desnorteada.

– O quê?

– Eu parei em todos os postos no caminho. Você viu. Estamos sem gasolina e não há mais onde abastecer.

– Mas... bem... e o que vamos fazer?

– Vamos encontrar um lugar para ficar. Talvez eu consiga convencer meu irmão a vir nos buscar. – Humbert abriu a porta do carro, tomando cuidado para não atingir nenhum passante, e desceu na estrada suja e empoeirada. – Está vendo? Olhe lá. Étampes não está longe. Vamos alugar um quarto e comer e amanhã tudo vai estar melhor.

Isabelle se aprumou. Com certeza tinha adormecido e perdido alguma coisa. Será que eles iam simplesmente abandonar o automóvel?

– Vocês acham que a gente pode chegar a Tours a pé?

Patricia virou a cabeça no banco da frente. Estava suada e parecia exausta, da mesma forma que Isabelle.

– Quem sabe um de seus livros possa ajudar? Com certeza foi uma escolha mais inteligente do que trazer pão ou água. Vamos, meninas. Fora do carro.

Isabelle se abaixou para pegar a valise aos seus pés. Estava tão encaixada que exigiu certo esforço dela. Com um rosnado de determinação, afinal extraiu a valise, abriu a porta do carro e desceu.

Foi imediatamente atropelada, empurrada e xingada pelos passantes.

Alguém tentou tirar a maleta de suas mãos. Ela resistiu, não deixou. Enquanto se mantinha agarrada à valise, uma mulher passou por ela empurrando uma bicicleta carregada de coisas. Olhou para Isabelle com um ar de desesperança, os olhos escuros revelando cansaço.

Outra pessoa trombou com Isabelle, fazendo-a tropeçar e quase cair. Só a densidade de corpos ao redor impediu que ela caísse de joelhos na terra empoeirada. Ouviu a pessoa a seu lado pedir desculpas e, quando ia responder, ela se lembrou dos Humberts.

Conseguiu abrir caminho até o outro lado do carro, chamando:

– Monsieur Humbert!

Não houve resposta, apenas o incessante ruído de pés arrastados na estrada.

Chamou o nome de Patricia, mas seu grito se perdeu no barulho de tantos passos, dos muitos pneus esmagando a terra. Pessoas trombavam com ela, empurrando-a ao passar. Se caísse de joelhos, seria esmagada e morreria ali, sozinha sob o tropel de seus conterrâneos.

Agarrada à alça da valise, juntou-se à marcha rumo a Étampes.

Continuou andando durante horas, até escurecer. Seus pés doíam, uma bolha latejava a cada passada. A fome caminhava a seu lado, espicaçando-a insistentemente com seu cotovelinho pontudo, mas o que ela poderia fazer? Tinha se preparado para uma visita à irmã, não para um êxodo interminável. Estava com seu exemplar favorito de *Madame Bovary* e um livro que todo mundo estava lendo – *...E o vento levou* –, além de algumas roupas; nada de água ou comida. Imaginava que a viagem fosse durar umas poucas horas. Nunca imaginou que tivesse de *andar* até Carriveau.

Parou no alto de uma pequena subida. O luar mostrava milhares de pessoas andando a seu lado, à sua frente, atrás; esbarrando nela, empurrando-a para a frente até não haver escolha a não ser caminhar com elas. Centenas de pessoas haviam escolhido aquela colina como um local de parada. Mulheres e crianças acampavam às margens da estrada, em campos, ravinas e sarjetas.

A estrada de terra estava coalhada de automóveis quebrados e utensílios esquecidos, descartados, pisoteados, pesados demais para serem carregados. Mulheres e crianças se enlaçavam na relva, embaixo de árvores ou no acostamento, dormindo abraçadas umas às outras.

Exausta, Isabelle parou na periferia de Étampes. A multidão se despejava à sua frente cambaleando pela estrada que chegava à cidade.

Então ela percebeu.

Não haveria lugar para ficar em Étampes, nem nada para comer. Os primeiros refugiados a chegar tinham invadido a cidade como gafanhotos, comprando todos os víveres das prateleiras. Não haveria alojamentos disponíveis. De nada serviria o dinheiro que tinha.

Então, o que ela poderia fazer?

Ir para sudoeste, em direção a Tours e Carriveau. O que mais? Quando era mais nova, durante seus planos de voltar a Paris, Isabelle tinha estudado os mapas dessa região. Conhecia bem essa paisagem... se ao menos conseguisse *pensar*.

Afastou-se da multidão e, percorrendo com cuidado o vale, tomou a direção de um conjunto de construções de pedra que avistou ao longe sob a luz da lua. A seu redor, pessoas sentavam-se na relva ou dormiam embaixo de cobertores. Ela conseguia escutá-las se movendo, sussurrando. Centenas delas. Milhares. No outro lado do campo, encontrou uma trilha que seguia para o sul, ao lado de uma muralha de pedra. Quando entrou pela trilha, percebeu que estava sozinha. Fez uma parada, deixando aquela sensação envolvê-la, tranquilizá-la. Depois começou a andar de novo. Uns 2 quilômetros à frente, a trilha a levou a um matagal de árvores espigadas.

Estava no meio da floresta – tentando não pensar na dor nos pés, nas contorções do estômago, na secura da boca – quando sentiu cheiro de fumaça.

E de carne assada. A fome abalou sua determinação e fez com que se descuidasse. Viu o brilho alaranjado de uma fogueira e se aproximou. No último minuto, percebeu que estava em perigo e estacou. Um graveto estalou sob seus pés.

– É melhor você se aproximar de uma vez – disse um homem. – Você anda como um elefante na floresta.

Isabelle ficou imóvel. Sabia que tinha feito uma tolice. Poderia ser perigoso para uma garota sozinha.

– Se eu quisesse matar você, já teria feito isso.

Aquilo sem dúvida era verdade. Ele poderia ter se aproximado no escuro e cortado a garganta dela. Isabelle não conseguia se concentrar em nada a não ser nas contorções de seu estômago vazio e no aroma da carne assada.

– Pode confiar em mim.

Tentou enxergar na escuridão, ver se distinguia a figura. Não conseguiu.

– Você diria o mesmo, ainda que fosse o contrário.

Uma risada.

– *Oui*. Mas agora chegue mais perto. Estou assando um coelho.

Isabelle seguiu o brilho da fogueira, descendo por uma depressão rochosa e depois subindo. Os troncos das árvores ao redor pareciam prateados sob o luar. Andava com cautela, pronta para fugir em um instante. Parou na última árvore entre ela e a fogueira.

Viu um jovem ao lado das chamas, recostado em um tronco áspero, uma perna estendida para a frente, a outra dobrada. Devia ser pouco mais velho que Isabelle.

Era difícil enxergá-lo direito naquela luz alaranjada. Tinha um cabelo preto e oleoso, meio comprido, que parecia não ter muita intimidade com pentes ou sabonete. Usava roupas tão maltrapilhas e remendadas que a fizeram se lembrar dos refugiados de guerra que eram vistos em Paris recentemente, recolhendo tocos de cigarro, pedaços de papel e garrafas vazias, pedindo ajuda ou um trocado. O rosto dele era pálido e insalubre, com uma expressão de quem nunca sabia onde iria arranjar a próxima refeição.

E ainda assim, estava oferecendo comida.

– Espero que você seja um cavalheiro – disse ela do escuro onde estava.

Ele deu risada.

– Imagino que espere isso mesmo.

Isabelle apareceu na luz da fogueira.

– Sente-se – convidou ele.

Isabelle se sentou na relva à sua frente. Ele se abaixou perto da fogueira e estendeu a ela uma garrafa de vinho. Isabelle tomou um longo gole, tão longo que ele riu quando ela devolveu a garrafa, enxugando o vinho do queixo.

– Que bela bêbada você é.

Ela não fazia ideia de como responder. Ele sorriu.

– Gaëton Dubois. Meus amigos me chamam de Gaët.

– Isabelle Rossignol.

– Ah, um rouxinol.

Isabelle deu de ombros. Não era um comentário original. Sim, o sobrenome dela significava "rouxinol". A mãe costumava chamar Vianne e Isabelle de seus rouxinóis quando as beijava na hora de dormir. Era uma das poucas lembranças que Isabelle tinha dela.

– Por que saiu de Paris? Um homem como você devia ficar para lutar.

– Eles abriram a prisão. Aparentemente, é melhor fazer a gente lutar pela França do que nos deixar atrás das grades quando os alemães invadirem.

– Você estava preso?

– Isso assusta você?

– Não. É só... inesperado.

– Você devia ter medo – comentou ele, tirando o cabelo

oleoso dos olhos. – Mas está segura comigo. Eu tenho outras coisas em que pensar. Vou fazer uma visita à minha mãe e à minha irmã e depois encontrar um regimento para me alistar. Vou matar o maior número possível desses canalhas.

– Sorte a sua – comentou Isabelle com um suspiro.

Por que era tão fácil para os homens fazer o que quisessem no mundo e tão difícil para as mulheres?

– Venha comigo.

Isabelle sabia que não podia acreditar nele.

– Só está me convidando porque sou bonita e acha que vou acabar na sua cama se aceitar – respondeu ela.

Gaëton olhou para ela por cima da fogueira, que estalava e chiava com a gordura que caía nas chamas. Tomou um longo gole de vinho e passou a garrafa para ela. As mãos dos dois se tocaram, um leve roçar de pele com pele.

– Eu poderia levar você para minha cama agora mesmo, se quisesse.

– Não por minha vontade – replicou ela, engolindo com dificuldade, incapaz de desviar o olhar.

– Com sua aquiescência – disse ele de uma forma que fez a pele dela se arrepiar e sua respiração ficar presa. – Mas não é o que pretendo. Nem o que quis dizer. Só a convidei para vir lutar comigo.

Isabelle sentiu algo tão novo que nem conseguia entender. Ela sabia que era bonita. Era um fato para ela. As pessoas diziam isso quando a conheciam. Via como os homens a olhavam com um desejo descarado, fazendo observações sobre seu cabelo, os olhos verdes e os lábios carnudos; como olhavam para seus seios. Via a própria beleza refletida nos olhos das mulheres também, garotas da escola que não queriam que ela se aproximasse dos garotos de que gostavam e que a consideravam arrogante antes mesmo que falasse qualquer coisa.

A beleza era apenas outra forma de provocar sua rejeição, mais um motivo para não ser aceita. Por isso tinha se acostumado a chamar a atenção de outras formas. Tampouco era completamente inocente no que dizia respeito à paixão. As generosas freiras da Irmandade de São Francisco não a tinham expulsado por beijar um garoto no meio da missa?

Mas aquilo era diferente.

Isabelle sabia que Gaëton via a beleza dela, mesmo na penumbra, mas via mais que só a beleza. Ou isso, ou era muito inteligente e já percebera que ela queria ser mais do que um rosto bonito no mundo.

– Eu podia fazer alguma coisa importante – disse ela em voz baixa.

– Claro que podia. Posso ensinar você a usar um revólver e uma faca.

– Preciso ir a Carriveau para ver se minha irmã está bem. O marido dela está no front.

O jovem olhou para ela por cima do fogo, com uma expressão determinada.

– Vamos visitar sua irmã em Carriveau e minha mãe em Poitiers, depois partimos para a guerra.

Ele falou aquilo como se fosse uma aventura, em nada diferente de fugir com um circo, como se fossem ver homens engolindo espadas e mulheres gordas de barba no caminho.

Era o que Isabelle vinha procurando a vida toda.

– Então temos um plano – disse, incapaz de esconder o sorriso.

SEIS

Na manhã seguinte Isabelle acordou num piscar de olhos, vendo a luz do sol dourando as folhas que farfalhavam acima de si.

Sentou-se, arrumando a saia que tinha subido durante o sono, mostrando ligas brancas e rendadas e meias de seda rasgadas.

– Por mim, não precisa se incomodar.

Isabelle olhou para a esquerda e viu Gaëton vindo em sua direção. Pela primeira vez, teve uma visão mais nítida. Era magricela, rijo e usava roupas que pareciam ter vindo da lata de lixo de um mendigo. Embaixo de um boné maltrapilho, o rosto era surrado e fino, com a barba por fazer. Tinha as sobrancelhas largas, um queixo proeminente e olhos cinzentos e fundos com longas pestanas. A expressão de seu olhar era aguda como a ponta do seu queixo, revelando uma espécie de fome de conhecimento. Na noite anterior ela tinha achado que aquela era a maneira como ele olhava para ela. Agora via que era como ele olhava para o mundo.

Não a assustava, de jeito nenhum. Isabelle não era como a irmã, Vianne, cheia de medos e ansiedades. Mas Isabelle tampouco era bobinha. Para aceitar viajar com esse homem, era melhor deixar algumas coisas bem claras.

– Então – falou. – A prisão.

Gaëton olhou para ela, erguendo uma sobrancelha preta, como se dissesse: *Ainda com medo?*

– Uma garota como você não sabe o que é uma prisão. Eu poderia dizer que foi uma estadia tipo Jean Valjean, de *Os miseráveis*, e você ia achar tudo romântico.

Era o tipo de coisa que ela costumava ouvir. Estava relacionado à sua aparência, assim como a maioria de outros comentários maliciosos. Claro que uma garota loira tinha de ser superficial e burrinha.

– Você roubou comida para alimentar sua família?

Ele deu um sorriso malandro e ficou com uma aparência assimétrica, com um dos lados do sorriso mais alto que o outro.

– Não.

– Você é perigoso?

– Depende. O que você acha dos comunistas?

– Ah. Então era um preso político?

– Algo assim. Mas, como eu disse, uma garota simpática como você não sabe nada de luta pela sobrevivência.

– Você ficaria surpreso com as coisas que eu sei, Gaëton. Existem outros tipos de prisão.

– É mesmo, garota bonita? E o que você sabe a esse respeito?

– Que crime você cometeu?

– Pegar coisas que não me pertenciam. Basta como resposta? Ladrão.

– E você foi pego.

– É óbvio.

– Não é muito tranquilizador, Gaëton. Você se descuidou?

– Gaët – corrigiu ele em voz baixa, andando na direção dela.

– Ainda não decidi se somos amigos.

Ele pegou no cabelo dela, enrolando algumas mechas nos dedos sujos.

– Nós somos amigos. Pode apostar. Agora, vamos andando.

Quando ele estendeu a mão, Isabelle pensou em recusar, mas aceitou. Voltaram pela floresta em direção à estrada, misturando-se mais uma vez com a multidão, que só se abriu o suficiente para os dois entrarem e se fechou como um punho ao redor deles. Isabelle segurava a mão de Gaëton com uma das mãos e a maleta com a outra.

Os dois percorreram quilômetros.

Automóveis morriam ao redor. Carroças quebravam. Cavalos paravam e ninguém conseguia fazer com que se mexessem. Isabelle se sentia cada vez mais distraída e estupefata, exaurida pelo calor, pela poeira e pela sede. Uma mulher mancava a seu lado, chorando, lágrimas escuras de sujeira e amargura, logo substituída por uma mulher mais velha suando profusamente dentro de um casaco de pele e que parecia estar usando todas as joias que possuía.

O sol ficava cada vez mais forte, tornando o calor inclemente e sufocante. Crianças choramingavam, mulheres gemiam. O odor acre e denso de corpo e suor enchia o ar, mas Isabelle já estava tão acostumada àquilo que mal sentia o cheiro dos outros ou de si mesma.

Eram quase três horas, a parte mais quente do dia, quando eles viram um regimento de soldados franceses andando ao lado, arrastando os fuzis. Os soldados caminhavam de forma desorganizada, não em formação, sem ânimo. Um tanque os acompanhava rugindo, esmagando pertences deixados na estrada; em cima dele, muitos soldados franceses de rostos pálidos se amontoavam, suas cabeças baixas.

Isabelle largou a mão de Gaëton e cambaleou pela multidão, abrindo caminho com os cotovelos até o regimento.

– Vocês estão indo para o lado errado! – gritou, surpreendendo-se ao ouvir a rouquidão da própria voz.

Gaëton pulou sobre um soldado, empurrando-o para trás com tanta força que ele tropeçou e caiu sobre o tanque que se movimentava lentamente.

– Quem está lutando pela França?

O soldado de olhos turvos balançou a cabeça.

– Ninguém.

Em um átimo e um lampejo prateado, Isabelle viu a faca de Gaëton na garganta do homem. O soldado estreitou os olhos.

– Vá em frente. Isso. Pode me matar.

Isabelle puxou Gaëton dali. Viu uma raiva tão intensa nos olhos dele que ficou assustada. Ele seria capaz; poderia ter cortado a garganta daquele homem. E pensou: *Eles abriram as prisões.* Será que ele era algo pior que um ladrão?

– Gaët? – chamou ela.

Ele ouviu a voz de Isabelle. Balançou a cabeça como que para esclarecer as ideias e abaixou a faca.

– Quem está lutando por nós? – repetiu com amargura, tossindo com a poeira.

– Nós vamos lutar – respondeu Isabelle. – Logo.

Atrás dela, um automóvel buzinou. Isabelle o ignorou. Os automóveis já não valiam mais nada, andar era muito melhor – os poucos que ainda funcionavam só avançavam no ritmo dos que andavam ao redor dele; como despojos flutuando em meio às folhas de um rio lamacento.

– Vamos – chamou Isabelle e o afastou do regimento desmoralizado.

Continuaram andando, ainda de mãos dadas, mas com a passagem das horas Isabelle percebeu uma mudança em Gaëton. Quase não falava nem sorria.

A cada cidade, a multidão diminuía. Pessoas ficaram em Artenay, Saran e Orléans, com olhares desalentados conferindo bolsas, bolsos e carteiras em busca do dinheiro que esperavam ainda poder usar.

Mas Isabelle e Gaëton continuaram andando. Caminharam o dia inteiro, dormiram exaustos à noite e acordaram para andar na manhã seguinte. No terceiro dia, Isabelle se sentia entorpecida de exaustão. Bolhas vermelhas e purulentas se espalhavam pelos dedos e pela planta do pé, tornando cada passo doloroso. A desidratação causava uma dor de cabeça terrível e latejante e a fome espicaçava o estômago vazio. O pó acumulado na garganta e nos olhos a fazia tossir constantemente.

Tropeçou em uma cova recém-aberta ao lado da estrada, marcada por uma tosca cruz de madeira pregada. O sapato se enroscou em alguma coisa – um gato morto – fazendo Isabelle perder o equilíbrio e quase cair de joelhos. Gaëton a escorou.

Ela agarrou a mão dele, mantendo-se teimosamente em pé.

Quanto tempo se passou até ela começar a ouvir alguma coisa?

Uma hora? Um dia?

Abelhas. Zumbindo ao redor de sua cabeça, logo espantadas. Lambeu os lábios secos e pensou nos belos momentos passados no jardim, com abelhas zunindo por perto.

Não.

Não eram abelhas.

Ela conhecia aquele som.

Parou de repente, franzindo o cenho. Seus pensamentos eram erráticos. Do que ela estava tentando se lembrar?

O zumbido ficou mais alto, enchendo o ar, e aí surgiram os aviões, seis ou sete, como pequenos crucifixos estampados no fundo azul do céu sem nuvens.

Isabelle protegeu os olhos com a mão, observando os aviões se aproximarem, cada vez mais baixos...

Alguém gritou:

– São os boches!

Ao longe, uma ponte de pedra explodiu em um borrifo de fogo, pedra e fumaça.

Os aviões desceram um pouco mais sobre a multidão.

Gaëton empurrou Isabelle para o chão, protegendo o corpo dela com o seu. O mundo se transformou em puro som: o rugido dos motores dos aviões, o *ratá-tá-tá* do fogo das metralhadoras, as batidas do seu coração, os gritos da multidão. Balas percorriam a relva em fileiras, pessoas gemiam e gritavam. Isabelle viu uma mulher voar como uma boneca de pano e cair no chão como um saco.

Árvores tombavam, rachadas ao meio. Pessoas berravam. Labaredas surgiam do nada. A fumaça encheu o ar.

Depois... silêncio.

Gaëton saiu de cima dela.

– Tudo bem? – perguntou.

Ela afastou o cabelo dos olhos e sentou-se.

Havia corpos mutilados por toda parte, incêndios, nuvens de fumaça preta. Pessoas gritavam, choravam, morriam.

Um velho gemeu:

– Me ajudem.

Isabelle engatinhou até ele, sentindo a terra encharcada de sangue ao se aproximar. Um ferimento no abdome desabrochava na camisa rasgada, as entranhas aparecendo na carne lacerada.

– Talvez haja um médico. – Foi só o que conseguiu pensar em dizer.

Logo depois ouviu aquele som outra vez. O zumbido.

– Eles estão voltando – avisou Gaëton.

Ele a ajudou a se levantar. Ela quase escorregou na relva molhada de sangue. Não longe dali, uma bomba explodiu em uma bola de fogo. Isabelle viu uma criança de fraldas sujas chorando ao lado de uma mulher morta.

Isabelle cambaleou na direção do bebê. Gaëton a afastou.

– Eu preciso ajudar...

– Morrer não vai ajudar aquele garoto – resmungou ele, puxando-a com força a ponto de doer.

Isabelle continuou cambaleando ao lado dele, entorpecida. Desviaram-se de automóveis abandonados e cadáveres, quase todos irremediavelmente mutilados, sangrando, com ossos saindo pelas roupas.

Nos limites da cidade, Gaëton levou Isabelle para uma igrejinha de pedra. Já havia outros ali, agachados pelos cantos, escondidos entre os bancos, abraçados a seus entes queridos.

Mais aviões rugiam no céu, seguidos pelo *staccato* estridente das metralhadoras. Os vitrais se despedaçaram, espalhando pedaços de vidro coloridos pelo chão, lacerando a carne das pessoas na queda. Madeiras rachavam, pó e pedras desabavam. Balas atravessavam a igreja, pregando braços e pernas no piso. O altar explodiu.

Gaëton disse alguma coisa a que Isabelle respondeu, ou achou ter respondido, não sabia ao certo, mas antes que ela conseguisse entender, outra bomba assobiou, caiu e o teto acima deles foi pelos ares.

SETE

A escola não seria grandiosa para os padrões de uma cidade grande, mas era ampla e bem planejada; um bom espaço para as crianças da comunidade de Carriveau. Antes de ser transformada em escola, a edificação servia de estábulo para um rico proprietário de terras, por isso seu formato em U. Ostentava paredes cinzentas de pedra, venezianas de um azul vivo e piso de madeira. O pátio central era o ponto de reunião de comerciantes e suas carroças. A mansão à qual o prédio da escola um dia fora ligado tinha sido bombardeada na Grande Guerra e jamais reconstruída. Como tantas outras escolas nas cidades pequenas da França, esta ficava na periferia da cidade.

Vianne estava na sala de aula, atrás da mesa, olhando para os rostos rosados das crianças à frente e enxugando o lábio superior com um lenço amarrotado. No chão, ao lado de cada aluno, via as obrigatórias máscaras contra gás. Agora as crianças levavam aquilo sempre junto com elas.

As janelas abertas e as grossas paredes de pedra ajudavam a se proteger do sol, mas ainda assim o calor era sufocante. Deus sabia quanto já era difícil se concentrar sem a sobrecarga daquele calor. As notícias de Paris eram terríveis, aterrorizantes. Todo mundo só falava sobre o futuro sombrio e o presente apavorante: os alemães em Paris. A linha Maginot rompida. Soldados franceses morrendo nas trincheiras ou fugindo da frente de batalha. Vianne não dormia havia três noites – desde o telefonema do pai. Isabelle estava Deus sabia onde entre Paris e Carriveau e ninguém tinha notícias de Antoine.

– Quem quer conjugar o verbo *correr* para mim? – perguntou, com a voz cansada.

– A gente não devia estar aprendendo alemão?

Vianne percebeu o significado daquela pergunta. Os alunos pareceram interessados: ficaram eretos, olhos atentos.

– Perdão? – replicou, limpando a garganta, ganhando tempo.

– A gente devia estar aprendendo alemão.

Era o jovem Gilles Fournier, o filho do açougueiro. O pai e os três irmãos mais velhos tinham partido para a guerra, deixando só a mãe e o garoto para cuidar do açougue da família.

– E a atirar – concordou François, balançando a cabeça. – Minha mãe diz que todo mundo vai ter que saber atirar nos alemães.

– Minha avó diz que todos nós devíamos simplesmente ir embora – comentou Claire. – Ela se lembra bem da última guerra e diz que somos bobos de ficar aqui.

– Os alemães não vão atravessar o Loire, vão, madame Mauriac?

No meio da fileira da frente, Sophie se desencostou da cadeira, as mãos cruzadas no tampo da carteira, os olhos arregalados. Estava tão preocupada quanto Vianne com todos aqueles rumores. Já havia duas noites seguidas que chorara antes de dormir, preocupada com o pai. Começara a trazer Bebê para a escola. Sarah ocupava a carteira ao lado da melhor amiga, parecendo igualmente assustada.

– Não há problema em sentir medo – disse Vianne.

Andou em direção às crianças. Dissera o mesmo a si e a Sophie na noite anterior, mas agora as palavras pareceram vazias.

– Eu não tenho medo – respondeu Gilles. – Eu tenho uma faca. Vou matar o primeiro boche nojento que aparecer em Carriveau.

Os olhos de Sarah se esbugalharam.

– Eles vão vir aqui?

– Não – garantiu Vianne. A negação não saiu fácil; seu próprio medo se apegou à palavra, estendendo-a. – Os soldados franceses, seus pais, tios e irmãos, são os homens mais corajosos do mundo. Com certeza estão defendendo Paris, Tours e Orléans nesse momento.

– Mas Paris já foi tomada – argumentou Gilles. – O que aconteceu com os soldados franceses no front?

– Nas guerras existem batalhas e escaramuças. Perdas durante o processo. Mas nossos homens não vão deixar os alemães vencerem. Nunca vamos desistir. – Aproximou-se mais dos alunos. – Acontece que também temos um papel a cumprir, nós que ficamos para trás. Temos que ser fortes e corajosos e não acreditar no pior. Temos que tocar nossas vidas para que nossos pais, irmãos e... maridos tenham para onde voltar, *oui*?

– Mas e *tante* Isabelle? – perguntou Sophie. – *Grandpère* disse que ela já devia estar aqui.

– Meu primo também fugiu de Paris – disse François. – E também não chegou até agora.

– Meu tio diz que as coisas estão ruins nas estradas.

O sinal tocou e os alunos se levantaram de suas cadeiras como se tivessem molas. Em um instante, a guerra, os ataques aéreos e os medos foram esquecidos. Eram meninos e meninas de 8 e 9 anos ao final de um dia de aula, agindo de acordo com sua idade. Gritando, rindo, todos falando ao mesmo tempo, empurrando uns aos outros, correndo para a porta.

O sinal foi um alívio para Vianne. Afinal ela era uma simples professora, pelo amor de Deus. O que saberia dizer sobre perigos como aquele? Como poderia aplacar o medo de uma criança se ela mesma precisava se controlar tanto para não sucumbir? Ocupou-se com as tarefas comuns – recolher o lixo deixado por dezesseis crianças, bater o pó de giz dos apagadores, organizar livros. Quando tudo estava como deveria, guardou seus lápis e papéis na bolsa de couro que tirou da gaveta inferior da mesa. Ajeitou o chapéu de palha no lugar e saiu da sala.

Percorreu os corredores silenciosos, acenando para colegas que ainda estavam nas salas de aula. Várias classes estavam fechadas, pois os professores homens tinham sido mobilizados.

Parou em frente à classe de Rachel e ficou olhando a amiga ajeitar o filho no carrinho de bebê, empurrando-o na direção da porta. Rachel ia tirar uma licença para ficar em casa cuidando de Ari, mas a guerra mudara tudo. Agora ela não tinha escolha a não ser levar o bebê para a escola.

– Seu rosto traduz como eu estou me sentindo – comentou Vianne quando a amiga se aproximou.

O cabelo escuro de Rachel reagia à umidade dobrando de volume.

– Isso não deve ser um elogio, mas, do jeito que estou desanimada, vou considerar como se fosse. A propósito, tem giz na sua bochecha.

Vianne limpou o rosto distraidamente e se debruçou no carrinho. O bebê ressonava.

– Como ele está?

– Para um bebê de 10 meses que deveria estar em casa com a mãe, e não perambulando pela cidade embaixo de aviões inimigos e ouvindo os gritos de crianças de 10 anos? Muito bem. – Ela sorriu, afastou uma mecha da testa e saiu para o corredor. – Fui muito amarga?

– Não mais do que todos nós.

– Rá! Um pouco de amargura lhe faria bem. Todos esses seus sorrisos e fingimentos me dão urticária.

Rachel desceu o carrinho pelos três degraus de pedra e saiu pelo caminho que levava a uma área gramada que já fora uma arena de exercícios para cavalos e ponto de entrega de comerciantes. Uma fonte de pedra de 400 anos gorgolejava no centro do pátio, respingando água no chão.

– Vamos, garotas! – disse Rachel para Sophie e Sarah, que estavam sentadas lado a lado em um banco de jardim.

As meninas atenderam de imediato. Seguiram um passo

à frente das mães, tagarelando o tempo todo, as cabeças se tocando, as mãos dadas. Uma segunda geração de melhores amigas.

Viraram em uma alameda e saíram na Rue Victor Hugo, bem na frente de um bistrô onde homens mais velhos ocupavam cadeiras de ferro trabalhado, fumando, tomando café e falando sobre política. À frente, Vianne viu três mulheres caminhando juntas, as roupas em farrapos, os rostos amarelados de pó.

– Coitadas dessas mulheres – comentou Rachel com um suspiro. – Hélène Ruelle me falou que pelo menos uma dúzia de refugiados chegaram ontem à noite à cidade. As histórias que contam não são nada agradáveis. Mas ninguém sabe enfeitar uma história como Hélène.

Normalmente, Vianne faria algum comentário sobre como Hélène era fofoqueira, mas ela não devia estar exagerando. Segundo o pai de Vianne, Isabelle saíra de Paris dias atrás. E até agora não chegara a Le Jardin.

– Eu estou preocupada com Isabelle – admitiu.

Rachel enlaçou o braço de Vianne.

– Lembra-se da primeira vez que sua irmã fugiu do internato em Lyon?

– Ela estava com 7 anos.

– E chegou até Amboise. Sozinha. Sem dinheiro. Passou duas noites na floresta e conseguiu voltar de trem.

Vianne mal se lembrava de qualquer coisa daquela época, a não ser da própria tristeza. Tinha sido quando perdera o primeiro bebê e caíra em desespero. O ano perdido, como dizia Antoine. Era como ela se lembrava também. Quando Antoine disse que ia levar Isabelle a Paris para ficar com o pai, Vianne se sentira – que Deus a perdoasse – aliviada.

Será que foi uma surpresa Isabelle ter fugido da escola interna a que tinha sido levada? Até hoje, Vianne sentia vergonha pela forma como tratara a irmã mais nova.

– Isabelle tinha 9 anos quando foi para Paris – disse Vianne, tentando se consolar com a história da família.

A irmã era durona, corajosa e determinada; sempre fora.

– Se não me engano, dois anos depois ela foi expulsa por fugir da escola para ir a um circo ambulante. Ou foi quando ela fugiu do dormitório que ficava no segundo andar descendo por um lençol? – lembrou Rachel, sorrindo. – O que quero dizer é que Isabelle vai chegar aqui se for o que realmente deseja.

– E que Deus ajude qualquer um que tente impedir.

– Isabelle vai chegar a qualquer momento. Garanto. A não ser que tenha encontrado um príncipe exilado e se apaixonado loucamente.

– Isso é o tipo de coisa que pode acontecer com ela.

– Está vendo? – provocou Rachel. – Você já está se sentindo melhor. Agora vamos tomar uma limonada lá em casa. É a coisa certa a fazer em um dia tão quente como hoje.

Depois do jantar, Vianne pôs Sophie na cama e desceu. Estava preocupada demais para relaxar. O silêncio na casa continuava a lembrá-la de que ninguém tinha batido à porta. Não conseguia parar quieta. Apesar da conversa com Rachel, era impossível não se preocupar com Isabelle – e ter terríveis pressentimentos a respeito de seu destino.

Vianne se levantou, se sentou, se levantou de novo. Foi até a porta da frente e a abriu.

Lá fora, os campos se estendiam sob um céu noturno que tinha tons de rosa e violeta. O jardim mostrava suas formas conhecidas – macieiras bem podadas protegendo a porta de entrada, com roseiras e parreiras de uvas recobrindo o muro de pedra que separava a casa da estrada que seguia para a cidade e de acres e acres de campo aberto, salpicados aqui e ali por touceiras de árvores de troncos finos. À direita ficava o bosque mais denso, para onde ela e Antoine costumavam ir para ficar sozinhos quando eram mais novos.

Antoine.

Isabelle.

Onde eles estavam? Será que ele estava no front? Será que ela estava vindo a pé de Paris?

Não pense nisso.

Era preciso se ocupar com alguma coisa. Jardinagem. Pensar em qualquer outra coisa.

Pegou suas desgastadas luvas de jardinagem, calçou as botas que ficavam na porta e foi até a horta, localizada em uma faixa de terra plana entre o celeiro e o barracão. Batata, cebola, cenoura, brócolis, ervilha, feijão, pepino, tomate e rabanete cresciam em leitos bem-cuidados. Na rampa entre a horta e o celeiro cresciam as frutas vermelhas – amoras e framboesas em fileiras organizadas. Abaixou-se na terra preta e começou a arrancar ervas daninhas.

O começo do verão costumava ser uma época de promessas. Claro que mesmo nesta estação tão calorosa as coisas poderiam ir mal, mas se conseguisse continuar firme e calma e se não se esquecesse das tarefas importantes de podas e aparas, as plantas poderiam ser controladas. Vianne sempre fizera questão de que os canteiros fossem organizados, tratados com mãos firmes, porém delicadas. O que a plantação propiciava a ela era mais importante do que aquilo que ela dedicava à plantação. Ali, ela obtinha uma sensação de tranquilidade.

Aos poucos, Vianne começou a perceber que havia algo errado. Primeiro, um som estranho, uma vibração, um baque, depois um murmúrio. O cheiro veio a seguir: algo totalmente estranho ao aroma doce de sua horta, um odor acre e penetrante que a fez pensar em decomposição.

Ela limpou a testa, ciente de que estava passando terra preta na pele, e se levantou. Pendurou as luvas sujas nos bolsos da calça e foi até o portão. Antes de chegar lá, viu três mulheres, recortadas na escuridão. Estavam juntas na estrada, logo depois do portão. Uma velha, vestida de trapos, abraçava as outras duas – uma mulher mais jovem, com um bebê de colo, e uma adolescente com uma gaiola vazia numa das mãos e uma pá na outra. Todas tinham os olhos vidrados e pareciam febris, a jovem mãe tremendo visivelmente. Os rostos estavam molhados de suor, os olhos, repletos de desesperança. A mulher mais velha estendeu as mãos sujas e vazias.

– Pode nos dar um pouco de água? – pediu, mas nem ao fazer a pergunta ela pareceu convicta. Estava sem esperança.

Vianne abriu o portão.

– É claro. Vocês não querem entrar? Descansar um pouco, talvez?

A velha balançou a cabeça.

– Nós estamos na frente deles. Não sobrou nada para os que ficaram para trás.

Vianne não entendeu o que a mulher quis dizer, mas não importava. Podia ver que elas estavam exaustas e famintas.

– Esperem um pouco.

Entrou na casa, embrulhou um pouco de pão, umas cenouras cruas e um pedaço de queijo. Tudo o que podia dar. Encheu uma garrafa de vinho com água e voltou, oferecendo as provisões.

– Não é muito – falou.

– É mais do que tivemos desde Tours – disse a mulher mais nova em um tom monocórdio.

– Vocês estiveram em Tours? – perguntou Vianne.

– Beba, Sabine – disse a velha, levando a garrafa aos lábios da garota.

Vianne ia perguntar sobre Isabelle quando a mulher falou, de maneira estridente:

– Eles estão chegando.

A jovem mãe soltou um gemido e apertou o filho ao peito. A criança estava tão quieta – e com a mãozinha tão azulada – que Vianne teve um sobressalto.

O bebê estava morto.

Vianne conhecia aquela pontada de dor que não dava tréguas; já tinha vivido a escuridão impenetrável que envolve o coração e faz uma mãe manter a fé quando já não há mais esperança.

– Entre logo na casa – disse a velha para Vianne. – Tranque as portas.

– Mas...

O trio esfarrapado deu um passo atrás, começando a se afastar – recuando de maneira brusca, na verdade –, como se o hálito de Vianne tivesse se tornado pernicioso.

Só então Vianne viu a massa de silhuetas escuras avançando pelo campo e subindo a estrada.

O odor as precedia. Suor e sujeira, cheiro de corpo. À medida que se aproximavam, o miasma negro se separava, espalhando-se em formas individuais. Ela viu pessoas na estrada e nos campos; andando, mancando, se aproximando. Alguns empurravam bicicletas, carretas e carrinhos de bebê. Cachorros latiam, bebês choravam. Havia tosses, pigarros, gemidos. Continuavam avançando, pelos campos e pela estrada, cada vez mais perto, empurrando-se uns aos outros, as vozes subindo de tom.

Vianne não podia ajudar tanta gente. Correu para dentro de casa e trancou a porta. Foi de cômodo em cômodo trancando portas e fechando janelas. Quando acabou, ficou parada na sala de estar, insegura, o coração batendo forte.

A casa começou a tremer, só um pouco. As janelas trepidavam, as venezianas se chocavam contra as paredes de pedra. Chovia pó das madeiras aparentes do teto.

Alguém bateu à porta da frente. E continuaram batendo, punhos esmurrando a entrada em baques que faziam Vianne recuar.

Sophie chegou às pressas pela escada, com Bebê agarrado ao peito.

– Mamãe!

Vianne abriu os braços e Sophie correu para ela. Vianne abraçava a filha com mais força conforme as arremetidas aumentavam. Alguém esmurrou a porta lateral. Panelas e caldeirões de cobre pendurados na cozinha bateram uns nos outros, soando como sinos de igreja. Ouviu o rangido alto da bomba do poço. Estavam pegando água.

– Fique aqui um instante – disse à filha. – Sente-se no divã.

– Não me deixe sozinha!

Vianne pegou a filha e a obrigou a sentar. Tomando nas mãos um atiçador da lareira, subiu a escada com todo o cuidado. Foi até o quarto e olhou pela janela, com cautela para não ser vista.

Dezenas de pessoas se espalhavam pelo quintal, a maioria mulheres e crianças, marchando como lobos famintos. As vozes se mesclavam em um só grunhido desesperado.

Vianne recuou. E se as portas não resistissem? Tanta gente assim poderia derrubar portas e janelas, até paredes.

Aterrorizada, desceu a escada, sem respirar, até ver Sophie ainda a salvo no divã. Vianne sentou-se ao lado da filha e a tomou nos braços, deixando Sophie se aninhar como se fosse uma garotinha ainda mais nova. Acariciou o cabelo encaracolado da menina. Uma mãe melhor, uma mãe mais forte, teria uma história para contar agora, mas Vianne sentia tanto medo que já nem tinha mais voz. Só conseguia pensar em uma prece, sem começo nem fim. *Por favor*.

Puxou Sophie para mais perto e falou:

– Durma, Sophie. Eu estou aqui.

– Mamãe – respondeu Sophie, a voz quase inaudível em meio às batidas na porta. – E se *tante* Isabelle estiver lá fora?

Vianne olhou para o rostinho sincero de Sophie, agora coberto de suor e poeira.

– Que Deus a ajude. – Foi só o que conseguiu dizer.

Quando avistou a casa de pedra cinzenta, Isabelle sentiu que se encontrava no limite da exaustão. Os ombros estavam caídos. As bolhas nos pés tinham se tornado insuportáveis. Na frente dela, Gaëton abriu o portão, que tombou com um estalo e ficou pendendo de lado.

Apoiando-se em Gaëton, ela cambaleou até a porta da frente. Bateu duas vezes, contraindo-se com a dor das juntas ensanguentadas ao tocarem a madeira.

Ninguém respondeu.

Bateu com os dois punhos, tentando chamar o nome da irmã, mas sua voz estava rouca demais para ganhar algum volume.

Recuou trôpega, quase caindo de joelhos, derrotada.

– Onde você pode dormir? – perguntou Gaëton, seguran-do-a pela cintura para mantê-la de pé.

– Nos fundos. Na pérgula.

Gaëton contornou a casa com ela e chegou à parte dos fundos. Isabelle desabou de joelhos sob a sombra viçosa e perfumada do arvoredo de jasmim. Percebeu quando Gaëton se afastou, voltando pouco depois com um pouco de água morna, que ela bebeu com as mãos em concha. Não era suficiente. O estômago de Isabelle doía de fome, uma dor que a penetrava cada vez mais fundo. Mesmo assim, quando ele fez menção de se afastar outra vez, Isabelle o segurou e mur-murou alguma coisa, pedindo para não ficar sozinha. Gaëton se agachou a seu lado, oferecendo o braço para ela descansar a cabeça. Ficaram lado a lado na terra quente, encarando os tufos escuros das trepadeiras que subiam pela treliça e casca-teavam para a terra. Os aromas inebriantes do jasmim, das rosas desabrochando e da terra fértil criavam um lindo ca-ramanchão. Mas mesmo ali, naquela tranquilidade, era im-possível esquecer o que eles tinham passado... e as mudanças que os seguiam.

Isabelle tinha visto a mudança em Gaëton, vira a raiva e a impotência apagarem a compaixão de seus olhos e o sorriso de seus lábios. Mal tinha falado desde o bombardeio e, quando o fazia, sua voz era entrecortada e trôpega. Agora os dois sabiam mais sobre a guerra, sobre o que estava prestes a acontecer.

– Você pode ficar aqui com a sua irmã, em segurança – disse ele.

– Eu não quero segurança. E minha irmã não vai me querer.

Virou-se de lado para olhar para ele. A luz da lua penetrava o local em padrões rendados, iluminando os olhos dele, a boca, deixando o nariz e o queixo no escuro. Gaëton pareceu diferente de novo, como se tivesse envelhecido naqueles poucos dias; conturbado, raivoso. Cheirava a suor e sangue, lama e morte, mas ela também tinha consciência de que exalava o mesmo odor.

– Você já ouviu falar de Edith Cavell? – perguntou ela.

– Você acha que eu tenho cara de quem sabe dessas coisas?

Isabelle pensou por um momento antes de responder:

– Acho.

Gaëton ficou em silêncio por tempo suficiente para ela perceber que o tinha surpreendido.

– Eu sei quem ela é. Salvou a vida de centenas de pilotos aliados na Grande Guerra. Ficou famosa por ter dito que "patriotismo não basta". E essa é a sua heroína, uma mulher que foi executada pelo inimigo.

– Uma mulher que fez diferença – replicou Isabelle, observando a expressão dele. – Eu estou contando com você, seu criminoso e comunista, para me ajudar a fazer alguma diferença. Talvez eu seja mesmo tão louca e impetuosa quanto dizem.

– Quem diz isso?

– Todo mundo. – Fez uma pausa, sentiu sua expectativa aumentar. Fazia questão de nunca confiar em ninguém, mas acreditava em Gaëton. Ele olhava para Isabelle com atenção. – Você vai me levar. Como prometeu.

– Sabe como esses acordos são selados?

– Como?

– Com um beijo.

– Deixe de brincadeira. Isso é sério.

– O que pode ser mais sério que um beijo no limiar de uma guerra?

Disse aquilo sorrindo, mas não muito. A raiva represada voltara a seus olhos e a assustava, lembrando-a de que na verdade não sabia nada sobre ele.

– Eu só beijaria um homem que fosse corajoso o suficiente para me levar à batalha com ele.

– Acho que você não sabe nada sobre beijar – rebateu Gaëton com um suspiro.

– Mostre o que você sabe.

Isabelle se afastou e imediatamente sentiu falta do contato com ele. Tentando parecer indiferente, virou-se para ele, sentindo sua respiração bafejar nas pálpebras.

– Eu quero levar você comigo – disse Gaëton.

Chegou mais perto, devagar, pôs uma das mãos atrás da cabeça dela e a puxou para perto de si.

– Tem certeza? – perguntou ele, com os lábios quase tocando os dela.

Isabelle não sabia se ele estava falando sobre ir à guerra ou pedindo permissão para o beijo, mas naquele momento não fazia diferença. Isabelle já tinha distribuído beijos para garotos como se fossem moedas caídas em bancos de jardim ou perdidas em almofadas de poltronas; insignificantes. Nunca antes, nem uma vez, tinha realmente desejado ser beijada.

– *Oui* – murmurou, chegando mais perto.

Naquele beijo, alguma coisa nasceu em seu coração magoado e vazio e desabrochou. Pela primeira vez, os romances de amor que lera fizeram sentido. Isabelle percebeu que a paisagem da alma de uma mulher podia mudar tão rapidamente quanto um mundo em guerra.

– Eu te amo – sussurrou Isabelle.

Não dizia aquilo desde os 4 anos; para a mãe.

A expressão de Gaëton mudou, endureceu. O sorriso que tentou dar saiu tão tenso que ela não conseguiu entender.

– O que foi? Eu fiz alguma coisa errada?

– Não. Claro que não – respondeu ele.

– Nós temos sorte de termos nos encontrado – disse Isabelle.

– Não temos sorte nenhuma, Isabelle. Acredite em mim.

Ao dizer isso, ele a puxou para mais um beijo.

Isabelle se abandonou às sensações do beijo, permitiu que a sensação daquele toque se tornasse todo o seu universo e soube finalmente como era bastar a alguém.

Quando Vianne acordou, a primeira coisa que notou foi o silêncio. Um passarinho cantava em algum lugar. Continuou absolutamente imóvel na cama, ouvindo. A seu lado, Sophie dormia, ressonando e resmungando.

Vianne foi até a janela, abriu as cortinas de blecaute.

No quintal, galhos da macieira tombavam como braços quebrados; o portão estava fora de esquadro, com duas ou três dobradiças arrancadas. No outro lado da estrada, os campos de feno se encontravam achatados e as flores, esmagadas. Em sua passagem, os refugiados tinham deixado pertences e resíduos para trás – maletas, carrinhos de bebê, casacos pesados demais para serem carregados e muito quentes para serem usados, fronhas e carrinhos de puxar.

Vianne desceu a escada e, com cuidado, abriu a porta da frente. Atentou para ver se ouvia algum barulho. Como não ouviu nada, destrancou a fechadura e girou a maçaneta.

Os refugiados tinham destruído sua horta, arrancando tudo o que parecesse comestível, deixando apenas ramos quebrados e montes de terra empilhados.

Tudo estava arruinado, destruído. Entristecida, andou até os fundos da casa, que também fora vandalizado.

Estava prestes a voltar para dentro quando ouviu um som. Um choramingo. Talvez o choro de um bebê.

Seria isso? Será que alguém tinha deixado um bebê para trás?

Atravessou o quintal com cuidado em direção à pérgula de madeira recoberta de rosas e jasmins.

Isabelle estava deitada no chão, encolhida, o vestido reduzido a tiras, o rosto lacerado e ferido, o olho esquerdo tão inchado que mal podia se abrir, um pedaço de papel preso ao corpo.

– Isabelle!

O queixo da irmã se mexeu um pouquinho. Ela abriu um olho injetado de sangue.

– Vi – falou em uma voz rouca e embargada. – Obrigada por me deixar trancada fora da casa.

Vianne se ajoelhou ao lado da irmã.

– Isabelle, você está machucada, toda coberta de sangue. Você estava...

Isabelle pareceu não entender bem o momento.

– Ah. Não é sangue meu. Pelo menos não a maior parte. – Olhou ao redor. – Onde está Gaët?

– O quê?

Isabelle se levantou com dificuldade, quase tropeçando.

– Ele foi embora? Foi isso. – Começou a chorar. – Ele me abandonou.

– Vamos entrar – disse Vianne, afetuosa.

Levou a irmã para dentro de casa, onde Isabelle tirou os sapatos manchados de sangue, chutando-os e deixando-os bater nas paredes e cair no chão. Pegadas de sangue a seguiram até o banheiro embaixo da escada.

Enquanto Vianne aquecia água e enchia a banheira, Isabelle ficou sentada no chão, as pernas abertas, os pés exangues, falando sozinha e enxugando as lágrimas que se transformavam em lama em seu rosto.

Quando a banheira encheu, Vianne voltou até onde

estava Isabelle, despindo-a com cuidado. Isabelle parecia uma criança, obediente, resmungando de dor.

Vianne desabotoou as costas do vestido que já fora vermelho e tirou a roupa do corpo da irmã, temendo que o menor suspiro pudesse derrubá-la. As roupas de baixo também estavam manchadas de sangue. Vianne desamarrou e depois afrouxou os cadarços do corpete.

Isabelle cerrou os dentes e entrou na banheira.

– Recoste-se.

Isabelle fez o que ela mandou e Vianne despejou água quente na cabeça da irmã, afastando a água de seus olhos. O tempo todo, enquanto lavava os cabelos imundos de Isabelle e esfregava seu corpo, Vianne entoava um murmúrio incongruente e constante cujo intuito era consolar a irmã.

Ajudou Isabelle a sair da banheira, enxugando seu corpo com uma toalha branca e macia. Isabelle olhou para ela, o queixo caído, o olhar inexpressivo.

– Que tal dormir um pouco? – perguntou Vianne.

– Dormir – resmungou Isabelle, a cabeça pendendo para o lado.

Vianne trouxe para a irmã uma camisola cheirando a lavanda e água-de-rosas e a ajudou a se vestir. Isabelle mal conseguiu manter os olhos abertos quando Vianne a levou escada acima até o quarto e a acomodou ao lado de uma pilha de mantas. A irmã adormeceu antes de encostar a cabeça no travesseiro.

Isabelle acordou no escuro. Mas se lembrava da luz do dia. Onde estava?

Sentou-se tão depressa que a cabeça girou. Respirou superficialmente algumas vezes e olhou ao redor.

O quarto no andar superior em Le Jardin. Seu antigo quarto. O lugar não lhe trazia uma sensação acolhedora. Quantas vezes madame Maldita não a tinha trancado naquele quarto, "para o seu próprio bem"?

– Não adianta pensar nisso – disse em voz alta.

Seguiu-se uma lembrança ainda pior: Gaëton. Afinal ele a abandonara, o que a remetia a uma decepção profunda que conhecia muito bem.

Será que ela não tinha aprendido *nada* na vida? Pessoas iam embora. Ela sabia. E as pessoas faziam isso especialmente com ela.

Colocou o vestidinho azul que Vianne deixara dobrado ao pé da cama. Depois desceu a escada estreita, de degraus baixos, apoiada no corrimão de ferro. Cada doloroso passo parecia um triunfo.

No andar de baixo, a casa estava em silêncio, a não ser pelo som chiado e cheio de estática de um rádio em baixo volume. Tinha quase certeza de que era Maurice Chevalier cantando uma música romântica. *Perfeito.*

Vianne se encontrava na cozinha, um avental de algodão listrado em cima de um vestido amarelo-claro. Um lenço com estampa floral cobria seus cabelos. Descascava batatas com uma faquinha. Atrás dela, uma panela de ferro fundido emitia um som alegre e borbulhante.

Os aromas fizeram a boca de Isabelle se encher d'água.

Vianne correu para colocar uma cadeira em frente à mesinha no canto da cozinha.

– Sente-se aqui.

Isabelle desabou na cadeira. Vianne trouxe um prato já preparado. Um pedaço de pão ainda quente, um naco de queijo, uma porção de marmelada e algumas fatias de presunto.

Isabelle pegou o pão com a mão vermelha e esfolada, ergueu-o até o rosto, inalando o aroma fermentado. Suas mãos tremiam quando ela pegou uma faca, lambuzou o pão com geleia e queijo e a largou na mesa com um estrépito. Mordeu o pão com vontade; o melhor pedaço de comida de sua vida. A casca crocante, o interior macio, o queijo pastoso e a geleia de fruta, tudo combinado para quase fazê-la desfalecer. Comeu tudo como uma louca, mal notando a xícara de *café noir* que a irmã pusera a seu lado.

– Onde está Sophie? – perguntou, as bochechas inchadas pela mastigação.

Era difícil parar de comer, mesmo tentando ser educada. Pegou um pêssego, sentindo a maciez da casca nas mãos, e deu uma mordida. O sumo escorreu pelo queixo.

– Está na sala ao lado, brincando com Sarah. Você se lembra da minha amiga Rachel?

– Lembro – respondeu Isabelle.

Vianne serviu-se de uma xícara de *espresso* e a levou até a mesa, onde se sentou.

Isabelle arrotou; cobriu a boca.

– Desculpe.

– Acho que podemos deixar passar esse deslize de boas maneiras à mesa – disse Vianne com um sorriso.

– É que você não conhece madame Dufour. Ela me daria uma tijolada por essa transgressão. – Isabelle soltou um suspiro. Agora o estômago doía; sentiu vontade de vomitar. Limpou o queixo úmido com a manga. – Quais são as notícias de Paris?

– A bandeira suástica foi hasteada na Torre Eiffel.

– E papai?

– Está bem. Ao menos é o que ele diz.

– Preocupado comigo, aposto – disse Isabelle com uma ironia amarga. – Ele não devia ter me mandado embora. Mas o que mais ele sabe fazer?

As duas trocaram um olhar. Era uma das poucas lembranças que as duas compartilhavam, a sensação de abandono, mas Vianne não queria se lembrar daquilo.

– Ouvimos dizer que existem mais de 10 milhões de refugiados nas estradas.

– As multidões não eram o pior – disse Isabelle. – Éramos

basicamente mulheres e crianças, Vi, e velhos e garotos. Eles... simplesmente destruíram a gente.

– Já passou, graças a Deus – disse Vianne. – É melhor se concentrar no que é bom. Quem é Gaëton? Você falou nele enquanto delirava.

Isabelle puxou uma casca de ferida das costas da mão, logo percebendo que não deveria ter feito aquilo. A ferida começou a sangrar.

– Talvez tenha relação com isso – comentou Vianne quando o silêncio se prolongou, tirando um pedaço de papel amassado do bolso do avental.

Era o papel que estava preso ao vestido de Isabelle. Um bilhete sujo, com digitais de sangue. Nele, estava escrito: *Você ainda não está pronta.*

Isabelle sentiu o mundo se abrir sob os pés. Era uma reação ridícula, infantil, exagerada, ela sabia, mas ainda assim foi um golpe duro, um ferimento profundo. Até aquele beijo, Gaëton queria que ela fosse com ele. Mas de alguma forma tinha percebido sua carência.

– Ninguém importante – respondeu friamente, amassando o bilhete. – Só um garoto de cabelo preto e rosto comprido que gosta de contar mentiras. Nada importante. – Depois olhou para Vianne. – Eu vou lutar nesta guerra. Não importa o que os outros pensem. Vou dirigir ambulâncias, fazer curativos. Qualquer coisa.

– Ah, pelo amor de Deus, Isabelle. Paris foi invadida. Os nazistas estão controlando a cidade. O que uma garota de 18 anos pode fazer a respeito?

– Não vou ficar escondida no interior enquanto os nazistas destroem a França. E vamos falar com sinceridade: você nunca me tratou exatamente como uma irmã. – Ela contraiu o rosto sofrido. – Vou embora assim que puder andar.

– Vai estar segura aqui, Isabelle. Isso é que importa. Você precisa ficar.

– Segura? – rosnou Isabelle. – Agora você acha que isso faz

diferença, Vianne? Deixe-me contar o que vi por aí. Soldados franceses fugindo do inimigo. Nazistas assassinando inocentes. Talvez você possa ignorar isso, mas eu não consigo.

– Você vai ficar aqui, em segurança. Não vamos mais falar no assunto.

– Quando foi que me senti segura com você, Vianne? – perguntou Isabelle, vendo a velha ferida transparecer nos olhos da irmã.

– Eu era jovem, Isabelle. Tentei ser uma mãe para você.

– Ora, por favor! Não vamos começar com mentiras.

– Depois que eu perdi o bebê...

Isabelle virou as costas para a irmã e se afastou mancando, antes que dissesse algo imperdoável. Cruzou as mãos para parar de tremer. Era por *isso* que nunca quisera voltar àquela casa para rever a irmã, por isso tinha ficado afastada durante anos. Havia muita mágoa entre as duas. Ligou o rádio para calar os pensamentos.

Uma voz pipocou pelas ondas aéreas:

– ... marechal Pétain falando a vocês...

Isabelle franziu o cenho. Pétain era um herói da Grande Guerra, um líder muito querido na França. Aumentou o volume.

Vianne apareceu ao seu lado.

– ... assumi a direção do governo da França...

A estática sobrepujou a voz grave, os estalidos aumentaram. Isabelle bateu no rádio, impaciente.

– ... nosso admirável Exército, que está lutando com um heroísmo digno de sua longa tradição militar contra um inimigo superior em número e armamentos...

Estática. Isabelle bateu no rádio mais uma vez, resmungando:

– Maldito!

– ... neste momento de dor, penso também nos infelizes refugiados que congestionam nossas estradas, em estado de extrema penúria. A eles devo expressar toda a minha compaixão e solidariedade. É com o coração partido que digo hoje a vocês que é necessário cessar os combates.

– Nós ganhamos? – perguntou Vianne.

– Shhh – interrompeu Isabelle.

– ... procurei ontem à noite o adversário para perguntar se estava pronto para conversar comigo quando os atuais combates cessarem, de soldado para soldado, com honra, a respeito dos termos para pôr um fim às hostilidades.

O velho continuou falando arrastado, dizendo coisas como "dias difíceis" e "controlar suas angústias" e, o pior de tudo, "o destino da pátria". Em seguida proferiu a palavra que Isabelle jamais imaginou que ouviria na França.

Rendição.

Isabelle saiu da cozinha mancando, forçando os pés machucados, para ir ao quintal. De repente precisava de ar puro, de um ar mais decente.

Rendição. Da França. A Hitler.

– Talvez seja para melhor – observou a irmã, calmamente.

Quando Vianne tinha chegado ali fora?

– Você conhece o marechal Pétain. Ele é um grande herói. Se ele diz que devemos desistir de lutar, então faremos isso. Com certeza ele vai conversar com Hitler.

Vianne estendeu a mão. Isabelle se encolheu. A perspectiva de ser consolada por Vianne a deixou enojada. Virou-se para encarar a irmã.

– Ninguém *conversa* com homens como Hitler.

– Então agora você sabe mais do que os nossos heróis?

– Só sei que não devíamos desistir.

Vianne estalou a língua, um pequeno som de decepção.

– Se o marechal Pétain acha que se render é melhor para a França, é porque é. Ponto. Pelo menos a guerra vai acabar e os homens vão voltar para casa.

– Você é uma boba.

– Tudo bem – disse Vianne, e voltou para dentro da casa.

Isabelle protegeu os olhos com a mão, olhando para o céu

claro e sem nuvens. Quanto tempo levaria até que todo aquele azul estivesse cheio de aviões alemães?

Não saberia dizer quanto tempo ficou lá, imaginando o pior – lembrando-se de como os nazistas abriram fogo sobre mulheres e crianças inocentes em Tours, massacrando-as, tingindo a relva com o sangue daquelas pessoas.

– *Tante* Isabelle?

Isabelle ouviu uma vozinha hesitante ao longe. Virou-se lentamente.

Uma linda garota estava parada perto da porta dos fundos de Le Jardin. Tinha a pele igual à da mãe, clara e delicada como porcelana, e olhos expressivos que a distância pareciam negros como carvão, escuros como os do pai. Poderia ter saído das páginas de um conto de fadas – Branca de Neve ou Bela Adormecida.

– Você não pode ser Sophie – disse Isabelle. – Da última vez que eu vi você... ainda chupava o dedo.

– Eu ainda faço isso às vezes – respondeu Sophie com um sorriso conspiratório. – Você não conta para ninguém?

– Eu? De jeito nenhum, sei guardar segredos muito bem. – Chegou mais perto da garota, pensando: *minha sobrinha*. Família. – Posso contar um segredo a meu respeito, para ficarmos quites?

Sophie concordou, animada, arregalando os olhos.

– Eu sei ficar invisível.

– Não sabe, não.

Isabelle viu quando Vianne apareceu na porta.

– Pergunte a sua mamãe. Eu entro escondida em trens, saio de casas pela janela e fujo de masmorras de conventos. Tudo isso porque sei desaparecer.

– Isabelle – advertiu Vianne.

Sophie olhava para Isabelle, fascinada.

– É mesmo?

Isabelle deu uma olhada para Vianne.

– É fácil desaparecer quando ninguém olha para você.

– Eu estou olhando para você – disse Sophie. – Vai ficar invisível agora?

Isabelle deu risada.

– Claro que não. A melhor mágica deve ser sempre inesperada. Não concorda? E agora, vamos jogar damas?

OITO

*A*rendição foi uma pílula amarga de engolir, mas o marechal Pétain era um homem honrado. Herói da última guerra contra a Alemanha. Sim, ele estava velho, mas Vianne acreditava que isso lhe conferia uma perspectiva mais apropriada para avaliar as circunstâncias. O marechal tinha arranjado um jeito de os homens voltarem para casa, então não seria como a Grande Guerra.

Vianne compreendia o que Isabelle não era capaz de entender: Pétain tinha se rendido para o bem da França, para salvar pessoas, preservar o país e seu modo de vida. Era verdade que os termos da rendição foram duros: a França tinha sido cortada ao meio, dividida em duas zonas. A Zona Ocupada – a metade norte do país e as regiões costeiras (incluindo Carriveau) – seria assumida e governada pelos nazistas. O grande centro do país, o território abaixo de Paris e acima do mar, seria a Zona Livre, administrada por um novo governo em Vichy chefiado pelo próprio marechal Pétain, em colaboração com os nazistas.

Assim que a França se rendeu, os alimentos escassearam. Sabão de lavar roupa: impossível. Os cartões de racionamento eram contados nos dedos. O serviço telefônico deixou de ser confiável, assim como o correio. Os nazistas foram eficientes em cortar as comunicações entre as cidades e aldeias. As únicas correspondências permitidas eram as redigidas em cartões-postais alemães oficiais. Mas, para Vianne, essas mudanças não foram o pior.

Isabelle havia se tornado impossível de se conviver. Por diversas vezes depois da rendição, enquanto Vianne trabalhava para reconstruir e replantar a horta, tentar salvar as árvores frutíferas danificadas, ao fazer uma pausa no árduo trabalho, via Isabelle perto do portão traseiro olhando para o céu, como se alguma coisa horrível e sombria viesse daquela direção.

Isabelle só falava da monstruosidade dos nazistas e da determinação em matar os franceses. Não era capaz – é claro – de conter a língua, e como Vianne se recusava a ouvir, Sophie se tornara a ouvinte da tia, sua pupila. Isabelle enchia a cabeça da pobre menina com imagens terríveis do que poderia acontecer, fazendo a sobrinha ter pesadelos. Vianne não tinha coragem de deixar as duas sozinhas, por isso hoje, como nos dias anteriores, fez as duas a acompanharem à cidade para ver o que conseguiam comprar com seus cartões de racionamento.

Já estavam na fila do açougue havia umas duas horas. Isabelle se queixava quase o tempo todo. Parecia não ver sentido em ter de comprar comida.

– Olhe aquilo, Vianne – disse Isabelle. – *Mon Dieu.*

Mais dramas.

– Vianne. *Olhe lá.*

Vianne se virou – só para calar a irmã – e olhou para onde ela apontava.

Alemães.

De cima a baixo na rua, janelas e portas se fecharam em um estrépito. As pessoas desapareceram tão rápido que de repente Vianne se viu sozinha na calçada com a irmã e a filha. Agarrou Sophie e a encostou na porta fechada do açougue.

Isabelle continuou exposta, desafiadora.

– Isabelle – chamou Vianne em voz baixa.

Mas a garota continuou onde estava, os olhos verdes cintilando de ódio, ostentando o lindo rosto pálido de traços finos marcado por cicatrizes e hematomas.

O primeiro caminhão verde do comboio parou na frente de Isabelle. Na caçamba, soldados ocupavam dois bancos paralelos, um de frente para o outro, os fuzis pousados casualmente no colo. Eram jovens e bem barbeados e pareciam ávidos com seus capacetes novos em folha, com medalhas brilhando nos uniformes verde-acinzentados. A maioria era muito jovem. Não monstros; só garotos, na verdade. Esticaram o pescoço para ver o que havia interrompido o trânsito. Ao verem Isabelle ali de pé, os soldados começaram a sorrir e acenar.

Vianne agarrou a mão de Isabelle e a tirou do caminho.

O comboio militar passou roncando, uma fila de veículos, motocicletas e caminhões cobertos de redes de camuflagem. Tanques armados avançaram ruidosamente pela rua de paralelepípedos. Depois vieram os soldados.

Duas longas fileiras de soldados, marchando cidade adentro.

Isabelle andou ao lado deles, audaciosamente, subindo a Rue Victor Hugo. Os alemães acenavam para ela, parecendo mais turistas que conquistadores.

– Mamãe, não pode deixá-la ali sozinha – protestou Sophie.

– *Merde*.

Vianne pegou Sophie pela mão e correu atrás de Isabelle. Alcançaram-na no quarteirão seguinte.

A praça da cidade, que costumava ficar cheia de gente, estava praticamente deserta. Só uns poucos moradores se atreveram a ficar por ali quando os veículos alemães pararam em frente à prefeitura.

Apareceu um oficial – ou alguém que Vianne supôs ser um oficial, pela maneira como começou a bradar ordens. Soldados contornaram em marcha a grande praça de paralelepípedos, apossando-se do local. Retiraram a bandeira da França, substituindo-a pela nazista: uma enorme cruz suástica negra em um fundo preto e vermelho. Assim que foi hasteada, os soldados estacaram em ordem, ergueram o braço direito e bradaram:

– *Heil Hitler*.

– Se eu tivesse uma arma – disse Isabelle –, ia mostrar para eles que nem todos nós queremos nos render.

– Shhh – fez Vianne. – Você vai acabar matando a gente com essa sua boca. Vamos embora.

– Não. Eu quero...

Vianne girou e encarou Isabelle.

– Já chega. Você *não* vai chamar a atenção deles para nós. Entendeu?

Isabelle lançou um último olhar de ódio aos soldados em marcha, deixando que Vianne a afastasse dali.

Saíram da via principal e entraram em uma passagem que levava a uma rua secundária atrás da loja de chapéus. De lá, conseguiam ouvir os soldados cantando. Depois escutaram um disparo. E outro. Alguém gritou.

Isabelle parou.

– Não se atreva – disse Vianne. – *Ande*.

Continuaram caminhando por becos escuros, escondendo-se nas soleiras das portas quando ouviam vozes vindo na direção delas. Demorou mais do que o normal para atravessar a cidade, mas finalmente chegaram à estrada de terra. Seguiram em silêncio até chegar em casa, passando pelo cemitério. Quando entraram, Vianne bateu a porta e trancou a fechadura.

– Está vendo? – disse Isabelle assim que entrou.

Era óbvio que estava esperando para fazer aquele comentário.

– Vá para o seu quarto – disse Vianne a Sophie.

O que quer que Isabelle tivesse a dizer, ela não queria que Sophie escutasse. Vianne tirou o chapéu e sentou em uma cesta vazia. Suas mãos tremiam.

– Eles estão aqui por causa do aeroporto – disse Isabelle. E começou a andar de um lado a outro. – Não achei que isso aconteceria tão depressa, mesmo com a rendição. Não acreditava... Achei que nossos soldados iam continuar lutando assim mesmo. Achei que...

– Pare de roer as unhas. Vai acabar sangrando.

Isabelle parecia uma louca, com os cabelos louros na altura da cintura escapando das tranças e o rosto machucado distorcido de raiva.

– Os nazistas estão *aqui*, Vianne. Em Carriveau. Com a bandeira desfraldada no hotel da cidade, assim como no Arco do Triunfo e na Torre Eiffel. Chegaram à cidade e, cinco minutos depois, um tiro foi disparado.

– A guerra acabou, Isabelle. O marechal Pétain disse isso.

– A guerra acabou? A guerra *acabou*? Você viu aqueles soldados, com todas aquelas armas, as bandeiras e a arrogância? Precisamos ir embora daqui, Vi. Vamos pegar Sophie e sair de Carriveau.

– E ir para onde?

– Qualquer lugar. Lyon, talvez. Provença. Como chamava aquela cidade em Dordogne onde mamãe nasceu? Brantôme. Podemos procurar aquela amiga dela, aquela mulher basca, como era o nome dela? Madame Babineau. Talvez ela possa nos ajudar.

– Você está me dando dor de cabeça.

– Dor de cabeça é o menor dos seus problemas – contestou Isabelle, começando a andar outra vez.

Vianne se aproximou dela.

– Você não vai fazer nenhuma loucura ou estupidez. Está entendido?

Isabelle rosnou de frustração e foi direto para o andar de cima. Bateu a porta do quarto.

Rendição.

A palavra não saía dos pensamentos de Isabelle. Naquela noite, quando se deitou no quarto de hóspedes, no andar térreo, olhando para o teto, sentiu-se tão frustrada que mal conseguia pensar direito.

Não queria passar a guerra naquela casa como se fosse uma garota indefesa, lavando roupas, enfrentando filas para comprar comida e esfregando o chão. Não queria ficar ali parada vendo o inimigo tirar tudo da França.

Isabelle sempre se sentira solitária e frustrada – ou ao menos se sentia assim desde quando conseguia se lembrar –, mas nunca tanto quanto agora. Estava presa ali, no interior, sem amigos e sem nada para fazer.

Não.

Tinha de haver algo que ela pudesse fazer. Mesmo ali, mesmo naquele momento.

Esconder os objetos de valor.

Foi só no que conseguiu pensar. Os alemães iriam saquear as casas da cidade; disso ela não tinha dúvida, e levariam tudo o que tivesse valor. Até o governo – covarde que era – sabia disso. Por isso tinham esvaziado quase todo o Louvre e pendurado quadros falsos nas paredes do museu.

– Não chega a ser um grande plano – murmurou. Mas era melhor do que nada.

No dia seguinte, assim que Vianne e Sophie saíram para a escola, Isabelle começou. Ignorou as ordens da irmã para ir à cidade comprar mantimentos. Não aguentava ver os nazistas, e um dia sem carne não iria fazer diferença. Preferiu fazer uma busca na casa, abrindo armários, revirando gavetas e procurando embaixo das camas. Recolheu cada item de valor que encontrou e botou tudo em cima da mesa da sala de jantar. Havia um monte de joias de família. Passamanarias feitas pela bisavó, um conjunto de saleiros e pimenteiros de prata, uma bandeja de porcelana com borda dourada que fora da tia delas, diversos pequenos quadros impressionistas, uma toalha de mesa feita com renda elegante de Alençon, vários álbuns de fotografias, uma foto de Vianne com Antoine e Sophie ainda bebê em um porta-retratos de prata, as pérolas da mãe delas, o vestido de casamento de Vianne e muito mais. Isabelle encaixotou tudo o que conseguiu em um baú de couro e madeira, que arrastou pela grama maltratada, contraindo-se cada vez que ralava em uma pedra ou tropeçava em alguma coisa. Quando chegou ao celeiro, estava suada e sem fôlego.

O local era menor do que ela se lembrava. O palheiro – que já fora o único lugar do mundo onde se sentira feliz – era, na verdade, uma pequena bancada no mezanino, uma prancha de madeira pregada no alto de uma escada raquítica embaixo das telhas, por entre as quais podiam ser vistas fatias do céu. Quantas horas tinha passado ali sozinha com seus livros ilustrados, fingindo que alguém gostava dela a ponto de ir ver como estava? Esperando a irmã, que estava sempre fora com Rachel ou Antoine.

Afastou aquelas lembranças.

A parte central do celeiro não media mais de 10 metros de largura, construída pelo bisavô para abrigar carruagens – na época em que a família tinha dinheiro. Agora havia apenas um velho Renault estacionado no local. Os estábulos estavam repletos de peças de trator, escadas de madeira cheias de teias de aranha e instrumentos agrícolas enferrujados.

Isabelle fechou a porta do celeiro e foi até o automóvel. A porta do motorista se abriu com um rangido, estalando com relutância. Entrou, deu a partida, avançou uns poucos metros e parou.

O alçapão apareceu. Mais ou menos de 1,50 metro por 1,20 metro, feito de tábuas interligadas por tiras de couro e quase impossível de ver, principalmente agora, coberto de pó e restos de feno. Abriu o alçapão, apoiando-o no para-choque do carro, e espiou pela cavidade escura e úmida.

Segurando o baú pelas alças, Isabelle acendeu uma lamparina, prendeu-a debaixo do braço e desceu devagar, baixando o baú degrau por degrau até chegar ao final da escada. O baú bateu no chão de terra a seu lado.

Assim como o andar superior, aquela toca parecia maior quando ela era criança. Tinha mais ou menos 2,50 metros de largura por 3 metros de comprimento, com prateleiras de um lado e um colchão velho no chão. As prateleiras costumavam servir para barris de vinho, mas agora só restava um lampião no lugar.

Isabelle enfiou o baú no canto de trás e voltou para a casa, onde havia juntado um pouco de comida em conserva, cobertores, alguns remédios, a espingarda de caça do pai e uma garrafa de vinho. Arrumou tudo aquilo nas prateleiras.

Quando estava subindo pela escada, saindo do porão, encontrou Vianne no celeiro.

– O que é que você está fazendo aí?

Isabelle limpou as mãos empoeiradas na saia desbotada de algodão.

– Escondendo nossas coisas valiosas e estocando alguns suprimentos... para o caso de precisarmos nos esconder dos nazistas. Vamos lá embaixo dar uma olhada. Acho que fiz um bom trabalho.

Voltou pela escada e Vianne desceu atrás. Acendendo o lampião, Isabelle mostrou com orgulho a espingarda do pai, os mantimentos e os remédios. Vianne foi direto para a caixa de joias da mãe e a abriu.

Dentro havia broches, brincos e gargantilhas, a maioria bijuterias. Mas para o fundo, resguardadas por um veludo azul, estavam as pérolas que *grandmère* usara no dia do casamento e dera à mãe delas para usar no seu.

– Talvez você precise vender isso algum dia – observou Isabelle.

Vianne fechou a caixa em um gesto rápido.

– São joias de família, Isabelle. Para o dia do casamento de Sophie... e do seu. Eu nunca venderia isso. – Deu um suspiro impaciente e se virou para Isabelle. – Você foi à cidade? O que comprou para comermos?

– Preferi fazer isso.

– Claro que preferiu. É mais importante esconder as joias da mamãe do que comprar o jantar da sua sobrinha. Francamente, Isabelle.

Vianne subiu a escada, mostrando seu aborrecimento em bufadelas de contrariedade.

Isabelle saiu do porão e colocou o Renault de volta em seu lugar, em cima do alçapão. Depois escondeu as chaves atrás de uma tábua quebrada em uma prateleira. No último instante removeu a tampa do distribuidor do automóvel, para que ele não funcionasse, e a escondeu junto com as chaves.

Quando finalmente voltou para casa, Vianne estava na cozinha, fritando batatas em uma frigideira de ferro fundido.

– Espero que não esteja com fome.

– Não estou. – Ela passou por Vianne, mal olhando a irmã nos olhos. – Ah, escondi as chaves e a tampa do distribuidor na primeira prateleira, atrás de uma tábua quebrada.

Quando chegou à sala de jantar, ligou o rádio e chegou mais perto. Depois de uns estalidos de estática, uma voz desconhecida começou a falar:

– Esta é a BBC. General De Gaulle falando com vocês.

– Vianne! – gritou Isabelle na direção da cozinha. – Quem é general De Gaulle?

Vianne chegou da cozinha, enxugando as mãos no avental.

– O que é...

– Shhh – disparou Isabelle.

– ... líderes que estiveram à frente do Exército francês por muitos anos formaram um governo. Sob o pretexto de nosso Exército ter sido derrotado, o governo procurou o inimigo, buscando com isso a suspensão das hostilidades.

Isabelle olhava para o pequeno rádio de madeira, hipnotizada. Esse homem de quem elas nunca tinham ouvido falar estava se dirigindo diretamente ao povo da França, não como Pétain, mas com uma voz apaixonada.

– Sob pretexto de uma derrota. Eu *sabia*!

– ... nós realmente fomos, e continuamos sendo, sobrepujados pela força mecânica do inimigo, tanto em terra como no ar. Os tanques, os aviões, as táticas dos alemães surpreenderam nossos generais, de tal forma que foram levados ao sofrimento em que se encontram hoje. Mas será esta a última palavra? Terá a esperança desaparecido? Terá sido uma derrota final?

– *Mon Dieu!* – exclamou Isabelle.

Era o que ela queria ouvir. Havia alguma coisa a ser feita, uma luta na qual se engajar. A rendição não era definitiva.

– Aconteça o que acontecer – continuou a voz do general De Gaulle –, a chama da resistência francesa não pode e não deve morrer.

Isabelle mal percebeu que estava chorando. Os franceses não tinham desistido. Ela só precisava descobrir como atender a essa convocação.

❧

Dois dias depois de ocuparem Carriveau, os nazistas convocaram uma reunião no final da tarde. Todos deveriam comparecer. Sem exceções. Mesmo assim, Vianne teve de brigar para convencer Isabelle a ir. Como de hábito, Isabelle não achava que as regras normais se aplicassem a ela e precisava se mostrar rebelde para demonstrar seu descontentamento. Como se os nazistas se importassem com o que uma impetuosa garota de 18 anos pensasse a respeito da ocupação de seu país.

– Esperem aqui – disse Vianne com impaciência, quando afinal conseguiu tirar Isabelle e Sophie da casa, então fechou com delicadeza o portão quebrado, que fez um pequeno clique ao travar.

Pouco tempo depois, Rachel apareceu na estrada, vindo na direção delas, com o bebê nos braços e Sarah ao lado.

– Essa é Sarah, minha melhor amiga – disse Sophie, olhando para Isabelle.

– Isabelle – disse Rachel com um sorriso. – Que bom ver você de novo.

– É mesmo? – indagou Isabelle.

Rachel se aproximou da jovem.

– Faz tempo que não nos vemos – disse com delicadeza. – Éramos jovens, tolas e egoístas. Desculpe por ter tratado você mal. Eu a ignorava. Deve ter sido muito doloroso.

Isabelle abriu a boca. Fechou-a. Daquela vez, não teve nada a dizer.

– Vamos indo – chamou Vianne, irritada por Rachel ter dito a Isabelle o que ela não tivera coragem de dizer. – É melhor não nos atrasarmos.

Mesmo àquela hora da tarde, o clima estava anormalmente quente e em pouco tempo Vianne percebeu que começava a suar. Na cidade, todas se juntaram à multidão murmurante que lotava a rua de paralelepípedo de ponta a ponta. As lojas tinham fechado e as janelas se encontravam trancadas, apesar do calor insuportável que sentiriam quando voltassem para casa. A maioria das prateleiras estava vazia, o que não era surpresa. Os alemães comiam muito; pior ainda, deixavam comida no prato nas cafeterias. Uma atitude cruel e insensível, com tantas mães começando a contar os potes nas despensas antes de distribuir as preciosas porções para os filhos. A propaganda nazista se espalhava por toda parte, nas vitrines e paredes das lojas; cartazes mostrando sorridentes soldados alemães rodeados por crianças francesas, com dizeres que estimulavam os franceses a aceitarem os conquistadores e a se tornarem bons cidadãos do Reich.

Quando a multidão se aproximou da prefeitura, os resmungos pararam. De perto, era pior ainda a sensação de estar seguindo instruções, entrando cegamente em um local com portas vigiadas e janelas trancadas.

– Acho melhor não entrarmos – ponderou Isabelle.

De pé entre as duas irmãs e bem mais alta que elas, Rachel estalou a língua. Rearranjou o bebê no colo, batendo nas costas dele em um ritmo tranquilizador.

– Fomos convocadas.

– Mais uma razão para nos escondermos – replicou Isabelle.

– Sophie e eu vamos entrar – disse Vianne, embora precisasse admitir que também se sentia um pouco sobressaltada.

– Estou com um mau pressentimento – murmurou Isabelle.

Como uma centopeia de mil patas, a multidão entrou no grande saguão da prefeitura. Até pouco tempo antes, tapeçarias forravam aquelas paredes, restos de tesouros do tempo dos reis, quando o vale do Loire era um território de caça da realeza, mas agora não havia mais nada. Foram substituídas por suásticas e cartazes de propaganda – *Confie no Reich* – e uma grande pintura de Hitler.

Abaixo do retrato, estava um homem usando uma túnica preta cheia de medalhas e cruzes de ferro, calças de montaria e botas lustrosas. Uma braçadeira vermelha com a suástica circundava seu bíceps direito.

Quando o saguão se encheu, os soldados fecharam as portas de carvalho, que protestaram com um rangido. O oficial no fundo do saguão olhou para eles, ergueu o braço direito e falou:

– *Heil Hitler*.

As pessoas da multidão murmuraram baixinho umas com as outras. O que deveriam fazer? Alguns resmungaram: *Heil Hitler*. O recinto começou a cheirar a suor, graxa de sapato e fumaça de cigarro.

– Sou o major Weldt, da Geheime Staatspolizei. A Gestapo – disse o homem de uniforme preto em um francês com sotaque carregado. – Estou aqui para expor os termos do armistício em favor da pátria mãe e do Führer. Não haverá problemas para os que obedecerem às regras. – Limpou a garganta. – As regras: todos os rádios devem ser entregues para nós na prefeitura, imediatamente, assim como todas as armas, explosivos e munição. Todos os veículos funcionais serão apreendidos. Todas as janelas serão cobertas com blecaute. O toque de recolher entrará em vigor às nove horas desta noite. Nenhuma luz poderá estar acesa depois do anoitecer. Vamos controlar os alimentos, tanto os produzidos aqui como os que vêm de fora.

Fez uma pausa, olhou para a massa de pessoas de pé à sua frente.

– Não é tão ruim, estão vendo? Vamos viver juntos em harmonia, sim? Mas fiquem sabendo de uma coisa. Qualquer ato de sabotagem, espionagem ou resistência será julgado com rapidez e sem misericórdia. A punição a esse tipo de comportamento é a morte por execução.

Pegou um cigarro de um maço no bolso. Acendeu-o e ficou olhando tão fixamente para as pessoas que parecia memorizar os rostos.

– Outra coisa: embora alguns de seus soldados estejam voltando, devemos informar que os homens feitos prisioneiros permanecerão na Alemanha.

Vianne sentiu o aturdimento percorrendo a plateia. Olhou para Rachel, cujo rosto quadrado mostrava manchas em algumas partes – um sinal de ansiedade.

– Marc e Antoine vão voltar para casa – falou Rachel teimosamente.

O major continuou:

– Agora podem sair. Tenho certeza de que nos entendemos. Haverá oficiais aqui até as 20h45 de hoje. Eles vão receber seus pertences proibidos. Não se atrasem. E... – Deu um sorriso bem-humorado. – ... não arrisquem suas vidas para ficar com um rádio. Seja onde for que o guardarem... ou o esconderem... nós o encontraremos, e se o encontrarmos... morte.

Falou aquilo de uma maneira tão casual, estampando um

sorriso tão largo, que por um momento as pessoas não sentiram o impacto.

A multidão ficou ali parada por mais um tempo, sem saber ao certo se era seguro sair. Ninguém queria ser visto dando o primeiro passo, mas de repente todos estavam se movendo, em massa, em direção às portas abertas que davam para a rua.

– Canalhas – disse Isabelle quando entraram em uma ruazinha.

– E eu tinha certeza de que eles iam deixar a gente ficar com as armas – comentou Rachel, acendendo um cigarro, tragando fundo e logo expelindo a fumaça.

– Eu vou ficar com a nossa arma, podem contar com isso – anunciou Isabelle em voz alta. – E com o nosso rádio.

– Shhh – silenciou-a Vianne.

– O general De Gaulle acha que...

– Não quero mais ouvir essa bobagem. Temos que manter a cabeça abaixada até nossos homens voltarem – interrompeu Vianne.

– *Mon Dieu* – disse Isabelle, com rispidez. – Você acha que o seu marido pode dar um jeito nisso?

– Não – respondeu Vianne. – Acho que *você* vai dar um jeito nisso, você e o seu general De Gaulle, de quem nunca ouvi falar. Agora, vamos embora. Enquanto você elabora um plano para salvar a França, eu preciso cuidar da minha horta. Vamos sair daqui, Rachel, já que somos tontas.

Vianne segurou firme na mão de Sophie e saiu na frente, andando depressa. Nem se deu o trabalho de virar para ver se Isabelle vinha atrás. Sabia que a irmã seguiria mais devagar, mancando por conta dos pés machucados. Normalmente, Vianne acompanharia os passos da irmã, por delicadeza, mas agora estava furiosa demais para se importar.

– Sua irmã pode não estar tão errada – comentou Rachel quando passaram pela igreja normanda no limite da cidade.

– Rachel, se você ficar do lado dela nessa história, eu vou ser obrigada a machucar você.

– Dito isso, sua irmã pode não estar tão errada.

Vianne soltou um suspiro.

– Não diga isso a ela. Vai ficar mais insuportável ainda.

– Ela vai ter que ter um pouco de bom senso.

– Então ensine *você*. Ela já mostrou que é muito resistente em se desenvolver ou em ouvir a razão. Já frequentou duas escolas de boas maneiras e mesmo assim não consegue segurar a língua ou ter uma conversa educada. Há dois dias, em vez de ir à cidade comprar carne, ficou em casa escondendo coisas de valor e montando um esconderijo para nós. Por precaução.

– Eu também devia fazer isso. Não que a gente tenha muita coisa.

Vianne contraiu os lábios. Não havia sentido em falar mais sobre isso. Antoine logo voltaria para casa e ajudaria a pôr Isabelle na linha.

No portão de Le Jardin, Vianne se despediu de Rachel e da filha, que seguiram andando para casa.

– Por que a gente tem que dar o nosso rádio para eles, mamãe? – perguntou Sophie. – O rádio é do papai.

– Não vamos dar o rádio – disse Isabelle, chegando atrás delas. – Nós vamos esconder.

– Não vamos esconder nada – replicou Vianne, bruscamente. – Vamos fazer o que eles disseram e ficar quietas. Antoine logo vai voltar para casa e vai saber o que fazer.

– Bem-vinda à Idade Média, Sophie – disse Isabelle.

Vianne escancarou o portão, só lembrando um segundo depois, quando já era tarde demais, que os refugiados o tinham quebrado. O coitado se soltou de sua última dobradiça. Vianne precisou fazer muita força para agir como se aquilo não tivesse acontecido. Continuou marchando para casa, abriu a porta e imediatamente acendeu a luz da cozinha.

– Sophie – chamou, tirando o alfinete que segurava seu chapéu. – Quer pôr a mesa, por favor?

Vianne ignorou as reclamações da filha – eram normais.

Em poucos dias, Isabelle tinha ensinado a sobrinha a desafiar a autoridade da mãe.

Acendeu o fogo e começou a cozinhar. Quando o purê de batatas e a sopa de toucinho estavam fumegando, ela começou a lavar as panelas. Claro que Isabelle não apareceu para ajudar. Com um suspiro, encheu a pia de água para lavar os pratos. Estava tão concentrada na tarefa que levou um tempo para notar que alguém batia à porta da frente. Arrumando o cabelo, Vianne saiu para a sala de visita, onde encontrou Isabelle se levantando do divã, com um livro na mão. Lendo enquanto Vianne cozinhava e lavava. É claro.

– Você está esperando alguém? – perguntou Isabelle.

Vianne fez que não com a cabeça.

– Talvez seja melhor não atender – continuou Isabelle. – Fingir que não estamos em casa.

– Deve ser Rachel.

Houve outra batida na porta.

Lentamente, a maçaneta girou e a porta se abriu com um rangido.

Sim. Claro que era Rachel. Quem mais iria...

Um soldado alemão entrou na casa.

– Ah, mil perdões – disse o soldado em um francês terrível.

Tirou o quepe, enfiou-o debaixo do braço e sorriu. Era um homem bonito – alto, de ombros largos e quadril estreito, com a pele alva e os olhos cinza-claros. Vianne imaginou que teria a idade dela. O uniforme estava meticulosamente passado e parecia novo em folha. Uma cruz de ferro decorava seu colarinho engomado. Tinha um binóculo pendurado em uma tira ao redor do pescoço e um largo cinto de utilidades de couro na cintura. Atrás dele, pelos galhos do pomar, ela via uma motocicleta estacionada no acostamento da estrada. Com um *sidecar* equipado com uma metralhadora.

– Mademoiselle – disse para Vianne, fazendo um rápido cumprimento e batendo os saltos das botas.

– Madame – corrigiu ela, desejando que soasse como se

estivesse sendo altiva e controlada, mas mesmo para seus ouvidos pareceu assustada. – Madame Mauriac.

– Eu sou o Hauptmann... capitão... Wolfgang Beck. – Entregou um pedaço de papel e bateu os saltos mais uma vez. – Meu francês não é muito bom; tenha a bondade de perdoar.

Quando ele sorriu, formaram-se duas covinhas fundas nas bochechas.

Vianne pegou o papel e franziu o cenho.

– Eu não leio alemão.

– O que você quer? – indagou Isabelle, ficando ao lado da irmã.

– Sua casa é deveras bonita e muito perto do campo de pouso. Percebi quando chegamos. Quantos quartos vocês têm?

– Por quê? – perguntou Isabelle ao mesmo tempo que Vianne dizia:

– Três.

– Vou aquartelar aqui – explicou o capitão no seu pobre francês.

– Aquartelar? – repetiu Vianne. – Quer dizer... ficar aqui?

– *Oui*, madame.

– Aquartelar? Você? Um homem? Um *nazista*? Não. Não. – Isabelle abanava a cabeça. – *Não*.

O sorriso do capitão não diminuiu nem hesitou.

– Você estava na cidade – disse, olhando para Isabelle. – Eu vi quando nós chegamos.

– Você me notou?

Ele sorriu.

– Tenho certeza de que todos os homens com sangue nas veias do meu regimento notaram.

– Engraçado você falar em sangue – replicou Isabelle.

Vianne deu uma cotovelada na irmã.

– Desculpe, capitão. Às vezes minha irmã mais nova é meio obstinada. Mas eu sou casada, sabe, meu marido está no front e estou com minha irmã e minha filha aqui, por isso pode ver quanto seria inapropriado que o senhor ficasse aqui.

– Ah, então a senhora prefere deixar a casa só comigo. Deve ser muito difícil para a senhora.

– Deixar a casa? – perguntou Vianne.

– Acho que você não está entendendo o capitão – interrompeu Isabelle, sem tirar os olhos dele. – Ele está se mudando para a nossa casa, ocupando a casa. Na verdade, esse pedaço de papel é uma ordem de requisição que torna isso possível. Além do armistício de Pétain, é claro. Nossa escolha é arranjar uma vaga para ele ou abandonar uma casa que está na nossa família há gerações.

O capitão pareceu desconfortável.

– Receio que esta seja a situação. Muitos moradores da aldeia estão diante do mesmo dilema, imagino.

– Se sairmos, depois vamos ter a casa de volta? – perguntou Isabelle.

– Creio que não, madame.

Vianne ousou dar um passo na direção dele. Talvez conseguisse chamá-lo à razão.

– Meu marido vai voltar para casa a qualquer momento. O senhor não poderia esperar até ele chegar?

– Veja, eu não sou o general. Sou um simples capitão da Wehrmacht. Sigo ordens, madame, não sou responsável por elas. Minhas ordens são de aquartelar aqui. Mas posso assegurar que serei um cavalheiro.

– Nós vamos sair da casa – falou Isabelle.

– Sair? – repetiu Vianne para a irmã, incrédula. – Este é o meu lar. – Para o capitão, ela falou: – Posso confiar no seu cavalheirismo?

– É claro.

Vianne olhou para Isabelle, que abanou a cabeça lentamente. Porém sabia que não havia escolha, na verdade. Era preciso manter Sophie em segurança até Antoine voltar, deixar que ele lidasse com esses inconvenientes. Com certeza ele voltaria logo, agora que o armistício havia sido assinado.

– Temos um quartinho aqui embaixo. O senhor vai ficar confortável lá.

O capitão aquiesceu.

– *Merci*, madame. Vou pegar minhas coisas.

Assim que a porta se fechou atrás do capitão, Isabelle falou:

– Você está louca? Não podemos morar com um nazista.

– Ele disse que é da Wehrmacht. É a mesma coisa?

– Estou pouco interessada na cadeia de comando deles. Você não viu o que eles estão querendo fazer com a gente, Vianne. Eu vi. Nós vamos sair da casa. Vamos ficar com a Rachel. Podemos morar com ela.

– A casa da Rachel é pequena demais para todas nós, e eu não vou deixar a minha casa para os alemães.

Diante daquilo, Isabelle ficou sem resposta.

Vianne sentiu sua ansiedade virar uma coceira no pescoço. Um antigo tique nervoso estava de volta.

– Você pode ir, se quiser, mas eu vou esperar Antoine. Nós nos rendemos, ele deve voltar logo.

– Vianne, por favor...

A porta da frente estremeceu. Outra batida.

Vianne andou decidida até a porta. Esticou a mão trêmula até a maçaneta e abriu a porta.

O capitão Beck estava lá, segurando o quepe em uma das mãos e uma pequena valise de couro na outra.

– Olá outra vez, madame – disse, como se tivesse saído há algum tempo.

Vianne coçou o pescoço, sentindo-se extremamente vulnerável sob o olhar daquele homem. Recuou rapidamente, dizendo:

– Por aqui, Herr capitão.

Quando se virou, Vianne passou os olhos pela sala de estar, decorada por três gerações das mulheres da família.

Paredes de estuque dourado, da cor de brioches saindo do forno, o piso de pedra cinzenta forrado por antigos tapetes em estilo renascentista, móveis de madeira bem trabalhada guarnecidos de pele de cabra e tapeçaria, lampiões de porcelana, cortinas de tule vermelhas e douradas, tesouros e antiguidades que remetiam a um tempo em que os Rossignols eram abastados mercadores. Até recentemente ainda havia obras de arte nas paredes. Agora só restavam quadros pouco importantes. Isabelle tinha escondido os melhores.

Vianne atravessou toda a sala em direção ao quartinho embaixo da escada. Parou diante da porta fechada, à esquerda de um banheiro que tinha sido acrescentado no começo dos anos 1920. Ouvia o soldado respirando atrás de si.

Abriu a porta para mostrar um quarto estreito com uma janela grande ladeada por cortinas azul-claras que caíam até o chão. Sobre uma cômoda pintada, um jarro azul e uma bacia. No canto, um antigo armário de carvalho com portas espelhadas. A cama de casal tinha uma mesinha de cabeceira ao lado, e, sobre ela, um antigo relógio dourado. As roupas de Isabelle se espalhavam por toda parte, como se ela estivesse fazendo as malas para uma longa viagem de férias. Vianne recolheu as roupas rapidamente e a valise também. Quando acabou, virou-se para o capitão.

Ele depositou a valise no chão com um baque. Vianne ficou olhando para ele, compelida a abrir um sorriso tenso, por mera cortesia.

– Não precisa se preocupar, madame – disse ele com educação. – Fomos aconselhados a nos portarmos como cavalheiros. Minha mãe exigiria a mesma coisa de mim e, na verdade, tenho mais medo dela do que do meu general.

Foi uma observação tão espontânea que Vianne foi pega de surpresa. Ela não fazia ideia de como reagir àquele estranho que se vestia como o inimigo embora parecesse um jovem que poderia ter conhecido na igreja. E qual seria o preço de dizer a coisa errada?

O capitão continuou onde estava, a uma respeitosa distância dela.

– Peço desculpas por qualquer inconveniência, madame.

– Meu marido vai voltar logo para casa.

– Todos esperamos voltar logo para casa.

Mais um comentário enervante. Vianne anuiu educadamente, deixando-o no quarto e fechando a porta atrás de si.

– Diga que ele não vai ficar aqui – disparou Isabelle, correndo até ela.

– Ele diz que vai – respondeu Vianne em tom de enfado, afastando o cabelo dos olhos. Só agora percebia como estava tremendo. – Sei o que você sente a respeito desses nazistas, mas não deixe que ele saiba. Não vou deixar você pôr Sophie em perigo com sua rebeldia infantil.

– Rebeldia infantil. Você está...

A porta do quarto se abriu, calando Isabelle.

O capitão Beck andou confiante até elas, com um sorriso largo no rosto. Então viu o rádio na sala e deu uma parada.

– Não se preocupem, senhoras. Terei o maior prazer de entregar o seu rádio para o Kommandant.

– É mesmo? – replicou Isabelle. – O senhor considera isso uma gentileza?

Vianne sentiu um aperto no peito. Viu uma tempestade se formando em Isabelle. As faces da irmã ficaram lívidas, os lábios assumiram uma linha fina e incolor, os olhos se estreitaram. Olhava para o alemão como se pudesse matá-lo com o olhar.

– É claro – respondeu, parecendo um pouco confuso. O súbito silêncio pareceu deixá-lo nervoso. Falou de repente: – O seu cabelo é muito bonito, mademoiselle. – Quando Isabelle franziu o cenho, ele continuou: – Este é um cumprimento apropriado, sim?

– O senhor acha mesmo? – replicou Isabelle em voz baixa.

– Adorável – completou Beck e sorriu.

Isabelle foi até a cozinha e voltou com uma tesoura de desossar.

O sorriso dele esmaeceu.

– Terei sido mal-entendido?

– Não, Isabelle! – interveio Vianne, no momento em que a irmã separou um punhado de cabelo na mão.

Olhando intensamente para o rosto bonito do capitão Beck, ela cortou o cabelo e entregou o longo chumaço loiro a ele.

– Deve ser *proibido* para nós ter qualquer coisa bonita, não é, capitão Beck?

Vianne quase engasgou.

– Por favor, senhor, ignore minha irmã. Isabelle é uma garota tola.

– Não – contestou Beck. – Ela é muito invocada. Pessoas assim costumam cometer erros na guerra e morrer por causa disso.

– Assim como soldados conquistadores – rebateu Isabelle.

Beck riu da observação.

Isabelle emitiu um som que era praticamente um rosnado e saiu. Subiu a escada pisando duro e bateu a porta com tanta força que a casa estremeceu.

– Imagino que queira ir conversar com ela agora – disse Beck. E olhou para Vianne de um jeito que fazia parecer que os dois se entendiam. – Essas... atitudes dramáticas no lugar errado podem ser muito perigosas.

Vianne o deixou na sala de estar e subiu a escada. Encontrou Isabelle sentada na cama, tão furiosa que não parava de tremer.

Sua face e seu pescoço estavam marcados de arranhões; um lembrete do que tinha visto e sobrevivido. E agora o cabelo estava cortado, as pontas desiguais.

Vianne jogou as roupas de Isabelle na cama desfeita e fechou a porta.

– Em nome de tudo o que é sagrado, o que você está fazendo?

– Eu posso matá-lo quando ele estiver dormindo, é só cortar a garganta.

– E você acha que eles não vão vir procurar um capitão que tem ordens para aquartelar aqui? *Mon Dieu.* – Respirou fundo para acalmar os nervos. – Sei que existem problemas entre nós, Isabelle. Sei que tratei você mal quando era criança... eu era nova e estava assustada demais para ajudá-la... e papai tratou você pior ainda. Mas isso agora é diferente, você não pode ser mais aquela garota impetuosa. Agora a questão é a minha filha. Sua sobrinha. Nós precisamos protegê-la...

– Mas...

– A França se rendeu, Isabelle. Acho que isso você já entendeu.

– Você não ouviu o general De Gaulle? Ele disse...

– E quem é esse general De Gaulle? Por que deveríamos acreditar nele? O marechal Pétain é um herói de guerra e o nosso líder. Precisamos confiar no nosso governo.

– Você está brincando, Vianne? O governo de Vichy está colaborando com Hitler. Como não consegue entender esse perigo? Pétain está errado. Será que alguém deve seguir um líder cegamente?

Vianne se aproximou de Isabelle devagar, temerosa.

– Você não se lembra da última guerra – disse, cruzando as mãos para parar de tremer. – Eu lembro. Lembro-me das crianças da minha classe chorando baixinho quando as más notícias chegavam por telegrama. Lembro-me dos homens voltando para casa de muletas, as pernas das calças balançando vazias, ou com o braço decepado, o rosto arruinado. Lembro-me de como papai era antes da guerra... e de como ficou diferente quando voltou para casa, de como bebia, batia portas, gritava com a gente e depois, quando desistiu de tudo. Lembro-me das histórias sobre Verdun e Somme, de milhões de franceses morrendo nas trincheiras, que ficaram vermelhas de sangue. E das atrocidades dos alemães, não se esqueça dessa parte. Eles eram *cruéis*, Isabelle.

– Exatamente o meu ponto. Nós devemos...

– Eram cruéis porque estávamos em guerra com eles, Isabelle. Pétain nos salvou de passar por isso de novo. Manteve a nossa segurança. Ele parou a guerra. Agora Antoine e os nossos homens vão voltar para casa.

– Para um mundo de *Heil Hitler*? – retrucou Isabelle com um esgar. – "A chama da resistência francesa não pode e não deve morrer." Foi o que De Gaulle disse. Temos que lutar como pudermos. Pela França, Vi. Para que continue sendo a França.

– Chega – disse Vianne. Aproximou-se mais de Isabelle, como se fosse cochichar ou lhe dar um beijo, mas não fez uma coisa nem outra. Com uma voz firme e calma, falou: – Você vai ficar no quarto da Sophie, e ela fica comigo aqui. E lembre-se de uma coisa, Isabelle: ele pode nos fuzilar. *Fuzilar*. E ninguém vai se importar com isso. Você não vai provocar esse soldado na minha casa.

Percebeu que as palavras surtiram efeito. Isabelle enrijeceu.

– Vou tentar conter minha língua.

– Faça mais do que tentar.

NOVE

Vianne fechou a porta do quarto, apoiando-se contra a madeira, tentando controlar os nervos. Ouvia os passos de Isabelle no cômodo abaixo, andando com tanta raiva que fazia o assoalho tremer. Quanto tempo Vianne ficou ali sozinha, trêmula, tentando se acalmar? Pareceram ter se passado horas em sua luta contra o medo.

Em circunstâncias normais, ela teria encontrado forças para conversar racionalmente com a irmã, dizer algumas coisas havia muito não ditas. Diria quanto sentia pela maneira como a tratara quando era criança. Talvez conseguisse fazer a irmã entender.

Vianne se sentiu extremamente indefesa depois que a mãe morreu. Quando o pai a despachou para viver nesta cidadezinha, sob os olhos frios e severos de uma mulher que nunca demonstrou nenhum amor às meninas, Vianne... feneceu.

Em outras circunstâncias, ela teria partilhado com Isabelle o que tinham em comum, a tristeza pela morte da mãe, a mágoa provocada pela rejeição do pai. A maneira como o pai a tratou quando, aos 16 anos, ela o procurou, grávida e apaixonada... para então ser esbofeteada e chamada de desgraçada. Como Antoine empurrou o pai, com força, dizendo: *Eu vou me casar com ela.*

E a resposta do pai: *Ótimo, ela é toda sua. Pode ficar com a casa. Mas vai ter que levar a irmã chorona também.*

Vianne fechou os olhos. Odiava pensar em tudo aquilo; durante anos, quase conseguiu esquecer aqueles acontecimentos. Agora, como poderia deixar tudo de lado? Tinha agido com Isabelle exatamente como o pai se comportara com elas. Era o maior remorso da vida de Vianne.

Contudo, não era o momento de curar aquela ferida.

Agora tinha de fazer todo o possível para manter Sophie segura até Antoine voltar para casa. Isabelle simplesmente teria de compreender isso.

Com um suspiro, Vianne desceu ao andar de baixo para cuidar do jantar.

Na cozinha, encontrou a sopa de batatas fervendo um

pouco além do que seria ideal, por isso tirou a tampa da panela e baixou o fogo.

– Madame? Está confiante?

Teve um sobressalto ao ouvir a voz do capitão. Quando ele tinha entrado na cozinha? Respirou fundo e ajeitou o cabelo. Ele usara a palavra errada. Ainda não dominava o idioma.

– Sim, obrigada.

– O cheiro está delicioso – continuou ele, aproximando-se por trás.

Vianne deixou a colher de pau ao lado do fogão.

– Posso ver o que está fazendo?

– Claro – concordou, os dois fingindo que sua permissão valia alguma coisa. – É só uma sopa de batatas.

– Minha esposa não cozinha muito bem, sabe?

Ele estava bem atrás dela, assumindo o papel de Antoine, um homem com fome espiando por cima dos ombros enquanto ela preparava o jantar.

– Você é casado – comentou, sentindo-se mais segura, embora não soubesse dizer por quê.

– E com um filho prestes a vir ao mundo. Estamos pensando em dar o nome de Wilhelm, embora eu não vá estar lá quando ele nascer, além de, é claro, essas decisões serem sempre da mãe.

Era uma coisa tão... humana de se dizer. De repente Vianne se virou de lado para olhar para ele. Tinha a mesma altura dela, quase exatamente, e olhar direto nos olhos dele fez com que ela se sentisse vulnerável.

– Se Deus quiser, vamos todos voltar logo para casa – disse ele.

Ele também quer que isso acabe logo, pensou Vianne, aliviada.

– Hora do jantar, Herr capitão. O senhor nos acompanha?

– Seria uma honra, madame. Mas acho que vai gostar de saber que trabalho até tarde quase todas as noites e que costumo jantar com os oficiais. Também vou estar muito em campanhas. Às vezes vocês mal notarão minha presença.

Vianne o deixou na cozinha para levar os talheres para a sala de jantar, onde quase trombou com Isabelle.

– Você não devia ficar sozinha com ele – sussurrou Isabelle.

O capitão entrou na sala.

– Vocês não devem pensar que eu retribuiria sua hospitalidade causando algum transtorno. Esta noite mesmo, trouxe um vinho. Um belo Sancerre.

– O senhor trouxe um vinho para nós – disse Isabelle.

– Como faria qualquer convidado – respondeu ele.

Ah, não, pensou Vianne, mas não havia nada que pudesse fazer para impedir Isabelle de falar.

– O senhor sabe o que aconteceu em Tours, Herr capitão? – perguntou Isabelle. – Como seus Stuka dispararam contra mulheres e crianças inocentes que fugiam para se salvar, como lançaram bombas em nós?

– Nós? – repetiu ele, seu rosto ficando pensativo.

– Eu estava lá. Está vendo as marcas no meu rosto?

– Ah. Deve ter sido muito desagradável.

Isabelle ficou muito rígida. O verde de seus olhos começou a brilhar sob o pano de fundo das marcas vermelhas e hematomas da pele clara.

– Desagradável.

– Lembre-se de Sophie – lembrou Vianne à irmã, em voz baixa.

Isabelle cerrou os dentes e esboçou um falso sorriso.

– Venha, capitão Beck, deixe que eu mostre qual é o seu lugar.

Vianne deu o primeiro suspiro de alívio, pelo menos naquela última hora. Em seguida, lentamente, foi à cozinha para servir o jantar.

Vianne serviu o jantar em silêncio. O clima à mesa era pesado como fuligem de carvão, envolvendo todos os presentes.

O que fez com que os nervos de Vianne ficassem à beira de um colapso. Lá fora, o sol começava a se pôr; uma luz violácea entrava pelas janelas.

– Quer um pouco de vinho, mademoiselle? – perguntou Beck a Isabelle, servindo-se de uma grande taça do Sancerre que havia trazido à mesa.

– Se as famílias francesas normais não têm dinheiro para tomar esse vinho, como posso apreciá-lo, Herr capitão?

– Talvez só um golinho não seja...

Isabelle terminou a sopa e se levantou.

– Com licença. Estou me sentindo enjoada.

– Eu também – disse Sophie, levantando-se e saindo da sala com a tia, como um cachorrinho seguindo o líder da matilha, de cabeça baixa.

Vianne ficou absolutamente imóvel, segurando a colher de sopa em cima do prato. Descansou a colher devagar e limpou a boca com o guardanapo.

– Perdoe minha irmã, Herr capitão. Ela é rebelde e voluntariosa.

– Minha filha mais velha também é assim. Acho que ela ainda vai dar muito trabalho.

Vianne ficou tão surpresa que se virou para ele.

– O senhor tem uma filha?

– Gisela – respondeu, os lábios se contorcendo em um sorriso. – Tem 6 anos e a mãe já não consegue fazer com que cumpra alguns deveres mais simples... como escovar os dentes. Nossa Gisela prefere construir um forte a ler um livro.
– Soltou um suspiro, sorrindo.

Vianne se sentiu perturbada ao saber aquilo sobre ele. Tentou pensar em uma resposta, mas seus nervos estavam em frangalhos. Pegou a colher e voltou à sopa.

A refeição pareceu durar uma eternidade, em um silêncio desconfortável. No momento em que terminou, Beck falou:

– Estava ótimo. Meus agradecimentos.

Vianne levantou-se e começou a tirar a mesa.

Felizmente, ele não a acompanhou até a cozinha. Continuou na sala de jantar, sozinho à mesa, tomando o vinho que trouxera, que ela sabia que teria gosto de outono – de peras e maçãs.

Quando acabou de lavar e enxugar os pratos e guardou tudo, a noite tinha caído. Vianne saiu da casa e foi até o quintal ver o céu estrelado, em busca de um momento de paz. Uma sombra se moveu perto do muro de pedra; talvez fosse um gato.

Ouviu som de passos atrás de si, depois o som de um fósforo sendo riscado e sentiu o cheiro de enxofre.

Deu um passo para trás, em silêncio, tentando se mesclar com a escuridão. Se conseguisse sair logo dali, talvez pudesse voltar para casa pela porta lateral sem alertá-lo de sua presença. Mas pisou em um graveto, ouviu um estalo agudo sob os pés e ficou imóvel.

O capitão saiu do pomar.

– Então a senhora também gosta da luz das estrelas, madame – comentou. – Desculpe a intrusão.

Vianne teve medo de se mexer.

Beck se aproximou, ficando atrás dela como se pertencesse àquele lugar, observando o pomar.

– Quase não dá para imaginar que há uma guerra acontecendo por aí – comentou.

Vianne considerou a tristeza do comentário, que a fez se lembrar de que de alguma forma os dois estavam na mesma situação, longe das pessoas que amavam.

– Seu... superior... disse que todos os prisioneiros de guerra vão ficar na Alemanha. O que isso quer dizer? E os nossos soldados? Eles não devem ter capturado *todos*.

– Não sei, madame. Alguns vão voltar. Muitos não.

– Bem. Eis um adorável momento entre dois novos amigos – disse Isabelle, a voz afiada como aço cortante.

Vianne teve um sobressalto, horrorizada por ter sido surpreendida ali com um alemão, com um inimigo, com um homem.

Isabelle estava em pé sob o luar, usando um conjunto cor de caramelo; segurava sua valise em uma das mãos e o melhor Deauville de Vianne na outra.

– Você está com o meu chapéu – disse Vianne.

– Eu vou ter que esperar o trem. Meu rosto ainda está sensível por causa do ataque dos nazistas. – Sorriu para Beck quando disse isso. Mas não era realmente um sorriso.

Beck fez uma ligeira reverência com a cabeça.

– Vocês certamente têm assuntos de irmãs para discutir. Vou deixá-las sozinhas. – Com mais uma saudação educada, voltou para a casa e fechou a porta.

– Não posso ficar aqui – disse Isabelle.

– É claro que pode.

– Não tenho interesse em fazer amizade com o inimigo, Vi.

– Que absurdo, Isabelle. Não se atreva a...

Isabelle chegou mais perto.

– Vou acabar pondo Sophie em perigo. Cedo ou tarde. Sabe disso. Você disse que eu preciso proteger Sophie. Essa é a única maneira de fazer isso. Sinto que vou explodir se ficar, Vi.

A irritação de Vianne se dissolveu, fazendo-a se sentir cansada e inerte. Essa era a diferença essencial que sempre existira entre as duas. Vianne seguia as regras, Isabelle era a rebelde. Mesmo quando eram meninas, em meio à dor e à tristeza, as duas expressavam as emoções de forma diversa. Vianne caiu em silêncio depois da morte da mãe, tentando fingir que o abandono do pai delas não a magoava, enquanto Isabelle tinha chiliques e esperneava para chamar atenção. A mãe delas tinha jurado que um dia as duas seriam melhores amigas. Nunca tal previsão parecera menos provável.

Nisso, naquele momento, Isabelle tinha razão. Vianne sempre viveria com medo do que a irmã pudesse dizer ou fazer perto do capitão, e realmente ela não tinha forças para suportar aquilo.

– Como você vai viajar?

– De trem. Mando um telegrama quando chegar em segurança.

– Tome cuidado. Não faça nenhuma besteira.

– Eu? Você me conhece.

Vianne puxou Isabelle para um forte abraço e deixou que ela partisse.

A estrada que levava à aldeia estava tão escura que Isabelle não conseguia enxergar os próprios pés. Tudo estava estranhamente silencioso, como uma respiração suspensa, até ela chegar ao campo de pouso. Ali, ouviu botas marchando na terra batida, caminhões e motocicletas trafegando perto da cerca de arame farpado que agora protegia o depósito de munições.

Um caminhão surgiu do nada, os faróis apagados, trovejando pela estrada; Isabelle saiu do caminho, pisando em falso dentro da vala.

Não era muito mais fácil se orientar na cidade, com as lojas fechadas, os postes de luz desativados e as cortinas pretas nas janelas. O silêncio era fantasmagórico e enervante. Seus passos soavam altos demais. A cada passo, ela lembrava que estava desobedecendo ao toque de recolher em vigor.

Escondeu-se em uma viela, tateando o caminho pela parede rugosa, as pontas dos dedos orientando-se pelas fachadas de pedra. Ficava imóvel a cada vez que ouvia vozes, encolhida nas sombras até o silêncio retornar. Pareceu levar uma eternidade para chegar a seu destino: a estação ferroviária, no limite da cidade.

– *Halt!*

Isabelle ouviu a palavra no instante em que viu um facho de luz apontado para ela. Transformou-se em uma sombra encolhida.

Um soldado alemão se aproximou, fuzil nas mãos.

– Você é só uma garota – disse, chegando mais perto. – Você sabe que existe um toque de recolher, *ja*?

Isabelle se aprumou lentamente, encarando o soldado com uma coragem que na verdade não sentia.

– Sei que não podemos ficar até tão tarde. Mas é uma emergência. Preciso ir a Paris. Meu pai está doente.

– Onde está o seu *Ausweis*?

– A minha identidade? Eu não tenho.

O soldado ergueu mais o fuzil.

– Nada de viagem sem um *Ausweis*.

– Mas...

– Vá para casa, garota, é perigoso ficar na rua a essa hora.

– Mas...

– *Já*, antes que eu resolva não ignorar você.

Por dentro, Isabelle gritava de frustração. Foi necessário um esforço considerável para se afastar da sentinela sem dizer nada.

Nem tentou se esconder no caminho de volta para casa. Uma parte dela queria ser presa, para poder aliviar a corrente de invectivas que alardeavam dentro de sua cabeça.

Aquilo não era vida para ela. Presa em uma casa com um nazista, em uma cidade que aceitava a derrota sem um sinal de protesto. Vianne não estava sozinha em seu desejo de fingir que a França não se rendera ou fora conquistada. Na cidade, os lojistas e os donos de bistrôs sorriam e serviam champanhe para os alemães, vendiam os melhores cortes de carne para eles. Os aldeões, basicamente camponeses, sacudiam os ombros e continuavam tocando a vida; ah, sim, resmungavam, abanavam a cabeça e davam informações erradas quando indagados, mas, fora essas pequenas rebeliões, não acontecia mais nada. Não é de admirar que os soldados alemães estivessem inchados de arrogância. Tinham conquistado aquela cidade sem luta. Que inferno, eles tinham feito a mesma coisa no país inteiro!

Mas Isabelle não conseguia esquecer o que vira nos arredores de Tours.

Em casa, quando já estava no andar de cima novamente, no quarto em que tinha passado a infância, fechou a porta, batendo-a com força. Pouco depois sentiu cheiro de fumaça de cigarro, o que a deixou tão furiosa que sentiu vontade de gritar.

Ele estava lá embaixo, fumando. O capitão Beck, com sua cara de tacho e seu sorriso falso, que podia expulsar todas elas da casa quando quisesse. Por qualquer razão, ou sem nenhuma razão. Sua frustração se transformou em uma irritação que nunca havia sentido. Suas entranhas pareciam uma bomba prestes a explodir. Uma atitude errada – ou uma palavra –, e ela poderia explodir.

Foi pisando duro até o quarto de Vianne e abriu a porta.

– É preciso ter um passe para sair da cidade – falou, cada vez mais furiosa. – Os canalhas não me deixam pegar o trem para ver minha família.

Em meio à escuridão, Vianne respondeu:

– Pois é.

Isabelle não sabia se tinha ouvido alívio ou decepção na voz da irmã.

– Amanhã você vai até a cidade pra mim. Vai ficar nas filas e comprar o que puder enquanto eu estou na escola.

– Mas...

– Sem "mas", Isabelle. Agora você vai ter que morar aqui. Chegou a hora de ficar mais leve. Eu preciso saber que posso contar com você.

Durante a semana seguinte, Isabelle tentou se comportar da melhor maneira que podia, mas era impossível, com aquele homem vivendo sob o mesmo teto. Não conseguia dormir à noite. Ficava rolando na cama, sozinha no escuro, imaginando o pior.

Naquela manhã, bem antes do alvorecer, ela desistiu de fingir e levantou-se da cama. Lavou o rosto e escolheu um vestido simples de algodão, cobrindo o cabelo arruinado com um lenço enquanto descia a escada.

Vianne estava sentada no divã, tricotando, com um lampião a óleo ao lado. No círculo de luz que a separava da escuridão, parecia pálida e doentia. Obviamente também não tinha conseguido dormir naquela semana. Olhou para Isabelle, surpresa.

– Você acordou cedo.

– Tenho um longo dia de filas pela frente. É melhor começar cedo – disse Isabelle. – O primeiro da fila consegue os melhores artigos.

Vianne pôs as agulhas de lado e se levantou. Alisou o vestido (outra lembrança de que *ele* estava na casa: ninguém mais descia de camisola), foi à cozinha e voltou com os cartões de racionamento.

– Hoje é dia de carne.

Isabelle pegou os cartões e saiu de casa, mergulhando na escuridão de um mundo em blecaute.

O dia clareou enquanto ela caminhava, iluminando um mundo irreal, que parecia Carriveau, mas era totalmente estrangeiro. Enquanto passava pelo campo de pouso, um carro verde e pequeno com as letras POL escritas na traseira passou por ela rosnando.

Gestapo.

O campo de pouso já estava em plena atividade. Avistou quatro guardas na frente – dois no recém-construído portão de acesso e dois nas portas duplas da edificação. Bandeiras nazistas estalavam na brisa do início da manhã. Vários aviões se preparavam para decolar – para jogar bombas na Inglaterra e por toda a Europa. Guardas marchavam em frente a cartazes vermelhos que diziam: PROIBIDO: MANTENHA-SE AFASTADO SOB PENA DE MORTE.

Continuou andando.

Já havia quatro mulheres na fila do açougue quando ela chegou. Ocupou seu lugar atrás delas.

Foi então que viu um pedaço de giz na rua, caído na calçada. Na mesma hora, soube o que poderia fazer com aquilo.

Olhou para os lados e percebeu que ninguém estava olhando para ela. Por que estariam, com tantos alemães por todos os lados? Homens uniformizados desfilavam pela cidade como pavões, comprando tudo o que viam. Barulhentos, estridentes e de riso fácil. Sempre se mostrando educados, abrindo as portas para as mulheres e tocando os quepes, mas Isabelle não se deixava enganar.

Abaixou-se e empalmou o pedaço de giz, escondendo-o no bolso. Vivenciou uma sensação de perigo e êxtase ao se apossar daquele pedaço de giz. Começou a bater o pé, impaciente, esperando sua vez.

– Bom dia – saudou, entregando os cartões de racionamento à esposa do açougueiro, uma mulher com ar cansado, cabelos ralos e lábios mais ralos ainda.

– Pé de porco, um quilo. Foi só o que sobrou.

– Ossos?

– Os alemães ficam com as melhores partes, mademoiselle. Na verdade você está com sorte. Porco é proibido para os franceses, sabe, mas eles não gostam dos pés. Você quer ou *non*?

– Vou levar – concordou Isabelle, pegando o pacotinho embrulhado em um papel amassado amarrado com barbante.

Do outro lado da rua, ouviu o som de botas marchando sobre o paralelepípedo, o tinir de sabres nas bainhas, o som de risadas masculinas e as vozes ronronantes das mulheres francesas que aqueciam suas camas. Três soldados alemães ocupavam uma mesa de um bistrô ali perto.

– Mademoiselle – disse um deles. – Venha tomar um café conosco.

Ela se agarrou ao cesto de vime com seu precioso pacote, por mais minguado e insuficiente que fosse, e ignorou os soldados. Virou a esquina e entrou em uma viela estreita e tortuosa, como tantas outras da cidade. As entradas eram estreitas, parecendo becos sem saída para quem olhava da rua. Os moradores sabiam como transitar por elas, da mesma forma que um barqueiro conhece um rio pantanoso. Continuou andando, inobservada. As lojas da viela estavam todas fechadas.

Um cartaz em uma loja de chapéus abandonada retratava um velho curvado com um nariz grande e adunco, parecendo maldoso e avarento, segurando um saco de dinheiro e com uma trilha de sangue e cadáveres atrás. Parou em frente ao cartaz quando leu a palavra *Juif* – Judeu.

Sabia que deveria continuar andando. Era só uma propaganda, afinal, a mão pesada do inimigo tentando culpar o povo judeu pelos males do mundo, era uma guerra.

Ainda assim.

Olhou para a esquerda. A menos de 20 metros ela via a Rue La Grande, a avenida principal da cidade; à direita, uma curva dava em uma viela.

Tirou o pedaço de giz do bolso. Quando teve certeza de que não havia ninguém à vista, desenhou um grande *V* de vitória no cartaz, cobrindo o máximo que conseguiu da imagem.

Alguém a agarrou pelo pulso com tanta força que ela gemeu. O pedaço de giz caiu no chão, bateu no calçamento e rolou para dentro de uma fenda entre os paralelepípedos.

– Mademoiselle, sabe que é proibido fazer isso? – disse um homem, encostando-a contra o cartaz que havia acabado de desfigurar, mantendo o rosto dela voltado para a parede de modo que ela não pudesse vê-lo. – E que a punição para isto é a morte?

DEZ

Vianne fechou os olhos e pensou: *Volte logo para casa, Antoine.*

Era só o que se permitia pedir, só essa pequena esperança. Como ela iria conseguir aguentar tudo sozinha? A guerra, o capitão Beck e Isabelle?

Gostaria de sonhar acordada, fingir que o mundo estava direito e não caindo aos pedaços; que aquele quarto de hóspedes ocupado não significava nada, que na noite anterior dormira com Sophie porque as duas tinham adormecido enquanto liam, que Antoine estava lá fora naquela orvalhada manhã, cortando lenha para um inverno que ainda estava meses à frente. Logo ele entraria e diria: *Bem, lá vou eu passar mais um dia entregando cartas.* Talvez comentasse sobre uma de suas últimas entregas – uma carta da África ou da América – e a envolvesse em uma história romântica e imaginária a respeito.

No entanto, voltou a guardar as agulhas de tricô no cesto ao lado do divã, calçou as botas e saiu para cortar lenha. Logo chegaria o outono, depois o inverno e a devastação causada pelos refugiados na horta a lembraram do quão frágil era o equilíbrio de sua sobrevivência. Levantou o machado e baixou, com força.

Respire. Levante. Firme. Golpe.

Cada golpe reverberava em seus braços e se alojava dolorosamente nos músculos dos ombros. O suor escorria pelos poros, encharcava seus cabelos.

– Por favor, permita que eu faça isso para a senhora.

Vianne ficou imóvel, o machado no ar.

Beck estava ali perto, vestido com botas e calça de montaria, apenas uma camiseta fina cobrindo o torso. As faces pálidas avermelhadas pelo barbear matinal, o cabelo loiro molhado. Gotas escorriam pela camiseta, traçando um estampado nas pequenas queimaduras de sol.

Vianne sentiu-se tremendamente desconfortável de roupão e botas de trabalho, com o cabelo desalinhado preso no alto da cabeça. Abaixou o machado.

– Há coisas que os homens fazem na casa. A senhora é muito delicada para cortar lenha.

– Eu consigo cortar lenha.

– Claro que consegue, mas por quê? Vamos, madame. Vá cuidar da sua filha. Eu faço isso pela senhora. Se não fizer, minha mãe vai me bater de cinto.

Vianne tentou se mexer, mas por alguma razão não conseguiu e, de repente, delicadamente, ele pegou o machado da mão dela. Por um momento ela tentou segurar o machado, por instinto.

Seus olhares se encontraram, e ambos os sustentaram.

Vianne largou o machado e recuou, tão depressa que tropeçou. Beck segurou-a pela cintura. Resmungando um "obrigada", Vianne virou-se e saiu andando, mantendo a coluna o mais reta possível. Precisou de coragem para não sair correndo. Mesmo assim, quando chegou à porta da casa, parecia ter corrido desde Paris até ali. Livrou-se com um chute das botas de jardinagem maiores que seu pé e viu quando bateram no chão e se amontoaram. A última coisa que desejava era receber uma gentileza de um homem que invadira sua casa.

Bateu a porta com força e foi até a cozinha, onde acendeu o fogão e pôs uma chaleira com água para ferver. Em seguida foi até o pé da escada e chamou a filha para o café da manhã.

Teve de chamar mais duas vezes – e ameaçar – antes que Sophie começasse a descer a escada, o cabelo desgrenhado, uma expressão mal-humorada nos olhos. Estava usando o vestido de marinheiro – de novo. Ela já tinha crescido nos dez meses desde que Antoine se fora, mas se recusava a parar de usar o vestido.

– Já levantei – falou, acomodando-se em seu lugar à mesa.

Vianne colocou uma tigela de mingau de farelo de milho na frente da filha. Perdeu a mão e acrescentou uma colher de chá de pêssegos em conserva.

– Mamãe, você não está ouvindo? Tem alguém batendo à porta.

Vianne balançou a cabeça e foi abrir a porta (mas só conseguiu ouvir o tunc-tunc-tunc do machado).

Era Rachel, com o bebê nos braços e Sarah ao lado.

– Você vai dar suas aulas com o cabelo cheio de grampos?

– Oh! – Vianne sentiu-se ridícula. O que estava acontecendo com ela? Era o último dia de aula antes das férias de verão. – Vamos logo, Sophie. Estamos atrasadas.

Voltou correndo para dentro e limpou a mesa. Sophie tinha lambido o prato e Vianne o deixou na pia de cobre para lavá-lo mais tarde. Cobriu o que sobrou do mingau na panela, guardou os pêssegos em calda e subiu correndo para se arrumar.

Em pouco tempo, tirou os grampos e penteou o cabelo até deixá-lo com ondas suaves. Pegou o chapéu, as luvas e a sacola e saiu de casa para encontrar Rachel e as crianças que esperavam no pomar.

O capitão Beck também estava lá, descansando em uma sombra. Sua camiseta branca se encontrava encharcada em algumas partes e colara-se ao peito do rapaz, revelando tufos de pelo sob o tecido. O machado estava apoiado casualmente em um dos ombros.

– Ah, saudações – cumprimentou.

Vianne pôde sentir o escrutínio de Rachel.

Beck abaixou o machado.

– É amiga sua, madame?

– Rachel – disse Vianne, timidamente. – Minha vizinha. Este é Herr capitão Beck. Ele está... aquartelado conosco.

– Saudações – repetiu Beck, com um educado gesto de cabeça.

Vianne deu um pequeno empurrão nas costas de Sophie e todas saíram andando pela relva alta do pomar em direção à estrada de terra.

– Ele é bonito – comentou Rachel enquanto passavam pelo campo de pouso, fervilhando de atividade atrás do arame farpado. – Você não disse isso.

– Bonito?

– Tenho certeza de que você já notou, por isso sua pergunta é interessante. Como ele é?

– Alemão.

– Os soldados aquartelados com Claire Moreau parecem salsichas com duas pernas. Ouvi dizer que bebem vinho como se bebessem água e que roncam feito porcos. Acho que você teve sorte.

– Você é que teve sorte, Rachel. Ninguém está morando na sua casa.

– A pobreza tem suas vantagens, afinal. – Enlaçou o braço no de Vianne. – Não fique tão tensa, Vianne. Ouvi dizer que eles têm ordens de se comportar "corretamente".

Vianne olhou para a melhor amiga.

– Semana passada, Isabelle cortou o cabelo na frente do capitão e disse que a beleza devia ser proibida.

Rachel não conseguiu conter um sorriso.

– Oh.

– Não foi nada engraçado. Esse temperamento dela pode acabar nos matando.

O sorriso de Rachel esmaeceu.

– Você não consegue conversar com ela?

– Ah, eu posso conversar. Mas ela já ouviu alguém alguma vez na vida?

– Você está me machucando – disse Isabelle.

O homem a puxou da parede e a arrastou pela rua, andando tão depressa que ela precisava correr para acompanhá-lo, tropeçando nos paralelepípedos a cada passo. Quando quase caiu em um desses tropeções, ele a segurou com mais força e a pôs de pé.

Pense, Isabelle. Ele não está de uniforme, então deve ser da Gestapo. Isso é ruim. E a viu pichando um cartaz. Seria considerado um ato de sabotagem, espionagem ou resistência à ocupação alemã?

Não era a mesma coisa que explodir uma ponte ou vender segredos para a Inglaterra.

Eu estava fazendo arte... ia desenhar um vaso de flores... Não um V de vitória, um vaso. Nada a ver com resistência, só uma garota boba desenhando no único papel que conseguiu encontrar. Nunca ouvi falar de nenhum general De Gaulle.

E se não acreditassem nela?

O homem parou em frente a uma porta de carvalho com uma argola na forma de uma cabeça de leão no centro.

Bateu quatro vezes.

– P-para onde você está me levando? – Seria a porta dos fundos do quartel da Gestapo? Corriam boatos horríveis sobre os interrogadores da Gestapo. Que eram sádicos e cruéis, mas ninguém sabia ao certo.

A porta se abriu devagar, revelando um velho de boina. Um cigarro enrolado à mão pendia de seus lábios grossos e manchados. Olhou para Isabelle e franziu o cenho.

– Abra logo – rosnou o homem atrás de Isabelle e o velho deu um passo para o lado.

Isabelle foi empurrada para um recinto cheio de fumaça. Seus olhos lacrimejavam enquanto ela olhava ao redor. Era uma loja que vendia gorros, alfinetes e artigos de costura, mas que agora estava fechada. Na luz esfumaçada, viu as gôndolas vazias encostadas na parede, alguns cabides para chapéu feitos de metal empilhados em um canto. A janela externa fora lacrada com tijolos e a porta dos fundos, que dava para a Rue La Grande, tinha uma tranca por dentro.

Havia quatro homens no recinto: encostado em um canto, um homem alto e grisalho, quase andrajoso; um garoto sentado ao lado do velho que abrira a porta; e um jovem bonito com um suéter remendado, calça surrada e botas arranhadas sentado a uma mesa de café.

– Quem é essa, Didier? – perguntou o velho que tinha aberto a porta.

Pela primeira vez, Isabelle conseguiu ver melhor seu captor – era grande e parrudo, parecia um homem forte de circo, com o queixo quadrado e um rosto muito grande.

Tentou ficar o mais alta possível, jogando os ombros para trás e erguendo o queixo. Sabia que devia parecer ridiculamente jovem com aquela saia xadrez e blusa justa, mas se recusou a dar a eles a satisfação de saberem que estava com medo.

– Eu a encontrei desenhando um *V* num cartaz alemão – disse o homem forte que a apanhara. Didier.

Isabelle fechou a mão esquerda, nervosa.

– Você não tem nada a dizer? – perguntou o velho de pé no canto. Era o chefe, claramente.

– Eu não tenho giz nenhum.

– Eu vi quando ela rabiscou o cartaz.

Isabelle tentou a sorte.

– Você não é alemão – disse para o fortão. – É francês, aposto. E você é o açougueiro. – Apontou para o velho que abrira a porta. Ignorou solenemente o garoto, mas disse para o jovem bonito em andrajos: – Você parece com fome e deve estar usando as roupas do seu irmão, ou quem sabe alguma coisa que achou pendurada num varal. Comunista.

O jovem sorriu para ela, mudando completamente de atitude.

Mas era do homem do canto que ela sentia medo. O que estava no comando. Deu um passo na direção dele.

– Você pode ser ariano. Talvez esteja obrigando os outros a cumprir suas ordens.

– Eu conheço esse homem desde criança, mademoiselle – disse o açougueiro. – Lutei ao lado do pai dele em Somme... e também com seu pai. Você é Isabelle Rossignol, *oui*?

Ela não respondeu. Seria uma armadilha?

– Sem resposta – disse o bolchevique, levantando-se de onde estava e vindo na direção dela. – Bom sinal. Por que estava desenhando um *V* no cartaz?

Mais uma vez, Isabelle permaneceu em silêncio.

– Eu sou Henri Navarre – continuou ele, tão perto que poderia tocar nela. – Não somos alemães, nem trabalhamos para eles, mademoiselle. – Fez uma expressão significativa. – Nem todos nós estamos passivos. Agora diga por que estava rabiscando os cartazes deles?

– Foi só no que consegui pensar – respondeu Isabelle.

– Como assim?

Isabelle soltou a respiração devagar.

– Eu ouvi o discurso do general De Gaulle no rádio.

Henri virou a cabeça, dando uma olhada para o velho. Isabelle viu os dois travarem uma longa conversa sem falar uma palavra. No fim, já sabia quem era o chefe: o comunista bonito. Henri.

Afinal, Henri falou, virando-se para ela outra vez:

– Se houvesse alguma outra coisa que pudesse fazer, você faria?

– O que quer dizer com isso? – perguntou ela.

– Há um homem em Paris...

– Um grupo, na verdade, do Musée de l'Homme... – corrigiu o grandalhão.

Henri levantou a mão.

– Não devemos falar mais do que o necessário, Didier. Enfim, esse homem, um tipógrafo, está arriscando a vida produzindo panfletos para distribuirmos. Talvez a gente consiga acordar os franceses para o que está acontecendo, se tentarmos. – Henri pegou uma sacola de couro pendurada na cadeira e tirou um maço de papéis. Um título em destaque chamou a atenção de Isabelle: *"Vive le Général De Gaulle."*

O texto era uma carta aberta ao marechal Pétain com críticas à rendição. No final, dizia: *"Nous sommes pour le général De Gaulle."* Nós apoiamos o general De Gaulle.

– Então? – indagou Henri em voz baixa, e naquela proposta Isabelle ouviu o chamado às armas que tanto esperava. – Você quer distribuir os panfletos?

– Eu?

– Somos comunistas e radicais – disse Henri. – Já estamos na mira deles. Você é uma garota. E aliás, muito bonita. Ninguém iria suspeitar de você.

– Eu posso distribuir esses panfletos – respondeu ela, sem hesitar.

Os homens começaram a comemorar, mas Henri pediu silêncio.

– O tipógrafo está arriscando a vida produzindo esses panfletos e alguém está arriscando a vida datilografando esses textos. Estamos arriscando a vida trazendo isso até aqui. Mas você, Isabelle, é quem pode ser presa distribuindo os panfletos. Não se engane. Isso não é a mesma coisa que rabiscar um *V* num cartaz. Isso envolve o risco de uma sentença de morte.

– Eu não vou ser presa – afirmou Isabelle.

Henri sorriu ante aquela afirmação.

– Quantos anos você tem?

– Quase 19.

– Ah – retrucou ele. – E como uma pessoa tão nova vai conseguir esconder isso da família?

– Minha família não é problema – explicou Isabelle. – Eles não prestam atenção em mim. Mas... tem um soldado alemão aquartelado lá em casa. E eu teria que desobedecer ao toque de recolher.

– Não vai ser fácil. Entendo que esteja com medo.

Henri começou a se afastar.

Isabelle arrancou os panfletos da mão dele.

– Eu disse que ia distribuir.

Isabelle ficou em êxtase. Pela primeira vez desde o armistício ela não se sentia totalmente sozinha em sua necessidade de fazer alguma coisa pela França. Os homens falaram de dezenas de grupos como aquele em todo o país organizando uma resistência para seguir De Gaulle. Quanto mais eles falavam, mais ela se entusiasmava diante da perspectiva de se aliar ao grupo. Sim, ela sabia que iria sentir medo. (Eles falaram bastante sobre isso.)

Mas era ridículo – os alemães ameaçarem alguém com a pena de morte por distribuir uns pedaços de papel. Se fosse presa, ela conseguiria levar todo mundo na conversa. Mas não seria presa. Quantas vezes já tinha fugido de uma escola trancada, tomado um trem sem passagem e conseguido se livrar de problemas? Sua beleza a ajudava a desobedecer às regras sem represálias.

– Quando tivermos novos panfletos, como podemos entrar em contato com você? – perguntou Henri enquanto abria a porta para ela sair.

Isabelle deu uma olhada na rua.

– O apartamento em cima da loja de chapéus da madame La Foy. Ainda está vazio?

Henri anuiu.

– Abram a cortina quando estiverem com os panfletos. Eu venho assim que puder.

– Bata quatro vezes na porta. Se ninguém atender, continue andando – recomendou ele. Fez uma pausa e acrescentou: – Tome cuidado, Isabelle.

Fechou a porta quando ela saiu.

Sozinha de novo, Isabelle examinou a cesta que carregava.

Os panfletos estavam embaixo de uma toalha de linho xadrez vermelha e branca. Em cima, os pés de porco embrulhados pelo açougueiro. Não era uma grande camuflagem. Precisaria pensar em algo melhor.

Seguiu pela viela até entrar em uma rua movimentada. O céu já escurecia. Ela estivera com os homens o dia todo. As lojas estavam fechando; os únicos transeuntes eram soldados alemães e as poucas mulheres que escolheram fazer companhia a eles. As mesas das cafeterias na calçada estavam cheias de homens uniformizados, comendo as melhores comidas, tomando os melhores vinhos.

Isabelle precisou reunir todas as suas forças para andar devagar. Assim que saiu da cidade, começou a correr. Ao se aproximar do campo de pouso, estava suando e sem fôlego, mas não reduziu o ritmo. Correu o caminho todo até a casa. Quando fechou o portão, inclinou-se para a frente, respirando com dificuldade, segurando a cesta, tentando recuperar o fôlego.

– Está se sentindo mal, mademoiselle Rossignol?

Isabelle se aprumou, o coração batendo forte.

O capitão Beck apareceu a seu lado. Será que já estava lá antes dela?

– Capitão – falou, esforçando-se para diminuir o ritmo das batidas do coração. – Passou um comboio... eu... hã... corri para sair do caminho.

– Um comboio? Mas eu não vi nada.

– Já faz algum tempo. E eu sou... tão boba às vezes. Perdi a noção do tempo conversando com uma amiga e, bem... – Abriu o sorriso mais encantador de que dispunha e ajeitou o cabelo destruído, como se quisesse parecer mais bonita para ele.

– Como estavam as filas hoje?

– Intermináveis.

– Por favor, permita que eu leve sua cesta para dentro.

Ela olhou para a cesta, viu um pedacinho de papel aparecendo embaixo da toalha xadrez.

– Não, eu...

– Ah, eu insisto. Nós somos cavalheiros, sabe?

A mão fina e bem-cuidada de Beck se fechou na alça de vime. Quando se virou em direção à casa, ela continuou a seu lado.

– Vi um grupo grande se reunindo na prefeitura hoje à tarde. O que a polícia de Vichy está fazendo aqui?

– Ah. Nada que deva preocupar vocês. – Ficou esperando em frente à porta até ela abrir. Isabelle remexeu na maçaneta, nervosa, girou-a e abriu. Embora tivesse todo o direito de entrar à vontade, ele esperava até ser convidado, como se fosse uma visita.

– Isabelle, é você? Por onde andou? – Vianne surgiu de repente, saindo na luz.

– As filas estavam medonhas hoje.

Sophie levantou-se do chão perto da lareira, onde brincava com Bebê.

– O que você comprou hoje?

– Pés de porco – respondeu Isabelle, olhando preocupada para a cesta na mão de Beck.

– Só isso? – disse Vianne, ríspida. – E o óleo de cozinha?

Sophie voltou para o tapete no chão, visivelmente desapontada.

– Vou pôr os pés de porco na despensa – disse Isabelle, estendendo a mão para pegar a cesta.

– Por favor, permita-me – falou Beck. Ele encarava Isabelle, observando-a atentamente. Ou talvez fosse só impressão.

Vianne acendeu uma vela e entregou a Isabelle.

– Não desperdice nada. Vai logo.

Beck foi muito galante ao acompanhá-la pela cozinha escura e abrir a porta da despensa.

Isabelle entrou primeiro, iluminando o caminho. Os degraus de madeira rangeram sob seus pés até ela chegar ao chão de terra batida do porão frio. As prateleiras de madeira pareceram se fechar sobre ela quando Beck entrou atrás. A luz da vela cabriolava na frente dos dois.

Isabelle tentou controlar o tremor das mãos ao pegar os pés de porco embrulhados. Colocou-os na prateleira, ao lado dos minguados suprimentos.

– Traga três batatas e um nabo – pediu Vianne lá de cima. Isabelle teve um sobressalto ao ouvir a voz dela.

– Você parece nervosa – observou Beck. – É o termo certo, mademoiselle?

A vela bruxuleava entre os dois.

– Tinha um monte de cachorros na cidade hoje.

– A Gestapo. Eles adoram aqueles pastores. Mas não há razão para se preocupar com isso.

– Eu tenho medo... de cachorros grandes. Já fui mordida uma vez. Quando era criança.

Beck abriu um sorriso, que foi distorcido pela iluminação. *Não olhe para a cesta.* Mas era tarde demais. Ela viu mais um pedaço do papel aparecendo.

Forçou um sorriso.

– Você sabe como são as meninas. Sempre com medo de tudo.

– Não é a maneira como eu a descreveria, mademoiselle.

Isabelle tirou a cesta da mão dele com todo o cuidado. Sem desviar o olhar, colocou a cesta na prateleira, fora do alcance da luz da vela. Quando viu-a no lugar, no escuro, ela finalmente recuperou a respiração.

Os dois se olharam em meio a um silêncio desconfortável.

Beck fez um sinal de cabeça.

– Agora eu preciso ir. Só vim pegar uns papéis para uma reunião hoje à noite. – Beck virou-se para a escada e começou a subir.

Isabelle acompanhou o capitão pela escada estreita. Quando saiu na cozinha, Vianne estava lá, de braços cruzados e cara feia.

– Cadê as batatas e o nabo? – perguntou, de olho em Isabelle.

– Esqueci.

Vianne suspirou.

– Vá buscar – falou.

Isabelle se virou e voltou a entrar na despensa. Depois de pegar o nabo e as batatas, foi até a cesta e levantou a vela para iluminar seu interior. Lá estava: o minúsculo retângulo de papel branco, aparecendo. Retirou depressa os panfletos da cesta e enfiou tudo na anágua. Subiu as escadas sorrindo, sentindo os papéis contra a pele.

Durante o jantar, Isabelle sentou-se com a irmã e sobrinha para tomar sopa aguada e comer pão dormido, tentando pensar em algo que pudesse dizer, mas não lhe ocorreu nada. Sophie pareceu não notar nada de diferente, sempre contando uma história depois da outra. Isabelle batia o pé nervosamente, esperando ouvir o som de uma motocicleta se aproximar da casa, o tropel de botas alemãs na calçada da frente, uma batida forte e impessoal na porta. Não parava de olhar a cozinha e a porta da despensa.

– Você está estranha hoje – comentou Vianne.

Isabelle ignorou a observação da irmã. Quando finalmente a refeição terminou, ela pulou da cadeira e falou:

– Eu lavo os pratos, Vi. Por que você e Sophie não terminam o jogo de damas de vocês?

– Você vai lavar os pratos? – perguntou Vianne, lançando um olhar desconfiado à irmã.

– O que é isso? Eu já me ofereci antes – explicou Isabelle.

– Não que eu me lembre.

Isabelle recolheu os talheres e os pratos de sopa vazios. Queria aquela tarefa só para se manter ocupada, fazer alguma coisa com as mãos.

Depois disso Isabelle não encontrou mais nada para fazer. A noite se arrastou. Vianne, Sophie e Isabelle jogaram belote, mas Isabelle não conseguia se concentrar, estava nervosa e excitada demais. Arranjou uma desculpa qualquer e saiu do jogo mais cedo, fingindo estar cansada. Subiu para o quarto e deitou-se por cima das cobertas, totalmente vestida. Esperando.

Passava da meia-noite quando ouviu Beck voltando. Escutou quando ele entrou no quintal; então sentiu o cheiro da fumaça do cigarro. Pouco depois ele entrou na casa – com suas botas barulhentas –, mas à uma hora tudo ficou em silêncio outra vez. Mesmo assim ela continuou esperando. Às quatro da manhã, saiu da cama, vestiu um suéter pesado de tricô preto e uma saia de tweed xadrez. Rasgou uma costura de um casaco mais leve e enfiou os panfletos dentro, vestiu o casaco e amarrou o cinto. Guardou os cartões de racionamento no bolso da frente.

Ao descer a escada, fez uma careta a cada rangido. Pareceu levar uma eternidade até que chegasse à porta da frente, mais do que uma eternidade, mas por fim ela conseguiu. Abriu a porta em silêncio, fechando-a atrás de si.

O início da manhã estava frio e escuro. Em algum lugar um passarinho cantou, provavelmente despertado pela porta se abrindo. Isabelle inalou o cheiro das rosas e surpreendeu-se com quanto aquele momento parecia comum.

Dali em diante não haveria mais retorno.

Andou até o portão ainda quebrado, sempre de olho na casa escura, esperando ver Beck, os braços cruzados, as botas de prontidão, observando-a.

Mas ninguém apareceu.

Sua primeira parada foi na casa de Rachel. Quase não havia correspondência naqueles dias, mas mulheres como Rachel, com os homens ausentes, verificavam a caixa de correio todos os dias, na esperança de que alguma carta trouxesse notícias.

Isabelle enfiou a mão debaixo do casaco, sentiu a abertura do forro de seda e tirou um panfleto. Com um movimento rápido, abriu a caixa de correio, introduziu o panfleto e fechou a tampa.

Quando voltou à estrada, olhou ao redor e não viu ninguém. Tinha conseguido!

A segunda parada foi na fazenda do velho Rivet. Um comunista de corpo e alma, um revolucionário que já havia perdido um filho no front.

Quando entregou o último panfleto, sentiu-se invencível. Tinha acabado de amanhecer; a pálida luz do sol dourava os prédios de calcário da cidade.

Foi a primeira mulher a entrar na fila da calçada naquela manhã e por isso conseguiu uma porção completa de manteiga. Cento e cinquenta gramas para o mês. Dois terços de uma xícara.

Um tesouro.

ONZE

*T*odos os dias, naquele longo e quente verão, Vianne acordava com uma lista de tarefas. Replantou e expandiu a horta (com Sophie e Isabelle) e converteu duas estantes de livros em gaiolas para coelhos. Usou arame de galinheiro para gradear a pérgola. Agora, o lugar mais romântico da casa cheirava a esterco – o esterco que recolhiam para a horta.

Ficava com a lavagem da fazenda ao lado – do velho Rivet – em troca de forragem. O único momento em que descansava e se sentia ela mesma era nas manhãs de domingo, quando levava Sophie à igreja (Isabelle se recusava a ir à missa) e depois tomava café com Rachel, sentada à sombra do quintal da casa, só as duas amigas, conversando, rindo, fazendo piadas. Às vezes Isabelle se juntava às duas, mas era mais comum ficar brincando com as crianças do que conversando com as mulheres – o que também era bom para Vianne.

A realização daquelas tarefas era necessária, claro; uma nova maneira de se preparar para um inverno que parecia distante, mas que chegaria como uma visita não esperada, no pior dia possível. Mais importante, a atividade mantinha a cabeça de Vianne ocupada. Quando estava trabalhando no jardim, cozinhando amoras para fazer conserva ou marinando pepinos, ela não pensava em Antoine e no tempo em que estava sem receber notícias dele. Era a incerteza que a espicaçava: seria um prisioneiro de guerra? Estaria ferido em algum lugar? Morto? Ou um dia ela ergueria os olhos e veria o marido chegando pela estrada, sorrindo?

Sentir saudades dele. Sentir sua falta. Preocupar-se com ele. Essas eram suas jornadas noite adentro.

Em um mundo agora carregado de más notícias e silêncios, a única boa notícia era que o capitão Beck passara quase todo o verão fora, em várias campanhas. Quando ele não estava, a casa entrava em uma espécie de rotina. Isabelle fazia tudo o que a irmã pedia sem reclamar.

Outubro havia chegado, começava a esfriar. Vianne estava distraída voltando da escola com Sophie. Sentiu que um dos saltos do sapato se soltou, o que a deixou meio desequilibrada. Aqueles sapatos de pelica preta não tinham sido feitos para o uso diário que vinham tendo nos últimos meses. A sola começava a se soltar na ponta do pé, o que às vezes a fazia tropeçar. A preocupação com a aquisição de um novo par de sapatos era sempre uma constante. Um cartão de racionamento não implicava que houvesse disponibilidade de sapatos – nem de comida.

Vianne manteve uma das mãos sobre o ombro de Sophie, tanto para firmar o passo, como para ter a filha mais próxima. Os soldados nazistas estavam por toda parte; em cima de caminhões ou em motocicletas equipadas com *sidecar* com metralhadoras. Marchavam na praça, suas vozes entoando hinos triunfantes.

Um caminhão militar buzinou e as duas se afastaram para o lado da estrada enquanto o comboio passava rugindo. Mais nazistas.

– Aquela não é a *tante* Isabelle? – perguntou Sophie.

Vianne olhou na direção do dedo de Sophie. Sem dúvida, era Isabelle saindo de uma viela, com sua cesta no braço. Ela parecia... "furtiva" foi o único termo que lhe veio à cabeça.

Furtiva. Nisso, uma dezena de pequenas peças se encaixaram. Pequenas incongruências que formaram um padrão. Isabelle saía de Le Jardin quase sempre de manhãzinha, muito mais cedo que o necessário. Desfiava dezenas de desculpas bem elaboradas por ausências que Vianne mal notava. Saltos de sapato quebrados, chapéus soprados pelo vento que tiveram de ser perseguidos, um cachorro que a assustara ao bloquear seu caminho.

Será que ela estava saindo escondida para encontrar algum rapaz?

– *Tante* Isabelle! – gritou Sophie.

Sem esperar uma resposta – ou permissão –, Sophie saiu correndo. Desviou de três soldados alemães que jogavam uma bola para a frente e para trás.

– *Merde* – resmungou Vianne. – *Pardon* – disse ao passar entre os soldados e atravessar a rua de paralelepípedos.

– O que você conseguiu hoje? – Ouviu Sophie perguntar a Isabelle, tentando fuçar na cesta de vime.

Isabelle deu um tapa na mão de Sophie. Forte.

Sophie deu um grito e recolheu a mão.

– Isabelle! – ralhou Vianne. – Qual é o seu problema?

Isabelle teve a gentileza de enrubescer.

– Desculpe. É que eu estou cansada. Passei o dia inteiro em filas. E para quê? Um osso de vitela quase sem carne e uma lata de leite. É desanimador. Mesmo assim, eu não devia ter sido indelicada. Desculpe, Soph.

– Talvez você não se sentisse cansada se não estivesse saindo escondida tão cedo – observou Vianne.

– Não estou saindo escondida – retrucou Isabelle. – Estou indo comprar comida. Achei que era o que queria de mim. A propósito, preciso de uma bicicleta. Essas caminhadas até a cidade com esses sapatos surrados estão me matando.

Vianne gostaria de conhecer melhor a irmã para interpretar a expressão dos olhos dela. Seria culpa? Preocupação, desafio? Se não a conhecesse, diria que era orgulho.

Sophie deu o braço a Isabelle e as três tomaram o caminho de casa.

Vianne insistia em ignorar as mudanças ocorridas em Carriveau – os nazistas ocupando cada vez mais espaço, os cartazes nas paredes de calcário (os novos panfletos antissemitas eram nauseantes) e as bandeiras vermelhas e pretas com a suástica desfraldadas no alto de portas e nas sacadas. As pessoas começavam a ir embora de Carriveau, abandonando suas casas para os alemães. Diziam os boatos que estavam indo para a Zona Livre, mas ninguém sabia ao certo. Lojas fechavam as portas e não abriam mais.

Vianne ouviu passos atrás delas e disse:

– Vamos andar mais depressa.

– Madame Mauriac, se me permite...

– Meu Deus, agora ele está seguindo você? – cochichou Isabelle.

Vianne se virou lentamente.

– Herr capitão – disse. As pessoas na rua observavam Vianne com atenção, os olhos estreitados em sinal de reprovação.

– Só queria dizer que vou chegar mais tarde hoje e, infelizmente, não estarei em casa para o jantar – disse Beck.

– Que pena – comentou Isabelle, com uma voz agridoce como caramelo queimado.

Vianne tentou sorrir, mas realmente não sabia por que ele a havia parado.

– Vou guardar alguma coisa para...

– *Nein. Nein.* Muita gentileza da sua parte. – E ficou em silêncio.

Vianne fez o mesmo.

Afinal Isabelle deu um longo suspiro.

– Estamos indo para casa, Herr capitão.

– Posso fazer alguma coisa pelo senhor, Herr capitão? – perguntou Vianne.

Beck chegou mais perto.

– Sei quanto está preocupada com seu marido, por isso eu andei fazendo algumas pesquisas.

– Oh.

– Não são boas notícias, lamento dizer. Seu marido, Antoine Mauriac, foi capturado, junto com muitos outros homens de sua cidade. Está num campo de prisioneiros de guerra. – Beck entregou uma lista de nomes e uma pilha de cartões-postais oficiais. – Ele não vai voltar para casa.

Vianne mal se lembrava de ter saído da cidade. Sabia que Isabelle estava a seu lado, apoiando-a, ajudando-a a pôr um pé na frente do outro, e que Sophie estava junto, formulando perguntas afiadas como anzóis. *O que é um prisioneiro de guerra? O que Herr capitão quis dizer quando falou que papai não vai voltar para casa? Nunca mais?*

Vianne só percebeu que tinha chegado quando foi recepcionada pelos aromas do jardim. Piscou, sentindo-se um pouco como alguém que desperta de um coma e encontra o mundo totalmente mudado.

– Sophie – disse Isabelle com firmeza. – Vá fazer um café para sua mãe. Abra uma lata de leite.

– Mas...

– Vá – insistiu.

Quando Sophie se afastou, Isabelle virou-se para a irmã, segurando seu rosto com as mãos frias.

– Antoine vai ficar bem.

Vianne sentiu como se estivesse desabando, pouco a pouco, perdendo sangue e ossos ali em pé, contemplando algo em que vinha laboriosamente evitando pensar: uma vida sem o marido. Começou a tremer, bater os dentes.

– Vamos entrar e tomar um café – disse Isabelle.

Entrar na casa? Na casa *deles*? O fantasma do marido deveria estar em toda parte ali – no recôncavo no divã onde ele se sentava para ler, no cabide no qual pendurava o casaco. E na cama.

Vianne abanou a cabeça, desejando chorar, mas não encontrava lágrimas. Aquela notícia a esvaziara. Não conseguia sequer respirar.

De repente, só conseguia pensar no suéter dele que ela estava usando. Começou a tirar a roupa, arrancando o casaco e o colete – ignorando os gritos de Isabelle de NÃO! –, enquanto despia o suéter e enfiava o rosto na lã macia, tentando sentir o cheiro de Antoine nos fios – o aroma do sabonete que usava, o cheiro *dele*.

No entanto, só sentiu seu próprio cheiro. Afastou o suéter do rosto e ficou olhando, tentando se lembrar da última vez que ele o usara. Pegou um fio solto que saiu em sua mão, um fio contorcido cor de vinho. Cortou o fio com os dentes e fez um nó para não desfiar o resto da manga. Fios de lã eram uma preciosidade naqueles dias.

Naqueles dias.

Dias em que o mundo estava em guerra, em que tudo era escasso e os maridos tinham partido.

– Eu não sei viver sozinha.

– O que está dizendo? Nós vivemos anos sozinhas. Desde o momento em que mamãe morreu.

Vianne piscou. As palavras da irmã soaram atropeladas, como um fonógrafo na velocidade errada.

– Você viveu sozinha – comentou. – Eu nunca vivi. Conheci Antoine com 14 anos, engravidei aos 16 e me casei um pouco depois de completar 17. Papai me deu essa casa para se livrar de mim. Então, como você pode ver, eu *nunca* vivi sozinha. É por isso que você é tão forte e eu... não sou.

– Pois vai ter que ser – disse Isabelle. – Pela Sophie.

Vianne respirou fundo. Era isso mesmo. A razão de não poder ingerir uma tigela de arsênico ou se jogar embaixo de um trem. Pegou o fiozinho de lã enrolado e amarrou-o em um galho da macieira. O tom bordô se destacava entre o verde e o marrom. Agora, sempre que viesse ao jardim ou quisesse colher maçãs, ela passaria por esse galho, veria aquele pedaço de fio e pensaria em Antoine. E estaria sempre rogando – para ele e a Deus –: *Volte para casa.*

– Vamos – disse Isabelle, colocando o braço ao redor de Vianne, puxando-a para mais perto. Quando Vianne entrou, a casa ecoava a voz de um homem que não estava lá.

Vianne ficou parada na porta do chalé de pedra de Rachel; acima, o céu era da cor de fumaça naquele final de tarde frio. As folhas das árvores, amarelas, alaranjadas ou vermelhas, começavam a escurecer nas bordas. Logo estariam caídas no chão.

Vianne olhou para a porta, desejando não precisar estar ali, mas estava com os nomes da lista de Beck. Marc de Champlain também constava da lista.

Quando afinal reuniu coragem para bater à porta, Rachel atendeu quase instantaneamente, usando um velho vestido caseiro e meias de lã frouxas. Um cardigã pendia solto, abotoado incorretamente, fazendo-a parecer estranha, meio torta.

– Vianne! Entre. Sarah e eu estávamos justamente fazendo arroz-doce. É quase só água e gelatina, claro, mas eu pus um pouco de leite.

Vianne conseguiu dar um sorriso. Deixou que a amiga a

conduzisse até a cozinha e lhe servisse uma xícara de um sucedâneo amargo de café, que era tudo o que conseguiam comprar. Vianne estava fazendo observações sobre o arroz--doce – sem saber bem o que dizia –, quando Rachel se virou e perguntou:

– Qual é o problema?

Vianne olhou para a amiga. Gostaria de ser a mais forte ali – ao menos uma vez –, mas não conseguiu conter as lágrimas que encheram seus olhos.

– Fique aqui na cozinha – disse Rachel a Sarah. – Se ouvir o seu irmão acordar, pegue-o. – Depois, para Vianne: – Você vem comigo. – Pegou a amiga pelo braço e conduziu-a pela sala pequena até seu quarto.

Vianne se sentou na cama e olhou para a amiga. Sem falar nada, mostrou a lista de nomes que conseguira com Beck.

– Eles estão num campo de prisioneiros de guerra, Rachel. Antoine, Marc e todos os outros. Eles não vão voltar para casa.

Três dias depois, em uma gelada manhã de sábado, Vianne esperava na sala de aula que um grupo de mulheres se sentasse em carteiras pequenas demais para elas. Pareciam cansadas e meio desconfiadas. Ninguém se sentia à vontade em reuniões naqueles dias. Não era muito claro até onde se aplicavam as proibições em conversas sobre a guerra; além disso, as mulheres de Carriveau estavam exaustas. Passavam o dia em filas para quantidades insuficientes de comida e, quando não estavam nas filas, colhiam forragem nos campos ou tentavam vender suas sapatilhas de balé ou uma echarpe de seda para comprar uma bisnaga de um bom pão com o dinheiro. No fundo da sala, encostadas em um canto, Sophie e Sarah apoiavam-se uma na outra, joelhos erguidos, lendo livros.

Rachel passou o filho adormecido de um ombro a outro e fechou a porta da sala.

– Obrigada por terem vindo. Sei como é difícil nesses tempos fazer qualquer coisa além do absolutamente necessário. – Houve um murmúrio de concordância entre as mulheres.

– Por que estamos aqui? – perguntou madame Fournier, com um ar cansado.

Vianne deu um passo à frente. Nunca se sentiu totalmente confortável perto de algumas daquelas mulheres, muitas não gostaram de Vianne quando ela se mudou para a cidade, com 14 anos de idade. E quando Vianne "fisgou" Antoine – o homem mais bonito do lugar –, elas gostaram menos ainda. Mas tudo aquilo era passado, claro, e agora Vianne tinha uma relação amistosa com aquelas mulheres, ensinava a seus filhos e frequentava suas lojas, mas, ainda assim, as dores da adolescência haviam deixado um resíduo de desconforto.

– Recebi uma lista de moradores de Carriveau que foram feitos prisioneiros de guerra. Sinto muito... muito mesmo... mas devo dizer que seus maridos estão na lista, assim como o meu e o de Rachel. Fui informada de que eles não vão voltar para casa.

Fez uma pausa, esperando a reação das mulheres. A sensação de dor e de perda transformou suas expressões. Vianne sabia que era uma dor que refletia a sua. Mesmo assim, era difícil de ver e percebeu que seus olhos aguavam mais uma vez. Rachel chegou mais perto, segurou a mão dela.

– Recebi também alguns cartões-postais – continuou Vianne. – Cartões-postais oficiais. Para escrever para os nossos maridos.

– Como você conseguiu tantos cartões-postais? – perguntou madame Fournier, enxugando os olhos.

– Pedindo um favor ao alemão dela – disse Hélène Ruelle, a mulher do padeiro.

– Não pedi nada! E ele não é o meu alemão – contestou

Vianne. – É um soldado que requisitou minha casa. Será que eu deveria ir embora sem nada e deixar os alemães ficarem com o meu lar? Todas as casas e hotéis da cidade com quartos sobrando foram requisitados por eles. Não há nada de especial no meu caso.

Houve mais rumores, alguns pigarros. Algumas mulheres concordaram, outras abanaram a cabeça.

– Eu preferia me matar a deixar um deles morar na minha casa – afirmou Hélène.

– É mesmo, Hélène? Preferia se matar? – questionou Vianne. – E você mataria os seus filhos antes, ou jogaria todos na rua para sobreviverem sozinhos?

Hélène virou o rosto.

– Eles ocuparam o meu hotel – disse uma mulher. – E são cavalheiros, a maioria. Um pouco rudes, talvez. Uns esbanjadores.

– *Cavalheiros*. – Hélène cuspiu a palavra. – Somos porcos no matadouro. Vocês vão ver. Porcos que morrem sem lutar.

– Eu não tenho visto você no meu açougue ultimamente – comentou madame Fournier dirigindo-se a Vianne em um tom acusador.

– Minha irmã tem ido no meu lugar – explicou Vianne. Sabia que era nisso que a reprovavam; tinham medo de que Vianne conseguisse (e se aproveitasse de) privilégios especiais que lhes eram negados. – Eu não aceitei comida, nem coisa nenhuma do inimigo. – De repente se sentiu na escola outra vez, sendo ameaçada pelas garotas mais populares.

– Vianne só está querendo ajudar – interveio Rachel, com um tom tão enérgico que calou todas. Tomou os cartões-postais de Vianne e começou a distribuir.

Vianne se sentou e olhou para seu cartão-postal em branco.

Ouviu o arranhar de canetas das outras mulheres e, lentamente, começou a escrever.

Meu amado Antoine,

Nós estamos bem. Sophie está crescendo e mesmo com tanto trabalho arranjamos algum tempo neste verão para ficarmos um pouco perto do rio. Pensamos em você – eu penso – a cada respiração e rezo para que esteja bem. Não se preocupe conosco, volte para casa.

Je t'aime, *Antoine.*

A letra ficou tão pequena que Vianne se perguntou se ele conseguiria ler.

Ou se receberia o cartão.

Ou se estava vivo.

Pelo amor de Deus, ela estava *chorando*.

Rachel postou-se ao lado dela, pôs uma mão em seu ombro.

– Nós todas sentimos o mesmo – disse em voz baixa.

Algum tempo depois as mulheres se levantaram, uma a uma. Sem falar nada, andaram até a frente e entregaram seus cartões-postais a Vianne.

– Não se deixe magoar por elas – comentou Rachel. – Só estão assustadas.

– Também estou com medo – respondeu Vianne.

Rachel encostou seu cartão-postal no peito, os dedos espalhados sobre o pequeno quadrado de papel, como se precisasse tocar em cada canto.

– Como poderíamos não estar?

Mais tarde, quando as duas amigas voltaram a Le Jardin, a motocicleta de Beck, com o *sidecar* equipado com a metralhadora, estava estacionada na grama perto do portão.

Rachel virou-se para Vianne:

– Quer que a gente entre com você?

Vianne percebeu a preocupação no olhar de Rachel e sabia que teria ajuda se pedisse, mas como poderia ser ajudada?

– Não, *merci*. Está tudo bem. Ele deve ter esquecido alguma coisa, já deve estar saindo. Ele quase não tem ficado aqui
esses dias.

– Onde está Isabelle?

– Boa pergunta. Ela sai de fininho toda sexta de manhã
antes de o sol nascer. – Chegou mais perto da amiga. – Acho
que está se encontrando com algum rapaz.

– Que bom para ela.

Para aquilo, Vianne não tinha resposta.

– Será que ele vai mandar os cartões-postais para nós? –
indagou Rachel.

– Espero que sim.

Vianne ficou olhando para a amiga mais algum tempo.
Depois falou:

– Bom, logo saberemos. – E seguiu com Sophie em direção
à casa. Quando entrou, mandou Sophie subir para o quarto
e ler. A filha estava acostumada àquelas diretivas e não se
importou. Vianne tentava manter Sophie e Beck o mais separados possível.

O capitão estava na mesa de jantar, papéis espalhados à
sua frente. Ergueu os olhos quando Vianne entrou. Uma gota
de tinta caiu do bico da caneta-tinteiro, formando uma estrela azul na folha de papel branco na mesa.

– Madame. Excelente. Estou contente que tenha voltado.

Vianne andou na direção dele, hesitante, segurando o
maço de cartões-postais amarrados por um barbante.

– Eu... estou com alguns cartões-postais... escritos pelas
amigas da cidade... para os maridos... mas não sabemos
para onde enviar. Imaginei... talvez... que o senhor pudesse
nos ajudar.

Vianne oscilava de um pé para o outro, constrangida, sentindo-se extremamente vulnerável.

– É claro, madame. Será um prazer fazer esse favor a
vocês. Só que vai demandar algum tempo e pesquisa. –
Levantou-se educadamente. – No momento, estou elabo-

rando uma lista para meus superiores no Kommandantur. Eles precisam saber os nomes de algumas professoras da sua escola.

– Oh – disse Vianne, sem saber por que ele estava dizendo aquilo. Ele nunca falava sobre o trabalho. Aliás, eles quase não falavam sobre nada.

– Judias. Comunistas. Homossexuais. Maçons. Testemunhas de Jeová. A senhora conhece essas pessoas?

– Eu sou católica, Herr capitão, como sabe. Não falamos sobre essas coisas na escola. De qualquer forma, não sei nada sobre homossexuais e maçons.

– Ah. Então conhece as outras.

– Não estou entendendo...

– Não estou sendo claro. Perdão. Gostaria muito se me dissesse os nomes das professoras da sua escola que são judias ou comunistas.

– Por que o senhor precisa dos nomes delas?

– Por mera escrituração. A senhora sabe como são os alemães: adoramos fazer listas. – Sorriu e puxou uma cadeira para ela.

Vianne olhou para os papéis em branco na mesa; depois para os cartões-postais que tinha na mão. Se Antoine recebesse um cartão, ele poderia responder. Ela poderia ao menos saber se estava vivo.

– Essas informações não são secretas, Herr capitão. Qualquer um pode fornecer esses nomes.

Beck chegou mais perto.

– Com algum esforço, madame, creio ser possível saber o endereço do seu marido e também mandar suas cartas. Assim ficaria mais otimista?

– Otimista não é a palavra certa, Herr capitão. O senhor está me perguntando se eu estaria de acordo. – Estava ganhando tempo e sabia disso. Pior, sabia muito bem que ele também sabia.

– Ah. Muito obrigado por me orientar em sua bela língua.

Peço desculpas. – Ofereceu uma caneta. – Não se preocupe, madame. É uma questão escritural.

Vianne queria dizer que não escreveria nome nenhum, mas qual seria o sentido? Seria fácil ele obter essa informação na cidade. Todo mundo sabia os nomes da lista. E Beck poderia expulsá-la da casa por essa relutância – e o que ela iria fazer?

Sentou-se, pegou a caneta e começou a escrever nomes. Só parou e levantou a caneta do papel quando chegou ao final da lista.

– Acabei – disse em voz baixa.

– Você esqueceu a sua amiga.

– Esqueci?

– Imagino que queira ser bem precisa.

Mordeu o lábio, nervosa, e voltou a olhar para a lista de nomes. De repente teve certeza de que não deveria ter feito aquilo. Mas que escolha tinha? O capitão controlava sua casa. O que aconteceria se o contestasse? Devagar, sentindo o estômago revirar, Vianne escreveu o último nome da lista.

Rachel de Champlain.

DOZE

*E*m uma manhã especialmente fria de novembro, Vianne acordou com lágrimas no rosto. Mais uma vez, estivera sonhando com Antoine.

Saiu da cama com um suspiro, tomando cuidado para não acordar Sophie. Tinha dormido totalmente vestida, com um colete de lã, um suéter de manga comprida, meias de lã, calça de flanela (de Antoine, que ela cortou nas pernas para servir), luvas e um gorro de lã. O Natal nem tinha chegado, mas o uso de várias camadas de roupa já tinha se tornado de rigor. Vestiu um cardigã por cima de tudo e mesmo assim continuou com frio.

Enfiou as mãos enluvadas na abertura embaixo do colchão e tirou a bolsinha de couro que Antoine deixara. Não restava muito dinheiro. Logo elas teriam de viver só com seu salário de professora.

Voltou a guardar o dinheiro (contar as notas tinha se tornado uma obsessão desde que a temperatura começara a cair) e desceu para o térreo.

Agora nunca havia o bastante de nada. Os canos congelavam à noite e a água só chegava às torneiras no meio do dia. Vianne tinha se habituado a levar baldes cheios de água para perto do fogão e das lareiras para lavar os utensílios. O gás e a eletricidade eram escassos, bem como o dinheiro para pagar por eles, por isso ela economizava as duas coisas. As chamas do fogão eram tão baixas que mal ferviam a água. Raramente ela usava as lâmpadas elétricas.

Acendeu o fogo, enrolou-se em um pesado edredom e se sentou no divã. A seu lado havia uma bolsa com um amontoado de fios de lã que tinha obtido ao desmanchar um de seus velhos suéteres. Estava fazendo um cachecol para dar de Natal a Sophie, e o único tempo que tinha era nessas primeiras horas da manhã.

Tendo apenas os rangidos da casa como companhia, ela se concentrava nos fios azul-claros e na maneira como as agulhas de tricô entravam e saíam dos pontos cruzados, criando a cada momento algo que antes não existia. Acalmava seus nervos, esse ritual matutino que já fora normal. Caso se distraísse, podia se lembrar da mãe sentada a seu lado, ensinando-a, dizendo: "Faça um ponto, pule dois, isso mesmo... lindo..."

Ou de Antoine descendo a escada de meias, sorrindo e perguntando o que ela estava fazendo para ele...

Antoine.

A porta da frente se abriu devagar, trazendo uma lufada de ar gelado e uma revoada de folhas. Isabelle entrou, usando um velho casaco de lã de Antoine, botas até o joelho e um cachecol enrolado na cabeça e no pescoço, deixando apenas os olhos de fora. Ao perceber Vianne ali, parou bruscamente.

– Ah. Você já acordou. – Tirou o cachecol e pendurou o casaco. Não dava para não perceber a expressão de culpa em seu rosto. – Eu estava lá fora cuidando das galinhas.

As mãos de Vianne se imobilizaram; as agulhas pararam de tecer.

– Seria melhor me contar logo quem é esse rapaz que você continua encontrando às escondidas.

– Quem sairia para encontrar um rapaz nesse frio? – perguntou Isabelle, puxando-a para deixar a irmã de pé e conduzindo-a para mais perto do fogo.

Vianne estremeceu ao sentir aquele calor repentino. Não tinha percebido quanto estava com frio.

– Você – respondeu, surpresa com o próprio sorriso. – Você sairia no frio para encontrar um rapaz.

– Teria de ser um rapaz e tanto. Talvez um Clark Gable.

Sophie entrou correndo na sala e abraçou Vianne.

– Que gostoso – disse, estendendo as mãos em direção ao fogo.

Por um instante meigo e bonito, Vianne se esqueceu de suas preocupações. Isabelle comentou:

– Bom, é melhor eu ir logo. Preciso ser a primeira na fila do açougue.

– É melhor comer alguma coisa antes de sair – disse Vianne, enfim.

– Pode dar minha parte para Sophie – respondeu Isabelle, vestindo de novo o casaco e cobrindo a cabeça com o cachecol.

Vianne acompanhou a irmã até a porta e viu-a desaparecer

no escuro. Em seguida voltou à cozinha, acendeu um lampião a óleo e foi até a despensa no porão, onde prateleiras se enfileiravam nas paredes de pedra. Dois anos antes, aquelas prateleiras transbordavam com presunto defumado e potes de gordura de pato repousando ao lado de espirais de linguiça. Garrafas de vinagre de champanhe, latas de sardinha, jarros de geleia.

Agora, só restava um pouco de café de chicória. O que ainda havia de açúcar era um resíduo branco e coruscante no fundo do vidro e a farinha era mais preciosa que ouro. Graças a Deus a horta tinha produzido uma boa colheita de legumes, apesar da destruição na passagem dos refugiados. Vianne tinha feito conservas de todas as frutas e legumes, independentemente do tamanho.

Pegou um pedaço de pão integral quase embolorado. Levando em conta o crescimento de uma criança, um ovo cozido e uma torrada não eram muita coisa, mas poderia ser pior.

– Eu quero mais – disse Sophie quando terminou.

– Mais tarde, Sophie – respondeu Vianne.

– Os alemães estão ficando com toda a nossa comida – retrucou Sophie, no momento exato em que Beck saía do quarto com seu uniforme cinza-esverdeado.

– Sophie – admoestou Vianne.

– Sim, garotinha, é verdade que os alemães estão pegando muita coisa que a França produz, mas os homens na frente de batalha precisam comer, não é?

Sophie olhou para ele e franziu o cenho.

– Mas todo mundo não precisa comer?

– *Oui*, mademoiselle. Mas os alemães não só tiram as coisas, nós também damos aos nossos amigos. – Enfiou a mão no bolso da túnica e tirou uma barra de chocolate.

– Chocolate!

– Não, Sophie – interveio Vianne, mas Beck já estava distraindo Sophie, fazendo a barra de chocolate sumir e reaparecer em um passe de mágica. Quando afinal lhe entregou o chocolate, Sophie soltou alguns gritinhos e foi logo abrindo a embalagem.

Beck aproximou-se de Vianne.

– A senhora... parece triste hoje – disse em voz baixa.

– Que chocolate delicioso – comentou Sophie, lambendo os beiços.

– Seria uma boa ideia comer um pedaço por noite em vez de engolir tudo de uma vez só, sabe? Sem falar das virtudes de partilhar o que se tem.

– *Tante* Isabelle diz que é melhor ousar do que se rebaixar. Diz que quem salta de um precipício ao menos vai voar antes de cair.

– Ah, sim. Isso é bem típico de Isabelle. Talvez você devesse perguntar da vez em que ela quebrou o pulso pulando de uma árvore na qual nem deveria ter subido. Mas vamos andando, está na hora de ir para a escola.

Já fora da casa, ficaram esperando Rachel e os filhos na beira da estrada gelada e lamacenta. Quando eles chegaram, todos partiram para a longa e fria caminhada até a escola.

– Já estou há quatro dias sem café – comentou Rachel. – Caso você esteja se perguntando por que ando com essa cara de bruxa.

– Eu é que ando meio mal-humorada ultimamente – disse Vianne. Esperou que Rachel discordasse, mas a amiga a conhecia muito bem e sabia quando uma simples afirmação não era tão simples. – É que... eu ando com a cabeça meio cheia de problemas.

A lista. Vianne havia anotado os nomes semanas atrás e não tinha acontecido nada. Mesmo assim, continuava preocupada.

– Com Antoine? Com a penúria? Com o frio de rachar? – Rachel sorriu. – Com qual dessas pequenas preocupações você cismou essa semana?

O sinal da escola tocou.

– Rápido, mamãe, estamos atrasadas – disse Sophie, puxando-a pelo braço.

Vianne se deixou levar pela escada de pedra. Entrou com Sophie e Sarah na sala em que dava aula, já repleta de alunos.

– A senhora está atrasada, madame Mauriac – observou Gilles com um sorriso. – Vai ter nota baixa por isso.

Todos deram risada.

Vianne tirou o casaco e o pendurou.

– Muito espirituoso, Gilles, como sempre. Vamos ver se continua sorrindo depois da nossa prova escrita.

Houve um protesto geral e Vianne não pôde deixar de sorrir diante daquelas expressões amuadas. Todos pareciam muito desanimados; honestamente, era difícil se sentir diferente naquela sala escura e gelada, sem luz suficiente para diluir as sombras.

– Ora, que diabo, está uma manhã tão fria! Talvez a gente precise de um jogo de cabra-cega para fazer o sangue esquentar.

Um rugido de aprovação encheu a sala. Vianne mal teve tempo de pegar o casaco antes de ser arrastada da classe por uma maré de crianças dando risada.

Mal tinham saído quando Vianne ouviu o ronco de automóveis se aproximando da escola.

As crianças nem perceberam – parece que agora só notavam os aviões – e continuaram brincando.

Vianne andou até o limite do prédio e espiou pelo canto.

Uma Mercedes-Benz preta vinha chegando pela estrada de terra, os para-lamas adornados com pequenas bandeiras com a suástica tremulando no vento frio. Seguida por uma viatura da polícia francesa.

– Crianças, venham aqui – disse Vianne, correndo para o meio do pátio. – Fiquem comigo.

Dois homens saíram de trás do prédio e se tornaram visíveis. Um deles Vianne nunca tinha visto – um sujeito loiro, alto, elegante, quase efeminado, com um casaco de couro comprido e botas reluzentes. Uma cruz de ferro condecorava o colarinho engomado. O outro ela conhecia; era policial em Carriveau havia anos. Paul Jeauelere. Antoine dissera várias vezes que ele tinha atitudes covardes e mesquinhas.

– Madame Mauriac – saudou o policial francês com um gesto de cabeça oficioso.

Vianne não gostou da expressão em seu olhar. Lembrou-lhe a maneira como os garotos às vezes se olhavam quando estavam prestes a intimidar uma criança mais fraca.

– *Bonjour*, Paul.

– Viemos aqui para falar com algumas colegas suas. Nada que lhe diga respeito, madame. A senhora não está na nossa lista.

A lista.

– O que vocês querem com as minhas colegas? – ela se viu perguntando, mas com uma voz quase inaudível, mesmo com as crianças em silêncio.

– Algumas professoras vão ser dispensadas hoje.

– Dispensadas? Por quê?

O agente nazista fez um gesto com a mão pálida, como se estivesse espantando uma mosca.

– Judias, comunistas e maçons – resmungou. – Pessoas que não têm mais permissão para ensinar em escolas ou trabalhar no serviço público ou no judiciário.

– Mas...

O nazista fez um sinal para o policial francês e os dois entraram marchando na escola.

– Madame Mauriac – disse alguém, puxando a manga dela.

– Mamãe – choramingou Sophie. – Eles não podem fazer isso, podem?

– Claro que podem – respondeu Gilles. – Malditos nazistas filhos da mãe.

Vianne deveria ter chamado a atenção dele pelo linguajar, mas só conseguia pensar na lista de nomes que tinha fornecido a Beck.

Vianne lutou contra a própria consciência por horas. Continuou dando as aulas durante boa parte do dia, mas não conseguia se lembrar de como havia feito isso. Não parava de pensar na maneira como Rachel olhou para ela quando saiu da escola junto com as demais professoras dispensadas. Finalmente, ao meio-dia, apesar da falta de pessoal na escola, Vianne pediu que outra professora assumisse suas aulas.

Agora, estava parada na calçada da praça da cidade.

Tinha planejado o que iria dizer durante todo o percurso até ali, mas, quando viu a bandeira nazista hasteada no *Hôtel de Ville*, sua determinação fraquejou. Para onde olhasse, ela via soldados alemães, andando em duplas, montados em cavalos lindos e bem alimentados ou trafegando pelas ruas em Citröens pretos. Do outro lado da praça, viu um nazista tocar o apito e usar o fuzil para forçar um velho a se ajoelhar.

Vamos, Vianne.

Andou até a escada de pedra que levava às portas de carvalho fechadas, onde um guarda de rosto jovial a deteve e perguntou o que tinha ido fazer ali.

– Eu vim ver o capitão Beck – informou ela.

– Ah. – O guarda abriu a porta e apontou uma larga escadaria, fazendo o número dois com os dedos.

Vianne entrou no saguão principal da prefeitura. O local estava repleto de homens uniformizados. Tentou evitar contato visual com todos por quem passava enquanto atravessava o saguão em direção à escada, que subiu sob o olhar vigilante do Führer, cujo retrato ocupava a maior parte da parede.

No segundo andar, avistou um homem de uniforme e falou:

– O capitão Beck, *s'il vous plaît?*

– *Oui*, madame. – O soldado a levou até uma porta no final do corredor e bateu de leve. Ao ouvir uma resposta do outro lado, abriu a porta para ela.

Beck estava sentado atrás de uma mesa orlada em motivos pretos e dourados – claramente confiscada de uma das mansões da região. Atrás dele, as paredes eram parcialmente cobertas por um retrato de Hitler e uma série de mapas. Na mesa havia uma máquina de escrever e um mimeógrafo. No canto, via-se um amontoado de rádios confiscados, mas a pior imagem era a da comida. Havia caixas e caixas de alimentos, pilhas de carne curada e grandes discos de queijo encostados na parede dos fundos.

– Madame Mauriac – disse Beck, levantando-se depressa. – Que surpresa mais agradável. – Andou na direção dela. – O que posso fazer pela senhora?

– É a respeito das professoras que o senhor demitiu da escola.

– Eu não, madame.

Vianne olhou para a porta aberta atrás dela e deu um passo na direção dele, abaixando a voz para dizer:

– O senhor me disse que a lista de nomes era de natureza escritural.

– Sinto muito. Sinceramente. Foi o que me disseram.

– Precisamos dessas professoras na escola.

– A senhora não deveria estar aqui... pode ser perigoso. – Encurtou a já pequena distância entre eles. – Seria melhor não atrair atenção para si, madame Mauriac. Não aqui. Um desses homens... – Olhou para a porta e parou de falar. – Vá embora, madame.

– Eu gostaria que o senhor não tivesse me pedido.

– Eu também, madame – concordou ele, com um olhar compreensivo. – Agora vá embora. Por favor. A senhora não deveria estar aqui.

Vianne afastou-se do capitão Beck – e de toda aquela comida e do retrato do Führer – e saiu do escritório. Enquanto se encaminhava para a escada, notou como os soldados a observavam, sorrindo uns para os outros, sem dúvida fazendo piadas sobre mais uma francesa tentando cortejar o elegante soldado alemão que conquistara seu coração. Só quando saiu ao ar livre percebeu a extensão de seu erro.

Várias mulheres na praça, ou nas imediações, viram quando Vianne saiu do covil dos nazistas.

Uma das mulheres era Isabelle.

Vianne desceu correndo a escada, indo em direção a Hélène Ruelle, a mulher do padeiro, que fazia uma entrega de pães ao Kommandantur.

– Socializando, madame Mauriac? – comentou ela com ironia quando Vianne passou.

Isabelle atravessava a praça praticamente correndo, vindo em sua direção. Com um suspiro derrotado, Vianne parou, esperando a irmã chegar até onde se encontrava.

– O que você estava fazendo lá dentro? – exigiu Isabelle, falando muito alto, ou talvez fosse apenas a percepção de Vianne.

– Eles demitiram as professoras hoje. Não. Não todas, só as judias, as maçons e as comunistas. – A lembrança da cena a envolveu, ela se sentiu enjoada. Lembrou-se do corredor vazio, da perplexidade das professoras que restaram. Ninguém sabia o que fazer, como contestar os nazistas.

– *Só* elas, é? – disse Isabelle, contraindo o rosto.

– Eu não falei nesse sentido. Só quis esclarecer. Eles não demitiram todas as professoras. – Soou como uma frágil desculpa, mesmo para seus ouvidos, por isso ela se calou.

– Mas isso não justifica sua presença no quartel-general deles.

– Eu... pensei que o capitão Beck talvez pudesse ajudar. Ajudar Rachel.

– Você foi pedir um favor a Beck?

– Eu tinha que fazer isso.

– Mulheres francesas não pedem favores a nazistas, Vianne. *Mon Dieu*, você devia saber disso.

– Eu sei – concordou Vianne num tom desafiador. – Mas...

– Mas o quê?

Vianne não conseguiu aguentar mais.

– Fui eu que fiz a lista de nomes para ele.

Isabelle ficou imóvel. Por um instante, pareceu nem estar respirando. O olhar que lançou a Vianne doeu mais que uma bofetada no rosto.

– Como foi capaz de fazer isso? Você deu o nome de Rachel?

– Eu... eu não sabia – gaguejou Vianne. – Como eu podia saber? Ele disse que era apenas para escrituração. – Segurou a mão de Isabelle. – Ah, Isabelle, você me perdoa? De verdade. Eu não sabia.

– Não é do meu perdão que você precisa, Vianne.

Vianne sentiu uma vergonha profunda e lancinante. Como pôde ser tão tola, e, em nome de Deus, como poderia consertar aquilo? Olhou para o relógio. As aulas terminariam logo.

– Vá até a escola – pediu. – Pegue Sophie, Sarah e leve as duas para casa. Eu preciso fazer uma coisa.

– Seja o que for, espero que tenha pensado bem a respeito.

– Vá – disse Vianne com um ar cansado.

A capela de St. Jeanne era uma igrejinha normanda feita de pedra e situada no limite da cidade. Atrás dela e de suas muralhas medievais ficava o convento das Irmãs de São José, freiras que administravam uma escola e um orfanato.

Vianne entrou na igreja, os passos ecoando no chão frio de pedra; sua respiração formava nuvens de vapor. Tirou as luvas só por um momento, para tocar a ponta dos dedos na água benta congelada. Fez o sinal da cruz e foi até um banco vazio; fez uma genuflexão e se ajoelhou. Fechou os olhos e abaixou a cabeça em uma prece.

Ela precisava de orientação – e de perdão –, mas pela primeira vez na vida não conseguia encontrar palavras para sua oração. Como poderia ser perdoada por um ato tão tolo e insensato?

Deus veria sua culpa e seu medo e a julgaria. Baixou as mãos cruzadas e sentou-se no banco de madeira.

– Vianne Mauriac, é você?

A madre superiora, Marie-Thérèse, se aproximou e sentou-se a seu lado. Esperou Vianne falar. Era sempre assim entre elas. Da primeira vez em que viera falar com a madre, Vianne tinha 16 anos e estava grávida. Foi a madre quem a consolou depois que o pai a chamou de desgraçada; foi a madre quem organizou um rápido casamento e convenceu o pai dela a deixar Vianne e Antoine morarem em Le Jardin; foi a madre quem garantiu a Vianne que um filho era sempre um milagre e que os jovens enamorados saberiam resistir.

– A senhora sabe que tem um alemão aquartelado na minha casa – disse Vianne afinal.

– Eles estão em todas as casas espaçosas e em todos os hotéis.

– Ele me perguntou quais professoras da escola eram judias, comunistas ou maçons.

– Ah. E você respondeu.

– Isso prova que sou a tola por quem Isabelle me toma, não é?

– Você não é tola, Vianne. – Olhando para ela. – E sua irmã é muito rápida em julgar as pessoas. Eu me lembro bem dela.

– Fico me perguntando se eles teriam descoberto esses nomes sem minha ajuda.

– Eles demitiram judeus de vários cargos na aldeia. Você não soube? Monsieur Penoir não é mais o carteiro e o juiz Braias foi substituído. Tive notícias de Paris informando que a diretora do Collège Sévigné foi obrigada a se demitir, assim como todos os cantores judeus da Ópera de Paris. Talvez eles precisassem da sua lista, talvez não. Mas sem dúvida teriam descoberto esses nomes sem sua ajuda – disse a madre em uma voz ao mesmo tempo delicada e severa. – Porém não é isso que importa.

– Como assim?

– Acho que nós todos vamos ter que refletir mais sobre essas questões enquanto essa guerra durar. E não são questões sobre eles, mas sim sobre *nós*.

Vianne sentiu os olhos arderem de lágrimas.

– Não sei mais o que fazer. Antoine sempre cuidou de tudo. A Wehrmacht e a Gestapo são demais para mim.

– Não pense em quem eles são. Pense em quem *você* é, que sacrifícios está disposta a fazer e quais podem acabar com você.

– *Tudo* isso está acabando comigo. Preciso ser mais como Isabelle. Ela está sempre segura a respeito de tudo. Para ela, a guerra é em preto e branco. Parece que não tem medo de nada.

– Isabelle também vai ter sua crise de fé a esse respeito. Como todos nós. Eu já passei por isso antes, durante a Grande Guerra. Sei que as dificuldades estão apenas começando. Você precisa ser forte.

– Acreditando em Deus.

– Sim, claro, mas não *só* acreditando em Deus. Fé e orações não serão o suficiente, sinto muito. O caminho da retidão costuma ser perigoso. Prepare-se, Vianne. Esse é apenas o primeiro teste. Aprenda com ele. – A madre a abraçou mais uma vez. Vianne abraçou-a com força, o rosto encostado na aspereza do hábito de lã.

Quando se afastou, sentiu-se um pouco melhor.

A madre superiora se levantou, pegou a mão de Vianne e puxou-a para cima.

– Talvez você consiga encontrar tempo para visitar as crianças esta semana e ensinar alguma coisa a elas? Eles adoram as suas aulas de pintura. Como deve imaginar, tem havido muitas reclamações sobre barrigas vazias. Graças a Deus as irmãs têm uma ótima horta e o leite e o queijo das cabras são um presente do Senhor. Ainda assim...

– Sim – respondeu Vianne. Todos conheciam a sensação de estômago vazio, principalmente para as crianças.

– Você não está sozinha, nem está no comando – disse a madre com delicadeza. – Peça ajuda quando precisar e preste ajuda quando puder. Em tempos sombrios como esses, acho que é assim que servimos a Deus, uns aos outros e a nós mesmos.

🐦

Você não está no comando.

Vianne refletiu sobre as palavras da madre durante todo o caminho de volta para casa.

Sempre encontrou muito consolo em sua fé. Quando a mãe dela tinha começado a tossir e depois, quando a tosse se transformou em violentos espasmos que deixavam manchas de sangue nos lenços, ela rezou a Deus pedindo tudo de que precisava. Ajuda. Orientação. Alguma forma de enganar o chamado da morte. Aos 14 anos, ela prometia qualquer coisa – tudo – se Ele poupasse a vida de sua querida mãe. Quando suas preces não foram atendidas, ela voltou a Deus e rezou para ter força para lidar com as consequências – com a solidão, com os silêncios sombrios e nervosos do pai, os acessos de fúria quando bebia, a carência chorosa de Isabelle.

Muitas e muitas vezes ela retornara a Deus, suplicando por ajuda, prometendo sua fé. Queria acreditar que não estava sozinha nem no comando, que sua vida se desdobrava de acordo com o plano Dele, mesmo se não conseguisse enxergar isso.

Agora, porém, tal esperança parecia débil e flexível como latão.

Ela estava *sozinha* e não havia ninguém mais no comando, somente os nazistas.

Tinha cometido um erro terrível e atroz. Não podia voltar atrás, por mais que ansiasse por essa possibilidade; não podia desfazer o que fizera, mas uma mulher íntegra deveria assumir a responsabilidade – e a culpa – e pedir desculpas. Independentemente do que era ou não culpa sua, independentemente de suas falhas, ela pretendia ser uma mulher íntegra.

E por isso sabia o que precisava fazer.

Sabia, mas, ainda assim, ao se aproximar do chalé de Rachel, percebeu que não conseguia se mexer. Os pés pareciam pesados, o coração, mais pesado ainda.

Respirou fundo e bateu à porta. Ouviu o som de passos lá dentro e a porta se abriu. Rachel segurava o filho adormecido em um braço e um macacão jeans no outro.

– Vianne – disse ela, sorrindo. – Entre.

Vianne quase cedeu à covardia. *Oi, Rachel, só parei para dar um oi.* Mas em vez de fazer isso, respirou fundo e entrou na casa da amiga. Sentou-se em seu lugar habitual, na confortável poltrona estampada ao lado da lareira acesa.

– Segure o Ari, vou fazer um café para a gente.

Vianne pegou o bebê adormecido nos braços. Ari se aconchegou, Vianne afagou suas costas e beijou sua nuca.

– Ouvimos dizer que a Cruz Vermelha distribuiu kits médicos para os prisioneiros de guerra – disse Rachel um instante depois, entrando na sala com duas xícaras de café. Deixou uma na mesa ao lado de Vianne. – Onde estão as meninas?

– Na minha casa, com Isabelle. Provavelmente aprendendo a disparar um revólver.

Rachel deu risada.

– Existem coisas piores para se aprender. – Tirou o avental pendurado do ombro e jogou-o em uma cesta de vime com o resto de suas costuras. Então sentou-se em frente a Vianne.

Vianne inalou profundamente o aroma doce de bebê. Quando ergueu os olhos, Rachel estava olhando para ela.

– Você está num daqueles dias? – perguntou mansamente.

Vianne abriu um sorriso hesitante. Rachel sabia quanto

ela ainda lamentava os bebês perdidos e quanto rezava para ter mais filhos. Houvera certo mal-estar entre as duas (não muito, só um pouco) quando Rachel engravidara de Ari. Vianne ficara feliz por Rachel... mas sentira uma pontinha de inveja.

– Não – respondeu Vianne. Levantou o queixo devagar, olhou nos olhos da melhor amiga. – Eu tenho uma coisa para lhe contar.

– O quê?

Vianne respirou fundo.

– Lembra aquele dia em que escrevemos os cartões-postais? O dia em que o capitão Beck estava me esperando quando voltamos para casa?

– *Oui*. Eu me ofereci para entrar com você.

– Que pena não ter entrado, ainda que eu ache que não teria feito diferença. Ele teria esperado você sair.

Rachel começou a se levantar.

– Ele...

– Não, não – respondeu Vianne depressa. – Não foi nada disso. Ele estava trabalhando na mesa de jantar naquele dia, escrevendo alguma coisa. Quando eu entrei, ele... me pediu uma lista de nomes. Queria saber quais professoras da escola eram judias ou comunistas. – Fez uma pausa. – Também perguntou sobre as homossexuais e sobre as maçons, como se as pessoas falassem abertamente a respeito disso.

– Você disse que não sabia de nada.

O sentimento de vergonha fez Vianne olhar para o outro lado, mas só por um segundo. Então, obrigou-se a dizer:

– Eu dei o seu nome, Rachel. Assim como os nomes das outras.

Rachel ficou muito rígida; seu rosto empalideceu, destacando os olhos escuros.

– E eles nos demitiram.

Vianne engoliu em seco, anuindo.

Rachel se levantou, afastando-se de Vianne, ignorando

seus apelos de *por favor, Rachel*, distanciando-se para não ser tocada. Entrou no quarto e bateu a porta.

O tempo passou lentamente, entre respirações entrecortadas, preces interrompidas e rangidos da poltrona. Vianne ficou observando o avanço dos ponteirinhos pretos do relógio da cômoda. Deu tapinhas carinhosos nas costas do bebê no ritmo da passagem dos minutos.

Finalmente, a porta se abriu. Rachel voltou à sala. Com o cabelo desgrenhado, como se o tivesse desmanchado com as mãos; o rosto coberto de manchas esparsas, de ansiedade ou raiva. Talvez as duas coisas. Os olhos vermelhos de tanto chorar.

– Eu sinto tanto... – disse Vianne, levantando-se. – Você me perdoa?

Rachel parou na frente dela, encarando-a. Os olhos lampejavam de raiva, que logo esmaeceu e deu lugar à resignação.

– Todo mundo na cidade sabe que sou judia, Vianne. Sempre me orgulhei disso.

– Eu sei. Foi o que eu disse a mim mesma. Mesmo assim eu não devia ter ajudado aquele homem. Desculpe. Eu não magoaria você por nada no mundo. Espero que saiba disso.

– Claro que sei – respondeu Rachel em voz baixa. – Mas você precisa ser mais cuidadosa, Vi. Eu sei que Beck é jovem e bonito, bem-educado e amistoso, mas é um nazista, e os nazistas são perigosos.

O inverno de 1940 foi o mais frio de que todos se lembravam. A neve caía dia após dia, recobrindo as árvores e os campos, pingentes de gelo reluziam nos ramos das árvores.

Mesmo assim, Isabelle acordava todas as sextas-feiras antes de o dia clarear, para distribuir seus "panfletos terroristas", como os nazistas agora os chamavam. Os folhetos da semana anterior falavam sobre as operações militares no Norte da África, explicando ao povo francês que os racionamentos de alimento no inverno não eram resultado de bloqueios britânicos – como insistia a propaganda nazista –, mas causados pelos alemães, que saqueavam tudo o que a França produzia.

Isabelle vinha distribuindo aqueles panfletos havia meses agora e, na verdade, não conseguia perceber se estavam causando impacto nas pessoas de Carriveau. Muitos aldeões ainda apoiavam Pétain. Um número ainda maior continuava indiferente. Um inquietante número de vizinhos olhava para os alemães e pensava: *tão jovens, são apenas garotos*, e continuava tocando a vida de cabeça baixa, tentando não correr perigo.

Os nazistas ficaram sabendo dos panfletos, é claro. Alguns franceses e francesas se aproveitavam de qualquer pretexto para angariar favores – e entregar os folhetos que recebiam em suas caixas de correio aos nazistas era um bom começo.

Isabelle sabia que os alemães estavam à procura de quem imprimia e distribuía os panfletos, mas sem muita determinação. Principalmente durante aqueles dias nevados em que a Blitz de Londres era o único assunto do dia. Talvez os alemães soubessem que palavras em um pedaço de papel não iriam mudar os rumos da guerra.

Hoje Isabelle tinha ficado na cama, com Sophie enrodilhada como um tufo de feno a seu lado e Vianne dormindo pesado ao lado da filha. Agora as três dormiam juntas na cama de Vianne. No último mês, tinham reunido todas as mantas e cobertores que conseguiram encontrar na mesma cama. Isabelle via a respiração da irmã formando nuvens brancas que desapareciam em seguida.

Sabia como o chão estaria gelado, apesar das grossas meias de lã que usava para dormir. Sabia que aquele era o último momento do dia em que se sentiria agasalhada. Reuniu coragem e saiu devagar da pilha de cobertores. Ao lado, Sophie soltou um resmungo e rolou na direção do corpo da mãe em busca de calor.

Quando os pés de Isabelle tocaram o chão, uma dor subiu por seus tornozelos. Fez uma careta e saiu mancando do quarto.

Demorou uma eternidade para descer a escada; seus pés doíam muito. Malditas frieiras. Todo mundo reclamava daquilo naquele inverno. Pareciam ser causadas por falta de manteiga e gordura, mas Isabelle sabia que eram resultado do clima frio, de meias furadas e de sapatos com costuras desfeitas.

Pensou em acender a lareira – na verdade, ansiava por um momento de calor –, mas a lenha estava quase no fim. No final de janeiro, elas começaram a arrancar madeira do celeiro para queimar, além de usar caixotes de madeira, cadeiras velhas e tudo o que conseguiram encontrar. Ferveu uma caneca de água e tomou toda, deixando o calor e o peso fazerem seu estômago achar que não estava vazio. Comeu um pedaço de pão embolorado, enrolou o corpo com uma camada de jornais, depois vestiu o casaco de Antoine e calçou as luvas e as botas. Enrolou um cachecol na cabeça e no pescoço, mas, ainda assim, quando saiu de casa o frio a fez perder o fôlego. Fechou a porta e saiu andando pela neve, as frieiras latejando a cada passo, os dedos da mão enregelando imediatamente, mesmo sob as luvas.

Fazia um silêncio sinistro. Isabelle andou sobre a neve que chegava até os joelhos e abriu o portão quebrado para sair na estrada coberta de gelo.

Por conta do frio e da neve, demorou três horas para entregar os panfletos (o conteúdo dessa semana era sobre a Blitz – os boches tinham jogado 32 mil bombas sobre Londres em uma só noite). Quando a aurora chegou, pareceu apenas um caldo ralo e sem carne. Foi a primeira na fila do açougue, mas logo chegaram as outras. Às sete da manhã, a mulher do açougueiro abriu a vitrine e destrancou a porta.

– Polvo – disse a mulher.

Isabelle sentiu uma pontada de decepção.

– Nada de carne?

– Não para os franceses, mademoiselle.

Ouviu os resmungos das mulheres que queriam carne logo atrás e das mulheres que já sabiam que nem mesmo teriam a sorte de conseguir polvo mais atrás.

Isabelle pegou o polvo embrulhado em papel e saiu do açougue. Tinha, ao menos, conseguido alguma coisa. Não havia mais meios de se obter latas de leite, não com os cartões de racionamento, nem mesmo no mercado negro. Isabelle fora sortuda o bastante para conseguir um pedacinho de camembert depois de ficar mais de duas horas na fila. Cobriu seus itens valiosos com a pesada toalha dentro de sua cesta e mancou ao longo da Rue Victor Hugo.

Ao passar por uma cafeteria cheia de soldados alemães e policiais franceses, sentiu cheiro de café sendo coado e croissants fresquinhos. Seu estômago roncou.

– Mademoiselle. – Um policial francês fez uma saudação seca e pediu licença para passar.

Isabelle abriu caminho e ficou olhando enquanto ele afixava um cartaz na vitrine de uma loja abandonada. O primeiro cartaz dizia:

AVISO

FUZILADOS POR ESPIONAGEM:

O JUDEU JAKOB MANSARD, O

COMUNISTA VIKTOR YABLONSKY E

O JUDEU LOUIS DEVRY.

E o segundo:

AVISO

A PARTIR DE AGORA, TODOS OS FRANCESES PRESOS

POR QUALQUER CRIME OU INFRAÇÃO SERÃO

CONSIDERADOS REFÉNS. NO CASO DE OCORRER

ALGUM ATO DE HOSTILIDADE CONTRA ALEMÃES

NA FRANÇA, OS REFÉNS SERÃO FUZILADOS.

– Agora vão fuzilar civis franceses que não fizeram nada? – indagou Isabelle.

– Não fique tão pálida, mademoiselle. Esses avisos não se aplicam a mulheres lindas como você.

Isabelle olhou para o homem. Era pior que os alemães, um francês fazendo isso com sua própria gente. Essa era a razão pela qual odiava o governo de Vichy. De que adiantava um governo autônomo para metade da França com essa gente se transformando em marionetes dos nazistas?

– Está se sentindo mal, mademoiselle?

Tão solícito. Tão atencioso. E se ela o chamasse de traidor e cuspisse na cara dele? Cerrou os punhos.

– Estou bem, *merci*.

Ficou olhando enquanto ele atravessava a rua, confiante, as costas eretas, o chapéu bem posicionado sobre o cabelo escuro aparado. Os soldados alemães o receberam calorosamente, com tapinhas nas costas, chamando-o para junto deles.

Isabelle afastou-se enojada.

Foi então que ela viu: uma bicicleta prateada e brilhante encostada na parede da cafeteria. Parou um pouco e pensou no quanto aquilo mudaria sua vida, aliviaria sua dor, servindo como transporte para as idas e vindas à cidade todos os dias.

Normalmente aquela bicicleta estaria sendo vigiada por soldados na cafeteria, mas naquela manhã escura e nevada ninguém ocupava as mesas da calçada.

Não faça isso.

Seu coração começou a bater mais forte, as palmas das mãos ficaram úmidas e quentes dentro das luvas. Isabelle olhou ao redor. As mulheres na fila do açougue faziam questão de não ver nada, de não estabelecer contato visual com ninguém. A vitrine da cafeteria do outro lado da rua estava embaçada; dentro, os homens eram apenas silhuetas verde-oliva.

Tão seguros de si mesmos.

De nós, pensou com amargura.

Naquele momento, desapareceram seus últimos vestígios de cautela. Segurou a cesta ao lado do corpo e seguiu pelos paralelepípedos cobertos com uma fina camada de gelo. A partir daquele instante, daquele primeiro passo, o mundo ao redor ficou embaçado e o tempo desacelerou. Ela ouvia a própria respiração, via as nuvens de vapor diante do rosto. Os prédios esmaeceram, viraram formas esbranquiçadas, a neve a ofuscou, até ela só conseguir ver o brilho prateado do guidão e os dois pneus pretos.

Sabia que só havia uma maneira de fazer aquilo. Rapidamente. Sem olhar para os lados ou hesitar no trajeto.

Em algum lugar um cachorro latiu. Uma porta se fechou.

Isabelle continuou andando; cinco passos a separavam da bicicleta.

Quatro.

Três.

Dois.

Subiu na calçada, segurou no guidom e montou na bicicleta. Saiu pela rua de paralelepípedos, o chassi chacoalhando pelas fendas e reentrâncias. Derrapou ao virar a esquina, quase caiu, mas se aprumou, pedalando depressa em direção à Rue La Grande.

Ali chegando, entrou em uma ruela, desceu da bicicleta e bateu à porta. Quatro batidas fortes.

A porta se abriu devagar. Henri encarou-a e franziu o cenho.

Isabelle abriu caminho e entrou.

A pequena sala de reunião estava quase às escuras. Um único lampião a óleo queimava numa mesa de madeira arranhada. Henri era o único presente. Fazendo linguiças com a carne e a gordura que repousavam sobre uma bandeja. Réstias de linguiça pendiam de ganchos nas paredes. O recinto cheirava a carne, sangue e fumaça de cigarro. Isabelle entrou com a bicicleta e fechou a porta.

– Ora, olá – saudou Henri, limpando as mãos em uma toalha. – Será que marcamos uma reunião e não fiquei sabendo?

– Não.

Olhou para o que Isabelle tinha nas mãos.

– Essa bicicleta não é sua.

– Eu roubei – disse Isabelle. – Bem debaixo do nariz deles.

– Essa é... ou era... a bicicleta de Alain Deschamp. Ele não levou nada quando fugiu para Lyon com a família quando a ocupação começou. – Aproximou-se dela. – Mas agora tenho visto um soldado da Gestapo andando com ela pela cidade.

– Gestapo? – A alegria de Isabelle esfriou. Corriam rumores horríveis a respeito da crueldade da Gestapo. Talvez devesse ter pensado melhor...

Henri chegou mais perto, tão perto que ela sentiu o calor de seu corpo.

Nunca tinha estado sozinha com ele, nem tão perto. Percebeu pela primeira vez que os olhos dele não eram castanhos nem verdes, mas de um tom acinzentado de avelã que lembrava uma névoa pairando em uma floresta fechada. Viu uma pequena cicatriz na sobrancelha, que podia ter sido resultado de um corte profundo ou de um ferimento mal suturado. Isso a fez ponderar, imediatamente, sobre o tipo de vida que o havia trazido até ali e o que o havia tornado um comunista. Era pelo menos uma década mais velho que ela, ainda que, para ser honesta, às vezes ele parecesse ainda mais velho, como se tivesse sofrido alguma grande perda.

– Você vai precisar pintar essa bicicleta.

– Eu não tenho tinta.

– Eu tenho.

– E você...

– Um beijo – interrompeu ele.

– Um beijo? – repetiu ela, para ganhar tempo. Era o tipo de coisa que ela já sabia antes da guerra. Os homens a desejavam; sempre a desejaram. Isabelle gostaria de ter isso de volta, flertar com Henri e ele retribuir o flerte, mas parecia uma ideia triste e um pouco perdida, como se beijos não significassem mais muita coisa, e os flertes menos ainda.

– Um beijo e eu pinto a sua bicicleta hoje à noite. Você pode vir buscar amanhã.

Isabelle deu um passo adiante e inclinou o rosto.

Os dois se abraçaram com facilidade, apesar de todos os casacos e camadas de jornais e lã entre eles. Henri a tomou nos braços e a beijou. Por um lindo segundo, ela voltou a ser Isabelle Rossignol, a garota passional que os homens desejavam.

Quando ele se afastou, ela se sentiu... vazia. Triste.

Pensou em dizer alguma coisa, fazer uma piada, talvez fingir ter sentido mais do que sentiu. Era o que deveria ter feito antes, quando beijos significavam mais, ou talvez menos.

– Você já tem alguém – disse Henri, observando-a com atenção.

– Não, ninguém.

Henri tocou delicadamente no rosto dela.

– Você está mentindo.

Isabelle pensou em tudo o que Henri havia lhe dado. Ele acreditara nela, lhe dera uma chance, fora o responsável por sua adesão à rede de franceses livres. Mas, quando ele a beijou, ela pensou em Gaëton.

– Ele não me quis – confessou. Era a primeira vez que dizia a verdade a alguém. Aquela admissão a surpreendeu.

– Se as coisas fossem diferentes, eu faria você se esquecer dele.

– E eu deixaria você tentar.

Isabelle viu o jeito como ele sorriu àquela observação e notou a tristeza do seu sorriso.

– Azul – falou ele, depois de uma pausa.

– Azul?

– É a cor da tinta que eu tenho.

Isabelle sorriu.

– Muito conveniente.

Mais tarde, naquele dia, enquanto passava de uma fila para outra a fim de obter um pouco de comida e depois, enquanto catava lenha na mata para levar para casa, Isabelle pensou naquele beijo.

E o que ela pensou, vezes e vezes, era: *Se as coisas fossem diferentes...*

TREZE

*E*ra um lindo dia do final de abril de 1941 e Isabelle descansava sobre um cobertor de lã no gramado na frente da casa. O aroma adocicado do feno amadurecendo invadia suas narinas. Quando fechava os olhos, quase conseguia se esquecer dos motores dos caminhões alemães soando ao longe, transportando soldados – e a produção da França – para a estação ferroviária de Tours. Depois de um inverno tenebroso, era bom sentir como a luz do sol a relaxava até um estado de torpor.

– Aí está você.

Isabelle deu um suspiro e sentou-se.

Vianne usava um vestido de algodão listrado azul e desbotado, já acinzentado pelos sabões caseiros agressivos. A fome fez com que emagrecesse ao longo do inverno, ressaltando seus malares e tornando mais fundas as covas na base de seu pescoço. Uma velha echarpe cobria sua cabeça, escondendo os cabelos que tinham perdido o brilho e o ondulado.

– Isso chegou para você. – Vianne mostrou um pedaço de papel. – Foi entregue aqui. Por um homem. Para você – disse, como se valesse a pena repetir.

Isabelle se levantou desajeitadamente e pegou o papel da mão de Vianne. Estava escrito, em uma caligrafia rabiscada: *A cortina está aberta*. Pegou o cobertor do gramado e começou a dobrar o papel. O que aquilo significava? Eles nunca a chamavam antes do tempo. Devia estar acontecendo alguma coisa importante.

– Isabelle? Você se incomoda de explicar?

– Não.

– Era Henri Navarre. O filho do estalajadeiro. Não sabia que vocês se conheciam.

Isabelle rasgou o bilhete em pedacinhos, deixando-os cair.

– Ele é comunista, sabe? – continuou Vianne em voz baixa.

– Eu preciso sair.

Vianne a pegou pelo pulso.

– Não acredito que você está saindo de casa na surdina para se encontrar com um comunista. Sabe o que os nazistas pensam a respeito deles. Até mesmo ser vista com esse homem é perigoso.

– Acha que eu me importo com o que os nazistas pensam? – retrucou Isabelle, livrando o pulso. Saiu correndo descalça pelo gramado. Já em casa, calçou sapatos e montou na bicicleta. Dizendo um *au revoir!* para uma atônita Vianne, partiu pedalando pela estrada de terra.

Quando chegou à cidade, foi direto para a loja de chapéus fechada – a cortina estava realmente aberta. Entrou na viela de paralelepípedos e parou.

Encostou a bicicleta na parede áspera de calcário e bateu quatro vezes. Só na última batida lhe ocorreu que poderia ser uma armadilha. O pensamento a deixou sobressaltada. Respirou fundo e olhou para a esquerda e para a direita, mas já era tarde demais.

Henri abriu a porta.

Isabelle entrou logo. A sala estava enevoada de fumaça de cigarros e recendia a café de chicória requentado. Pairava no recinto um cheiro de sangue: da produção de linguiça. O grandalhão que a havia pegado na primeira vez – Didier – estava sentado em uma velha cadeira de encosto de madeira. Reclinado, com os pés fora do chão e as costas roçando a parede atrás dele.

– Você não devia ter entregado o bilhete lá em casa, Henri. Minha irmã está fazendo perguntas.

– Era importante falar com você imediatamente.

Isabelle sentiu um leve tremor de entusiasmo. Será que finalmente iam pedir para ela fazer algo mais do que deixar panfletos em caixas de correio?

– Aqui estou.

Henri acendeu um cigarro. Sentiu que ele a observava enquanto exalava a fumaça acinzentada e apagava o fósforo.

– Você ouviu falar do diretor de uma escola de Chartres que foi preso e torturado por ser comunista?

Isabelle franziu o cenho.

– Não.

– Ele preferiu cortar a garganta com um pedaço de vidro a confessar ou a revelar algum nome. – Henri apagou o cigarro na sola do sapato e guardou-o no bolso do paletó para mais tarde. – Agora ele está montando um grupo de gente como nós, disposta a atender ao chamado do general De Gaulle. Esse diretor, que cortou a garganta, quer ir a Londres para falar pessoalmente com De Gaulle. O objetivo é organizar um movimento de franceses livres.

– Então ele não morreu? – perguntou Isabelle. – Nem cortou as cordas vocais?

– Não. Estão dizendo que foi um milagre – explicou Didier.

Henri ficou observando Isabelle.

– Eu estou com uma carta... muito importante... que precisa ser entregue ao nosso contato em Paris. Infelizmente, estou sendo vigiado de perto. Didier também.

– Oh! – exclamou Isabelle.

– Então pensei em você – disse Didier.

– Em mim?

Henri enfiou a mão no bolso e tirou um envelope amassado.

– Você poderia entregar isso ao nosso homem em Paris? Precisa estar na mão dele daqui a uma semana.

– Mas... eu não tenho um *Ausweis*.

– *Oui* – concordou Henri em voz baixa. – E se você for presa... – Deixou a frase em suspenso. – Claro que ninguém pensaria mal se você recusasse. Isso é perigoso.

Perigoso era um eufemismo. Havia cartazes espalhados por toda Carriveau divulgando as execuções perpetradas em toda a Zona Ocupada. Os nazistas estavam matando cidadãos franceses por pequenas infrações. Qualquer tipo de ajuda àquele movimento da França Livre poderia resultar, no mínimo, em prisão. Mesmo assim, ela acreditava na França, da mesma forma que a irmã acreditava em Deus.

– Então você quer que eu consiga um passe, vá a Paris, entregue uma carta e volte para casa. – Não parecia tão perigoso quando enunciado daquela maneira.

– Não – respondeu Henri. – Precisamos que fique em Paris e seja nossa... caixa de correio, por assim dizer. Haverá muitas cartas desse tipo nos próximos meses. Seu pai tem um apartamento lá, *oui*?

Paris.

Era tudo o que ela queria, desde o momento em que fora exilada pelo pai. Sair de Carriveau e voltar a Paris, fazer parte de uma rede de pessoas que resistiam a essa guerra.

– Meu pai não vai me deixar ficar no apartamento.

– Você vai ter que dar um jeito de convencer o seu pai – respondeu Didier, indiferente, os olhos fixos nela. Julgando-a.

– Meu pai não é um homem fácil de se convencer – explicou Isabelle.

– Então você não vai poder fazer isso. *Voilà*. Já temos a sua resposta.

– Espere – disse Isabelle.

Henri chegou mais perto. Ela viu a relutância nos olhos dele, sabia que ele gostaria que ela recusasse essa missão. A preocupação que Henri sentia por ela era explícita. Isabelle levantou a cabeça e olhou-o nos olhos.

– Eu posso fazer isso.

– Você vai ter que mentir para todo mundo que ama e vai estar sempre com medo. Será que consegue viver desse jeito? Não vai mais se sentir segura.

Isabelle deu uma risada amarga. Não era tão diferente da vida que vivia desde menina.

– Vocês podem cuidar da minha irmã? – perguntou a Henri. – Garantir a segurança dela?

– Todo esse nosso trabalho tem um preço – respondeu Henri, com um olhar consternado. Naquele olhar estava a verdade que todos haviam aprendido. Não havia segurança. – Espero que entenda isso.

Isabelle só conseguia ver sua chance de fazer alguma coisa importante.

– Quando eu devo partir?

– Assim que conseguir um *Ausweis*, o que não vai ser fácil.

Meu Deus, o que essa garota está pensando?

Realmente, recebendo bilhete de um homem, como se estivesse no recreio da escola? E de um comunista?

Vianne desembrulhou o pedaço de cordeiro cheio de nervuras que serviria como ração da semana e colocou-o na bancada da cozinha.

Isabelle sempre foi impetuosa, uma verdadeira força da natureza, uma garota que gostava de ignorar as regras. Inúmeras freiras e professoras já tinham aprendido que ela não podia ser contida nem controlada.

Mas, isso. Era bem diferente de beijar um garoto no

baile ou fugir para ver o circo ou se recusar a usar meias e corpete.

Eram tempos de guerra em um país ocupado. Como é que Isabelle ainda podia acreditar que suas escolhas não tinham consequências?

Vianne começou a fatiar o cordeiro. Acrescentou um precioso ovo à mistura, um pão dormido, depois temperou tudo com sal e pimenta. Estava fazendo tortinhas com a massa quando ouviu o ronco de uma motocicleta se aproximando da casa. Abriu uma fresta da porta, só o suficiente para olhar para fora.

Por cima do muro de pedra, viu a cabeça e os ombros do capitão Beck, que descia da motocicleta. Instantes depois, um caminhão militar verde estacionou atrás dele. Três soldados alemães adentraram o quintal da casa. Os homens conversaram entre si, reunidos perto da parede de pedra cor-de-rosa construída pelo tataravô de Vianne. Um dos soldados pegou uma marreta e começou a bater no muro, que desmoronou. As pedras partiam-se em pedaços, uma meada de rosas caiu, as pétalas cor-de-rosa se espalhando na relva.

Vianne saiu correndo da casa.

– Herr capitão!

A marreta golpeou outra vez. *Craaac.*

– Madame – respondeu Beck, parecendo infeliz. Incomodava Vianne o fato de conhecê-lo o bastante para notar seu estado de espírito. – Temos ordens de derrubar todos os muros dessa estrada.

Enquanto um dos soldados derrubava o muro, os outros dois tomaram a direção da porta, rindo de alguma piada que tinham feito. Sem pedir permissão, passaram por ela e entraram na casa.

– Minhas condolências – disse Beck, passando por cima dos detritos para se aproximar dela. – Sei que a senhora adora essas rosas. Lamento muito dizer também que meus homens vão cumprir uma ordem de requisição na sua casa.

– Requisição?

Os soldados saíram da casa; um deles carregando a pintura a óleo que ficava sobre a lareira, o outro com uma poltrona estofada do salão.

– Essa era a poltrona predileta da minha avó – disse Vianne em voz baixa.

– Sinto muito – falou Beck. – Não consegui evitar isso.

– Mas o que raios está acontecendo...

Vianne não sabia se se sentia aliviada ou preocupada quando viu Isabelle frear a bicicleta e a encostar na árvore perto da pilha de entulho. Já não havia divisão nenhuma entre a casa e a estrada.

Isabelle estava linda, com a face rosada por causa do exercício na bicicleta e luzindo de transpiração. Cachos de cabelos dourados e brilhantes emolduravam seu rosto. O desbotado vestido vermelho marcava seu corpo nas partes certas.

Os soldados pararam para olhá-la, o belo tapete da sala de estar enrolado entre eles e ela.

Beck tirou o quepe. Disse alguma coisa para os soldados que levavam o tapete enrolado e os dois foram logo para o caminhão.

– O senhor derrubou o nosso muro? – perguntou Isabelle.

– O major quer que todas as casas sejam visíveis da estrada. Alguém está distribuindo propaganda antigermânica. Vamos encontrar e prender o homem que está fazendo isso.

– O senhor acha que inofensivos pedaços de papel valem tudo isso? – perguntou Isabelle.

– Não têm nada de inofensivos, mademoiselle. São um estímulo para o terrorismo.

– O terrorismo deve sempre ser evitado – disse Isabelle, cruzando os braços.

Vianne não conseguia tirar os olhos de Isabelle. Havia alguma coisa no ar. A irmã parecia estar contendo as emoções, concentrada, como um gato preparando o bote.

– Herr capitão – disse Isabelle depois de um momento.

– *Oui*, mademoiselle?

Os soldados passaram entre eles, levando a mesa na qual elas tomavam o café da manhã.

Isabelle deixou-os passar antes de se aproximar do capitão.

– Meu pai está doente.

– É mesmo? – perguntou Vianne. – Como não fiquei sabendo disso? O que ele tem?

Isabelle ignorou a irmã.

– E me pediu para ir a Paris cuidar dele. Mas...

– Ele quer que *você* cuide dele? – perguntou Vianne, incrédula.

– É preciso um passe de viagem para sair da cidade, mademoiselle. Acho que sabe disso.

– Eu sei. – Parecia que Isabelle mal respirava. – Eu... imaginei que talvez o senhor conseguisse um para mim. O senhor é um homem de família. Será que entende quanto é importante atender ao chamado de um pai?

Estranhamente, enquanto Isabelle falava, o capitão lançava olhares a Vianne, como se Vianne fosse quem realmente importasse.

– Eu poderia arranjar um passe, *oui* – respondeu o capitão. – No caso de uma emergência familiar como essa.

– Fico muito grata – disse Isabelle.

Vianne ficou chocada. Será que Beck não percebia que Isabelle o estava manipulando? E por que ele olhara para Vianne ao tomar sua decisão?

Assim que conseguiu o que queria, Isabelle voltou à bicicleta. Segurou-a pelo guidom e saiu andando em direção ao celeiro. Os pneus de borracha quicavam no solo irregular.

Vianne correu atrás dela.

– Papai está doente? – perguntou quando alcançou a irmã.

– Papai está ótimo.

– Você mentiu? Por quê?

Isabelle fez uma pequena, porém perceptível, pausa.

– Acho que não há mais razões para mentir. Já está tudo revelado. Eu tenho saído na surdina nas manhãs de sexta-feira para encontrar Henri e agora ele me convidou para ir a Paris. Parece que ele tem um lindo *pied-à-terre* em Montmartre.

– Você está louca?

– Estou apaixonada, acho. Um pouco. Talvez.

– Você vai atravessar a França ocupada por nazistas para passar algumas noites em Paris na cama de um homem que acha que ama. Um pouco.

– Eu sei – concordou Isabelle. – Isso é tão romântico!

– Você deve estar com febre. Talvez sofrendo de alguma doença cerebral. – Levou as mãos aos quadris e fez uma careta de desaprovação.

– Se o amor é uma doença, acho que fui contagiada.

– Meu Deus. – Vianne cruzou os braços. – Há algo que eu possa dizer para impedir essa loucura?

Isabelle olhou para a irmã.

– Você acredita em mim? Acredita que eu atravessaria a França ocupada pelos nazistas por uma aventura?

– Isso não é o mesmo que fugir de casa para ver o circo, Isabelle.

– Mas... você pensa mesmo isso de mim?

– Claro. – Vianne deu de ombros. – Tão imprudente!

De repente Isabelle fez uma expressão estranhamente receosa.

– Só fique longe de Beck enquanto eu estiver fora. Não confie nele.

– Isso é bem do seu feitio. Está muito preocupada comigo, mas não o bastante para ficar ao meu lado. O que importa é o que *você* quer. No que depender de você, Sophie e eu podemos apodrecer aqui.

– Isso não é verdade.

– Não? Pois então vá para Paris. Divirta-se, mas não se esqueça nem por um minuto de que está abandonando a mim e a sua sobrinha. – Vianne cruzou os braços e olhou para o homem que, do quintal, supervisionava o saque de sua casa. – Com ele aqui.

QUATORZE

27 de abril de 1995
Costa do Oregon

*E*stou amarrada como um frango pronto a ser assado. Sei que esses cintos de segurança modernos são uma coisa boa, mas me fazem sentir claustrofobia. Sou de uma geração que não esperava ser protegida de todos os perigos.

Eu me lembro de como era diferente, naquela época em que ninguém precisava fazer escolhas sensatas. Sabíamos dos riscos, mas nos arriscávamos assim mesmo. Eu me lembro de dirigir meu velho Chevrolet bem rápido, pisando fundo no acelerador, fumando e ouvindo Price cantar "Lawdy, Miss Clawdy" pelos pequenos alto-falantes escuros, com as crianças rolando como pinos de boliche no banco de trás.

Meu filho tem medo que eu tente fugir, suponho, e até que é um temor razoável. Minha vida virou de cabeça para baixo no último mês. Agora há uma placa escrito VENDIDA no meu quintal da frente e eu estou indo embora de casa.

– Que bela entrada, não? – pergunta ele.

É o que ele faz; preenche o espaço com palavras e escolhe as palavras com cuidado. É o que faz dele um bom cirurgião. A precisão.

– É.

Chegamos ao estacionamento. Assim como a entrada, é ladeado por árvores em flor. Pequenos botões de flores brancas caem no chão como recortes de renda no piso de uma costureira, destacando-se no asfalto preto.

Luto contra o cinto de segurança quando estacionamos. Nos últimos tempos, minhas mãos não obedecem mais minha vontade. É tão frustrante que solto uma imprecação em voz alta.

– Deixe comigo – diz meu filho, debruçando-se para desprender meu cinto.

De repente ele já saiu do automóvel e está na minha porta, antes de eu pegar a bolsa.

A porta se abre. Ele me pega pela mão e me ajuda a descer do carro. No curto trajeto entre o estacionamento e a entrada, preciso parar duas vezes para recuperar o fôlego.

– As árvores ficam tão bonitas nessa época do ano... – comenta enquanto andamos juntos pelo estacionamento.

– É mesmo. – São ameixeiras em flor, lindas e violáceas, mas de repente me vejo pensando nas nogueiras floridas ao longo dos Champs-Élysées.

Meu filho aperta minha mão. É um sinal de que entende a dor de sair de uma casa que foi meu santuário por quase cinquenta anos. Mas agora é hora de olhar para a frente, não para trás.

Para o Lar e Comunidade de Aposentados Ocean Crest.

Para ser justa, não parece um lugar ruim. Talvez um pouco industrial, com janelas rígidas e empertigadas, uma quadra de grama perfeitamente cuidada na frente e uma bandeira americana tremulando acima da porta. É uma construção comprida e achatada. Construída nos anos 1970, eu diria, em um tempo em que tudo era feio. Duas alas se espraiam do pátio central, onde imagino que os velhos fiquem em suas cadeiras de rodas de frente para o sol, esperando. Graças a Deus não vou ficar no lado leste da casa – a ala dos inválidos. Pelo menos por enquanto. Ainda consigo tocar bem a minha vida, muito obrigada, e cuidar do meu apartamento.

Julien abre a porta para mim e eu entro. A primeira coisa

que vejo é uma grande recepção, decorada para parecer a entrada de um hotel à beira-mar, inclusive com uma rede de pesca cheia de conchas pendurada na parede. Imagino que no Natal eles pendurem enfeites na rede e meias no balcão. Provavelmente espalham cartazes cintilantes de HO-HO-HO na parede na manhã seguinte ao Dia de Ação de Graças.

– Vamos, mãe.

Ah, certo. Não posso perder tempo.

O lugar cheira a quê? Pudim de pão e sopa de galinha com macarrão.

Comidas leves.

De alguma forma continuo andando. Se há uma coisa que eu nunca faço é parar.

– Aqui estamos – diz meu filho, abrindo a porta do quarto 317A.

É agradável, honestamente. Um pequeno apartamento de um quarto. A cozinha fica espremida no canto perto da porta e de lá se pode ver um balcão de fórmica, uma mesa de jantar com quatro cadeiras e a sala de estar, onde uma mesinha de centro, um sofá e duas poltronas estão dispostos ao redor de uma lareira a gás.

A TV no canto é novinha em folha, com um aparelho VCR acoplado. Alguém – meu filho, provavelmente – fez uma pilha com meus filmes favoritos na estante. *Jean de Florette*, *Acossado*, ... *E o vento levou*.

Vejo minhas coisas: uma manta que tricotei jogada no encosto do sofá; meus livros na estante. No quarto, que é de bom tamanho, a mesa de cabeceira do meu lado da cama está abarrotada de frascos de medicamentos controlados, uma pequena selva de cilindros de plástico cor de laranja. Meu lado da cama. É engraçado, mas algumas coisas não mudam depois da morte de um dos cônjuges, e essa é uma delas. O lado esquerdo da cama continua sendo meu, mesmo que eu esteja sozinha. Ao pé da cama vejo meu baú, como pedi.

– Ainda dá tempo de mudar de ideia – diz meu filho em voz baixa. – Venha para a minha casa.

– Já conversamos sobre isso, Julien. Sua vida é ocupada demais. Você não precisa se preocupar comigo 24 horas por dia.

– E acha que vou me preocupar menos quando você estiver aqui?

Olho para ele, amando esse meu filho, sabendo que minha morte vai deixá-lo devastado. Não quero que ele me veja morrer aos poucos. Não quero isso para as filhas dele tampouco. Sei como é; algumas imagens, quando presenciadas, não podem nunca ser esquecidas. Quero que eles se lembrem de mim como estou, não como vou estar quando o câncer tiver se instalado.

Julien me leva até a pequena sala de estar e me acomoda no sofá. Enquanto espero, ele serve um vinho para nós e senta-se a meu lado.

Fico pensando em como vai ser quando ele for embora e sei que ele está tendo os mesmos pensamentos. Com um suspiro, ele pega sua maleta e tira um punhado de envelopes. O suspiro tomou o lugar das palavras, um respiro de transição. Naquele suspiro, ouço o momento em que passarei desta vida para a outra. Nessa nova versão restrita da minha vida, é meu filho que tem de cuidar de mim, em vez de o contrário. Não é muito confortável para nenhum de nós.

– Paguei as contas desse mês. Isso aqui são coisas com as quais não sei o que fazer. Lixo, basicamente, acho.

Pego o maço de cartas da mão dele e dou uma olhada. Uma carta "personalizada" do comitê de Olimpíada Especial, uma oferta de orçamento sem compromisso para toldos, um comunicado do meu dentista lembrando que faz seis meses desde a última consulta.

Uma carta de Paris.

Cheia de anotações em vermelho, como se o correio a tivesse mandado de um lugar a outro ou entregado no endereço errado.

– Mãe – comenta Julien. Ele é tão observador, não perde nada. – O que é isso?

Quando ele estende a mão para o envelope, tento não deixar que pegue, me afastar dele, mas meus dedos não obedecem à minha vontade. Meu coração bate mais forte.

Julien abre o envelope, retira um cartão bege. Um convite.

– Está em francês – comenta. – Alguma coisa sobre a Croix de Guerre. Então é da Segunda Guerra Mundial? É para o papai?

Claro. Os homens sempre acham que a guerra só diz respeito a eles.

– E tem uma coisa escrita à mão no canto. O que é?

Guerre. A palavra se expande a meu redor, abrindo suas asas negras como as de um corvo, tornando-se tão grande que não consigo desviar o olhar. Contra minha vontade, pego o convite. É uma reunião de *passeurs* em Paris.

Eles querem que eu compareça.

Como poderia ir sem me lembrar de tudo aquilo – das coisas terríveis que fiz, dos segredos que guardei, do homem que matei... e do que deveria ter matado?

– Mãe? O que é um *passeur*?

Quase não encontro voz para responder:

– É alguém que ajudou pessoas na guerra.

QUINZE

Fazendo uma pergunta a si mesmo, é assim
que a resistência começa. E depois fazendo essa
mesma pergunta a outra pessoa.
— Remco Campert

Maio de 1941
França

No sábado que Isabelle partiu para Paris, Vianne se manteve ocupada. Lavou roupas e pendurou-as para secar; arrancou as ervas do jardim e recolheu alguns legumes já quase maduros. No final de um longo dia, tomou um bom banho e lavou a cabeça. Estava se enxugando quando ouviu alguém batendo à porta. Surpresa com um visitante inesperado, fechou o roupão e foi até lá. Escorria água pelos seus ombros.

Quando abriu a porta, viu o capitão Beck à sua frente, com seu uniforme de campanha, poeira salpicando seu rosto.

– Herr capitão – disse, afastando o cabelo molhado da testa.

– Madame – respondeu o capitão. – Eu e um colega fomos pescar hoje. Trouxe o que pegamos para a senhora.

– Peixe fresco? Que maravilha. Vou fritar para o senhor.

– Para nós, madame. Para a senhora, para Sophie e para mim.

Vianne não conseguia tirar os olhos do capitão e do peixe na mão dele. Não tinha a menor dúvida de que Isabelle jamais aceitaria aquele presente. Assim como sabia que as amigas e os vizinhos com certeza diriam que ela deveria recusar. Comida. Do inimigo. Recusar era uma questão de orgulho. Todo mundo sabia disso.

– Não foi roubado nem requisitado. Nenhum francês tem mais direito a esse peixe que eu. Não há desonra em aceitar essa oferta.

Ele estava certo. Era um peixe das águas locais. Não tinha sido confiscado. No entanto, no momento em que pegou o peixe, sentiu na consciência o peso daquela sua racionalização.

– O senhor raramente nos dá a honra de comer conosco.

– Agora é diferente – explicou ele. – Com sua irmã fora.

Vianne entrou na casa e abriu passagem para ele. Como sempre, Beck tirou o quepe assim que entrou, antes de sair marchando pelo piso de madeira até seu quarto. Só quando a porta se fechou foi que Vianne percebeu que continuava ali em pé, segurando um peixe morto embrulhado em uma edição recente do *Pariser Zeitung*, o jornal alemão impresso em Paris.

Voltou para a cozinha. Quando depositou o peixe embrulhado na bancada, viu que Beck já tinha limpado o pescado, tendo inclusive retirado as escamas. Ligou o fogão a gás e pôs a frigideira de ferro fundido para aquecer, acrescentando uma preciosa colher de óleo. Enquanto cubos de batata douravam e a cebola caramelizava, ela temperou o peixe com sal e pimenta e o deixou descansar para apurar o gosto. Em pouco tempo, aromas hipnóticos encheram a casa. Sophie chegou à cozinha correndo, parando de súbito no lugar vazio onde costumava ficar a mesa de refeições.

– Peixe! – exclamou com reverência.

Vianne usou a colher para abrir uma clareira em meio aos legumes e pôs o peixe no centro, para fritar. Gotas de gordura saltavam; a pele chiava e se tornava crocante. No finzinho, colocou alguns limões em conserva na frigideira e ficou olhando enquanto derretiam em cima de tudo.

– Vá dizer ao capitão Beck que o jantar está pronto.

– Ele vai comer com a gente? *Tante* Isabelle não ia gostar nada disso. Antes de ir embora, ela me falou para nunca olhar nos olhos dele e tentar não estar nunca no mesmo recinto que ele.

Vianne deu um suspiro. O fantasma da irmã continuava por ali.

– Foi ele que trouxe esse peixe para a gente, Sophie, e ele mora aqui.

– *Oui*, mamãe. Eu sei. Mas ela disse...

– Vá chamar o capitão para jantar. Isabelle não está aqui, nem suas preocupações extremas. Vá agora.

Vianne voltou ao fogão. Pouco depois, dispôs em uma pesada bandeja de cerâmica o peixe frito acompanhado pelos legumes refogados no limão, tudo salpicado de salsinha fresca. O perfumado molho de limão no fundo da frigideira, nadando em crostas de peixe frito, poderia ficar melhor na manteiga, mas ainda assim o cheiro era divino. Levou a travessa para a sala de jantar e encontrou Sophie já sentada, com o capitão Beck ao lado.

Na cadeira de Antoine.

Vianne pisou em falso.

Beck se levantou educadamente e afastou uma cadeira para ela. Vianne fez uma pausa por um breve momento, então ele pegou a travessa da mão dela.

– Isso parece muito bem-vindo – falou com entusiasmo. Mais uma vez, o francês dele não era muito correto.

Vianne sentou-se em seu lugar da mesa. Antes que pensasse em algo a dizer, Beck estava servindo uma taça de vinho para ela.

– Um adorável Montrachet 37 – comentou.

Vianne sabia o que Isabelle diria daquilo.

Beck estava à sua frente. Sophie, à esquerda, falando sobre algo que tinha acontecido na escola naquele dia. Quando parou, Beck disse algo sobre pescarias e Sophie deu risada, e Vianne sentiu a ausência de Isabelle com a mesma intensidade com que antes sentia sua presença.

Fique longe de Beck.

Vianne ouviu o aviso com a mesma clareza que ouviria se tivesse sido dito em voz alta bem ali, a seu lado. Sabia que

Isabelle tinha razão a esse respeito. Vianne não conseguia se esquecer da lista, das demissões, nem da imagem de Beck em sua escrivaninha com caixotes de comida a seus pés e um quadro do Führer na parede de trás.

– ... e minha esposa ficou desesperada com minha perícia com uma rede depois disso... – ele estava dizendo, sorrindo.

Sophie deu risada.

– Papai caiu no rio uma vez quando a gente estava pescando, lembra, mamãe? Ele disse que o peixe era tão grande que ele foi puxado, não foi, mamãe?

Vianne piscou devagar. Levou algum tempo até perceber que a conversa a incluía.

Tudo parecia... estranho, para dizer o mínimo. Em suas refeições anteriores com Beck à mesa, as conversas eram raras. Quem conseguia conversar cercado pela animosidade óbvia de Isabelle?

Agora é diferente, com sua irmã fora.

Vianne entendia o que ele queria dizer. A tensão na casa – naquela mesa – tinha acabado.

Que outras mudanças a ausência dela traria?

Fique longe de Beck.

Como Vianne iria fazer isso? E quando fora a última vez em que tinha comido tão bem... ou ouvido a risada de Sophie?

A Gare de Lyon estava cheia de soldados alemães quando Isabelle desembarcou do trem. Saiu empurrando a bicicleta, o que não foi fácil de fazer, com a maleta batendo nas pernas e os impacientes parisienses trombando nela o tempo todo. Havia meses ela sonhava em voltar para lá.

Em seus sonhos, Paris era Paris, intocada pela guerra.

Mas nessa tarde de segunda-feira, depois de um longo dia de viagem, ela viu a verdade. A ocupação podia ter deixado os edifícios no lugar, não havia evidência de bombardeios em frente à Gare de Lyon, mas havia algo de sombrio ali, mesmo em plena luz do dia. Enquanto seguia de bicicleta pelo bulevar, sentiu no ar um silêncio que remetia a perda e a desespero.

Sua adorada cidade parecia uma cortesã que já fora bonita, mas agora estava magra e envelhecida, exausta, abandonada pelos amantes. Em menos de um ano, sua maravilhosa cidade fora desnudada de sua essência pelo interminável clamor das botas alemãs nas calçadas, desfigurada pelas suásticas tremulando em cada monumento.

Os únicos veículos que via eram Mercedes-Benz pretas com miniaturas de bandeiras com suásticas esvoaçando nos para-lamas e caminhões das forças armadas alemãs e, de vez em quando, um tanque de combate cinzento. Ao longo de todo o bulevar, as cortinas estavam fechadas e as venezianas abaixadas. Parecia que a cada esquina encontrava-se impedida de seguir em frente por uma barricada. Cartazes com letras em negrito indicavam direções em alemão e os relógios tinham sido acertados para duas horas adiante – no horário da Alemanha.

Manteve a cabeça baixa enquanto pedalava, passando por grupos de soldados alemães e cafeterias repletas de homens uniformizados conversando às mesas que lotavam as calçadas. Quando entrou no bulevar de la Bastille, viu uma senhora de bicicleta tentando passar por uma barricada. Um nazista parado à sua frente fazia uma advertência em alemão – uma língua que ela obviamente não entendia. No fim, a mulher decidiu dar meia-volta com a bicicleta e foi embora pedalando.

Demorou mais tempo que o normal para Isabelle encontrar a livraria e, quando afinal parou na porta da frente, seus nervos estavam à flor da pele. Encostou a bicicleta em uma árvore e trancou o cadeado. Segurando a valise nas mãos suadas, ela se aproximou da livraria. Viu a própria imagem na vitrine de um bistrô: cabelo louro aparado de forma irregular, o rosto pálido e os lábios vermelhos (o batom era o único cosmético que ainda possuía). Tinha escolhido seu melhor traje para a viagem – um blazer creme xadrez com um chapéu combinando e saia azul-marinho. As luvas estavam um pouco surradas demais para serem usadas, mas nos tempos atuais ninguém notava aquele tipo de coisa.

Queria estar o melhor possível para impressionar o pai. Adulta.

Quantas vezes na vida ela se sentira aflita escolhendo uma roupa ou um penteado antes de voltar ao apartamento de Paris, só para descobrir mais tarde que o pai não estava, que Vianne se encontrava "muito ocupada" para voltar do interior e que alguma amiga do pai iria cuidar de Isabelle durante as férias? Foi por essa razão que parou de voltar para casa nos feriados aos 13 anos; era melhor ficar sozinha no dormitório vazio do que ser arrastada entre pessoas que não sabiam o que fazer com ela.

Mas agora era diferente. Henri e Didier – e seus misteriosos amigos da França Livre – precisavam que Isabelle morasse em Paris. Ela não iria desapontá-los.

As vitrines da livraria estavam escuras, as grades que protegiam o vidro durante o dia, abaixadas e trancadas. Tentou a porta e viu que se encontrava fechada.

Em uma segunda-feira, às quatro horas da tarde? Andou até uma fissura ao lado da fachada que o pai sempre usava como esconderijo e encontrou a chave enferrujada que possibilitou sua entrada.

No escuro, a loja estreita parecia estar prendendo a respiração. Não se ouvia nenhum som. Nem o som do pai virando as páginas de um adorado romance ou de sua caneta rabiscando uma folha de papel enquanto pelejava com algum poema, o que se tornou sua paixão desde a morte da esposa. Fechou a porta e tentou acender a luz no interruptor ali perto.

Nada.

Tateou o caminho até o balcão e achou uma vela em um velho castiçal de bronze. Uma busca pelas gavetas levou a uma caixa de fósforos e ela acendeu a vela.

Mesmo fraca, a luz revelou a destruição em cada canto da loja. Metade das prateleiras estava vazia, muitas delas, quebradas, pendendo das estantes, os livros caídos em uma pirâmide no chão, embaixo da extremidade mais distante. Cartazes tinham sido arrancados e desfigurados. Era como se um bando de saqueadores tivesse passado em busca de algo escondido, destruindo tudo no caminho.

Papai.

Isabelle saiu depressa da livraria, nem se preocupando em deixar a chave no lugar. Guardou a chave no bolso do casaco, abriu o cadeado da bicicleta e montou no veículo. Manteve--se nas ruas secundárias (as poucas que não estavam barricadas) até chegar à Rue de Grenelle, onde virou e continuou pedalando em direção a sua casa.

O apartamento da Avenue de La Bourdonnais pertencia à família do pai havia mais de cem anos. A rua era ladeada por edifícios de arenito pálido, com sacadas de ferro pretas e telhados de ardósia. Querubins esculpidos em pedra adornavam as cornijas. A mais ou menos seis blocos dali, a Torre Eiffel subia em direção ao céu, dominando a paisagem. Ao nível do chão havia dezenas de lojas com toldos vistosos e cafeterias com mesas na calçada; os andares superiores eram todos residenciais. Isabelle costumava andar devagar pela calçada, vendo as vitrines, apreciando a movimentação ao redor. Não naquele dia. Os bistrôs e cafeterias estavam vazios. Mulheres com roupas surradas e expressões cansadas faziam fila para comprar alimentos.

Isabelle percebeu que as cortinas de blecaute estavam fechadas enquanto procurava a chave na bolsa. Abriu a porta e entrou no saguão escuro empurrando a bicicleta. Acorrentou-a num cano na parede. Ignorando o elevador do tamanho de um caixão, que sem dúvida não funcionava por conta do racionamento de eletricidade, subiu a escadaria estreita e íngreme que circulava o poço do elevador até chegar ao quinto andar, onde havia duas portas, uma para o lado esquerdo do prédio e a deles, que ficava no lado direito. Destrancou a porta e entrou.

Pensou ter ouvido o vizinho abrir a porta do outro lado do

corredor. Quando se virou para cumprimentar madame Leclerc, a porta se fechou rapidamente. Parecia que a velha intrometida andava vigiando a movimentação no apartamento 6B.

Entrou no apartamento e fechou a porta.

– Papai?

Embora fosse o meio do dia, as cortinas de blecaute deixavam tudo escuro lá dentro.

– Papai?

Não houve resposta.

A bem da verdade, ela se sentiu aliviada. Levou a valise até a sala. A escuridão a lembrou de outra ocasião, muito tempo atrás. O apartamento também estava escuro e mofado, mas havia gente respirando lá dentro e passos fazendo o assoalho de madeira ranger.

Silêncio, Isabelle, não fale nada. Sua mamãe está com os anjos agora.

Isabelle acendeu a luz da sala de estar. Um lustre ornamental de vidro soprado ganhou vida, os ramos esculpidos brilhando como se vindos de outro mundo. Na luz difusa, ela deu uma olhada pelo apartamento, notando que faltavam várias obras de arte nas paredes. A sala mostrava a mistura entre o impecável senso de estilo da mãe e a coleção de antiguidades de outras gerações. Duas janelas envidraçadas – agora cobertas – deveriam propiciar uma linda vista da Torre Eiffel da sacada.

Isabelle apagou a luz. Não havia razão para desperdiçar a preciosa eletricidade enquanto esperava. Sentou-se à mesa de madeira redonda embaixo do lustre. Aquele tampo áspero fora marcado por milhares de jantares ao longo dos anos. Passou a mão carinhosamente pela madeira machucada.

Deixe-me ficar, papai. Por favor. Eu não vou dar trabalho.

Que idade tinha naquela época? Onze? Doze? Não sabia ao certo. Mas estava usando o uniforme azul de marinheiro do colégio de freiras. Parecia toda uma vida. E lá estava ela outra vez, pronta para implorar para que ele – *gostasse dela* – a deixasse ficar.

Mais tarde – quanto tempo depois? Não saberia dizer quanto tempo tinha ficado ali no escuro, recordando situações que envolviam a mãe, pois quase já havia esquecido seu rosto –, Isabelle escutou passos, seguidos pelo ruído de uma chave na fechadura.

Ouviu a porta abrindo e se levantou. A porta se fechou com um estalido. Ouviu alguém atravessando o vestíbulo, passando pela pequena cozinha.

Agora era preciso ser forte e determinada, mas a coragem, que fazia parte dela como o verde de seus olhos, sempre desaparecia na presença do pai, como agora.

– Papai? – chamou no escuro. Sabia que ele detestava surpresas.

O interruptor estalou e as lâmpadas do lustre acenderam.

– Isabelle – disse o pai com um suspiro. – O que está fazendo aqui?

Isabelle sabia que não podia mostrar insegurança a um homem que se importava tão pouco com os sentimentos dela. Agora havia uma tarefa a cumprir.

– Vim morar com o senhor em Paris. De novo – acrescentou depois de pensar um pouco.

– Você deixou Vianne e Sophie sozinhas com os nazistas?

– Elas estão mais seguras sem mim, acredite. Mais cedo ou mais tarde eu teria perdido o controle.

– Perdido o controle? Qual é o seu problema? Você vai voltar para Carriveau amanhã de manhã. – Ele passou por ela e foi ao armário de madeira encostado na parede empapelada. Serviu-se de uma dose de conhaque, tomou em três goles e serviu mais uma. Quando terminou a segunda dose, virou-se para ela.

– Não – disse Isabelle. Aquela palavra a deixou fascinada. Será que já tinha dito não para ele alguma vez? Repetiu, para reforçar. – Não.

– Como é?

– Eu disse que não, papai. Dessa vez não vou ceder à sua

vontade. Não vou embora. Essa é a minha casa. Meu *lar*. – A voz fraquejou naquele momento. – Vi mamãe fazendo essas cortinas na máquina de costura. Essa é a mesa herdada do tio-avô dela. Você pode ver na parede do meu quarto as minhas iniciais, escritas com o batom da mamãe quando ela não estava vendo. Aposto que minhas bonecas ainda estão enfileiradas na parede do meu quarto secreto, na minha fortaleza.

– Isabelle...

– Não. O senhor não vai me mandar embora, papai. Já fez isso vezes de mais. É o meu pai. Esta é a minha casa. Estamos em guerra. Eu vou ficar. – Abaixou-se e pegou a valise a seus pés.

Sob a luz pálida do lustre, Isabelle viu o desalento aprofundar os vincos que marcavam o rosto do pai. Os ombros encurvaram. Serviu-se de mais uma dose de conhaque, tomou com avidez. Obviamente mal conseguia olhar para a filha sem a ajuda do álcool.

– Não há mais festas para ir – comentou ele – e todos os seus garotões universitários foram embora.

– O senhor pensa mesmo isso de mim? – replicou Isabelle. Depois mudou de assunto. – Eu passei na livraria.

– Os nazistas – respondeu o pai. – Chegaram lá um dia e levaram tudo de Freud, Mann, Trotsky, Tolstói, Maurois... todos os livros deles, e queimaram... e os discos também. Preferi fechar as portas a só vender o que me permitissem. Foi o que fiz.

– E de que está vivendo? Dos seus poemas?

Ele deu risada. Com um som amargo, arrastado.

– Não é hora de inquisições delicadas.

– Mas como paga a eletricidade e a comida?

Algo mudou na expressão dele.

– Tenho um bom emprego no Hôtel de Crillon.

– Num hotel? – Não conseguia ver o pai servindo cerveja para aqueles alemães brutos.

O pai desviou o olhar.

Isabelle sentiu o estômago enjoado.

– Para quem o senhor trabalha, papai?

– Para o alto-comando alemão em Paris – respondeu ele.

Agora Isabelle reconhecia aquele sentimento. Era vergonha.

– Depois do que eles fizeram com o senhor na Grande Guerra...

– Isabelle...

– Ainda me lembro das histórias que a mamãe contava sobre como o senhor era antes da guerra, como voltou destruído. Eu sonhava com um dia em que você se lembrasse de que era pai, mas era tudo mentira, não era? O senhor é só um covarde. Assim que os nazistas voltam, corre para ajudar.

– Como você se atreve a me julgar, a achar que sabe o que eu passei? Você tem 18 anos.

– Dezenove – corrigiu. – Diga uma coisa, papai: o senhor serve café e chama táxis para os nossos conquistadores irem ao Maxim's? Come o que sobra do almoço deles?

O pai pareceu murchar diante de seus olhos; envelhecer. Isabelle lamentava profundamente suas palavras ferinas, embora fossem verdadeiras e merecidas. Mas não podia mais recuar.

– Então estamos de acordo? Vou ficar morando no meu antigo quarto. Nós mal precisamos nos falar, se essa é a sua condição.

– Não há o que comer na cidade, Isabelle; ao menos não para os parisienses. A cidade toda mostra cartazes nos alertando a não comer ratos e esses avisos são mesmo necessários. Tem gente criando porquinhos-da-índia para comer. Você vai estar muito melhor no interior, onde ainda restam os jardins.

– Não estou procurando conforto. Nem segurança.

– Então, o que quer em Paris?

Só então Isabelle percebeu seu erro. Tinha caído em uma

armadilha montada pelas próprias palavras, ditas sem pensar. O pai dela era muitas coisas, mas não era bobo.

– Eu vim encontrar um amigo.

– Não me diga que é um namorado. Achei que você era inteligente demais para se envolver numa situação dessas.

– O interior é um tédio, papai. Você me conhece.

O pai soltou um suspiro, serviu mais uma dose. Isabelle viu um brilho característico surgir nos olhos dele. Logo, sabia, ele se recolheria em seus pensamentos, fossem quais fossem.

– Se você ficar, vai ter que seguir certas regras.

– Regras?

– Vai ter que voltar para casa antes do toque de recolher. Sempre e sem exceções. Vai respeitar a minha privacidade. Não gosto de ninguém em cima de mim. Vai sair de manhã e ver o que os nossos cartões de racionamento conseguem comprar. E vai arranjar um emprego. – Fez uma pausa, olhou para ela e estreitou os olhos. – E, se você se meter no tipo de encrenca em que sua irmã se meteu, eu jogo você na rua. Ponto final.

– Eu não estou...

– Não me interessa. Um emprego, Isabelle. Arranje um emprego.

O pai continuou falando, mesmo quando ela deu meia--volta e se afastou. Isabelle entrou em seu antigo quarto e bateu a porta.

Afinal tinha conseguido! Pelo menos uma vez. E daí que ele fora mesquinho e todo judicioso? Ela estava aqui. No próprio quarto, em Paris, e ia ficar.

O cômodo era menor do que ela se lembrava. Pintado em um tom de branco alegre, com uma cama de dossel duplo de ferro com um desbotado colchão velho. O assoalho de tábuas largas e uma poltrona Luís XV que já vira dias melhores. A janela – vedada – dava para o pátio interno do prédio. Quando era mais nova, sempre sabia o que os vizinhos falavam enquanto punham o lixo para fora, pois podia ouvir suas vozes misturadas ao barulho das tampas das latas batendo. Virou a valise na cama e começou a desfazer a mala.

As roupas que tinha levado em seu êxodo – com as quais voltava agora a Paris – estavam desgastadas pelo uso diário e constante e mal valia a pena pendurar aquilo no armário junto com as roupas que herdara da mãe: lindos vestidos antigos de saias rodadas, camisolas com franjas de seda, blazers de lã cortados sob medida e conjuntos de crepe para uso diário. Uma série de chapéus combinando e sapatos feitos para dançar em salões de baile ou caminhar pelos Jardins de Rodin de braço dado com o rapaz certo. Roupas para um mundo que não mais existia. Não havia mais rapazes "certos" em Paris. Praticamente não havia mais rapazes. Estavam todos em campos de prisioneiros na Alemanha ou escondidos em algum lugar.

Quando as roupas voltaram a seus cabides, Isabelle fechou as portas de mogno e empurrou o armário de lado para acessar a porta secreta que ficava atrás.

Sua fortaleza.

Abaixou-se e abriu a porta recortada na parede empurrando o canto superior direito. A porta se abriu com um rangido, revelando um quartinho quadrado de cerca de 1,80 metro de lado, com um teto tão inclinado que mesmo uma garota de 10 anos precisava se abaixar para entrar. Como imaginava, as bonecas continuavam lá, algumas caídas, outras de pé.

Isabelle fechou a porta de suas lembranças e repôs o armário no lugar. Despiu-se depressa e vestiu uma camisola de seda roxa que lhe fazia lembrar da mãe. Ainda cheirava levemente a água-de-rosa – ou ela fez de conta que ainda cheirava. Quando saiu do quarto para escovar os dentes, deu uma parada em frente à porta fechada do quarto do pai.

Ouviu o som da caneta-tinteiro arranhando um papel áspero enquanto ele escrevia. De vez em quando soltava uma imprecação e voltava a fazer silêncio. (Isso acontecia quando dava um trago, sem dúvida.) Em seguida ouvia o baque de uma garrafa – ou de um punho – na mesa.

Isabelle preparou-se para deitar, prendendo as mechas de cabelo em bobes, lavando o rosto e escovando os dentes. Quando voltava para o quarto, ouviu o pai xingar de novo – dessa vez mais alto, talvez dando um gole. Seguiu andando para o quarto, entrou e fechou a porta.

Não gosto de ninguém em cima de mim.

Parece que o verdadeiro significado daquilo era que o pai não aguentava ficar no mesmo recinto que ela.

Engraçado Isabelle não ter notado isso no ano anterior, quando ficou com ele aquelas semanas entre a expulsão da escola de boas maneiras e o exílio no interior.

É verdade que os dois não tinham feito nenhuma refeição juntos. Nem houve uma conversa digna de lembrança. Mas por alguma razão ela não chegara a notar. E os dois trabalharam juntos na livraria, lado a lado. Será que se sentiu tão ridiculamente agradecida pela presença dele que nem notou seu silêncio?

Bem, agora ela entendia. Já estava em Paris havia três dias. Três dias de um silêncio excruciante.

O pai bateu na porta do quarto dela com tanta força que Isabelle teve um sobressalto.

– Estou saindo para o trabalho – falou atrás da porta. – Os cartões de racionamento estão na bancada. Deixei 100 francos para você. Compre o que puder.

Ficou ouvindo os passos ecoarem pelo assoalho de madeira do corredor, tão pesados que estremeceram as paredes. A porta se fechou com um baque.

– Um bom dia para você também – resmungou Isabelle, magoada com o tom da voz dele.

Então ela se lembrou.

Hoje era o dia.

Afastou as cobertas, saiu da cama e se vestiu sem nem acender a luz. Já tinha planejado seu traje: um vestido em um tom pálido de cinza e boina preta, luvas e o último par de sapatos de salto alto. Infelizmente, ela não tinha uma meia de seda.

Ficou se olhando no espelho da sala, tentando ter uma visão crítica, mas só conseguiu ver uma garota normal com um vestido simples levando uma bolsa preta.

Abriu a bolsa (mais uma vez) e examinou o forro de tela. Tinha aberto uma pequena fenda nele para esconder o grosso envelope. Ao abrir a bolsa, viu que parecia vazia. Mesmo se fosse parada (o que não aconteceria; quem iria parar uma garota de 19 anos vestida para um almoço?), eles não veriam nada em sua bolsa a não ser os documentos, os cupons de racionamento, a *carte d'identité*, o *certificate de domicile* e o *Ausweis*. Exatamente o que deveria estar lá.

Às dez horas Isabelle saiu do apartamento. Lá fora, sob um céu quente e brilhante, ela montou na bicicleta azul e pedalou em direção ao cais.

Quando chegou à Rue de Rivoli, automóveis pretos e caminhões militares verdes carregados de tanques de combustível ocupavam os dois lados da rua, por onde passavam homens a cavalo. Havia alguns parisienses também, andando pelas calçadas, pedalando nas poucas ruas pelas quais podiam trafegar, fazendo filas que se estendiam pelo quarteirão. Destacavam-se pela expressão desalentada no rosto e pelo jeito como passavam depressa pelos alemães, sem contato visual. No restaurante Maxim's, embaixo do famoso toldo vermelho, viu um grupo de nazistas de alta patente esperando para entrar. Circulavam boatos de que as melhores carnes e produtos do país iam direto para o Maxim's, para serem servidos ao alto-comando.

Foi então que ela avistou o banco de ferro perto da entrada da Comédie Française.

Isabelle freou bruscamente e a bicicleta parou com um tranco súbito. Sentiu uma pequena torção no tornozelo quando tirou um pé do pedal e pisou no pé de apoio. Pela primeira vez, sua empolgação se transformou em uma pontada de medo.

De repente a bolsa pareceu pesada, notavelmente pesada. Sentiu o suor nas palmas das mãos e na borda do chapéu de feltro.

Saia desse estado.

Ela era uma *courier*, não uma colegial assustada. Fora aquele o risco que aceitara.

Enquanto esses pensamentos passavam por sua cabeça, uma mulher se aproximou e sentou-se no banco, de costas para Isabelle.

Uma mulher. Não esperava que seu contato fosse uma mulher, mas sentiu-se estranhamente aliviada.

Respirou fundo para se acalmar e empurrou a bicicleta pela movimentada calçada, passando por quiosques que vendiam echarpes e quinquilharias. Quando estava bem ao lado da mulher no banco, disse o que havia sido instruída a dizer:

– Você acha que vou precisar de um guarda-chuva hoje?

– Acho que vai continuar fazendo sol. – A mulher virou-se para ela. Tinha o cabelo escuro cuidadosamente puxado para trás e as feições enérgicas do Leste da Europa. Era mais velha – devia ter uns 30 anos –, mas a expressão de seu olhar aumentava sua idade.

Isabelle começou a abrir a bolsa quando a mulher disse, bruscamente:

– Não. Venha atrás de mim. – E levantou-se depressa.

Isabelle seguiu a mulher e as duas atravessaram o grande espaço de cascalho do Cour Napoléon, com a gigantesca elegância do Louvre assomando majestosamente ao redor. Mas nem parecia um lugar que já fora um palácio de imperadores e reis, não com aquelas suásticas por toda parte e soldados alemães sentados nos bancos do jardim de Tuilleries. A mulher entrou em uma pequena cafeteria de uma rua lateral. Isabelle acorrentou a bicicleta a uma árvore em frente e entrou atrás dela, sentando-se à sua mesa.

– Você está com o envelope?

Isabelle fez que sim com a cabeça. Abriu a bolsa no colo e tirou o envelope, entregando-o para a mulher por baixo da mesa.

Dois oficiais alemães entraram no bistrô, ocupando uma mesa não muito longe.

A mulher se debruçou por cima da mesa e ajeitou o chapéu de Isabelle. Era um estranho gesto de intimidade, como se as duas fossem irmãs ou melhores amigas. Aproximando-se mais, a mulher sussurrou no ouvido dela:

– Já ouviu falar dos *les collabos*?

– Não.

– Colaboradores. Homens e mulheres franceses que trabalham para os alemães. Eles não estão só em Vichy. Esteja sempre atenta. Esses colaboradores adoram nos delatar para a Gestapo. E, quando eles informam o seu nome, a Gestapo fica sempre de olho. Não confie em ninguém.

Isabelle aquiesceu.

A mulher se afastou e olhou para ela.

– Nem mesmo no seu pai.

– Como sabe sobre o meu pai?

– Nós precisamos nos encontrar com você.

– Você está aqui comigo agora.

– *Nós* – repetiu ela em voz baixa. – Esteja na esquina do bulevar Saint-Germain com a Rue de Saint-Simon amanhã ao meio-dia. Não se atrase, não venha de bicicleta e não deixe que a sigam.

Isabelle ficou surpresa com a rapidez com que a mulher se levantou. Em um instante tinha ido embora, deixando Isabelle sozinha na mesa, sob o olhar atento de um soldado alemão em outra. Obrigou-se a pedir um *café au lait* (mesmo sabendo que eles não teriam leite e que o café seria chicória em pó). Tomou o café rapidamente e saiu.

Na esquina, viu um cartaz afixado numa vitrina alertando sobre execuções em retaliação a infrações. Ao lado, na entrada de um cinema, um cartaz amarelo dizia *INTERDIT AUX JUIFS* – proibido para judeus.

Enquanto destrancava o cadeado da bicicleta, o soldado alemão apareceu a seu lado e Isabelle esbarrou nele.

O soldado perguntou educadamente se estava tudo bem. A resposta dela foi um sorriso de atriz e um aceno de cabeça.

– *Mais oui. Merci.* – Alisou o vestido, firmou a bolsa na axila e montou na bicicleta. Saiu pedalando sem olhar para trás.

Tinha conseguido. Ela arranjara um *Ausweis* para vir a Paris, forçara o pai a deixá-la ficar e entregara sua primeira mensagem secreta para a França Livre.

DEZESSEIS

*I*sabelle estava fora havia uma semana e Vianne já admitia que a vida em Le Jardin ficara mais fácil. Sem acessos de raiva, sem comentários velados dirigidos ao capitão Beck, sem ter mais de travar inúteis batalhas em uma guerra já perdida. Mesmo assim, às vezes a casa ficava silenciosa demais sem Isabelle e, naquele silêncio, Vianne se surpreendia com o volume de seus pensamentos.

Como agora. Já estava acordada havia horas, olhando para o teto do quarto, esperando o amanhecer.

Por fim resolveu sair da cama e desceu para o primeiro andar. Serviu uma xícara de café amargo feito de bolotas de carvalho e levou a bebida para o jardim, onde se sentou na cadeira favorita de Antoine, embaixo dos galhos frondosos do teixo, ouvindo as galinhas ciscando morosamente na terra.

O dinheiro estava quase no fim. Agora teriam de viver com seu mísero salário de professora.

Como ela iria conseguir? E sozinha...

Acabou de tomar o café, por pior que fosse. Levou a xícara vazia para a casa ainda escura, mas já aquecida pelo sol, e viu a porta do quarto do capitão Beck aberta. Ótimo.

Acordou Sophie, ouviu seus sonhos da noite e preparou um desjejum de torradas com geleia de pêssego para ela. Depois as duas saíram para a cidade.

Vianne tentava apressar a filha, mas Sophie estava de mau humor, reclamando e arrastando os pés. Por isso, a tarde já ia avançada quando chegaram ao açougue. A fila começava na porta e se estendia pela calçada. Vianne ocupou seu lugar no fim da fila e lançou um olhar nervoso para os alemães na praça.

A fila andou. Na vitrine do açougue, Vianne notou um novo cartaz de propaganda que mostrava um sorridente soldado alemão oferecendo pão a um grupo de crianças francesas. Ao lado havia um novo cartaz dizendo: PROIBIDO PARA JUDEUS.

– O que significa isso, mamãe? – perguntou Sophie, apontando o cartaz.

– Quieta, Sophie – repreendeu Vianne. – Já falamos sobre isso. Algumas coisas não devem mais ser comentadas.

– Mas o padre Joseph disse que...

– Quieta – repetiu Vianne, impaciente, dando um puxão na mão de Sophie para enfatizar.

A fila andou um pouco mais. Quando Vianne entrou, viu-se frente a frente com uma mulher de cabelos grisalhos e pele cujas cor e textura lembravam mingau de aveia.

Vianne franziu o cenho.

– Onde está madame Fournier? – perguntou, apresentando seu cartão de racionamento para a carne do dia. Tinha esperança de ainda conseguir alguma coisa.

– Proibido para judeus – respondeu a mulher. – Ainda temos um pouco de pombo defumado.

– Mas esse açougue é dos Fourniers.

– Não é mais. Agora é meu. Quer o pombo ou não quer?

Vianne pegou a latinha de pombo defumado e guardou na cesta de vime. Saiu dali com Sophie sem dizer mais nada. Em uma esquina do outro lado da rua, uma sentinela alemã montava guarda na porta do banco, lembrando à população francesa que os bancos estavam sob posse dos alemães.

– Mamãe – choramingou Sophie. – É errado fazer...

– Quieta – repetiu, pegando Sophie pela mão. Enquanto andavam pela cidade e depois, quando seguiam a estrada de terra em direção à casa, Sophie manifestou todo o seu descontentamento. Bufando, suspirando e resmungando.

Vianne a ignorou.

Quando chegaram ao portão quebrado de Le Jardin, Sophie largou da mão da mãe e virou-se para encará-la.

– Como eles podem simplesmente se apossar do açougue? *Tante* Isabelle faria alguma coisa a respeito. Você só fica com medo!

– E o que você acha que eu devia fazer? Entrar na praça fazendo um escândalo e exigir que devolvessem o açougue para madame Fournier? O que acha que eles fariam comigo? Você viu os cartazes na cidade. – Abaixou o tom de voz. – Eles estão executando franceses, Sophie. *Executando*.

– Mas...

– Nada de "mas". Estamos vivendo tempos perigosos, Sophie. Você precisa entender.

Os olhos de Sophie lacrimejaram.

– Eu queria que papai estivesse com a gente...

Vianne abraçou a filha e apertou-a contra o corpo.

– Eu também.

Ficaram um bom tempo abraçadas antes de se separarem.

– Vamos fazer uns picles hoje, que tal?

– Ah. Que divertido!

Vianne não tinha como discordar.

– Por que não colhe uns pepinos? Vou preparar o vinagre.

Vianne viu a filha sair correndo em direção à horta, desviando-se das macieiras carregadas. Assim que a filha desapareceu, a preocupação de Vianne retornou. O que ela iria fazer sem dinheiro? A horta estava produzindo bem, dando legumes e frutas, mas como seria com o inverno que estava chegando? Como manteria Sophie saudável sem carne, leite ou queijo, como compraria novos sapatos para ela? Sentiu-se trêmula quando se encaminhou para a casa quente e escura. Na cozinha, apoiou-se na beirada da bancada e abaixou a cabeça.

– Madame?

Virou-se tão depressa que quase perdeu o equilíbrio.

Beck estava na sala de estar, sentado no divã, lendo um livro ao lado de um lampião aceso.

– Capitão Beck – falou o nome dele em voz baixa. Aproximou-se dele, cruzando as mãos trêmulas. – Não vi a sua motocicleta na frente da casa.

– Estava um dia tão bonito que resolvi voltar a pé da cidade. – Levantou-se do divã. Vianne notou que tinha cortado o cabelo e que se cortara fazendo a barba naquela manhã. Um pequeno talho vermelho marcava seu rosto claro. – A senhora parece estar indisposta. Talvez por não ter dormido bem desde a partida da sua irmã. – Ela o olhou com surpresa. – Eu escuto a senhora andando no escuro.

– Então é porque também está acordado – retrucou ela, tolamente.

– Muitas vezes eu também não consigo dormir. Fico pensando na minha mulher e nos meus filhos. Meu filho é tão novo. Fico imaginando se vai me reconhecer.

– Eu tenho essa mesma sensação com Antoine – disse Vianne, surpresa em admitir esse fato. Sabia que não deveria se abrir com esse homem, o inimigo, mas no momento estava cansada e assustada demais para ser forte.

Beck olhou para ela e naquele olhar ela viu a perda que

os dois compartilhavam. Ambos estavam muito longe das pessoas que amavam e sentiam-se solitários por essa razão.

– Bem. Não quero me intrometer no seu dia, é claro, mas tenho algumas notícias. Depois de muita pesquisa, descobri que seu marido está num *Oflag* na Alemanha. Um amigo meu é guarda lá. Seu marido é um oficial. A senhora sabia? Sem dúvida deve ter se destacado no campo de batalha.

– O senhor localizou Antoine? Ele está vivo?

Beck mostrou um envelope sujo e amassado.

– Ele escreveu essa carta para a senhora. E agora a senhora pode fazer remessas para ele, acredito que o agradaria demais.

– Oh... meu... – Sentiu as pernas fraquejarem.

Beck a amparou, aprumou-a e levou-a até o divã. Quando desabou no assento, sentiu lágrimas escorrendo dos olhos.

– Quanta generosidade – sussurrou, pegando a carta da mão dele, apertando-a ao peito.

– Meu amigo me passou essa carta. No entanto, de agora em diante, sinto muito, vocês só vão se corresponder por cartões-postais.

Abriu um sorriso e ela teve a estranha sensação de que Beck sabia das longas cartas que ficava imaginando escrever durante as noites.

– *Merci* – disse Vianne, desejando que aquela palavra não fosse tão curta.

– *Au revoir*, madame – respondeu Beck, dando meia-volta e deixando-a sozinha para ler.

A carta suja e amassada a deixou sem fôlego; as letras que compunham seu nome se embaçaram e oscilaram enquanto ela abria o envelope.

Vianne, minha adorada,

Em primeiro lugar, não se preocupe comigo. Estou seguro e bem alimentado. Não estou ferido. Mesmo. Sem nenhum buraco de bala.

No alojamento, tive a sorte de conseguir um beliche supe-rior, o que me dá certa privacidade num lugar com homens demais. Por uma janelinha, posso ver a lua à noite e as torres de Nuremberg. Mas é a lua que me faz pensar em você.

A comida que recebemos é suficiente para nos alimentar. Já me acostumei com bolinhos de farinha e pedacinhos de batata. Estou ansioso para comer a sua comida quando voltar para casa. Fico sonhando com isso – com você e com Sophie – o tempo todo.

Por favor, meu amor, não desanime. Continue sendo forte e esteja aí quando chegar o momento de eu sair dessa cela. Você é o meu raio de luz na escuridão, o chão sob os meus pés. Vou sobreviver por você. Espero que possa também dar força a você, Vi. Que consiga se sentir mais forte por minha causa.

Abrace minha filha com força hoje à noite e diga que em algum lugar distante o papai está pensando nela. E diga que eu vou voltar.

Amo você, Vianne.

P.S.: A Cruz Vermelha está entregando remessas. Se conse-guir me mandar minhas luvas de caça, vou ficar muito feliz.

Os invernos aqui são frios.

Vianne terminou a carta e imediatamente começou a lê-la outra vez.

Exatamente uma semana depois de sua chegada a Paris, Isabelle iria se encontrar com outros que dividiam com ela sua paixão por uma França livre e sentia-se nervosa andando em direção a um destino desconhecido entre franceses aba-tidos e alemães bem alimentados. Tinha escolhido suas rou-pas com cuidado naquela manhã, um vestido justo de raiom azul com um cinto preto. Fizera o cabelo na noite anterior e tinha arranjado o ondulado com esmero naquela manhã, afastando as mechas da testa. Não usava maquiagem; uma velha boina azul da escola do convento e luvas brancas completavam o conjunto.

Sou uma atriz e esse é o meu papel, pensava enquanto caminhava pela rua. *Sou uma colegial apaixonada que está saindo escondida para encontrar um garoto...*

Foi a história que escolhera enquanto se vestia. Não sabia ao certo se conseguiria fazer um alemão acreditar nela – se fosse questionada.

Com tantas barricadas nas ruas, demorou mais do que esperava para chegar a seu destino, mas afinal se esgueirou para contornar um último bloqueio e entrou no bulevar Saint-Germain.

Parou embaixo de um poste. Atrás dela, o tráfego movia-se com lentidão na avenida; buzinas soavam, motores roncavam, cascos de cavalos batiam no piso, bicicletas tocavam campainhas. Mesmo com todo aquele barulho, aquela avenida sempre tão animada parecia despida de luz e cor.

Uma viatura da polícia parou a seu lado e um gendarme desceu do veículo, a capa jogada no ombro, um cassetete branco na mão.

– Acha que vou precisar de um guarda-chuva hoje?

Isabelle tomou um susto, soltando um pequeno gemido. Estava tão concentrada no policial – agora atravessando a rua na direção de uma mulher saindo de uma cafeteria –, que tinha se esquecido de sua missão.

– A-acho que vai continuar fazendo sol – respondeu.

O homem a agarrou pelo braço (não havia outra palavra, realmente; ele a apertou com firmeza) e conduziu-a pela rua subitamente vazia. Era engraçado como uma viatura de polícia conseguia fazer os parisienses desaparecerem. Ninguém queria estar presente durante uma prisão – nem para testemunhar, nem para ajudar.

Isabelle tentou ter uma visão do homem a seu lado, mas eles estavam andando muito depressa. Olhou de relance para suas botas, movendo-se rapidamente na calçada: couro velho, cadarços esgarçados, um furo aparecendo no dedão do pé esquerdo.

– Feche os olhos – pediu ele quando atravessaram a rua.

– Por quê?

– Feche os olhos.

Isabelle não era dada a seguir ordens cegamente (teria feito esse gracejo sob outras circunstâncias), mas queria tanto participar daquilo que obedeceu. Fechou os olhos e continuou cambaleando ao lado dele, quase tropeçando nos próprios pés mais de uma vez.

Finalmente ele parou. Ouviu quando bateu quatro vezes em uma porta. Depois escutou o ruído de passos, o som de uma porta se abrindo, e sentiu o cheiro acre de fumaça de cigarro bafejando seu rosto.

De repente lhe ocorreu – naquele instante – que poderia estar em perigo.

O homem a puxou para dentro e a porta se fechou atrás deles. Isabelle abriu os olhos, mesmo sem que lhe mandassem fazer isso. Seria melhor mostrar alguma coragem agora.

A sala não entrou em foco instantaneamente. Estava escura, o ar espesso de fumaça de cigarro. Todas as janelas estavam vedadas. A única luz vinha de dois lampiões a óleo, fumegando valentemente em meio a tanta escuridão e fumaça.

Três homens sentavam-se a uma mesa de madeira forrada de cinzeiros transbordantes. Dois eram jovens, usando paletós remendados e calças rotas. Entre eles havia um homem mais velho, magro como um lápis e com um bigode grisalho engomado que ela reconheceu. Atrás, encostada na parede, Isabelle viu a mulher que tinha sido seu contato. Toda de preto, como uma viúva, fumando um cigarro.

– Monsieur Lévy? – perguntou Isabelle ao homem mais velho. – É o senhor?

Ele tirou a boina surrada da cabeça calva e luzidia e estendeu as mãos crispadas.

– Isabelle Rossignol.

– Você conhece essa mulher? – perguntou um dos homens.

– Eu era um frequentador assíduo da livraria do pai dela – explicou Lévy. – Pelo que ouvi da última vez, ela era impulsiva, indisciplinada e encantadora. De quantas escolas você foi expulsa, Isabelle?

– De escolas demais, diria meu pai. Mas de que serve saber onde sentar o segundo filho de um embaixador durante um banquete nos tempos que correm? – observou Isabelle. – E continuo sendo charmosa.

– E ainda bastante desenvolta. Cabeça quente e palavras impulsivas podem causar a morte de todos nesta sala – comentou ele em um tom de cautela.

Imediatamente Isabelle percebeu que havia cometido um equívoco. Concordou com a cabeça.

– Você é jovem demais – observou a mulher atrás da mesa, exalando fumaça.

– Não tanto assim – retrucou Isabelle. – Hoje eu me vesti para parecer mais nova. Acho que é uma vantagem. Quem suspeitaria de alguma coisa ilegal numa garota de 19 anos? E você, entre todos aqui, deve saber que uma mulher pode fazer o mesmo que qualquer homem.

Monsieur Lévy recostou-se na cadeira e ficou olhando para Isabelle.

– Um amigo fez altas recomendações sobre você.

Henri.

– Disse que você está distribuindo nossos panfletos há meses. E Anouk diz que você foi muito firme ontem.

Isabelle dirigiu o olhar à mulher – Anouk –, que acenou a cabeça em resposta.

– Estou disposta a fazer qualquer coisa pela nossa causa – disse Isabelle, enchendo o peito de satisfação antecipada. Nunca passara por sua cabeça que pudesse ter chegado até ali e ser recusada a participar daquela rede de pessoas com quem dividia uma causa.

Afinal, monsieur Lévy falou:

– Você vai precisar de documentos falsos. Uma nova identidade. Podemos conseguir isso, mas vai levar algum tempo.

Isabelle respirou fundo. Tinha sido aceita! Sentiu que estava encontrando seu destino. Iria fazer alguma coisa importante. Sabia disso.

– Por enquanto, os nazistas estão tão arrogantes que não acreditam que alguma forma de resistência vá funcionar contra eles – explicou Lévy –, mas eles logo vão notar... eles vão notar e o perigo vai aumentar para todos nós. Você não deve revelar sua associação conosco para ninguém. Ninguém. E isso inclui a sua família. Para sua segurança e a segurança deles também.

Seria fácil para Isabelle esconder suas atividades. Ninguém ligava muito para aonde ia ou o que fazia.

– *Oui* – concordou. – Então... o que eu devo fazer?

Anouk se desencostou da parede e atravessou a sala, passando por cima da pilha de panfletos subversivos no chão. Isabelle não conseguia distinguir bem as chamadas – alguma coisa sobre a Força Aérea britânica bombardeando Hamburgo e Berlim. Anouk pôs a mão no bolso e tirou um pequeno pacote, mais ou menos do tamanho de um maço de cartas de baralho, embrulhado em um papel pardo amarrotado e amarrado com um barbante.

– Você vai entregar isso na *tabac* no velho bairro de Amboise, a que fica logo depois do château. Isso tem de estar lá até amanhã, às quatro da tarde. – Entregou a Isabelle o pacote e metade de uma nota de 5 francos. – Mostre essa nota para ele. Se ele mostrar a outra metade, entregue o pacote. Depois vá embora. Não olhe para trás. Não fale com ele.

Assim que pegou o pacote e a nota, ouviu uma batida curta e estridente na porta atrás dela. Por um instante o quarto foi inundado por um clima de tensão. Trocaram-se olhares.

Isabelle foi lembrada mais uma vez de que se tratava de um trabalho perigoso. Poderia ser um policial batendo na porta, ou um nazista.

Seguiram-se três outras batidas.

Monsieur Lévy fez um sinal de cabeça.

A porta se abriu e um homem gordo, com a cabeça em forma de ovo e o rosto marcado pela idade entrou.

– Eu o encontrei vagando por aí – disse o gordo ao entrar, mostrando um piloto britânico ainda vestido em seu macacão de voo.

– *Mon Dieu* – murmurou Isabelle. Anouk fez uma expressão carrancuda.

– Eles estão por toda parte – comentou em voz baixa. – Caindo do céu. – Abriu um sorriso tenso da própria piada. – Fugitivos das prisões alemãs, aviadores abatidos.

Isabelle observou o aviador. Todo mundo sabia qual era a punição por ajudar aviadores britânicos. Estava anunciado nos cartazes em toda a cidade: prisão ou morte.

– Arranjem umas roupas para ele – ordenou Lévy.

O velho se virou para o aviador e começou a falar.

Claramente o aviador não falava francês.

– Eles vão arranjar umas roupas para você – explicou Isabelle.

A sala ficou em silêncio. Sentiu que todos olhavam para ela.

– Você fala inglês? – perguntou Anouk em voz baixa.

– Meu inglês é passável. Dois anos numa escola de etiqueta suíça.

Pairou um novo silêncio. Lévy falou:

– Diga ao piloto que vamos mantê-lo escondido até arranjarmos um jeito de ele sair da França.

– Vocês podem fazer isso? – perguntou Isabelle.

– Não no momento – respondeu Anouk. – Mas não diga isso a ele, claro. Só diga que estamos do mesmo lado e que ele está em segurança... relativamente falando... e que deve fazer o que mandarmos.

Isabelle aproximou-se do aviador. Quando chegou mais perto, viu arranhões em seu rosto e notou que alguma coisa tinha rasgado a manga da jaqueta de voo. Teve certeza de que era sangue seco o que escurecia parte de seu couro cabeludo e pensou: *Ele jogou bombas sobre a Alemanha.*

– Nem todos nós estamos passivos – ela falou para o jovem.

– Você fala inglês – comentou ele. – Graças a Deus. Meu avião caiu quatro dias atrás. Desde então estou me escondendo em cantos escuros. Não sabia aonde ir até esse homem me encontrar e me arrastar até aqui. Vocês vão me ajudar?

Isabelle confirmou com a cabeça.

– Como? Vocês podem me mandar de volta para casa?

– Eu não tenho essas respostas. Faça tudo o que eles disserem. E, monsieur?

– Sim, senhorita?

– Eles estão arriscando a vida para ajudar você. Entende isso?

O aviador confirmou.

Isabelle virou-se para os novos colegas.

– Ele já entendeu e vai fazer tudo o que pedirem.

– *Merci*, Isabelle – disse Lévy. – Onde podemos entrar em contato com você quando voltar de Amboise?

Assim que ouviu a pergunta, Isabelle pensou em uma resposta que a surpreendeu.

– Na livraria – respondeu com firmeza. – Vou reabrir a livraria.

Lévy olhou para ela.

– E o que o seu pai vai achar disso? Achei que ele tinha fechado a livraria quando os nazistas restringiram o que poderia vender.

– Meu pai trabalha para os nazistas – disse Isabelle com tristeza. – A opinião dele não conta muito. Ele me mandou arranjar um emprego. Esse vai ser o meu trabalho. Vou estar sempre acessível a todos vocês. É a solução perfeita.

– É – respondeu Lévy, ainda que não parecesse concordar.

– Muito bem. Anouk vai levar os seus novos documentos assim que conseguirmos fazer uma *carte d'identité*. Vamos precisar de uma foto sua. – Estreitou os olhos. – E, Isabelle, permita-me ser velho por um momento e lembrar a uma menina jovem acostumada a ser impulsiva de que esse comportamento tem de acabar de vez. Você sabe que sou amigo do seu pai... ou era, até ele mostrar sua essência, e há anos ouço histórias sobre você. Chegou a hora de crescer e fazer o que for mandado. Sempre. Sem exceção. Para sua segurança e também para a nossa.

Isabelle ficou constrangida por ele precisar dizer aquilo a ela na frente de todos.

– É claro.

– E, se você for apanhada – disse Anouk –, será como uma *mulher*. Entendeu? Eles podem fazer... coisas especialmente desagradáveis com a gente.

Isabelle engoliu em seco. Já tinha pensado – brevemente – na possibilidade de ser presa e executada. Mas aquilo era algo que nunca havia considerado. Claro que deveria ter pensado nisso.

– O que nós todos exigimos de cada um... ou pelo menos esperamos... *são dois dias.*

– Dois dias?

– Se você for capturada e... interrogada. Tente não dizer nada durante dois dias. Isso nos dará tempo de desaparecer.

– Dois dias – repetiu Isabelle. – Não é tanto tempo.

– Você é tão jovem... – comentou Anouk, franzindo o cenho.

Isabelle tinha se ausentado de Paris quatro vezes nos últimos seis dias. Para entregar pacotes em Amboise, Blois e Lyon. Passou mais tempo em trens e estações ferroviárias do que no apartamento do pai – um arranjo que tinha sido bom para os dois. Desde que ela enfrentasse as filas para comprar alimento durante o dia e voltasse para casa antes do toque de recolher, o pai não se importava com o que fizesse. Mas agora estava de volta a Paris e pronta para passar à fase seguinte de seu plano.

– Você não vai reabrir a livraria.

Isabelle olhou para o pai, perto da cortina fechada. Sob aquela luz pálida, o apartamento parecia velho e grandioso, com sua decoração de objetos antigos colecionados por várias gerações. Bons quadros em pesadas molduras douradas adornavam as paredes (algumas obras estavam faltando, o que deixou marcas escuras em seu lugar na parede; provavelmente o pai as havia vendido) e, se as cortinas de blecaute pudessem ser abertas, a sacada propiciaria uma visão estupenda da Torre Eiffel.

– O senhor disse que eu precisava arranjar um emprego – teimou Isabelle.

O pacote que levava na bolsa lhe dava novas forças para discutir com o pai. Além do mais, ele já estava meio bêbado. Daqui a pouco já estaria esparramado na *bergère* da sala de estar, gemendo durante o sono. Quando era mais nova, aqueles tristes sons que emitia quando dormia faziam com que sentisse vontade de consolá-lo. Não mais.

– Eu quis dizer um emprego com *salário* – replicou ele secamente e serviu-se de mais uma dose de conhaque.

– Por que não usa a tigela de sopa de uma vez? – provocou Isabelle.

O pai ignorou a observação.

– Eu não aceito. Acabou. Você não vai reabrir a loja.

– Eu já reabri. Hoje. Passei a tarde toda limpando a livraria.

Ele hesitou. Levantou as sobrancelhas espessas e grisalhas.

– Você limpou?

– Limpei – confirmou ela. – Sei que isso o surpreende, papai, mas não tenho mais 12 anos. – Chegou mais perto dele. – Eu vou fazer isso. Estou decidida. Vai me dar tempo de ficar na fila para comprar comida e ainda vou ter chance de ganhar uns trocados. Os alemães vão comprar livros de mim. Garanto.

– Você vai flertar com eles? – perguntou.

Isabelle sentiu a picada do julgamento.

– Pergunta o homem que trabalha para eles – rebateu.

O pai olhou para ela.

Isabelle sustentou o olhar.

– Tudo bem – concordou ele afinal. – Faça como quiser. Mas o estoque dos fundos da loja é meu. *Meu*, Isabelle. Vou deixar trancado e ficar com a chave e você vai respeitar meu desejo não entrando naquele quarto.

– Por quê?

– Não interessa por quê.

– Você tem encontros com mulheres lá? No sofá?

O pai abanou a cabeça.

– Você é uma garota bobinha. Graças a Deus sua mãe não viveu para ver o que você se tornou.

Isabelle odiou a profundidade da mágoa que sentiu.

– E o que o senhor também se tornou, papai – replicou. – O senhor também.

DEZESSETE

*E*m meados de junho, no penúltimo dia do período escolar, Vianne estava à lousa, conjugando um verbo, quando ouviu o *put-put-put* familiar de uma motocicleta alemã.

– Mais soldados – comentou Gilles Fournier, com a voz desanimada. O garoto andava sempre irritado ultimamente, e quem poderia culpá-lo? Os nazistas tinham confiscado o açougue da sua família para dar o estabelecimento a um colaborador.

– Fiquem aqui – disse Vianne aos alunos, saindo para o corredor. Dois homens entraram: um oficial da Gestapo em um casaco comprido preto e o gendarme local, Paul, que tinha engordado desde que começara a colaborar com os nazistas. A barriga fazia pressão no cinto da calça. Quantas vezes Vianne o tinha visto andando pela Rue Victor Hugo, carregando mais comida do que sua família poderia consumir, enquanto ela ficava em uma longa fila segurando cartões de racionamento que compravam tão pouco?

Vianne foi recebê-los, as mãos cruzadas na cintura. Sentiu-se constrangida em seu vestido puído, com a gola e os punhos esgarçados. Embora tivesse desenhado uma linha amarronzada nas panturrilhas, ficava claro ser um artifício, pois ela não estava usando meias de seda e aquilo a fazia se sentir estranhamente vulnerável àqueles homens. No outro lado do saguão, portas se abriram e professores saíram das salas de aula para ver o que os homens queriam. Todos se entreolharam, mas ninguém falou nada.

O agente da Gestapo andou com determinação em direção à classe de monsieur Paretsky, no fundo do corredor. O gordo Paul se esforçou para acompanhar, bufando atrás dele.

Momentos depois, monsieur Paretsky saiu arrastado pelo policial francês da sala de aula.

Vianne franziu o cenho quando os dois passaram por ela. O velho Paretsky – que a ensinara a somar havia uma eternidade e cuja esposa cuidava dos canteiros da escola – parecia aterrorizado quando olhou para ela.

– Paul? – disse Vianne rispidamente. – O que está acontecendo?

O policial deu uma parada.

– Ele está sendo acusado de alguma coisa.

– Eu não fiz nada de errado! – gritou Paretsky, tentando se libertar de Paul.

O agente da Gestapo percebeu a comoção e se empertigou. Aproximou-se rapidamente de Vianne, os saltos das botas clicando no chão. Ela sentiu um arrepio de medo ao ver a expressão dos olhos dele.

– Madame. Qual é sua razão para nos impedir?

– E-ele é um amigo meu.

– Realmente – disse o agente, prolongando a palavra, transformando-a em uma pergunta. – Então sabe que ele está distribuindo propaganda antigermânica.

– É um *jornal* – falou Paretsky. – Só estou dizendo a verdade ao povo francês. Vianne! Explique para ele!

Vianne sentiu as atenções se voltarem para ela.

– Seu nome? – exigiu o agente da Gestapo, abrindo um bloco de anotações e pegando um lápis.

Vianne umedeceu os lábios, nervosa.

– Vianne Mauriac.

O agente anotou.

– E a senhora trabalha com monsieur Paretsky na distribuição de folhetos?

– Não! – exclamou ela. – Ele é um colega *professor*, senhor. Não sei de mais nada.

O Gestapo fechou o bloco.

– Ninguém ainda lhe disse que é melhor não fazer perguntas?

– Não tive essa intenção – respondeu Vianne, a garganta ressecada.

O agente abriu um sorriso lento. Aquele sorriso a assustou, deixou-a desarmada; o suficiente para fazê-la demorar a registrar as palavras que ele disse a seguir.

– Está encerrada, madame.

Seu coração pareceu parar de bater.

– C-como?

– Estou falando da sua posição como professora. Está cancelada. Vá para casa, madame, e não volte mais. Esses estudantes não precisam de exemplos como o seu.

✦

No final do dia, Vianne voltou para casa com a filha e até se lembrou de ter respondido a uma das incessantes perguntas de Sophie, mas o tempo todo pensava: *E agora?*

E agora?

Os quiosques e lojas estavam fechados àquela hora do dia, suas latas e gôndolas vazias. Havia cartazes por toda parte dizendo NÃO TEMOS OVOS, NÃO TEMOS MANTEIGA, NÃO TEMOS ÓLEO, NÃO TEMOS LIMÃO, NÃO TEMOS SAPATOS, NÃO TEMOS LINHA, NÃO TEMOS SACOS DE PAPEL.

Vianne fora muito controlada com o dinheiro que Antoine deixara para ela. Mais do que isso – miserável –, embora parecesse bastante na época. Usara-o apenas para necessidades – lenha, eletricidade, gás, comida. Mesmo assim tinha acabado. Como ela e Sophie iriam sobreviver sem o salário de professora?

Em casa, entrou em um estado de torpor. Preparou uma panela de sopa de repolho e acrescentou cenouras fatiadas que já estavam moles como macarrão. Assim que terminaram a refeição, Vianne lavou a roupa e pendurou no varal, depois ficou remendando meias até o cair da noite. Bem cedo, despachou uma Sophie que reclamava e protestava para a cama.

Sozinha (e sentindo como se estivesse com uma faca na garganta), sentou-se à mesa de jantar com um cartão-postal oficial e uma caneta-tinteiro.

Querido Antoine,
Estamos sem dinheiro e eu perdi meu emprego.
O que vou fazer? O inverno começa daqui a alguns meses.

Ergueu a caneta do papel. As palavras em azul pareceram se expandir no papel branco.

Sem dinheiro.

Que tipo de mulher ela era para sequer ter pensado em mandar uma carta como essa ao marido prisioneiro de guerra?

Amassou o cartão-postal e jogou-o nas cinzas da lareira fria, onde ficou abandonado, uma bola branca sobre um leito de cinzas.

Não.

Aquilo não podia ficar na casa. E se Sophie achasse e lesse? Tirou o cartão de cima das cinzas e levou-o para o quintal, onde o jogou na pérgola. As galinhas iriam bicá-lo e pisoteá-lo até não sobrar nada.

Lá fora, sentou-se na cadeira favorita de Antoine, sentindo-se zonza pela súbita mudança das circunstâncias e por esse terrível medo mais recente. Se ao menos pudesse começar tudo de novo. Gastaria menos dinheiro ainda... teria vivido com menos... deixaria que levassem monsieur Paretsky sem dizer uma palavra.

Atrás dela, a porta se abriu com um rangido e fechou com um estalo.

Passos. Respiração.

Deveria se levantar e sair dali, mas estava cansada demais para se mexer.

Beck chegou por trás dela.

– Aceita uma taça de vinho? É um Château Margaux 1928. Parece que foi um ótimo ano.

Vinho. Vianne queria dizer sim, por favor (talvez jamais houvesse precisado tanto de um vinho), mas não podia fazer isso. Nem poderia dizer não, por isso não disse nada.

Ouviu o *tunc* da rolha sendo sacada, o gorgolejar do vinho sendo servido. Beck depositou uma taça cheia na mesa ao lado dela. O aroma era adocicado, rico e inebriante.

Beck serviu uma taça para si mesmo e sentou-se na cadeira ao lado.

– Eu estou partindo – disse depois de um longo silêncio. Vianne virou-se para ele.

– Não fique tão ansiosa. É por pouco tempo. Algumas semanas. Já faz dois anos que estou longe de casa. – Tomou um gole. – Minha esposa deve estar no jardim nesse momento, conjeturando sobre quem vai voltar para ela. Aliás, não sou o mesmo homem que saiu de lá. Tenho visto coisas... – Fez uma pausa. – Essa guerra não é o que eu imaginava. E as coisas mudam depois de uma ausência tão longa, não concorda?

– *Oui* – concordou Vianne. Sempre pensava a mesma coisa.

No silêncio que pairou entre os dois, ela ouviu um sapo coaxar e as folhas farfalharem em uma brisa aromatizada de jasmim passando na copa das árvores. Um rouxinol cantava uma melodia triste e solitária.

– A senhora não parece em seu estado normal, madame – observou Beck. – Se não se incomoda com o meu comentário.

– Fui demitida do meu emprego de professora hoje. – Era a primeira vez que dizia aquelas palavras em voz alta, o que fez surgir lágrimas quentes a seus olhos. – Eu... chamei atenção para minha pessoa.

– Uma coisa perigosa de se fazer.

– O dinheiro que meu marido deixou acabou. Estou desempregada. E o inverno vai chegar logo. Como vou sobreviver? Alimentar Sophie, mantê-la aquecida? – Virou-se para ele.

Os olhos dos dois se encontraram. Vianne quis desviar, mas não conseguiu.

Beck pôs a taça na mão dela, forçou seus dedos a segurá-la. O toque pareceu quente em suas mãos frias, provocando um tremor. De repente se lembrou do escritório dele – de toda aquela comida empilhada.

– É só um vinho – disse ele de novo, e o aroma exalado da taça, de cerejas negras, de terra fértil permeada de lavanda, subiu pelo nariz de Vianne, lembrando-a da vida que tinha antes, das noites em que ficava ali bebendo vinho com Antoine.

Tomou um gole e engasgou, esquecida daquele simples prazer.

– A senhora é linda, madame – disse Beck, com uma voz tão doce e rica como o vinho. – Deve fazer muito tempo que não ouve isso.

Vianne levantou-se tão rápido que esbarrou na mesa e derramou o vinho.

– O senhor não devia dizer essas coisas, Herr capitão.

– Não – admitiu ele, levantando-se. Parou na frente dela, o hálito recendendo a vinho tinto e goma de mascar de hortelã. – Não devia.

– Por favor – disse Vianne, incapaz sequer de terminar a sentença.

– Sua filha não vai passar fome no inverno, madame – afirmou Beck calmamente, como se fosse um acordo secreto entre eles. – Isso é uma coisa de que a senhora pode ter certeza.

Mesmo se sentindo culpada pelo que sentiu, aquilo a deixou aliviada. Murmurou alguma coisa – nem soube bem o quê – e voltou para casa, onde se enfiou na cama com Sophie. No entanto, demorou muito até conseguir pegar no sono.

A livraria já tinha sido ponto de encontro de poetas e escritores, romancistas e acadêmicos. As melhores lembranças da infância de Isabelle remetiam àquelas salas mofadas. Enquanto o pai trabalhava em sua impressora no quarto dos fundos, a mãe lia histórias e fábulas para Isabelle e montava peças de teatro para elas atuarem. Eles foram felizes ali, durante algum tempo, antes de a mãe ficar doente e o papai começar a beber.

Olhe só a minha Iz. Venha sentar no colo do papai enquanto eu escrevo um poema para sua mãe.

Ou talvez ela tivesse imaginado aquela lembrança, construindo-a a partir de retalhos de uma carência que pesava como um fardo. Não sabia mais.

Agora eram os alemães que se amontoavam naqueles cantos e recantos escuros.

Ao longo das seis semanas desde que Isabelle reabrira a livraria, deveriam ter corrido rumores de que quem costumava atender os clientes era uma bela garota francesa.

Eles chegavam em grupos, com seus uniformes imaculados, falando em voz alta e brincando uns com os outros. Isabelle flertava com todos impiedosamente, mas fazia questão de só ir embora quando a loja estivesse vazia. E sempre pela porta dos fundos, usando uma capa preta e o capuz na cabeça, mesmo no calor do verão. Os soldados podiam ser sorridentes e joviais – rapazes, na verdade, que falavam sobre *fräuleins* bonitas de seus locais de origem e compravam clássicos franceses de autores "aceitáveis" para suas famílias –, mas ela nunca se esquecia de que eles eram o inimigo.

– Mademoiselle, você é tão linda, mas sempre nos ignora. Como vamos sobreviver? – arriscou um jovem oficial alemão tentando chamar atenção.

Isabelle deu uma risada coquete e rodopiou fora de alcance.

– Ah, monsieur sabe que não posso demonstrar favoritismos. – Esgueirou-se para trás do balcão. – Vejo que está com um livro de poesia. Com certeza há uma garota na Alemanha que adoraria receber tão belo presente.

Os amigos o atropelaram chegando por trás, todos falando ao mesmo tempo.

Isabelle estava recebendo o dinheiro quando o sininho no alto da porta tilintou.

Ela ergueu o olhar, esperando ver mais soldados alemães, mas era Anouk. Vestida do modo habitual, toda de preto, mais por conta do temperamento do que pela estação. Um suéter preto de gola em V e saia reta, de boina e luvas. Um cigarro Gauloises apagado pendurado nos lábios vermelho-vivo.

Parou na porta aberta, deixando ver um retângulo de rua vazia atrás, um recanto de gerânios e folhagens.

Ao ouvirem a campainha, os alemães se viraram.

Anouk deixou a porta se fechar. Acendeu casualmente o cigarro e deu uma longa tragada.

Isabelle olhou para Anouk, com meia loja de distância entre as duas e três alemães circulando. Naquelas semanas, desde que Isabelle começara a atuar como *courier* (já tinha ido a Blois, Lyon, Marselha, Amboise e Nice, sem falar das dezenas de entregas recentes em Paris, todas com seu novo nome – Juliette Gervaise – e portando documentos falsos entregues por Anouk em um bistrô sob as vistas dos alemães), Anouk era seu contato mais frequente. Apesar da diferença de idade – que devia ser de pelo menos uma década, talvez mais –, as duas se tornaram amigas, duas mulheres vivendo vidas paralelas; uma relação sem palavras, mas não menos verdadeira em seu silêncio. Isabelle agora conseguia ver além da expressão carrancuda e dos lábios estáticos de Anouk e ignorar seu comportamento taciturno. Atrás daquela máscara, Isabelle achava que havia tristeza. Muita tristeza. E raiva.

Anouk entrou com uma atitude nobre e desdenhosa, que intimidaria qualquer um que pensasse em falar alguma coisa. Os alemães ficaram em silêncio, observando-a, afastando-se para ela passar. Isabelle ouviu um deles dizer "masculina", e outro, "viúva".

Anouk pareceu não tomar conhecimento de nada. Parou no balcão e deu outra longa tragada no cigarro. A fumaça enevoou seu rosto e por um momento somente seus lábios vermelhos como cerejas eram visíveis. Enfiou a mão na bolsa e tirou um pequeno livro de capa marrom. O nome do autor – Baudelaire – estava gravado na lombada. Embora a capa estivesse tão arranhada, gasta e descolorida que tornava o título impossível de ler, Isabelle sabia que livro era. *Les Fleurs du Mal. As flores do mal.* O livro que usavam para marcar um encontro.

– Estou procurando algum outro livro desse autor – disse Anouk, exalando fumaça.

– Sinto muito, madame. Não temos mais nenhum Baudelaire. Talvez um Verlaine? Ou um Rimbaud?

– Então, nada. – Anouk deu meia-volta e saiu da livraria. Quando o sino tocou na saída, o encanto se quebrou e os soldados voltaram a falar. Quando ninguém estava olhando, Isabelle empalmou o pequeno livro de poesia. Dentro havia uma mensagem para ela entregar, bem como a indicação da hora em que deveria ser entregue. O lugar era o habitual: o banco em frente à Comédie Française. A mensagem estava escondida embaixo do papel que recobria a contracapa, que já tinha sido descolado e colado dezenas de vezes.

Isabelle olhou para o relógio, desejando que o tempo passasse mais depressa. Já tinha sua próxima missão.

Precisamente às seis horas, ela pediu que os soldados se retirassem e fechou a loja. Lá fora, viu o chef e proprietário do bistrô ao lado, monsieur Deparde, fumando um cigarro. O pobre homem parecia tão cansado quanto ela se sentia. Às vezes se perguntava, ao vê-lo suando sobre o fogão ou abrindo ostras, como ele se sentia alimentando os alemães.

– *Bonsoir*, monsieur – cumprimentou.

– *Bonsoir*, mademoiselle.

– Muito trabalho? – solidarizou.

– *Oui*.

Entregou a ele um exemplar pequeno e usado de fábulas para seus filhos.

– Para Jacques e Gigi – disse com um sorriso.

– Um momento. – Ele entrou correndo no bistrô e voltou com um saquinho de papel engordurado. – *Frites* – falou.

Isabelle se sentiu absurdamente grata. Naqueles dias, ela não só comia as sobras do inimigo, como se sentia grata por elas.

– *Merci*.

Deixando a bicicleta na livraria, ela resolveu ignorar o silencioso e deprimente metrô lotado e voltar a pé para casa, deliciando-se com as *frites* salgadas e oleosas no caminho. Para onde quer que olhasse, alemães acorriam para cafeterias, bistrôs e restaurantes, enquanto os abatidos parisienses se apressavam em voltar para casa antes do toque de recolher. Durante o trajeto, por duas vezes ela teve a leve sensação de estar sendo seguida. Mas, quando se virou, não viu ninguém atrás dela.

Não soube ao certo o que a fez parar em uma esquina perto do parque, mas de repente intuiu que algo estava errado. Fora de lugar. À sua frente, a rua estava cheia de veículos nazistas buzinando uns para os outros. Alguém gritou em algum lugar.

Isabelle sentiu os cabelos da nuca se eriçarem. Olhou para trás depressa, mas não havia ninguém. Ultimamente, era comum sentir que estava sendo seguida. Eram os nervos sobrecarregados. O domo dourado do *Invalides* reluzia sob os últimos raios de sol. Seu coração começou a bater mais forte. O medo a fazia transpirar, seu cheiro mofado e azedo misturando-se com o odor oleoso das *frites*, e por um momento seu estômago se contorceu em uma espécie de náusea.

Estava tudo bem. Ninguém a estava seguindo. *Não seja boba*.

Entrou na Rue Grenelle.

Alguma coisa chamou sua atenção e ela parou.

Viu uma sombra à frente, em um lugar onde não deveria haver uma sombra. Movimento onde tudo deveria estar imóvel.

Franzindo o cenho, atravessou a rua, escolhendo o caminho pelo tráfego moroso. Quando chegou ao outro lado, passou depressa pelo coágulo de alemães tomando vinho no bistrô e seguiu em direção a um prédio de apartamentos no quarteirão seguinte.

Lá, viu um homem agachado atrás de uma árvore em uma grande urna de cobre escondida na densa folhagem próxima a uma série de portas ornadas, escuras e lustrosas.

Isabelle abriu o portão e entrou no pátio. Ouviu o homem recuar atabalhoadamente, botas esmagando as pedras da calçada.

Então, o homem ficou imóvel.

Isabelle podia ouvir os alemães rindo na cafeteria ao lado, gritando *Sikt! S'il vous plaît* para a pobre e atarefada garçonete.

Era hora do jantar. O único momento do dia em que todos os inimigos só queriam saber de se divertir e encher a barriga com comidas e vinhos que pertenciam aos franceses. Isabelle andou na surdina até um vaso com um limoeiro.

O homem continuava agachado, tentando se esconder o máximo possível. O rosto estava coberto de sujeira e um dos olhos estava inchado, mas não dava para confundi-lo com um francês: usava um macacão de voo britânico.

– *Mon Dieu* – murmurou ela. – *Anglais?*

O homem não disse nada.

– Força Aérea? – perguntou ela, em inglês.

Os olhos dele se abriram mais. Podia ver que tentava decidir se confiava ou não nela. Muito lentamente, ele fez que sim.

– Há quanto tempo está escondido aqui?

Depois de um longo momento, ele respondeu:

– O dia inteiro.

– Você vai ser preso – disse Isabelle. – Mais cedo ou mais tarde. – Isabelle sabia que devia interrogá-lo melhor, mas não havia tempo. Cada segundo que continuasse ali com ele aumentava o perigo para ambos. Era surpreendente que o inglês ainda não tivesse sido apanhado.

Precisava ajudá-lo ou sair dali antes de chamar atenção. Sem dúvida ir embora era a decisão mais inteligente.

– Avenue de La Bourdonnais, 57 – disse em voz baixa, em inglês. – É para lá que estou indo. Às nove e meia vou sair para fumar um cigarro. Aí você vem até a porta. Se chegar lá sem ser visto, eu ajudo você. Entendeu?

– Como vou saber se posso confiar em você?

Isabelle deu risada.

– Estou fazendo uma loucura. E prometi não ser impetuosa. Enfim...

Deu meia-volta e saiu do jardim, fechando o portão depois de passar. Saiu andando depressa. O coração batia acelerado durante todo o trajeto para casa, enquanto ela lamentava sua decisão. Mas agora não havia nada mais a fazer. Não olhou para trás, nem mesmo quando chegou ao prédio onde morava. Parou e encarou a grande maçaneta de bronze no centro da porta de carvalho. Sentia-se zonza e a cabeça doía, de tanto que estava assustada.

Enfiou a chave na fechadura, girou a maçaneta e entrou no recinto escurecido. Dentro, o pequeno vestíbulo estava atulhado de bicicletas e carrinhos de mão. Abriu caminho até o pé da escada circular e sentou-se no primeiro degrau, esperando.

Olhou para o relógio umas mil vezes e a cada vez dizia a si mesma para não fazer aquilo, mas às nove e meia ela saiu. Já era noite. Com as cortinas de blecaute fechadas e os postes de iluminação apagados, a rua estava escura como uma gruta. Carros passavam roncando, invisíveis com os faróis apagados; audíveis e cheiráveis, porém invisíveis, a não ser quando um raio errante da luz da lua incidia sobre eles. Isabelle acendeu um cigarro, deu uma longa tragada e exalou lentamente, tentando se acalmar.

– Estou aqui, moça.

Isabelle recuou depressa e abriu a porta.

– Fique atrás de mim. Cabeça baixa. Não muito perto.

Conduziu-o pelo vestíbulo, os dois esbarrando em bicicletas, fazendo-as chacoalhar, e em carrinhos de madeira barulhentos. Ela nunca tinha subido aqueles cinco andares tão depressa. Puxou-o para o apartamento e trancou a porta quando ele entrou.

– Tire a roupa.

– Perdão?

Isabelle acendeu a luz.

Era bem mais alto que ela, podia ver agora. Tinha ombros largos, mas ao mesmo tempo era magro, o rosto chupado, com um nariz que parecia já ter sido quebrado uma ou duas vezes. O cabelo era tão curto que parecia penugem.

– Seu macacão de voo. Tire logo. Depressa.

Em que ela estava pensando? O pai ia voltar para casa, encontrar aquele aviador e entregar os dois aos alemães.

Onde ia esconder esse macacão de voo? E aquelas botas eram uma denúncia mortal.

O aviador se inclinou para a frente e tirou o macacão de voo.

Isabelle nunca tinha visto um homem adulto só de cueca e camiseta. Sentiu o rosto corar.

– Não precisa ficar vermelha, moça – comentou ele, sorrindo como se aquilo fosse normal.

Isabelle pegou o macacão de voo e estendeu a mão, pedindo as plaquetas de identificação. O aviador as entregou: duas plaquinhas circulares que usava ao redor do pescoço. Ambas com as mesmas informações. Tenente Torrance MacLeish. Tipo sanguíneo, número e religião.

– Venha atrás de mim. Em silêncio. Qual é a expressão... na beira dos pés.

– Na ponta dos pés – sussurrou ele.

Levou-o ao quarto dela. Devagar, com muito cuidado, arrastou o armário até acessar o quarto secreto.

Uma fileira de olhos vítreos de bonecas olhava para ela.

– Isso é sinistro, moça – comentou ele. – E é um espaço pequeno para um homem grande.

– Entre aí. Fique quieto. *Qualquer* som indevido pode provocar uma revista. Madame Leclerc, da porta ao lado, é curiosa e pode ser uma colaboracionista, entendeu? Meu pai também vai chegar logo em casa. Ele trabalha para o alto-comando alemão.

– *Blimey*.

Ela não fazia ideia do que significava a palavra e estava

suando tanto que as roupas começavam a grudar no corpo. O que ela estava pensando ao oferecer ajuda àquele homem?

– E se eu precisar... você sabe? – perguntou ele.

– Aguente. – Empurrou o aviador para dentro do quarto, dando a ele um travesseiro e uma coberta da cama dela. – Eu volto quando puder. Silêncio, *oui*?

Ele confirmou com a cabeça.

– Obrigado.

Isabelle não conseguiu deixar de sacudir a cabeça.

– Eu sou uma doida. Uma *louca*.

Fechou a porta na cara dele e arrastou o armário para o lugar, não exatamente para o mesmo ponto, mas o bastante para o momento. Precisava se livrar do macacão de voo e das plaquetas antes de o pai voltar para casa.

Percorreu o apartamento descalça, o mais silenciosamente possível. Não tinha ideia se as pessoas do andar de baixo ouviriam o som do armário sendo arrastado ou de outra pessoa andando no andar de cima. Melhor prevenir do que remediar. Enfiou o macacão de voo em uma velha sacola do magazine Samaritaine e a apertou contra o corpo.

De repente pareceu perigoso sair do apartamento. Mas ficar também era.

Passou na surdina pelo apartamento de madame Leclerc e desceu correndo as escadas.

Lá fora, inspirou uma boa lufada de ar.

E agora? Não poderia simplesmente deixar a sacola em qualquer lugar. Não queria pôr ninguém em perigo...

Pela primeira vez, sentiu-se grata pelo blecaute vigente na cidade. Esgueirou-se pela escuridão da calçada e quase desapareceu. Havia poucos parisienses na rua na hora do toque de recolher e os alemães estavam muito ocupados tomando vinho francês para olhar para fora.

Isabelle respirou fundo, tentando se acalmar. Pensar. Devia faltar pouco tempo para o toque de recolher – mas esse não era o maior problema. Papai logo voltaria para casa.

O rio.

Ficava a poucos quarteirões de distância, cheio de árvores ao longo da margem.

Entrou em uma ruazinha lateral bloqueada e foi andando até o rio, passando por uma fila de caminhões militares estacionados.

Nunca tinha andado tão devagar na vida. Um passo – uma respiração – de cada vez. Os últimos 15 metros entre ela e a margem do Sena pareciam aumentar a cada passo, e depois também quando desceu os degraus até a água, mas finalmente ela chegou à margem do rio. Ouviu os barcos rangendo na escuridão, as ondas estapeando os cascos de madeira. Mais uma vez pensou ter ouvido passos atrás de si. Quando parava, os passos também paravam. Ficou esperando aparecer alguém atrás dela, uma voz exigindo documentos.

Nada. Estava imaginando aquilo.

Passou-se um minuto. Depois mais um.

Isabelle jogou a sacola na água escura e logo em seguida as plaquetas de identificação. As águas turvas e agitadas engoliram as provas instantaneamente.

Ainda assim, Isabelle continuava trêmula quando subiu a escada, atravessou a rua e tomou o caminho de casa.

Parou na porta do apartamento, penteando os cabelos com os dedos suados e descolando a blusa de algodão dos seios.

Só uma luz estava acesa. A do lustre. O pai se encontrava sentado à mesa de jantar, arqueado, uma papelada espalhada diante de si. Parecia fatigado e magro demais. Isabelle conjeturou sobre quanto andava comendo ultimamente. Nas semanas desde que voltara para casa, não o havia visto fazer uma única refeição. Os dois comiam – como tudo mais que faziam – separados. Imaginou que ele comesse as sobras do alto-comando. Agora estava na dúvida.

– Você está atrasada – disse o pai asperamente.

Isabelle olhou para a garrafa de conhaque em cima da mesa. Pela metade. No dia anterior estava cheia. Como ele sempre conseguia comprar esse conhaque?

– Os alemães não saíam da livraria. – Andou até a mesa e deixou várias notas de francos ao lado dele. – Hoje foi um bom dia. Estou vendo que seus amigos do alto-comando andaram dando mais conhaque para você.

– Os nazistas não dão muita coisa – replicou ele.

– É verdade. Então você deve ter feito por merecer.

De repente um som eclodiu, como alguma coisa caindo em um chão de madeira.

– O que foi isso? – perguntou o pai, olhando para cima.

Agora outro som, como de madeira raspando madeira.

– Tem alguém aqui dentro – disse Julien.

– Não diga absurdos, papai.

O pai dela se levantou depressa e saiu da sala. Isabelle correu atrás dele.

– Papai...

– Quieta – cochichou ele.

O pai estava no vestíbulo, na parte não iluminada do apartamento. Pegou um candelabro em um baú perto da porta e acendeu a vela.

– Não acha mesmo que alguém entrou aqui, acha? – disse Isabelle.

O pai lhe lançou um olhar fulminante.

– Não vou pedir para você ficar em silêncio mais uma vez. Segure sua língua. – O hálito dele cheirava a conhaque e cigarro.

– Mas por que...

– Cale a boca.

Virou as costas e entrou no corredor estreito que dava para os quartos.

Examinou um pequeno armário (encontrando apenas casacos) e seguiu com a vela bruxuleante até o velho quarto de Vianne. Vazio, a não ser por uma cama, uma mesa de cabeceira e uma escrivaninha. Nada fora do lugar. Abaixou--se devagar e espiou embaixo da cama.

Afinal convencido de que o quarto estava vazio, tomou a direção do quarto de Isabelle.

Será que ele podia ouvir as batidas do coração dela?

O pai revistou o quarto – embaixo da cama, atrás da porta, atrás das cortinas adamascadas que emolduravam a janela vedada que ia do teto ao chão.

Isabelle tinha de se esforçar para não olhar para o armário.

– Está vendo? – disse em voz alta, na esperança de que o aviador ouvisse as vozes e ficasse quieto. – Não tem ninguém aqui. Mesmo. Papai, trabalhar para o inimigo está deixando o senhor paranoico.

O pai virou-se para ela. No círculo de luz do candelabro, sua expressão pareceu cansada e abatida.

– Não faria mal você ter um pouco de medo, sabe?

Seria uma ameaça?

– Do senhor, papai? Ou dos nazistas?

– Você não está prestando atenção em nada, não é, Isabelle? Você devia ter medo de todo mundo. Agora saia da minha frente. Preciso de um drinque.

DEZOITO

*I*sabelle ficou deitada na cama, atenta a qualquer ruído. Quando teve certeza de que o pai estava dormindo (um sono embriagado, sem dúvida), levantou-se da cama e saiu em busca do grande penico de porcelana da avó. Ficou de pé diante do armário, penico na mão.

Bem devagar – um centímetro de cada vez –, ela afastou o armário da parede. Só o suficiente para abrir a porta oculta.

Estava escuro e silencioso lá dentro. Só quando apurou o ouvido conseguiu ouvir a respiração do aviador.

– Monsieur? – sussurrou.

– Olá, senhorita – disse uma voz vinda do escuro.

Isabelle acendeu o lampião a óleo ao lado da cama e o levou ao quartinho.

O aviador estava encostado na parede, as pernas esticadas; sob a luz do lampião, ele pareceu mais frágil. Mais jovem.

Entregou o penico e viu o rosto dele corar quando o pegou.

– Obrigado.

Sentou-se em frente a ele.

– Consegui me livrar das suas plaquetas de identificação e do macacão de voo. Você vai ter que cortar essas botas para poder usar. Eu trouxe uma faca. Amanhã de manhã arranjo para você umas roupas do meu pai. Acho que vão servir bem.

Ele aquiesceu, dizendo:

– E qual é o seu plano?

A pergunta suscitou nela um sorriso nervoso.

– Não sei bem. Você é piloto?

– Tenente Torrance MacLeish. Força Aérea Britânica. Meu avião caiu em Reims.

– E você esteve sozinho esse tempo todo? Com esse macacão de voo?

– Felizmente, meu irmão e eu brincávamos muito de esconde-esconde quando éramos garotos.

– Você não está seguro aqui.

– Imagino. – Quando ele sorriu, sua expressão mudou, fazendo Isabelle se lembrar de que ele era apenas um jovem longe de casa. – Se isso a faz se sentir melhor, derrubei três aviões alemães junto comigo.

– Você precisa voltar à Grã-Bretanha para fazer isso de novo.

– Concordo totalmente. Mas como? O litoral está cercado por arame farpado e patrulhado por cachorros. Não há como sair da França de barco ou por ar.

– Eu tenho alguns... amigos que estão trabalhando nisso. Vamos falar com eles amanhã.

– Você é muito corajosa – comentou ele em voz baixa.

– Ou burra – replicou ela, sem saber o que era mais verdadeiro. – Estou acostumada a ser chamada de rebelde e teimosa. Imagino que vou ouvir isso dos meus amigos amanhã.

– Bem, moça, de mim você só vai ouvir que é corajosa.

Na manhã seguinte, Isabelle ficou esperando até ouvir o pai sair do quarto. Pouco depois, sentiu cheiro de café e não demorou para que a porta da frente fosse trancada.

Saiu e foi até o quarto dele – que era uma bagunça de roupas jogadas no chão, a cama desfeita e uma garrafa de conhaque vazia ao lado da escrivaninha. Abriu a cortina de blecaute e espiou a rua abaixo da sacada, onde viu o pai sair na calçada. Segurava a valise preta próxima ao peito (como se seus poemas realmente interessassem a alguém) e usava o chapéu preto puxado sobre o rosto. Seguia em direção ao metrô, curvado como um secretário muito atarefado. Quando o pai saiu de seu campo de visão, Isabelle começou a remexer nas roupas dele no armário. Selecionou um suéter de gola rulê disforme e com as mangas esgarçadas, uma velha calça de veludo cotelê remendada no fundilho com vários botões faltando e uma boina cinza.

Voltou a seu quarto, arrastou o armário com cuidado e abriu a porta. O cômodo secreto cheirava a suor e urina, tanto que ela sufocou e teve de tapar o nariz e a boca com a mão.

– Sinto muito, moça – disse MacLeish, timidamente.

– Vista essas roupas. Lave-se naquela bacia e me encontre na sala de estar. Ponha o armário de volta no lugar. Em silêncio. Tem gente no andar de baixo. Eles podem saber que meu pai já saiu e achar que há mais de uma pessoa andando aqui em cima.

Momentos depois, o homem entrou na cozinha, vestindo as roupas do pai de Isabelle. Parecia um personagem de conto de fadas surgido da noite para o dia; o suéter apertado no peito forte, a calça de veludo pequena demais para abotoar na cintura. Usava a boina achatada no meio da cabeça, como se fosse um solidéu.

Aquilo nunca ia funcionar. Como ela ia atravessar a cidade com aquele homem em plena luz do dia?

– Pode deixar que eu consigo – disse ele. – Eu vou seguindo você. Confie em mim, moça. Já andei por aí de macacão de voo. Isso vai ser fácil.

Era tarde demais para recuar. Já tinha recolhido e escondido aquele aviador. Agora precisava levá-lo a algum lugar seguro.

– Ande no mínimo um quarteirão atrás de mim. Seu eu parar, você também para.

– Se eu for atormentado, você continua andando. Nem olhe para trás.

Por "atormentado", ele deveria querer dizer "preso". Aproximou-se dele, arrumou a boina no ângulo certo. Olhou-o nos olhos.

– De onde você é, tenente MacLeish?

– De Ipswich, moça. Você pode informar aos meus pais... se for necessário?

– Não será necessário, tenente. – Respirou fundo. Lembrou-se mais uma vez do risco que corria ao ajudá-lo. Se o pior acontecesse, a única proteção que teria seriam os documentos falsos na bolsa, identificando-a como Juliette Gervaise de Nice, batizada em Marselha, estudante da Sorbonne. Andou até a porta da frente, abriu e espiou o lado de fora. O corredor estava vazio. Empurrou o aviador:

– Vá. Espere por mim na porta da chapelaria aqui em frente. Depois você me segue – orientou-o.

Um. Dois. Três...

Ela contou em silêncio, imaginando problemas a cada passo. Quando não conseguiu aguentar mais, saiu do apartamento e desceu a escada.

Tudo tranquilo.

Encontrou o aviador lá fora, esperando onde ela mandara. Ergueu o queixo e passou andando por ele sem olhar.

Percorreu todo o caminho até Saint-Germain andando depressa, sem olhar ao redor, em nenhum momento para trás. Ouviu várias vezes soldados alemães gritando *halt!* e o som de apitos. Ouviu tiros duas vezes, mas nem se virou nem desacelerou o passo.

Quando chegou à porta vermelha do apartamento na Rue Saint-Simon, estava suada e meio zonza.

Bateu quatro vezes em rápida sucessão.

A porta se abriu.

Anouk apareceu na brecha da abertura. A surpresa fez com que abrisse mais os olhos. Abriu a porta e recuou um passo.

– O que está fazendo aqui?

Atrás dela, diversos homens que Isabelle já tinha visto reuniam-se em torno das mesas, tendo mapas à sua frente, as linhas em azul-claro iluminadas por uma vela.

Anouk começou a fechar a porta. Isabelle falou:

– Deixe aberta.

Sua diretiva provocou tensão. Viu o clima da sala mudar, bem como as expressões ao redor. Em uma das mesas, monsieur Lévy começou a guardar os mapas.

Isabelle olhou para fora e viu MacLeish vindo pelo caminho que conduzia ao prédio. Fechou a porta quando ele entrou no apartamento. Ninguém falou nada.

Isabelle contava com a atenção de todos.

– Esse é o tenente Torrance MacLeish, piloto da RAF, a Força

Aérea britânica. Encontrei-o escondido nuns arbustos perto do meu apartamento ontem à noite.

– E o trouxe aqui – comentou Anouk, acendendo um cigarro.

– Ele precisa voltar para a Inglaterra – disse Isabelle. – Pensei que...

– Não – interrompeu Anouk. – Você não pensou.

Lévy recostou-se na cadeira, tirou um Gauloises do bolso da camisa e o acendeu, observando o aviador.

– Sabemos de outros aqui na cidade e de mais outros que fugiram de prisões alemãs. Queremos evacuar todos, mas o litoral e os campos de pouso estão muito vigiados. – Deu uma longa tragada no cigarro; a ponta avermelhou, estalou e escureceu. – É um problema em que estamos trabalhando.

– Eu sei – disse Isabelle, tranquila.

Sentia o peso total da responsabilidade. Será que tinha sido precipitada de novo? Será que estavam decepcionados com ela? Não sabia. Será que deveria ter ignorado MacLeish? Estava prestes a fazer a pergunta quando ouviu alguém falando no outro aposento.

Franziu o cenho antes de perguntar:

– Quem mais está aqui?

– Outros – respondeu Lévy. – Sempre há outros aqui. Ninguém da sua conta.

– Precisamos de um plano para o aviador, isso é fato – observou Anouk.

– Acreditamos que vamos conseguir tirar esse pessoal pela Espanha – observou Lévy. – Se formos capazes de fazer com que *cheguem* à Espanha.

– Pelos Pireneus – completou Anouk.

Isabelle conhecia os Pireneus, por isso entendeu o comentário de Anouk. O recorte das montanhas era tão alto que chegava às nuvens, com picos nevados ou cobertos de névoa. A mãe dela adorava Biarritz, uma pequena aldeia costeira ali perto, e em duas ocasiões, nos bons tempos, a família tinha passado férias no local.

– A fronteira da Espanha é guardada por soldados alemães e espanhóis – disse Anouk.

– A fronteira inteira? – perguntou Isabelle.

– Não exatamente – respondeu Lévy. – Claro que não. Mas quem vai saber onde eles estão e onde não estão?

– As montanhas são mais baixas perto de Saint-Jean-de--Luz – lembrou Isabelle.

– *Oui*, mas e daí? Mesmo assim são impenetráveis, e as poucas estradas são bem vigiadas – observou Anouk.

– A melhor amiga de mamae era uma basca, filha de um pastor de cabras. Ele atravessava a fronteira a pé o tempo todo.

– Já pensamos nisso. Até tentamos uma vez – explicou Lévy. – Ninguém nunca mais soube de alguém da expedição. Já é difícil passar sozinho pelas sentinelas alemãs de Saint-Jean-de-Luz, imagine com um bando de gente. Depois ainda tem a travessia das montanhas a pé. É quase impossível.

– Quase impossível não é a mesma coisa que impossível. Se os pastores atravessam as montanhas, aviadores também podem – falou Isabelle. Ao dizer isso, ela teve uma ideia. – E uma mulher pode circular com mais facilidade pelos pontos de verificação. Em especial uma garota. Ninguém ia suspeitar de uma garota bonitinha.

Anouk e Lévy trocaram um olhar.

– Eu posso fazer isso – anunciou Isabelle. – Ou pelo menos tentar. Posso levar esse aviador. E os outros.

Monsieur Lévy franziu o cenho. Claramente aquela proposta o surpreendeu. Soltou uma baforada de fumaça azulada.

– E você já escalou montanhas?

– Eu estou em boa forma. – Foi a resposta de Isabelle.

– Se você for apanhada, vai ser presa... ou morta – disse monsieur Lévy em voz baixa. – Ponha sua impetuosidade de lado um momento e pense um pouco, Isabelle. Isso não é o mesmo que entregar um pedaço de papel. Você viu os cartazes espalhados pela cidade? As recompensas oferecidas às pessoas que ajudarem o inimigo?

Isabelle fez que sim com a cabeça, compenetrada.

Anouk deu um suspiro profundo, apagou o cigarro em um cinzeiro que transbordava. Ficou olhando durante um bom tempo para Isabelle, estreitando os olhos; depois andou até atrás da mesa. Abriu uma porta e assobiou, imitando o trinado de um passarinho.

Isabelle franziu o cenho. Ouviu alguma coisa no quarto ao lado, uma cadeira sendo arrastada, passos.

Gaëton entrou na sala.

Usando roupas surradas, uma calça de veludo remendada nos joelhos com a bainha esgarçada e curta demais, um suéter folgado no corpo magro, a gola deformada. O cabelo preto, agora mais comprido e precisando de um corte, estava penteado para trás, deixando seu rosto mais afilado, quase lupino. Olhou para ela como se só os dois estivessem na sala.

Em um instante, tudo estava desfeito. Os sentimentos que ela negou, tentou enterrar, ignorar, voltaram em um refluxo. Só de olhar para ele, mal conseguia respirar.

– Você conhece Gaët – disse Anouk.

Isabelle limpou a garganta. Entendeu que Gaëton sabia da sua participação mas preferia ficar longe dela. Pela primeira vez desde que se juntara àquele grupo clandestino, Isabelle se sentiu muito jovem. Distante. Será que todos sabiam daquela história? Será que riam de sua ingenuidade às suas costas?

– Conheço.

– Então – disse Lévy depois de uma pausa desconfortável –, Isabelle tem um plano.

Gaëton não sorriu.

– Tem?

– Ela quer levar esse e outros pilotos a pé pelos Pireneus para chegar à Espanha. Para o consulado britânico, suponho.

Gaëton praguejou em voz baixa.

– Precisamos tentar alguma coisa – disse Lévy.

– Já pensou bem no risco que vai correr, Isabelle? – perguntou Anouk, dando um passo à frente. – Se você conseguir, os nazistas vão ficar sabendo. Vão passar a procurá-la em toda parte. Há uma recompensa de 10 mil francos para qualquer um que indique aos nazistas alguém ajudando aviadores.

Isabelle sempre fora do contra em relação a tudo o que acontecia em sua vida. Se alguém a deixasse para trás, ela seguia. Se alguém dissesse que não podia fazer alguma coisa, ela fazia. Todas as barreiras ela transformava em um portão.

Mas isso...

Sentiu um tremor de medo e quase se deixou abater. Mas então pensou nas suásticas tremulando na Torre Eiffel, em Vianne morando com o inimigo, em Antoine em um campo de prisioneiros de guerra. E em Edith Cavell. Com certeza aquela mulher também sentira medo algumas vezes; mas Isabelle *não* iria se deixar vencer pelo medo. Os aviadores eram necessários na Inglaterra, para lançar mais bombas sobre a Alemanha.

Isabelle virou-se para o aviador.

– Você está em forma, tenente? – perguntou em inglês. – É capaz de acompanhar uma garota em uma travessia de montanhas?

– Sim – respondeu o homem. – Ainda mais uma garota bonita como você. Eu não a perderia de vista.

Isabelle encarou seus compatriotas.

– Posso levá-lo até o consulado em San Sebastián. De lá, cabe aos britânicos transportá-lo para casa.

Isabelle notou uma conversação silenciosa acontecendo ao redor, perguntas e preocupações não expressas. Uma decisão sem palavras. Alguns riscos simplesmente precisavam ser corridos; todos naquela sala sabiam disso.

– Serão semanas de planejamento. Talvez até mais – disse

Lévy. Virou-se para Gaëton. – Vamos precisar de dinheiro imediatamente. Você fala com o seu contato?

Gaëton aquiesceu. Pegou uma boina preta de cima de uma cômoda e botou na cabeça.

Isabelle não conseguia desviar o olhar. Estava furiosa com ele – sabia disso, sentia –, mas, quando Gaëton andou em sua direção, sua raiva desmanchou, espalhando-se como pó em uma saudade que era muito mais importante. Seus olhares se encontraram, ambos o sustentaram; Gaëton passou por ela, girou a maçaneta e saiu. A porta se fechou atrás dele.

– Então – disse Anouk. – O plano. É melhor começar.

Isabelle ficou seis horas sentada àquela mesa no apartamento da Rue de Saint-Simon. Outros militantes foram convocados e receberam tarefas: arranjar roupas e suprimentos para os pilotos. Mapas foram consultados para que as rotas fossem determinadas e para que o longo e incerto processo de estabelecer esconderijos seguros no percurso começasse. Em algum momento, eles passaram a ver aquilo como uma realidade e não apenas como uma ideia ousada e temerária.

Isabelle só se levantou da mesa quando monsieur Lévy mencionou o toque de recolher. Tentaram convencê-la a passar a noite lá, mas isso provocaria suspeitas no pai. Preferiu vestir um casaco escuro e pesado que tomou emprestado de Anouk, satisfeita com a maneira como a roupa a camuflava.

O bulevar Saint-Germain pareceu sinistramente silencioso, as janelas e cortinas pretas fechadas, postes de iluminação apagados.

Isabelle se manteve perto dos prédios, agradecendo aos desgastados saltos dos sapatos por não fazerem barulho na calçada. Passou escondida por barricadas e desviou-se de grupos de soldados alemães que patrulhavam as ruas.

Estava quase chegando em casa quando ouviu o ruído de um motor. Um caminhão alemão passou na rua de trás, os faróis pintados de azul apagados.

Achatou-se contra a parede áspera e o caminhão fantasma passou rugindo pela rua escura. Depois tudo ficou em silêncio outra vez.

Um passarinho cantou, trinou uma melodia. *Conhecida*.

Isabelle percebeu que estava esperando por ele, mesmo sem admitir...

Endireitou o corpo devagar, firmou-se nos pés. Sentiu o perfume das flores exalado de um vaso a seu lado.

– Isabelle – disse Gaëton.

Mal conseguiu divisar as feições no escuro, mas sentiu o perfume do gel no cabelo dele, o cheiro do sabão de suas roupas e do cigarro que tinha fumado há algum tempo.

– Como você sabia que eu estava trabalhando com Paul?

– Quem você acha que recomendou você?

Ela franziu o rosto.

– Henri...

– E quem falou com Henri sobre você? Eu fiz Didier ficar de olho, seguir você desde o começo. Sabia que ia acabar chegando até nós.

Estendeu o braço e arrumou o cabelo dela atrás da orelha e a intimidade do ato a encheu de esperança. Lembrou-se do momento em que disse "eu te amo" e a sensação de perda e vergonha a aguilhoou por dentro. Não queria se lembrar das sensações que ele lhe provocara, de como ele a alimentou com o coelho assado, de como a apoiou quando estava cansada demais para andar... e mostrou quanto um beijo era importante.

– Desculpe ter magoado você – disse Gaëton.

– Por que fez aquilo?

– Agora não tem mais importância. – Deu um suspiro. – Eu não devia ter saído daquele quarto dos fundos hoje. É melhor não ver você.

– Não por mim.

Ele sorriu.

– Você tem o hábito de dizer tudo o que passa pela sua cabeça, não é, Isabelle?

– Sempre. Por que você foi embora?

Gaëton tocou o rosto dela com uma delicadeza que a fez querer chorar; era como uma despedida, aquele toque, e ela entendia de despedidas.

– Eu queria esquecer você.

Isabelle gostaria de dizer algo mais, talvez "me beije" ou "não vá embora" ou "diga que gosta de mim", mas já era tarde demais, o momento – fosse qual fosse – já tinha passado. Gaëton estava se afastando, desaparecendo nas sombras. Falou em voz baixa:

– Tome cuidado, Iz. – E desapareceu antes que ela pudesse responder. Ela sentiu a ausência dele nos ossos.

Ficou esperando mais um pouco, até o coração desacelerar e as emoções se estabilizarem antes de continuar seu caminho para casa. Mal tinha fechado a porta do apartamento quando sentiu que alguém a puxava para dentro. A porta se fechou com um baque.

– Onde diabos você esteve?

O hálito alcoolizado do pai caiu sobre ela, o aroma adocicado encobrindo algo sombrio, amargo. Como se ele tivesse mastigado uma aspirina. Tentou se libertar, mas Julien continuou a segurá-la, quase em um abraço, apertando seu pulso com força o bastante para deixar uma marca.

Largou-a de repente, com a mesma presteza com que a havia agarrado. Isabelle cambaleou para trás, tateando em busca do interruptor. Quando o encontrou, nada aconteceu.

– Não temos mais dinheiro para eletricidade – disse o pai. Acendeu um lampião a óleo e segurou entre os dois. Na luz difusa, ele parecia esculpido em parafina derretida; as rugas do rosto caídas, as pálpebras empapuçadas e meio azuladas. O nariz mostrava poros escuros do tamanho de cabeças de alfinete. Mesmo com tudo isso, apesar de ele de repente parecer tão velho e cansado, foi a expressão em seus olhos que a fez hesitar. Algo estava errado.

– Venha comigo – disse ele, a voz aguda e rascante, irreconhecível àquela hora da noite sem a fala arrastada. Conduziu-a pelo apartamento até o quarto dela. Ali, virou-se e olhou para ela.

Atrás dele, na luz do lampião, Isabelle viu que ele tinha afastado o armário e que a porta do quarto secreto estava aberta. O cheiro de urina era forte. Graças a Deus o aviador já tinha ido embora.

Isabelle meneou a cabeça, sem conseguir dizer nada.

O pai se sentou na beira da cama, abaixando a cabeça.

– Meu Deus, Isabelle, você é irritante.

Isabelle não conseguia se mexer. Nem pensar. Olhou para a porta do quarto, imaginando se conseguiria sair do apartamento.

– Não foi nada, papai. Só um rapaz. – *Oui*. – Um encontro. Nós só nos beijamos, papai.

– E é normal os seus namorados mijarem no armário? Talvez você não seja tão popular. – Deu um suspiro. – Vamos acabar com esse mistério.

– Mistério?

– Você encontrou um aviador ontem à noite e o escondeu atrás do armário. E hoje o levou ao monsieur Lévy.

Isabelle achou que não devia ter ouvido bem.

– Como?

– O seu aviador abatido... esse que mijou no armário e deixou pegadas de sujeira no corredor. Você o levou ao monsieur Lévy.

– Não sei do que está falando.

– Ainda bem, Isabelle.

Quando o pai ficou em silêncio, Isabelle não aguentou o suspense.

– Papai?

– Sei que você veio a Paris como *courier* da rede clandestina e que trabalha para Paul Lévy.

– C-como...

– Monsieur Lévy é um velho amigo. Na verdade, quando os nazistas invadiram, ele veio me resgatar da garrafa de conhaque, a única coisa que importava para mim. Ele me fez trabalhar.

Isabelle se sentiu tão insegura que mal conseguia aguentar. Era intimidade demais estar sentada ao lado do pai, por isso desceu devagar para o tapete.

– Eu não queria que você se envolvesse nisso, Isabelle. Foi essa a razão de eu ter mandado você sair de Paris. Não queria colocar você em perigo com o meu trabalho. Mas eu devia saber que você mesma ia dar um jeito de encontrar o perigo.

– E todas as outras vezes que o senhor me mandou embora?

Imediatamente se arrependeu de ter feito aquela pergunta, mas aquele pensamento ganhou voz no mesmo momento em que surgiu.

– Eu não sou um bom pai. Nós dois sabemos disso. Pelo menos desde que a sua mãe morreu.

– Como podemos saber? O senhor nunca tentou.

– Tentei, sim. É que você não se lembra. Enfim, agora tudo isso são águas passadas. Temos preocupações maiores.

– *Oui* – concordou ela. Sentia-se suspensa no ar por alguma razão, desequilibrada. Não sabia o que pensar ou sentir. Era melhor mudar de assunto a ter de lidar com aquilo. – Eu... estou planejando uma coisa. Vou ficar fora por um tempo.

O pai olhou para ela.

– Eu sei. Eu falei com Paul. – Ficou em silêncio por um longo tempo. – Fique sabendo que sua vida vai mudar a partir de agora. Vai ter que viver na clandestinidade... não vai poder ficar aqui comigo, nem com ninguém. Nem passar mais de alguns dias no mesmo lugar. Não vai poder confiar em absolutamente ninguém. E não será mais Isabelle Rossignol; vai ser Juliette Gervaise. Os nazistas e colaboradores estarão sempre à sua procura e se a encontrarem...

Isabelle aquiesceu.

Os dois trocaram um olhar. Isabelle sentiu uma ligação com o pai que jamais existira.

– Você sabe que prisioneiros de guerra são tratados com alguma clemência. Mas não vai poder contar com nada disso.

Isabelle anuiu.

– Você está à altura dessa situação, Isabelle?

– Estou, papai.

O pai fez que sim com a cabeça.

– O nome que você está procurando é Micheline Babineau. A amiga da sua mãe em Urrugne. O marido dela morreu na Grande Guerra. Acho que ela vai receber você bem. E diga a Paul que preciso das fotos imediatamente.

– Fotos?

– Dos aviadores. – Ante o prolongado silêncio dela, ele finalmente sorriu. – Realmente, Isabelle? Você ainda não entendeu?

– Mas...

– Eu falsifico documentos, Isabelle. É por isso que trabalho com o alto-comando. Fui eu que comecei a escrever os panfletos que você distribuía em Carriveau, mas... acontece que o poeta revelou ter um talento para falsificador. Quem você acha que arranjou o nome de Juliette Gervaise para você?

– M-mas...

– Você acreditou que eu colaborava com o inimigo. Mal posso culpá-la.

De repente Isabelle viu o pai como um estranho, um homem alquebrado onde sempre existira um homem cruel e descuidado. Conseguiu se levantar, se aproximar dele, se ajoelhar à sua frente. Olhou para ele, sentindo lágrimas quentes afluírem aos olhos.

– Por que nos mandou embora, Vianne e eu?

– Espero que você nunca saiba quanto é frágil, Isabelle.

– Eu não sou frágil – retrucou ela.

O pai abriu um sorriso sem alegria.

– Todos somos frágeis, Isabelle. É uma coisa que aprendemos na guerra.

DEZENOVE

AVISO

QUALQUER HOMEM QUE AJUDAR, DIRETA OU
INDIRETAMENTE, TRIPULAÇÕES DE AVIÕES
INIMIGOS QUE CAIAM DE PARAQUEDAS OU DEPOIS
DE UMA ATERRISSAGEM FORÇADA, A FUGIR,
ESCONDÊ-LAS OU PRESTAR QUALQUER TIPO DE
AUXÍLIO SERÁ SUMARIAMENTE FUZILADO.

MULHERES QUE PRESTAREM ESSE TIPO DE
SOCORRO SERÃO MANDADAS PARA CAMPOS
DE CONCENTRAÇÃO NA ALEMANHA.

*A*cho que tenho sorte por ser mulher – murmurou Isabelle para si.

Como os alemães não tinham notado até agora, outubro de 1941, que a França se tornou um país de mulheres?

No mesmo momento em que falou aquilo, reconheceu a falsa bravata naquelas palavras. Queria mesmo se sentir corajosa – Edith Cavell arriscando a vida –, mas ali, naquela estação ferroviária patrulhada por soldados alemães, Isabelle estava com medo.

Agora não havia mais como recuar, não dava mais para mudar de ideia. Depois de meses de planejamento e preparação, ela e quatro aviadores estavam prontos para testar o plano de fuga.

Sua vida iria mudar naquela fria manhã de outubro. A partir do momento em que embarcasse naquele trem com destino a Saint-Jean-de-Luz, ela deixaria de ser Isabelle Rossignol, a garota da livraria que morava na Avenue de La Bourdonnais.

A partir da agora, seria Juliette Gervaise, codinome de Rouxinol.

– Vamos. – Anouk enlaçou o braço de Isabelle e afastou-a do cartaz de aviso na direção da bilheteria.

Elas haviam passado por aqueles preparativos vezes sem conta. Isabelle conhecia bem o plano. Só havia um furo: até agora, todas as tentativas de entrar em contato com madame Babineau tinham fracassado. Aquele componente-chave – encontrar um guia – ficaria por conta somente de Isabelle. À esquerda, o tenente MacLeish esperava pelo sinal dela, vestido de camponês. Tudo o que tinha guardado de seu kit de fuga eram duas cápsulas de benzedrina e uma minúscula bússola que parecia um botão preso a seu colarinho. Tinha recebido documentos falsos – agora era um trabalhador agrícola flamengo. Portava uma carteira de identidade e uma permissão para trabalhar, mas o pai dela não podia garantir que os documentos passariam por uma inspeção mais atenta. O tenente tinha cortado os canos de suas botas da RAF e raspado o bigode.

Isabelle e Anouk gastaram horas treinando o aviador para se comportar de forma apropriada. Fizeram-no vestir um casaco largo e uma calça de trabalho manchada. Removeram as manchas de nicotina dos dedos indicador e médio da mão direita e lhe ensinaram a fumar como um francês, usando o polegar e o indicador. Ele aprendeu que era preciso olhar para a esquerda antes de atravessar uma rua – não para a direita – e que jamais deveria se aproximar de

Isabelle, a não ser que ela tomasse a iniciativa. Isabelle o orientou a se fingir de surdo e mudo e ficar lendo um jornal enquanto estivesse no trem – durante toda a viagem. Também compraria a própria passagem e escolheria um assento longe de Isabelle. Todos deveriam fazer o mesmo. Quando desembarcassem em Saint-Jean-de-Luz, os aviadores iriam segui-la a distância.

Anouk virou-se para Isabelle.

"*Está pronta?*", perguntou com o olhar.

Isabelle anuiu, devagar.

– O primo Etienne vai pegar o trem em Poitíers, tio Emile em Ruffec e Jean-Claude em Bordeaux.

Os outros aviadores.

– *Oui.*

Isabelle iria desembarcar em Saint-Jean-de-Luz com os quatro homens – dois britânicos e dois canadenses – e atravessar as montanhas até a Espanha. Quando chegasse, mandaria um telegrama. "O Rouxinol cantou" significaria sucesso.

Isabelle beijou as faces de Anouk, sussurrou um *au revoir* e encaminhou-se depressa para a bilheteria.

– Saint-Jean-de-Luz – pediu, entregando o dinheiro ao atendente. Pegou o bilhete e tomou a direção da plataforma C, sem olhar para trás nenhuma vez, embora quisesse muito fazer isso.

A locomotiva apitou.

Isabelle embarcou. Sentou-se no lado esquerdo. Mais passageiros subiram, sentaram-se. Vários soldados alemães embarcaram, sentando-se à frente dela.

MacLeish foi o último a embarcar. Entrou no trem e passou por ela sem olhar, os ombros encolhidos em uma tentativa de parecer menor. Quando as portas se fecharam, sentou-se em um banco na outra ponta do compartimento e imediatamente abriu um jornal.

O apito do trem soou mais uma vez e as gigantescas rodas começaram a girar, ganhando velocidade. O vagão sacudiu um pouco, jogando para a direita e a esquerda, depois se estabilizou em um movimento oscilante, as rodas matraqueando nos trilhos de ferro.

O soldado alemão em frente a Isabelle examinou o vagão. Seu olhar parou em MacLeish. Bateu no ombro do amigo e os dois começaram a se levantar.

Isabelle inclinou-se para a frente.

– *Bonjour* – disse com um sorriso.

Os soldados imediatamente voltaram a se sentar.

– *Bonjour*, mademoiselle – responderam em uníssono.

– O francês de vocês é muito bom – mentiu ela. A seu lado, uma mulher atarracada com roupas de camponesa pigarreou alto em sinal de censura e cochichou em francês:

– Você devia ter vergonha na cara.

Isabelle deu uma risada coquete.

– Para onde estão indo? – perguntou aos soldados. Eles iam ficar horas naquele vagão. Seria melhor manter a atenção deles focada em sua pessoa.

– Tours – respondeu um deles, enquanto o outro dizia:

– Onzain.

– Ah. E vocês conhecem algum jogo de cartas para passar o tempo? Eu tenho um baralho aqui.

– Sim. Sim! – disse o mais jovem.

Isabelle pegou o baralho na bolsa. Estava distribuindo uma nova rodada de cartas – e dando risada –, quando o outro aviador subiu no trem e passou pelos alemães.

Mais tarde, quando o condutor fez a ronda, ela apresentou a passagem. Ele pegou o bilhete e seguiu em frente.

Quando chegou no aviador, MacLeish fez exatamente como havia sido instruído – entregou a passagem sem parar de ler o jornal. O outro aviador fez a mesma coisa.

Isabelle soltou um suspiro de alívio e recostou-se no banco.

Isabelle e os quatro aviadores chegaram a Saint-Jean-de--Luz sem incidentes. Passaram duas vezes – separadamente, é claro – por postos de controle alemães. Os soldados de turno mal olharam para a sequência de documentos falsos, dizendo *danke schön*. Não estavam à procura de aviadores abatidos e, aparentemente, nem considerariam um plano tão ousado assim.

Mas agora Isabelle e os quatro homens se aproximavam das montanhas. Ao pé dos Pireneus, Isabelle foi até um pequeno parque na margem do rio e sentou-se em um banco que dava para a água. Os aviadores chegaram como planejado, um de cada vez, com MacLeish na frente. Ele se sentou ao lado dela.

Os outros ocuparam lugares próximos, de onde podiam ouvir o que eles falassem.

– Vocês estão com os seus cartazes? – perguntou ela.

MacLeish tirou um pedaço de papel do bolso da camisa. Dizia: SURDO E MUDO. ESPERANDO MINHA MÃE ME BUSCAR. O outro aviador fez o mesmo.

– Se algum soldado alemão perturbar um de vocês, vocês mostram os documentos e o papel. Não falem *nada*.

– E eu me finjo de bobo, o que é fácil pra mim – brincou MacLeish.

Isabelle estava ansiosa demais para rir.

Tirou a sacola de lona do ombro e entregou-a a MacLeish. Continha alguns itens essenciais: uma garrafa de vinho, três roliças linguiças de porco, dois pares de meias de lã grossas e várias maçãs.

– Fiquem onde puderem em Urrugne. Não juntos, claro. Mantenham a cabeça baixa e finjam que estão lendo seus livros. Só olhem para cima quando me ouvirem dizer "Aí está você, primo, estive lhe procurando por toda parte". Entendido?

Todos aquiesceram.

– Se eu não chegar até o amanhecer, viajem separadamente para Pau e procurem o hotel que indiquei. Uma mulher chamada Eliane vai ajudar vocês.

– Tenha cuidado – recomendou MacLeish.

Isabelle respirou fundo, deixou os homens lá e pegou a rua principal. Uns 2 quilômetros à frente, quando começou a anoitecer, ela atravessou uma ponte frágil. O caminho se transformou em uma rua de terra e estreitou-se até as dimensões de uma trilha de carroça em aclive, para afinal chegar às colinas verdejantes. A luz da lua veio em seu socorro, iluminando centenas de pontinhos brancos – cabras. Não havia chalés naquela altitude, apenas abrigos para animais.

Finalmente ela viu: uma casa de madeira de dois andares com um teto vermelho, exatamente igual à que o pai havia descrito. Não era de admirar que não tivessem conseguido entrar em contato com madame Babineau. Aquele chalé parecia projetado para manter as pessoas afastadas – assim como o caminho que levava até lá. Cabras baliram quando ela se aproximou, esbarrando umas nas outras, nervosas. Uma luz passava pelas cortinas de blecaute improvisadas e nuvens de fumaça saíam da chaminé, aromatizando o ar.

Quando ela bateu, a porta se abriu apenas o bastante para mostrar um olho e uma boca quase oculta por uma barba grisalha.

– *Bonsoir* – disse Isabelle. Esperou um pouco até o velho responder o cumprimento, mas ele não falou nada. – Vim aqui para falar com madame Babineau.

– Por quê? – exigiu o homem.

– Julien Rossignol me mandou.

O velho estalou a língua nos dentes e abriu a porta.

A primeira coisa que Isabelle notou lá dentro foi o guisado, borbulhando dentro de um grande caldeirão preto pendurado em um gancho acima da gigantesca lareira de pedra.

Uma mulher sentava-se a uma mesa de cavaletes no fundo do grande aposento com vigas no teto. De onde estava, ela parecia estar vestindo trapos cor de carvão, mas, quando o velho acendeu o lampião, Isabelle viu que a mulher se vestia como homem, com uma calça grosseira e uma camisa de linho com amarração de couro na gola. Os cabelos tinham cor de limalha de ferro e ela fumava um cigarro.

Ainda assim Isabelle reconheceu a mulher, mesmo depois de quinze anos passados. Lembrou-se de estar sentada em um banco em Saint-Jean-de-Luz, ouvindo a mulher rir. E de madame Babineau dizer: *Essa belezinha vai lhe dar um trabalho sem fim, Madeleine, os garotos vão enxamear em volta dela algum dia*. E de mamãe dizer: *Ela é inteligente demais para desperdiçar a vida com rapazes, não é, minha Isabelle?*

– Seus sapatos estão sujos de terra.

– Eu vim andando da estação ferroviária de Saint-Jean-de-Luz.

– Interessante. – A mulher usou a bota de bico fino para empurrar uma cadeira à sua frente para Isabelle. – Eu sou Micheline Babineau. Sente-se.

– Sei quem a senhora é – disse Isabelle. Não acrescentou mais nada. Qualquer informação era perigosa naqueles dias. Eram trocadas com muito cuidado.

– Sabe?

– Eu sou Juliette Gervaise.

– E por que isso me interessaria?

Isabelle lançou um olhar nervoso para o velho, que a observava com atenção. Não gostava de estar de costas para ele, mas não tinha escolha. Sentou-se em frente à mulher.

– Quer um cigarro? É um Gauloises Bleu. Um maço me custou 3 francos e uma cabra, mas vale a pena. – A mulher deu uma longa e sensual tragada no cigarro e exalou uma fumaça distintamente azulada e perfumada. – Por que estou falando com você?

– Julien Rossignol acredita que posso confiar na senhora.

Madame Babineau deu outra tragada no cigarro e o apagou na sola da bota. Guardou o que sobrou no bolso da camisa.

– Disse que a mulher dele foi muito amiga sua. A senhora

é madrinha da filha mais velha dele. Ele é padrinho do seu filho mais novo.

– Era. Os alemães mataram meus dois filhos na frente de batalha. E o meu marido na última guerra.

– Ele escreveu umas cartas à senhora recentemente...

– O correio anda uma *merde* esses dias. O que ele quer?

Lá estava. O momento mais delicado do plano. Se madame Babineau fosse uma colaboracionista, estava tudo acabado. Isabelle tinha imaginado aquele momento mil vezes, planejado até as pausas. Pensando em muitas maneiras de enunciar o que desejava e ainda assim se manter protegida.

Agora via a loucura daquilo tudo, a inutilidade. Ela teria que simplesmente mergulhar de cabeça.

– Deixei quatro pilotos abatidos me esperando em Urrugne. A ideia é levar todos para o consulado britânico na Espanha. Esperamos que os ingleses consigam transportá-los para a Inglaterra para continuarem suas missões sobre a Alemanha e lançarem mais bombas.

No silêncio que se seguiu, Isabelle ouviu as batidas do próprio coração, o tique-taque do relógio na lareira, o distante balido de uma cabra.

– E...? – perguntou afinal madame Babineau, em uma voz quase inaudível.

– E... eu preciso de um guia basco para me ajudar na travessia dos Pireneus. Julien achou que a senhora poderia me ajudar.

Pela primeira vez, Isabelle sabia que tinha chamado a atenção da mulher.

– Chame Eduardo – disse madame Babineau para o velho, que saltou a seu comando. A porta se fechou com tanta força que fez o teto estremecer.

A mulher tirou o cigarro fumado pela metade do bolso e acendeu-o, tragando várias vezes em silêncio enquanto estudava Isabelle.

– O que a senhora... – Isabelle começou a dizer.

A mulher encostou um dedo manchado de tabaco nos lábios dela.

A porta da casa se abriu e um homem entrou. Isabelle só conseguiu distinguir os ombros largos, o saco de estopa e o cheiro de álcool.

O homem a pegou pelo braço, puxou-a da cadeira e jogou-a contra a parede áspera. Isabelle gemeu de dor e tentou se libertar, mas ele a manteve no lugar, enfiando com brutalidade o joelho no meio de suas pernas.

– Você sabe o que os alemães fazem com pessoas como você? – sussurrou, o rosto tão perto do dela que Isabelle não conseguia focar, não enxergava nada a não ser os olhos e os cílios escuros. O homem recendia a cigarro e conhaque. – Sabe quanto eles vão nos pagar por você e pelos seus pilotos?

Isabelle virou a cabeça para evitar seu hálito azedo.

– Onde estão esses seus pilotos?

Os dedos dele se enterraram nas axilas dela.

– Onde eles estão?

– Q-que pilotos? – engasgou Isabelle.

– Os pilotos que você está ajudando a fugir.

– Que pilotos? Não sei do que você está falando.

O homem deu mais um grunhido e bateu a cabeça dela na parede.

– Você pediu nossa ajuda para ajudar os pilotos a atravessar os Pireneus.

– Eu, uma mulher, atravessar os Pireneus? Você deve estar brincando. Não sei do que está falando.

– Está dizendo que madame Babineau está mentindo?

– Não conheço madame Babineau. Só parei aqui para pedir informações. Eu estou perdida.

O homem sorriu, mostrando os dentes manchados de tabaco e vinho.

– Garota esperta – falou, soltando Isabelle. – E nem um pouco fraca das pernas.

Madame Babineau se levantou.

– Bom para ela.

O homem deu um passo atrás, abrindo espaço para ela.

– Eu sou Eduardo. – Virou-se para a mulher mais velha. – O tempo está bom. Ela tem força de vontade. Os homens podem dormir aqui esta noite. Se não estiverem muito fracos, posso levar todos amanhã.

– Você vai levar a gente? – perguntou Isabelle. – Para a Espanha?

Eduardo olhou para madame Babineau, que olhou para Isabelle.

– Teremos o maior prazer em ajudar vocês, Juliette. Agora, onde estão esses seus pilotos?

Bem antes do amanhecer, madame Babineau acordou Isabelle e conduziu a moça até a cozinha da casa, onde um fogo já ardia na fornalha.

– Café?

Isabelle penteou o cabelo com os dedos e amarrou um lenço na cabeça.

– Não, *merci*, é precioso demais.

A anciã abriu um sorriso.

– Ninguém suspeita de uma mulher da minha idade. Isso é bom para as compras. Tome. – Ofereceu a Isabelle uma caneca de porcelana lascada cheia de café preto fumegante. Café de *verdade*.

Isabelle enlaçou a caneca nas mãos e inalou fundo o aroma ao qual agora dava um grande valor.

Madame Babineau sentou-se ao lado dela.

Isabelle olhou para os olhos escuros da mulher e viu uma compaixão que a fez se lembrar de sua mãe.

– Eu estou com medo – admitiu. Era a primeira vez que dizia aquilo a alguém.

– Deve estar mesmo. Assim como todos nós.

– Se algo der errado, a senhora poderia comunicar a Julien? Ele ainda está em Paris. Se... não conseguirmos, diga a ele que o Rouxinol não voou.

Madame Babineau confirmou com a cabeça.

Enquanto as duas estavam ali, os aviadores entraram no recinto, um a um. Ainda era madrugada e nenhum parecia ter dormido bem. Mesmo assim, era chegada a hora da partida.

Madame Babineau preparou uma refeição de pão com mel de fores de lavanda e queijo de cabra cremoso. Os homens se acomodaram em cadeiras desparelhadas e logo se aproximaram da mesa, falando todos ao mesmo tempo, devorando a comida em um instante.

A porta se abriu com um estrondo, trazendo uma lufada de ar frio da noite. Folhas secas entraram agitadas, dançando pelo chão, aderindo às pedras da lareira como pequenas mãos negras. As chamas tremularam e diminuíram. A porta se fechou com um estrondo.

Eduardo estava lá, parecendo um gigante sujo sob o teto baixo da cozinha. Era um basco típico – com ombros largos que pareciam capazes de carregar um homem através das tempestuosas águas do rio Bidassoa e um rosto que parecia ter sido esculpido em pedra com uma lâmina sem corte. O casaco que usava era fino para o clima e tão remendado que parecia não poder mais ser consertado.

Deu para Isabelle um par de sapatos bascos, chamados "espadrilles", com solas de corda que supostamente eram boas para o terreno acidentado.

– Como está o clima para essa jornada, Eduardo? – perguntou madame Babineau.

– O frio está chegando. Não podemos demorar muito. – Tirou uma sacola surrada do ombro e jogou-a no chão. Falou para os homens: – São espadrilles. Vão ajudar na caminhada. Encontrem um par que sirva. – Isabelle ficou ao lado dele, traduzindo as instruções.

Os homens avançaram, obedientes, e começaram a remexer na sacola, tirando sapatos e passando uns para os outros.

– Nenhum me serviu – disse MacLeish.

– Faça o que puder – observou madame Babineau. – Infelizmente, não somos uma loja de calçados.

Quando os homens trocaram as botas pelos sapatos para a caminhada, Eduardo fez com que ficassem em fila. Estudou um homem de cada vez, examinando a roupa e o pequeno saco que levava.

– Deixem tudo o que tiverem nos bolsos aqui. Os espanhóis podem prender vocês sem razão nenhuma e ninguém aqui quer escapar dos alemães só pra acabar numa prisão espanhola.

Deu um bornal de pele de cabra cheio de vinho para cada um e um cajado que fizera com galhos nodosos e musguentos. Quando terminou, bateu nas costas de todos tão forte que eles cambalearam para a frente.

– Silêncio – disse Eduardo. – Sempre.

Saíram do chalé para o terreno irregular do pasto das cabras. O céu estava iluminado por uma lua azulada.

– A noite é nossa proteção – explicou Eduardo. – A noite, a velocidade e o silêncio. – Virou-se e levantou uma das mãos. – Juliette vai ficar no fim da fila. Eu vou na frente. Quando eu andar, vocês andam. Sempre numa só fila. Ninguém fala nada. Nada. Vocês vão sentir frio nessa noite gelada, vão ficar com fome e logo vão se sentir cansados. Continuem andando.

Eduardo virou as costas para os homens e começou a subir a montanha.

Isabelle sentiu o frio instantaneamente espicaçar as bochechas expostas, passando pelas costuras do casaco de lã. Usou a mão enluvada para fechar a gola e começou a longa marcha pela colina gramada.

Em algum momento próximo das três da manhã, a caminhada virou uma escalada. O terreno ficou mais íngreme, a lua se escondeu, deixando-os em uma escuridão quase total. Isabelle ouvia a respiração dos homens ficar mais ofegante à frente. Sabia que estavam com frio; a maioria não tinha roupas adequadas para aquele ar gelado e poucos usavam sapatos que serviam bem. Gravetos estalavam sob seus pés, pedregulhos rolavam pela ribanceira, produzindo um som semelhante ao de chuva sobre um teto de zinco. As primeiras pontadas de fome começaram a retorcer os estômagos vazios.

Começou a chover. Um vento cortante subia do vale lá embaixo, atingindo a comitiva que andava em fila única e transformando a chuva em estilhaços gelados que lanhavam a pele exposta. Isabelle começou a tremer de forma incontrolável, a respirar em golfadas irregulares e pesadas, mas continuou subindo. Subindo, subindo, subindo para além da linha das árvores.

À sua frente, alguém soltou um gemido e caiu com um baque. Isabelle não conseguiu ver quem era, a noite os envolvia. O homem à frente parou, ela trombou nas costas dele, caiu de lado em cima de uma pedra e praguejou.

– Não parem, homens – disse Isabelle, tentando manter a voz animada.

Continuaram escalando até Isabelle precisar respirar a cada passo, mas Eduardo não deixava ninguém descansar. Só parava para ver se todos continuavam atrás dele e retomava a subida, escalando a escarpa rochosa como um bode.

As pernas de Isabelle estavam em chamas, doendo muito e, mesmo usando as espadrilles, bolhas surgiram em seus pés. Cada passo se tornou uma agonia, um exercício de força de vontade.

Horas e horas e horas se passaram. Isabelle ficou tão sem fôlego que não conseguia articular as palavras necessárias para implorar por um gole de água, no entanto, sabia que Eduardo não a atenderia. Ouvia MacLeish à sua frente, arfando, praguejando a cada vez em que escorregava, gemendo de dor pelas bolhas que ela sabia estarem virando chagas em seus pés.

Não conseguia mais distinguir o caminho. Apenas cambaleava em frente, suas pálpebras lutando para se manterem abertas.

Inclinando-se na direção do vento, ela cobriu a boca e o nariz com o cachecol e continuava andando. A respiração ofegante aquecia o cachecol. O tecido ficou úmido antes de congelar em dobras sólidas.

– Aqui. – A voz tonitruante de Eduardo soou na escuridão. Estavam tão no alto da montanha que com certeza não haveria alemães nem patrulhas espanholas. Ali, o risco para suas vidas vinha das condições da natureza.

Isabelle desabou no chão, batendo tão forte em uma pedra que gritou de dor; contudo, se sentia cansada demais para se importar.

MacLeish se jogou ao lado dela, trôpego e arfando.

– Meu Deus do céu – murmurou.

Isabelle segurou seu braço quando ele começou a deslizar para o lado.

Em seguida, Isabelle ouviu uma cacofonia de vozes – "graças a Deus", "já era tempo" – junto com o baque dos corpos se jogando no chão. Caíram como um castelo de cartas, pois as pernas já não conseguiam mantê-los em pé.

– Não aqui – disse Eduardo. – No abrigo das cabras. Logo ali.

Isabelle se levantou, cambaleando. Ficou esperando no final da fila, tremendo, os braços cruzados como se pudesse reter o calor, mas não havia calor. Sentia-se como um cubo de gelo, rígida e quebradiça. Sua mente tentava lutar contra o estupor que queria dominá-la. Precisava ficar balançando a cabeça para clarear os pensamentos.

Ouviu passos e sabia que Eduardo estava de pé a seu lado no escuro, o rosto salpicado de granizo.

– Tudo bem? – perguntou ele.

– Estou rígida de frio. E tenho até medo de olhar para os meus pés.

– Bolhas?

– Do tamanho de pratos de jantar, tenho certeza. Não sei se meus sapatos estão molhados de chuva ou do sangue escorrendo pelo tecido.

Sentiu lágrimas brotando dos olhos, que congelavam instantaneamente, colando as pestanas.

Eduardo a tomou pela mão e a levou para o abrigo de cabras, onde acendeu uma fogueira. O gelo acumulado no cabelo de Isabelle virou água, que pingou no chão e empoçou-se a seus pés. Viu os homens desabando onde estavam, batendo com o corpo nas paredes de madeira áspera enquanto remexiam as sacolas no colo em busca de comida. MacLeish a chamou com um aceno.

Isabelle contornou os homens e desabou ao lado de MacLeish. Em silêncio, ouvindo os homens mastigando, arrotando e suspirando ao redor, ela comeu o queijo e as maçãs que trouxera.

Nem percebeu quando pegou no sono. Em um instante estava comendo o que se passava por uma refeição na montanha e, no instante seguinte, Eduardo estava acordando todo mundo outra vez. Uma luz cinzenta atravessava o vidro sujo do barracão. Eles tinham dormido o dia todo e estavam acordando no final da tarde.

Eduardo acendeu um fogo, preparou um bule de falso café e serviu para todos. O desjejum foi pão dormido e queijo duro – bom, mas não o suficiente para aplacar a fome ainda lancinante desde o dia anterior.

Eduardo partiu em ritmo rápido, subindo o xisto coberto de gelo da traiçoeira trilha como um cabrito montanhês.

Isabelle foi a última a sair do barracão, observando a trilha. Nuvens cinzentas obscureciam os picos e flocos de neve silenciavam o mundo até não haver outro som na terra a não ser o de suas respirações. Os homens desapareceram diante dela, tornando-se pontinhos escuros na brancura. Isabelle mergulhou no frio, subindo com passos desequilibrados, seguindo o homem à frente. Era só o que conseguia enxergar com a neve que caía.

O ritmo de Eduardo era um castigo. Subia o caminho sinuoso sem parar, parecendo insensível ao frio cruel e agudo que transformava a respiração em labaredas que explodiam nos pulmões. Isabelle continuou a subir, arquejando, encorajando os homens que começavam a ficar para trás com lisonjas e provocações, para fazer com que seguissem em frente.

Quando caiu a noite, ela redobrou seus esforços para manter o moral alto. Mesmo sentindo o estômago enjoado de cansaço e morrendo de sede, ela continuava. Se alguém ficasse uns poucos metros atrás do homem à frente, poderia se perder para sempre naquela escuridão congelada. Um desvio de poucos metros da trilha significava a morte.

Isabelle continuou cambaleando noite adentro.

Alguém caiu diante dela com um gemido. Ela correu até lá e viu um dos pilotos canadenses de joelhos, respirando com dificuldade, o bigode congelado.

– Estou acabado, boneca – disse, tentando sorrir.

Isabelle sentou-se ao lado dele, sentindo o corpo gelar instantaneamente.

– Você é o Teddy, certo?

– Você me pegou. Olha. Eu estou acabado. Só siga em frente.

– Você é casado, Teddy? Tem uma namorada no Canadá?

Não podia ver a expressão dele, mas ouviu a alteração na respiração diante da pergunta.

– Você não está jogando limpo, garota.

– Não existe justiça na vida e na morte, Teddy. Como ela se chama?

– Alice.

– Levante-se pela Alice, Teddy.

Sentiu quando ele mudou o centro de gravidade, firmando-se nos pés. Encostou o corpo no dele, deixando que se apoiasse nela.

– Tudo bem, então – disse ele, estremecendo.

Isabelle se afastou, acompanhando com o olhar enquanto ele seguia em frente.

Deu um longo suspiro, que terminou com um estremecimento. A fome retorcia seu estômago. Engoliu em seco, desejando que pudessem parar ao menos um minuto. Em vez disso, porém, seguiu andando em direção aos homens. A mente estava ficando entorpecida de novo, os pensamentos se embaralhavam. Só conseguia pensar no próximo passo, e no seguinte, e no seguinte.

Em algum momento próximo ao amanhecer, a neve se transformou em chuva, ensopando e aumentando o peso dos casacos de lã. Isabelle mal percebeu quando eles começaram a descer. A única diferença era os homens tombando, escorregando nas pedras molhadas e caindo na traiçoeira encosta rochosa. Não havia como deter os tombos; tudo o que Isabelle podia fazer era vê-los caindo para ajudar a se levantarem quando paravam de rolar, a respiração difícil. A visibilidade era tão ruim que estavam sempre com medo de perder de vista o homem da frente e se desviar do caminho.

Quando o dia raiou, Eduardo parou e apontou para a entrada de uma caverna encravada na montanha. Os homens se reuniram, resfolegando enquanto se sentavam e esticavam as pernas. Isabelle ouviu quando abriram os sacos, à procura dos últimos pedaços da comida. Em algum lugar no fundo da gruta um animal se agitou, as garras arranhando o chão batido.

Isabelle entrou na caverna seguindo os homens; raízes pendiam do interior de pedra e lama. Eduardo se ajoelhou e fez uma pequena fogueira, usando o musgo que havia colhido de manhã e guardado na faixa da cintura.

– Comam e durmam – disse quando as labaredas começaram a dançar. – Amanhã concluímos o último estágio. – Pegou seu bornal de pele de cabra, deu um grande gole e saiu da caverna.

A lenha molhada chiava e estalava, soando como disparos dentro da gruta, mas Isabelle – e os homens – estava cansada demais para se importar. Sentou-se ao lado de MacLeish e se encostou nele.

– Você é um prodígio – comentou ele com uma voz abafada.

– Já me disseram que minhas decisões não são inteligentes. Isso pode ser uma prova. – Estremeceu, não sabia se de frio ou exaustão.

– Burra, porém corajosa – observou ele com um sorriso.

Isabelle sentiu-se grata pela conversa.

– Essa sou eu.

– Acho que não cheguei a agradecer propriamente... por ter me salvado.

– Ainda não acho que o salvei, Torrance.

– Pode me chamar de Torry. Todos os meus amigos me chamam assim.

Ele falou mais alguma coisa – sobre alguma garota esperando por ele em Ipswich, talvez –, mas Isabelle estava cansada demais para ouvir.

Quando ela acordou, viu que chovia.

– Saco – disse um dos homens. – Está chovendo.

Eduardo saiu da caverna, as pernas firmes, o rosto e o cabelo fustigados pela chuva que ele nem parecia notar. Atrás dele, a escuridão.

Os aviadores abriram as mochilas. Ninguém precisou mandar que comessem; todos já conheciam a rotina. Quando era possível parar, era o momento de comer, beber e dormir, nessa ordem. Ao acordar, era hora de comer, beber e se levantar, não importando quanto doesse fazer isso.

Quando se puseram de pé, um gemido passou de homem a homem. Alguns praguejaram. Era uma noite chuvosa e sem lua. Escuridão total.

Tinham conseguido subir a montanha – chegando a quase mil metros de altitude no cume na noite anterior – e estavam na metade da descida do outro lado, mas o clima piorava.

Quando Isabelle saiu da caverna, galhos molhados bateram em seu rosto. Afastou-os com as mãos enluvadas e continuou andando. Seu cajado tateava antes de cada passo. A chuva deixava o xisto escorregadio como gelo e formava riachos ao lado deles. Ouviu os homens grunhindo à frente. Arrastava-se sobre pés doloridos e cheios de bolhas. O ritmo estabelecido por Eduardo era torturantemente intenso. Nada detinha ou diminuía o passo do homem e os aviadores lutavam para acompanhá-lo.

– Vejam! – Ela ouviu alguém dizer.

A distância, bem ao longe, luzes coruscavam, uma teia de pontinhos luminosos brancos piscava na escuridão.

– Espanha – disse Eduardo.

Aquela visão reanimou o grupo. Eles continuaram, tateando com os cajados, os pés encontrando mais segurança à medida que o terreno se nivelava.

Quantas horas se passaram naquele trajeto? Cinco? Seis? Isabelle não sabia. O suficiente para suas pernas começarem a doer, e a nuca, a se contrair. Não parava de cuspir chuva e enxugar os olhos, o vazio de seu estômago parecia um animal raivoso. Um pálido reflexo do dia clareando começou a surgir no horizonte, uma lâmina azulada de luz, depois cor-de-rosa, então amarela, enquanto ela ziguezagueava na trilha. Os pés doíam tanto que ela precisava cerrar os dentes para não chorar de dor.

Quando anoiteceu pela quarta vez, Isabelle tinha perdido toda a noção de tempo e espaço. Não fazia ideia de onde estavam ou de quanto iria durar aquela agonia. Os pensamentos se reduziram a um único apelo, ricocheteando em sua mente, mantendo o ritmo dos pés doídos. *O consulado, o consulado, o consulado.*

– Parem – ordenou Eduardo, erguendo a mão.

Isabelle trombou com MacLeish. As bochechas dele

estavam vermelhas de frio, os lábios, rachados, e a respiração, ofegante.

Não muito longe, depois de uma colina verde e embaçada, ela viu uma patrulha de soldados de uniformes verde-claros.

Seu primeiro pensamento foi *Estamos na Espanha* e logo em seguida Eduardo empurrou todos para trás de um aglomerado de árvores.

Ficaram um bom tempo escondidos antes de continuarem.

Horas depois, ela ouviu o rugido de água correndo. Quando se aproximaram do rio, o som obliterou tudo o mais.

Finalmente Eduardo parou e reuniu os homens. Estava em uma poça de lama, as espadrilles desaparecendo no lodo. Atrás dele, penhascos de granito cinzentos sobre os quais brotavam árvores espinhosas que pareciam desafiar as leis da gravidade. Arbustos se espalhavam como limpa-trilhos em torno de formidáveis rochas acinzentadas.

– Vamos nos esconder aqui até a noite – disse Eduardo. – O rio Bidassoa fica depois daquela elevação. A outra margem já é a Espanha. Estamos perto... mas perto não quer dizer nada. Entre o rio e a liberdade ainda há patrulhas com cães. Elas atiram em tudo o que se mexer. Não se mexam.

Isabelle ficou olhando enquanto Eduardo se afastava do grupo. Quando ele saiu, ela e os homens se agruparam atrás das gigantescas rochas ao abrigo de árvores caídas.

Durante horas a chuva os golpeou, transformando a lama em que estavam em um charco. Isabelle tremia, abraçando os joelhos junto ao peito, de olhos fechados. Surpreendentemente caiu em um sono profundo e cansado que logo foi interrompido.

À meia-noite, Eduardo a acordou.

A primeira coisa que percebeu ao abrir os olhos foi que a chuva havia parado. O céu estava coberto de estrelas. Levantou-se com dificuldade e imediatamente fez uma careta de dor. Nem conseguia imaginar como estavam os pés dos aviadores – ela dera a sorte de estar usando sapatos do tamanho certo.

Sob a cobertura da noite, o grupo partiu mais uma vez, o som dos passos abafado pelo rugido do rio.

E lá estavam eles, em meio às árvores, na beira de um gigantesco abismo. Lá embaixo a água batia, rolava e rodopiava, borrifando as margens rochosas.

Eduardo reuniu o grupo.

– Não há como atravessar a nado. A chuva transformou o rio numa fera capaz de engolir todos nós. Venham atrás de mim.

Seguiram a margem por cerca de 2 quilômetros, quando Eduardo parou mais uma vez. Isabelle ouviu um rangido, como um cordame de barco esticando na marola, e, ocasionalmente, o som de algo batendo.

De início, não havia nada visível. Mas logo a luz de holofotes do outro lado do rio refletia na corrente do rio, iluminando uma precária ponte suspensa que ligava aquele lado da garganta à margem oposta. Era um posto de controle espanhol não longe dali, com guardas patrulhando para cima e para baixo.

– Santa Mãe de Deus! – exclamou um dos aviadores.

– Que merda – disse outro.

Isabelle agachou-se junto com os homens atrás de uns arbustos, onde ficaram esperando, observando os fachos de luz que rabiscavam o rio.

Já passava de duas da manhã quando Eduardo afinal fez um sinal com a cabeça. Não havia qualquer movimento do outro lado da garganta. Se continuassem com sorte – ou se chegassem a tê-la –, os guardas estariam dormindo em seus postos.

– Vamos – sussurrou Eduardo, botando os homens de pé.

Conduziu o grupo ao início da ponte – um arco côncavo com corrimões de corda e piso de tábuas, entre as quais se via o rio. Faltavam diversas tábuas. A ponte balançava de um lado a outro com o vento, rangendo.

Isabelle olhou para os homens, quase todos pálidos como fantasmas.

– Um passo de cada vez – instruiu Eduardo. – As tábuas parecem fracas, mas aguentam o peso de vocês. Vocês têm sessenta segundos para atravessar... é o tempo de giro dos holofotes. Assim que chegarem ao outro lado, ajoelhem-se e engatinhem para baixo da janela da guarita.

– Você já fez isso antes, certo? – perguntou Teddy, falseando a voz no "antes".

– Um monte de vezes, Teddy – mentiu Isabelle. – E se uma garota pode fazer isso, um piloto forte como você não vai ter problema. Certo?

Ele aquiesceu.

– Pode apostar.

Isabelle observou Eduardo atravessar. Quando chegou ao outro lado, ela reuniu os aviadores. Um por um, contando os sessenta segundos de intervalo, ela os guiou até a ponte de corda e ficou observando a travessia, prendendo a respiração, com os punhos fechados, até cada um chegar à outra margem.

Finalmente chegou a vez dela. Tirou o capuz ensopado da cabeça, esperou a luz passar por ela e seguiu em frente. A ponte parecia frágil e precária. Mas tinha aguentado o peso dos homens; aguentaria também o dela.

Agarrou as cordas laterais e pisou na primeira tábua. A ponte balançou, inclinando-se de um lado a outro. Olhou para baixo e viu a água turbulenta através das brechas 30 metros abaixo. Cerrando os dentes, ela avançou com cuidado, pisando de tábua em tábua até chegar ao outro lado, onde imediatamente ficou de joelhos. O facho de luz do holofote passou por cima dela. Arrastou-se seguindo em frente e subiu a margem até os arbustos do outro lado, onde os aviadores estavam agachados ao lado de Eduardo.

Eduardo levou o grupo até um pequeno morro escondido e finalmente deixou que todos dormissem.

Quando o sol nasceu outra vez, Isabelle acordou e piscou.

– Não é tão ruim aqui – sussurrou Torry a seu lado.

Isabelle olhou ao redor, com a vista ainda embaçada. Estavam em um desvão acima de uma estrada de terra, ocultos atrás de um aglomerado de árvores.

Eduardo passou uma garrafa de vinho. Seu sorriso brilhava tanto quanto o sol nos olhos dela.

– Ali – disse, apontando para uma jovem em uma bicicleta não muito longe dali. Atrás dela, uma cidade reluzia sob o sol; parecia uma imagem de livro infantil, cheia de torres de igrejas com relógios. – Almadora vai levar vocês ao consulado de San Sebastián. Sejam bem-vindos à Espanha.

Instantaneamente, Isabelle se esqueceu de toda a batalha para chegar até lá, de todo o medo que acompanhou cada passo.

– Obrigada, Eduardo.

– Não vai ser fácil numa próxima – alertou ele.

– Também não foi fácil desta – respondeu Isabelle.

– Eles não esperavam por nós. Mas logo vão estar esperando.

Ele tinha razão, é claro. Eles não tiveram de se esconder de patrulhas alemãs, nem disfarçar o cheiro por causa dos cães, e os guardas espanhóis pareciam relaxados.

– Mas, quando você voltar, com outros pilotos, vou estar aqui – prometeu.

Isabelle fez um sinal de agradecimento e virou-se para os homens ao redor, que pareciam tão cansados quanto ela.

– Vamos lá, rapazes, vamos embora.

Isabelle e o grupo desceram até a estrada, seguindo em direção a uma jovem com uma velha bicicleta enferrujada. Depois das falsas apresentações, Almadora conduziu o grupo por um labirinto de ruas de terra e vielas paralelas, percorrendo quilômetros antes de chegarem a uma elaborada construção cor de caramelo na Parte Vieja – a parte velha de San Sebastián. Isabelle ouviu o bater distante das ondas no quebra-mar.

– *Merci* – disse para a garota.

– De nada.

Isabelle deu uma olhada para a porta preta e brilhante.

– Vamos lá, homens – disse, subindo os degraus de pedra. Bateu forte na porta, três vezes, depois tocou a campainha. Quando um homem usando um elegante terno preto atendeu, ela disse: – Quero falar com o cônsul britânico.

– A senhorita tem hora marcada?

– Não.

– Mademoiselle, o cônsul é um homem muito ocupado...

– Eu vim de Paris e trouxe quatro pilotos da RAF comigo.

Os olhos do homem se arregalaram um pouco.

MacLeish deu um passo à frente.

– Tenente Torrance MacLeish. RAF.

Os outros fizeram o mesmo, postando-se ombro a ombro enquanto se apresentavam.

A porta se abriu. Em questão de minutos, Isabelle estava acomodada em uma desconfortável poltrona de couro, encarando um homem de expressão cansada do outro lado de uma grande escrivaninha. Com os aviadores em posição de sentido atrás de si.

– Eu trouxe comigo de Paris quatro pilotos que foram abatidos – disse Isabelle com orgulho. – Pegamos um trem para o sul e atravessamos os Pireneus...

– Atravessaram *andando*?

– Bem, talvez escalando seja uma palavra mais precisa.

– Vocês *escalaram* os Pireneus entre a França e a Espanha.

O homem se recostou na cadeira, sem sinal de um sorriso.

– E posso fazer isso de novo. Com o aumento dos bombardeios da RAF, outros aviadores serão abatidos. Para salvá-los, precisamos de ajuda financeira. Dinheiro para comprar roupas, documentos e alimentos. E alguma coisa para as pessoas que alistamos para nos dar abrigo ao longo do caminho.

– É melhor você ligar para o MI9 – disse MacLeish. – Eles vão financiar tudo de que o grupo de Juliette precisar.

O homem abanou a cabeça e estalou a língua.

– Uma *garota* trazendo pilotos pelos Pireneus. Que coisa mais prodigiosa.

MacLeish sorriu para Isabelle.

– Realmente um prodígio, senhor. Foi exatamente o que eu disse a ela.

VINTE

Sair da França ocupada foi difícil e perigoso. Voltar foi fácil – ao menos para uma garota de 20 anos com um sorriso a postos.

Poucos dias depois da chegada a San Sebastián e após inúmeros relatórios e reuniões, Isabelle estava mais uma vez em um trem com destino a Paris, sentada em um banco de madeira de um vagão da terceira classe – os únicos lugares disponíveis de última hora –, observando o vale do Loire passando pela janela. O vagão estava enregelante, lotado de loquazes soldados alemães e mulheres e homens franceses alquebrados, que mantinham a cabeça baixa e as mãos no colo. Isabelle levava um pedaço de queijo duro e uma maçã na bolsa, mas não abriu-a, apesar de estar com fome – com muita fome, na verdade.

Sentia-se em destaque com sua calça velha e remendada e o casaco de lã. As faces mostravam arranhões e queimaduras do vento e os lábios estavam rachados e secos. Mas as verdadeiras mudanças eram internas. O orgulho pelo que conseguira nos Pireneus a tinha mudado, amadurecido. Pela primeira vez na vida, ela sabia exatamente o que queria fazer.

Tivera uma reunião com um agente do MI9 e estabelecera formalmente aquela rota de fuga. Ela seria seu principal contato – eles a chamaram de Rouxinol. Na bolsa em seu colo, ela levava 140 mil francos escondidos no forro. Valor suficiente para montar esconderijos e comprar alimentos e roupas para os aviadores e as pessoas que ousassem abrigá-los no percurso. Dera a palavra a seu contato, Ian (codinome: Terça-feira), de que evacuaria outros aviadores. Mandar a mensagem a Paul – "O Rouxinol cantou" – talvez tenha sido o momento da vida em que mais se sentiu orgulhosa.

Já estava quase na hora do toque de recolher quando ela desembarcou em Paris. A cidade no outono tremeluzia embaixo de um céu frio e escuro. O vento balançava as árvores nuas, estremecendo os toldos e os cestos vazios.

Saiu de seu caminho para passar pela Avenue de La Bourdonnais, mas ao passar pelo apartamento sentiu uma onda de... saudade, foi o que pensou. Era a coisa mais próxima de um lar de que ela conseguia se lembrar e não entrava lá – nem via o pai – havia meses. Desde o começo da rota de fuga. Não era seguro que os dois se encontrassem. Por isso, dirigiu-se ao apartamentinho esquálido onde começara a morar recentemente. Um conjunto descombinado de mesa e cadeiras, um colchão no chão, uma geladeira que não gelava nada. O carpete cheirava aos cigarros do último morador e as paredes eram manchadas de infiltrações.

Deu uma parada na porta da frente, olhou ao redor. A rua estava vazia, escura. Enfiou a chave na fechadura e deu uma volta. Quando ouviu o estalido, sentiu perigo. Algo estava errado, fora de lugar – uma sombra onde não deveria estar, um tinir de metal no bistrô ao lado, abandonado pelo proprietário meses antes.

Virou-se devagar, escrutinando a rua escura e deserta. Caminhões invisíveis estacionavam aqui e ali e umas poucas e tristes cafeterias lançavam triângulos de luz na calçada;

estampados na luz, soldados apareciam como silhuetas esguias, andando para a frente e para trás. Um ar de deserção pairava na outrora animada vizinhança.

Do outro lado da rua, viu um poste de iluminação apagado, uma haste escura que mal podia ser vista no ar noturno.

Ele estava aqui. Isabelle sabia, mesmo sem conseguir vê-lo.

Começou a subir a escada, devagar, os sentidos alertas, um degrau de cada vez. Tinha certeza de que conseguia ouvir a respiração dele, não muito longe. Observando-a. Soube instintivamente que ele estivera esperando que ela voltasse, preocupado.

– Gaëton – chamou baixinho, usando a voz como um chamariz, tentando capturá-lo. – Você está me seguindo há meses. Por quê?

Nada. O silêncio se juntou ao vento ao redor, frio e cortante.

– Chegue mais perto – pediu, inclinando a cabeça.

Nada ainda.

– Quem não está pronto agora? – perguntou. Magoava, aquele silêncio, mas ela entendia. Com todos os riscos que estavam correndo, talvez o amor fosse a escolha mais perigosa de todas.

Ou talvez ela pudesse ter se enganado e ele não estivesse lá, nunca houvesse estado, nem a observando, nem esperando por ela. Talvez fosse apenas coisa de uma garota boba desejando um homem que não a queria, esperando sozinha em uma rua vazia.

Não.

Ele estava ali.

🐦

Aquele inverno foi ainda pior que o do ano anterior. Um Deus furioso atingiu a Europa com céus de chumbo e neve, dia após dia após dia. O frio foi um cruel adendo a um mundo já feio e desolado.

Assim como muitas outras cidades pequenas da Zona Ocupada, Carriveau se tornou uma ilha de desespero, isolada dos
arredores. Os habitantes recebiam poucas informações sobre
o que acontecia no mundo ao redor e ninguém tinha tempo para vasculhar folhetos de propaganda a fim de buscar a
verdade, pois a sobrevivência exigia um esforço enorme. Só
o que sabiam na verdade é que os nazistas estavam mais zan-
gados, mais malvados, desde que os Estados Unidos tinham
entrado na guerra.

Em uma triste e enregelante manhã do início de fevereiro
de 1942, quando os ramos das árvores estalavam e os vidros das
janelas pareciam a superfície rachada de um lago congelado,
Vianne acordou cedo e olhou para o teto inclinado do quarto.
Uma dor de cabeça latejava atrás de seus olhos. Sentiu-se
suada e dolorida. Quando inspirou, o ar queimou seus pulmões e a fez tossir.

Sair da cama não era uma grande motivação, mas tampouco
o era morrer de fome. Com cada vez mais frequência nesse
inverno, os cartões de racionamento eram inúteis; simplesmente não havia alimentos para comprar, nem sapatos, tecidos ou couro. Vianne já não tinha lenha para o fogão nem
dinheiro para pagar a eletricidade. Com o gás tão precioso,
o simples ato de tomar banho era uma tarefa difícil. Ela e
Sophie dormiam agarradas como cachorrinhos, embaixo de
uma montanha de colchas e cobertores. Nos últimos meses,
Vianne começara a queimar tudo o que fosse de madeira e a
vender seus bens.

Agora, usava quase todas as peças de roupa que possuía –
calças de flanela, roupas de baixo que ela mesma tricotara,
um velho suéter de lã e um cachecol no pescoço, e mesmo
assim tremia de frio quando saiu da cama. Quando os pés
tocaram o chão, fez uma careta de dor por conta das frieiras.
Pegou uma saia de lã e vestiu por cima da calça. Tinha ema-
grecido tanto naquele inverno que teve de prender a saia na
cintura com um alfinete. Desceu a escada, tossindo. A respi-

ração a precedia em nuvens brancas de vapor que desaparaciam quase no mesmo instante. Passou mancando em frente à porta do quarto de hóspedes.

O capitão andava ausente já havia algumas semanas. Por mais que Vianne detestasse admitir, suas ausências eram piores do que suas aparições nos últimos tempos. Quando ele estava aqui, ao menos havia comida na mesa e fogo na lareira. Ele se recusava a deixar a casa ficar fria. Vianne comia o mínimo dos mantimentos que ele fornecia – dizia a si mesma que era seu dever ficar com fome –, mas que mãe poderia deixar a filha sofrer? Será que Vianne deveria deixar Sophie morrer de fome para provar sua lealdade à França?

Ainda no escuro, ela adicionou outro par de meias furadas em cima dos dois pares que já tinha nos pés. Enrolou-se em um cobertor e calçou as luvas que havia tricotado recentemente com fios reaproveitados de um antigo cobertor de bebê de Sophie.

Na cozinha enevoada de umidade, acendeu um lampião a óleo e saiu com ele na mão, andando devagar, respirando com dificuldade ao subir a colina escorregadia e gelada que levava ao celeiro. Deslizou e caiu duas vezes na relva congelada.

A maçaneta de metal do celeiro parecia queimar a mão de tão fria, apesar das luvas. Teve de usar todo o seu peso para abrir a porta. Lá dentro, deixou o lampião de lado. A ideia de empurrar o carro parecia um esforço maior do que poderia aguentar em seu estado de fraqueza.

Tomou fôlego respirando funda e dolorosamente, aferrou-se na decisão e andou até o carro. Colocou o veículo em ponto morto, apoiou-se no para-choque e empurrou-o com todas as forças. O carro avançou lentamente, como se relutasse.

Quando o alçapão apareceu, ela pegou o lampião e desceu devagar os degraus. Nos longos e sombrios meses desde sua demissão e o fim do dinheiro, ela vinha vendendo os bens da família um por um: um quadro para alimentar os coelhos e galinhas durante o inverno, um jogo de chá de porcelana por um saco de farinha, o saleiro e o pimenteiro de prata por duas galinhas magricelas.

Abriu a caixa de joias da mãe e contemplou o interior forrado de veludo. Não muito tempo antes havia diversas bijuterias ali, bem como algumas joias. Brincos, um bracelete de filigrana de prata, um broche de rubis e metal trabalhado. Só restavam as pérolas.

Vianne tirou uma das luvas e pegou as pérolas com a mão em concha. Brilhavam na luz, lustrosas como a pele de uma jovem.

Era a última coisa que pertencera à mãe – e o que restava da herança de família.

Agora Sophie não poderia usar as pérolas no dia de seu casamento, nem passá-las para as filhas.

– Mas ela vai estar alimentada nesse inverno – disse Vianne. Não sabia se o que entrecortava sua voz era frustração, tristeza ou alívio. Tinha a sorte de ter algo para vender.

Observou as pérolas, sentiu o peso na palma da mão, percebeu como absorviam o calor de seu corpo. Por uma fração de segundo viu-as cintilando. Mas logo calçou de novo a luva e subiu a escada.

Mais três semanas de frio e desolação se passaram sem sinal de Beck. Em uma congelante manhã do final de fevereiro, Vianne acordou com febre e a cabeça latejando. Tossindo, saiu da cama e estremeceu, pegando lentamente um cobertor da cama. Enrolou-se no cobertor, mas não adiantou. Tremia incontrolavelmente, apesar de estar usando calça, dois suéteres e três pares de meia. O vento uivava lá fora, fazendo trepidar as venezianas, estalando o vidro coberto de gelo atrás das cortinas de blecaute.

Cumpriu sua rotina matinal lentamente, tentando não respirar muito fundo para não tossir. Com as frieiras dos pés irradiando dor a cada passo, ela preparou para Sophie um mirrado desjejum de mingau de milho aguado. Depois disso, saiu com a filha debaixo da neve que caía.

As duas caminhavam penosamente em silêncio. A neve caía inclemente, embranquecendo a estrada, recobrindo as árvores.

A igreja ficava em uma elevação no limite da cidade, ladeada pelo rio e tendo ao fundo a muralha de calcário da velha abadia.

– Mamãe, você está bem?

Vianne estava recurvada outra vez. Apertando a mão da filha, mas sentindo apenas o contato de luva com luva. A respiração aguilhoava seus pulmões, queimava.

– Tudo bem.

– Você devia ter tomado café.

– Eu não estava com fome – disse Vianne.

– Ah – retrucou Sophie, avançando pela neve alta.

Vianne levou Sophie para a capela. Lá dentro estava tão mais quente que elas nem viam mais o vapor da própria respiração. A nave arqueava-se acima, graciosa, na forma de duas mãos se tocando em oração e sustentada por vistosas vigas de madeira. Vitrais coloridos refletiam suas cores. A maioria dos bancos estava ocupada, mas ninguém falava nada, não em um dia tão frio, em um inverno tão inclemente.

Os sinos da igreja soaram e o clangor ecoou pela nave, as gigantescas portas se fecharam, extinguindo o pouco de luz natural que vencia a neve.

Padre Joseph, um velho e generoso sacerdote que presidia essa igreja desde que Vianne nascera, subiu ao púlpito.

– Hoje vamos rezar por nossos homens ausentes. Vamos rezar para que essa guerra não dure muito mais... e vamos rezar para termos forças para resistir ao nosso inimigo e permanecermos fiéis ao que somos.

Não era o sermão que Vianne desejava ouvir. Tinha vindo à igreja – enfrentando com bravura o frio – para ser consolada pelas palavras do padre nesse domingo, ser inspirada por termos como "honra", "dever", "lealdade". Mas hoje, aqueles ideais pareciam distantes, muito distantes. Como podia encarar os vizinhos quando aceitava comida do inimigo, mesmo que em pequenas quantidades? Os outros estavam mais famintos.

Ficou tão imersa nos próprios pensamentos que demorou a perceber que a missa havia acabado. Quando se levantou, Vianne sentiu uma onda de tontura ao se mexer. Agarrou o banco em busca de apoio.

– Mamãe?

– Eu estou bem.

No corredor a seu lado, os paroquianos – na maioria mulheres – passavam em fila. Todos parecendo magros, fracos e exauridos como ela, enrolados em camadas de lã e jornais.

Sophie segurou a mão de Vianne e conduziu-a em direção às portas duplas abertas. Na soleira, Vianne parou, tremendo e tossindo. Não queria sair de novo naquele mundo frio e esbranquiçado.

Passou pela soleira (onde Antoine a tinha levado nos braços depois do casamento... não, aquilo foi em Le Jardin; ela estava confusa) e enfrentou a nevasca. Vianne segurou o cachecol tricotado ao redor da cabeça, fechando-o sobre o pescoço. Inclinando-se para a frente, em ângulo com o vento, andava com passos pesados na neve fofa.

Quando chegou ao portão quebrado da casa, respirava com dificuldade e tossia bastante. Contornou a motocicleta com a metralhadora montada no *sidecar* e coberta de neve e passou pelo pomar com seus galhos nus. Ele tinha voltado, pensou sem emoção; agora Sophie poderia comer... Já estava quase na frente da porta quando sentiu que ia cair.

– Mamãe!

Ouviu a voz de Sophie, ouviu o medo em sua voz e pensou: *Estou assustando minha filha*. Lamentou por isso, mas suas pernas estavam muito fracas para sustentá-la e ela estava cansada... muito cansada...

Ouviu ao longe a porta se abrir, ouviu a filha gritar "Herr capitão" e depois ouviu botas ressoando na madeira.

Caiu feio no chão, batendo a cabeça no degrau recoberto de neve, e lá ficou. Pensou: *Vou descansar um pouquinho, depois levanto e vou fazer o almoço de Sophie... mas o que há para comer?*

O que percebeu em seguida foi que flutuava; não, voava talvez. Não conseguia abrir os olhos – sentia-se tão exaurida, a cabeça doía –, mas sentiu que estava se movendo, sendo carregada. *Antoine, é você? É você que está me segurando?*

– Abra a porta – disse alguém, seguido de um som de madeira raspando madeira. – Vou tirar o casaco dela. Vá chamar madame de Champlain, Sophie.

Vianne se sentiu sendo deitada sobre algo macio. Uma cama.

Umedeceu os lábios rachados e secos, tentando abrir os olhos. Foi preciso um considerável esforço e duas tentativas. Quando afinal conseguiu, sua visão estava desfocada.

O capitão Beck estava sentado ao lado da cama, no quarto dela. Segurava sua mão, debruçado sobre ela, o rosto bem próximo.

– Madame?

Vianne sentiu o hálito quente do homem no rosto.

– Vianne! – disse Rachel, entrando no quarto correndo.

O capitão Beck levantou-se imediatamente.

– Ela desmaiou na neve, madame, e bateu a cabeça na escada. Eu a carreguei até aqui.

– Muito obrigada – disse Rachel, com um aceno de cabeça. – Agora eu cuido dela, Herr capitão.

Beck ficou lá.

– Ela não come – afirmou ele, rígido. – Toda a comida vai para Sophie. Vi isso acontecer.

– Isso é ser mãe na guerra, Herr capitão. Agora... se me der licença... – Passou por ele e sentou-se na cama, ao lado de Vianne. Beck ficou lá mais um pouco, parecendo agitado, mas acabou saindo do quarto.

– Então, você está dando tudo para ela – disse Rachel em voz baixa, acariciando o cabelo molhado de Vianne.

– O que mais eu posso fazer? – perguntou Vianne.

– Não morrer – replicou Rachel. – Sophie precisa de você.

Vianne deu um suspiro pesado e fechou os olhos. Caiu em um sono profundo e sonhou que estava deitada em acres e acres de um campo macio e escuro que se estendia por todos os lados. Podia ouvir pessoas chamando por ela na escuridão, ouvia-as andando em sua direção, mas não tinha vontade de se mexer; só conseguia dormir, dormir e dormir. Quando acordou, estava no divã da sala de estar, com o fogo rugindo na lareira não muito longe.

Sentou-se lentamente, sentindo-se fraca e instável.

– Sophie?

A porta do quarto de hóspedes se abriu e o capitão Beck apareceu. Vestia um pijama de flanela, um cardigã de lã e botas. Disse:

– *Bonsoir*, madame. – E sorriu. – Que bom que voltou para nós.

Ela estava usando uma calça de flanela e dois suéteres, meias e um gorro de lã. Quem a tinha vestido?

– Quanto tempo eu dormi?

– Só um dia.

Beck passou por ela e foi até a cozinha. Pouco depois voltou com uma caneca de *café au lait* fumegante e uma fatia de queijo *bleu*, um pedaço de presunto e um naco de pão. Sem dizer nada, deixou a bandeja na mesa à frente dela.

Vianne olhou para a comida, o estômago roncando de fome. Depois olhou para o capitão.

– Você bateu a cabeça e poderia ter morrido.

Vianne tocou na testa, sentindo um calombo ainda mole.

– O que acontece com Sophie se você morrer? – perguntou ele. – Já pensou nisso? – Aproximou-se dela.

– O senhor ficou muito tempo fora. Não havia comida suficiente para nós duas.

– Coma – disse ele, encarando-a.

Vianne não queria desviar o olhar. O alívio que sentiu pela volta dele a deixava envergonhada. Quando finalmente conseguiu arrastar o olhar para o outro lado, viu a comida.

Pegou o prato e o trouxe em sua direção. O aroma salgado do presunto defumado combinado com o leve cheiro azedo do queijo a inebriou, subjugou suas melhores intenções, seduzindo-a a tal ponto que não houve nada mais a fazer.

🐦

No começo de março, a primavera ainda parecia distante. Na noite anterior, os Aliados tinham bombardeado a fábrica da Renault em Boulogne-Billancourt, matando centenas de pessoas nos subúrbios e na periferia de Paris. Aquilo deixou os parisienses – inclusive Isabelle – irritados e apreensivos. Os americanos tinham entrado na guerra com fúria; os ataques aéreos se transformaram em um fato corriqueiro agora.

Naquela noite fria e chuvosa, Isabelle pedalava sua bicicleta por uma lamacenta e esburacada estrada do interior em meio a uma densa neblina. A chuva emplastava seu cabelo no rosto e atrapalhava sua visão. Em meio à neblina, os sons pareciam amplificados; o grito de um camponês perturbado pelo som lodoso das rodas da bicicleta na lama, o zumbido quase constante dos aviões acima, o mugido do gado em uma pradaria que ela não conseguia enxergar. Sua única proteção era um capuz de lã.

Como se tivesse sido desenhada a carvão em um velino por uma mão indecisa, a linha demarcatória começou a surgir lentamente. Viu os anéis de arame farpado estendendo-se a partir dos dois lados do portão preto e branco do posto de controle. Depois do portão, um guarda alemão estava sentado em uma cadeira, o fuzil apoiado de viés sobre o colo. Ao ver Isabelle se aproximando, levantou-se e apontou a arma.

– *Halt!*

Isabelle reduziu a velocidade da bicicleta, quase caindo quando as rodas atolaram na lama. Desmontou e pisou no lamaçal. Cinco notas de 100 francos estavam costuradas no forro de seu casaco, bem como uma série de documentos de identidade falsos para um aviador escondido em uma casa ali perto.

Ela sorriu para o soldado alemão e empurrou a bicicleta na direção dele, pisando em poças de lama.

– Documentos – ordenou ele.

Apresentou seus documentos forjados em nome de Juliette.

O soldado deu uma olhada, pouco interessado. Pôde ver que ele estava infeliz de estar guarnecendo uma fronteira tranquila embaixo de chuva.

– Pode passar – disse, parecendo entediado.

Isabelle guardou os documentos e montou de novo na bicicleta, afastando-se o mais rápido possível pela estrada molhada.

Uma hora e meia depois, chegou à periferia da cidadezinha de Brantôme. Ali, na Zona Livre, não havia soldados alemães, mas nos últimos tempos a polícia francesa vinha se mostrando tão perigosa quanto os nazistas, por isso Isabelle não baixou a guarda.

Durante séculos, a cidade de Brantôme foi considerada um lugar sagrado, que podia curar o corpo e esclarecer a alma. Quando a Peste Negra e a Guerra dos Cem Anos devastaram o interior, os monges beneditinos construíram uma imensa abadia de calcário, que se destacava contra altas colinas cinzentas de um lado e do rio Dronne de outro.

Do lado oposto das cavernas, no fim da cidade, situava-se um dos mais recentes esconderijos: um quarto secreto em um moinho abandonado construído em um terreno triangular entre as grutas e o rio. O velho moinho de madeira girava ritmicamente, os baldes e a roda cobertos de musgo. As janelas eram fechadas por tábuas de madeira e pichações contra os alemães recobriam as paredes de pedra.

Isabelle parou na rua, olhando de um lado e do outro para ter certeza de que não era observada. Não viu ninguém. Acorrentou a bicicleta a uma árvore no limite da cidade, atravessou a rua e se abaixou para passar pela porta do celeiro, abrindo-a em silêncio. Todas as portas do moinho eram fechadas por tábuas pregadas; aquela era a única entrada.

Desceu, entrando no celeiro bolorento e escuro, e alcançou um lampião a óleo que mantinha em uma prateleira do local. Acendeu o lampião e seguiu a passagem secreta que, em outra época, permitira aos monges beneditinos escapar dos então chamados bárbaros. Uma escada estreita e íngreme conduzia à cozinha. Ao abrir a porta, ela entrou em um cômodo poeirento e cheio de teias de aranha e continuou subindo até chegar a um quarto secreto e pequeno, medindo três por três, construído atrás de uma das antigas despensas.

– Ela chegou! Aprume-se, Perkins!

No pequeno recinto iluminado por uma só vela, dois homens se levantaram, em posição de sentido. Os dois estavam vestidos como camponeses franceses, com roupas que não lhes serviam muito bem.

– Capitão Ed Perkins, senhorita – disse o maior dos homens. – E esse imbecil aqui é Ian Trufford, ou coisa parecida. Ele é galês, eu sou ianque. Nós dois estamos muito felizes em vê-la. Já estávamos ficando meio loucos nesse quartinho.

– Só meio loucos? – perguntou ela. A água que pingava de seu casaco com capuz formou uma poça ao redor de seus pés. Não havia nada que desejasse mais do que entrar no saco de dormir e descansar, mas tinha negócios a tratar antes.

– Perkins, você disse.

– Sim, senhorita.

– De onde?

– Bend, Oregon. Meu pai é encanador e minha mãe faz a melhor torta de maçã dos quatro condados.

– Como é o clima em Bend nessa época do ano?

– Estamos no meio de março? Frio, imagino. Já parou de nevar, mas ainda não vemos o sol.

Isabelle mexeu a cabeça de um lado para outro, massageando a dor que sentia nos ombros. O preço de pedalar tanto e dormir no chão.

Interrogou os dois homens até ter certeza de que eram quem diziam ser – dois aviadores abatidos que havia semanas esperavam a chance de saírem da França. Quando afinal se convenceu, abriu a mochila e tirou o que se poderia chamar de jantar. Os três se acomodaram em um tapete surrado e roído por ratos, com uma vela acesa no meio. Pegou uma baguete, uma porção de camembert e uma garrafa de vinho, que eles passaram de mão em mão.

O ianque – Perkins – quase não parava de falar, enquanto o galês mastigava em silêncio, recusando o vinho quando ela ofereceu.

– Você deve ter um marido preocupado em algum lugar – disse Perkins quando ela fechou a mochila. Isabelle sorriu. Aquela já tinha se tornado uma insinuação comum, em especial quando havia homens da idade dela.

– E você deve ter uma esposa esperando notícias – disse. Era o que sempre respondia. Uma observação velada.

– Não – respondeu Perkins. – Eu não. Um tipo como eu não tem uma fila de namoradas esperando. E agora...

Isabelle franziu o cenho.

– Agora o quê?

– Acho que não é muito heroico pensar nisso agora, mas posso sair dessa casa lacrada, nessa cidade que nem sei pronunciar o nome e tomar um tiro de um sujeito contra o qual não tenho nada. Posso morrer tentando atravessar essas colinas de bicicleta...

– Montanhas.

– Posso tomar um tiro de um espanhol ou de um nazista tentando entrar na Espanha. Que inferno, posso até morrer congelado nas suas malditas colinas.

– Montanhas – repetiu Isabelle, olhando direto para ele. – Mas isso não vai acontecer.

Ian deu um suspiro alto.

– Está vendo só, Perkins? Essa garotinha vai nos salvar. – O galês deu um sorriso cansado para ela. – Fico contente que esteja aqui, moça. Esse cara está me enchendo com essa conversa fiada.

– É melhor deixar ele falar, Ian. Amanhã a essa hora vocês vão precisar de todas as forças para respirar.

– Nas colinas? – perguntou Perkins, os olhos arregalados.

– *Oui* – respondeu Isabelle, sorrindo. – Nas colinas.

Americanos. Eles não aprendiam nada.

No final de maio, a primavera trouxe de novo a vida, a cor e o calor ao vale do Loire. Vianne desfrutava momentos de paz em sua horta. Hoje, enquanto arrancava ervas e plantava legumes, uma caravana de caminhões, soldados e Mercedes-Benz passaram por Le Jardin. Nos cinco meses desde que os Estados Unidos tinham entrado na guerra, os nazistas haviam perdido toda a pretensão de delicadezas. Agora pareciam sempre ocupados, marchando, reagrupando e se reunindo no depósito de munição. A Gestapo estava por toda parte, procurando sabotadores e membros da Resistência. Não precisava de muita coisa para ser chamado de terrorista – bastava um boato acusatório. O rugido de aviões no céu era quase constante, assim com os bombardeios.

Quantas vezes nessa primavera alguém tinha se aproximado de Vianne na fila para comprar comida, andando pela cidade ou esperando no correio para perguntar sobre as últimas notícias da BBC?

Eu não tenho rádio. É proibido ter rádio, era sempre a sua resposta e era verdade. Mesmo assim, cada vez que alguém fazia essa pergunta ela sentia um arrepio de medo. Eles tinham aprendido uma nova palavra: *les collabos*. Os colaboracionistas. Homens e mulheres franceses que faziam o trabalho sujo dos nazistas, que espionavam amigos e vizinhos e delatavam ao inimigo qualquer infração, real ou imaginada. Com a palavra dessa gente, pessoas começaram a ser presas por pequenas coisas e muitas que foram levadas ao gabinete do Kommandant nunca mais foram vistas.

– Madame Mauriac! – Sarah entrou correndo pelo portão quebrado. Parecia fraca e muito magra, a pele tão pálida que mostrava os vasos sanguíneos. – Você precisa ajudar minha mãe.

Vianne se sentou nos calcanhares e empurrou o chapéu de palha de volta em sua cabeça.

– O que foi? Ela soube alguma coisa de Marc?

– Não sei o que aconteceu, madame. Mamãe não quer falar nada. Quando disse que Ari estava com fome e precisava trocar a fralda, ela deu de ombros e disse "Que diferença faz?". Ela está no quintal, parada, olhando para o trabalho de costura no colo.

Vianne levantou-se e tirou as luvas de jardinagem, guardando-as no bolso do macacão de brim.

– Eu vou falar com ela. Chame Sophie e vamos até lá.

Enquanto Sarah entrava na casa, Vianne lavou as mãos e o rosto na torneira ao lado da porta e tirou o chapéu, amarrando uma tira de pano na cabeça. Assim que as garotas chegaram, guardou as ferramentas no barracão e as três foram até a casa vizinha.

Quando abriu a porta, Vianne viu Ari, já com 3 anos, dormindo sobre o tapete. Pegou-o nos braços, beijou sua bochecha e virou-se para as meninas:

– Por que vocês não vão brincar no quarto de Sarah? – Quando levantou a cortina de blecaute, viu Rachel sentada sozinha no quintal.

– Mamãe está bem? – perguntou Sarah.

Vianne aquiesceu distraidamente.

– Vão logo. – Assim que as meninas entraram no quarto, ela levou Ari ao quarto de Rachel e acomodou-o no berço. Não se preocupou em cobri-lo em um dia quente como aquele.

Lá fora, Rachel estava em sua cadeira de madeira favorita, embaixo da nogueira, com o cesto de costura aos pés. Usava um macacão de sarja cáqui e um turbante estampado. Fumava um pequeno cigarro marrom enrolado à mão. Ao lado via-se uma garrafa de conhaque e um copo de café vazio.

– Rach?

– Vejo que Sarah foi buscar reforços.

Vianne acomodou-se ao lado dela. Pôs a mão no ombro da amiga. Sentiu que Rachel tremia.

– Alguma coisa com Marc?

Ela abanou a cabeça.

– Graças a Deus.

Rachel pegou a garrafa de conhaque ao lado, despejou uma dose no copo. Bebeu com avidez, esvaziando-o.

– Eles passaram um novo estatuto – falou afinal. Lentamente, abriu a mão esquerda para mostrar pedaços amassados de um tecido amarelo cortado no formato de uma estrela, onde se lia a palavra JUIF em preto. – Vamos precisar usar essas coisas – disse Rachel. – Temos que costurar nas nossas roupas... nas três peças de vestuário que nos permitem, sempre que estivermos em público. E ainda tive que *comprar* essas coisas com meus cartões de racionamento. Talvez eu não devesse ter me registrado. E se não usarmos, estamos sujeitos a "severas sanções". Seja lá o que isso significar.

Vianne sentou-se na cadeira ao lado dela.

– Mas...

– Você viu os cartazes na cidade, como eles mostram os judeus como vermes a serem esmagados, ávidos por dinheiro, querendo se apossar de tudo? Eu consigo aguentar... mas e Sarah? Ela vai se sentir *tão* envergonhada... já é difícil ter 11 anos sem isso, Vianne.

– Não obedeça a essa ordem.

– Quem for apanhado sem essa estrela será preso imediatamente. E eles sabem sobre mim. Eu me registrei. E tem... Beck. Ele sabe que sou judia.

No silêncio que se seguiu, Vianne sabia que as duas estavam pensando nas prisões ocorridas em Carriveau, nas pessoas que andavam "desaparecendo".

– Você poderia se mudar para a Zona Livre – disse Vianne em voz baixa. – São só 6 quilômetros de distância.

– Os judeus não podem obter um *Ausweis*, e se eu for apanhada...

Vianne concordou com a cabeça. Era verdade, fugir era perigoso, ainda mais com as crianças. Se fosse apanhada atravessando a fronteira sem um *Ausweis*, Rachel seria presa. Ou executada.

– Estou com medo – disse Rachel.

Vianne pegou na mão da amiga. As duas se olharam. Vianne tentou encontrar algo a dizer, oferecer um pouco de esperança, mas não havia nada a ser dito.

– Isso vai ficar pior.

Vianne estava pensando na mesma coisa.

– Mamãe?

Sarah chegou ao quintal, segurando a mão de Sophie. As meninas pareciam assustadas e confusas. Sabiam como as coisas andavam perigosas naqueles dias e já tinham tomado conhecimento de outro tipo de medo. Partia o coração de Vianne ver quanto aquelas duas garotas já tinham mudado com a guerra. Apenas três anos atrás, eram crianças normais, que riam, brincavam e desafiavam as mães para se divertir. Agora andavam pisando em ovos, como se houvesse bombas enterradas sob seus pés. Ambas estavam magras, com a puberdade atrasada pela má nutrição. O cabelo escuro de Sarah continuava comprido, mas ela começara a arrancar os cabelos durante o sono, abrindo falhas aqui e ali, e Sophie nunca ia a parte alguma sem Bebê. O pobre animal já começara a espalhar seu recheio de macela pela casa.

– Venham aqui vocês duas – disse Rachel.

As garotas se aproximaram de mãos dadas, tão juntas que pareciam fundidas uma na outra. E de certa forma estavam, assim como Rachel e Vianne, unidas por uma amizade tão forte que talvez fosse só o que restara em que acreditar. Sarah sentou-se em uma cadeira perto de Rachel e Sophie finalmente largou da mão da amiga e veio ficar perto de Vianne.

Rachel olhou para Vianne. Naquele simples olhar, a tristeza fluiu entre as duas. Como poderiam explicar uma coisa como aquela para as filhas?

– Estas estrelas amarelas – começou Rachel, abrindo a mão, mostrando a feia florzinha de tecido roto e letras pretas. – Nós precisamos usar isso nas nossas roupas o tempo todo agora.

Sarah franziu o cenho.

– Mas... por quê?

– Porque somos judias – disse Rachel. – E nos orgulhamos disso. Você não pode se esquecer do quanto nos orgulhamos disso, mesmo se as pessoas...

– Se os nazistas – atalhou Vianne, em tom mais alto do que pretendia.

– Mesmo se os nazistas... quiserem que a gente se sinta mal a esse respeito – acrescentou Rachel.

– As pessoas não vão rir de mim? – perguntou Sarah, abrindo mais os olhos.

– Eu também vou usar uma – disse Sophie.

Sarah pareceu comovida e feliz com aquilo.

Vianne pegou a mão da filha e ficou segurando-a.

– Não, querida. Isso é uma coisa que você não pode fazer junto com a sua melhor amiga.

Vianne viu o medo, a vergonha e a confusão de Sarah. Tentando fazer o máximo para ser uma garota bem-comportada, sorrir e ser forte mesmo com lágrimas nos olhos.

– *Oui* – concordou ela afinal.

Foi o som mais triste que Vianne tinha ouvido em quase três anos de tristezas.

VINTE E UM

Quando o verão chegou ao vale do Loire, foi quase tão intenso quanto fora o inverno. Vianne abriu a cortina da janela do quarto para arejar, mas nenhuma brisa soprava naquela noite quente de junho. Afastou o cabelo úmido do rosto e desabou na cadeira ao lado da cama.

Sophie soltou um pequeno resmungo. Vianne reconheceu o abafado "mamãe" e molhou um pedaço de pano na bacia de água que pusera sobre a última mesinha de cabeceira que restava. A água estava morna, como tudo o mais no quarto. Torceu o pano na bacia, deixou o excesso de água escorrer e pôs o pano úmido na testa da filha.

Sophie murmurou algo incompreensível e começou a se agitar.

Vianne a acalmou, murmurando palavras de carinho em seu ouvido, sentindo o calor dela nos lábios.

– Sophie – disse, como se o nome fosse uma prece sem começo nem fim. – Eu estou aqui. – Repetiu isso muitas vezes, até Sophie se acalmar.

A febre estava aumentando. Havia dias Sophie estava adoentada, com dores e indisposta. De início Vianne pensou que fosse uma desculpa para escapar de sua parcela de responsabilidade. Cuidar do jardim, lavar a roupa, envasar conservas, costurar. Vianne estava sempre querendo fazer mais, concluir novas tarefas. Mesmo agora, no meio do verão, já se preocupava com o próximo inverno.

No entanto, aquela manhã havia revelado a verdade a Vianne (fazendo-a se sentir uma mãe terrível por não ter notado logo no começo). Sophie estava doente, muito doente. Fora fustigada pela febre o dia todo e a temperatura estava subindo. Não conseguia segurar nada que comia, nem mesmo a água de que seu corpo tão desesperadamente precisava.

– Que tal uma limonada? – perguntou Vianne.

Não houve resposta.

Vianne se debruçou e beijou o rosto quente da filha.

Deixou o pano molhado na bacia de água e foi para o andar de baixo. Na mesa da sala de jantar, uma caixa esperava para ser preenchida – a mais recente encomenda que mandaria para Antoine. Tinha começado no dia anterior e já teria terminado e a enviado se Sophie não tivesse piorado.

Estava quase na cozinha quando ouviu o grito da filha.

Vianne subiu a escada correndo.

– Mamãe – grasnou Sophie, tossindo. Era um som rascante, terrível. Agitava-se na cama, empurrando as cobertas, tentando se libertar. Vianne tentou acalmar a filha, mas Sophie era uma gata selvagem, se contorcendo, gritando e tossindo.

Se ao menos ela ainda tivesse algum láudano do Dr. Collis Browne. Funcionava como magia contra a tosse, mas não restava mais nada.

– Está tudo bem, Soph. Mamãe está aqui – disse Vianne para acalmá-la, mas sem resultado.

Beck apareceu ao lado dela. Sabia que deveria ficar zangada por ele estar ali – *ali*, no quarto dela –, mas estava cansada e preocupada demais para mentir para si mesma.

– Não sei o que fazer com ela. Não se pode comprar aspirina em lugar nenhum da cidade, a preço nenhum.

– Nem mesmo em troca de pérolas?

Ela olhou para Beck, surpresa.

– O senhor sabe que eu vendi as pérolas de mamãe?

– Eu moro com a senhora. – Fez uma pausa. – É da minha conta saber o que está fazendo.

Vianne não soube o que dizer a respeito.

Beck olhou para Sophie.

– Ela tossiu a noite toda. Eu ouvi.

Sophie estava imóvel, de forma preocupante.

– Ela vai melhorar.

Beck enfiou a mão no bolso e tirou um pequeno frasco.

– Tome. Acredito que isto vá ajudar.

Vianne olhou para ele. Seria um exagero dizer que estava salvando a vida da filha dela? Ou será que ele *queria* que ela pensasse isso? Vianne podia racionalizar sobre o significado de aceitar comida dele – afinal, ele precisava comer e fazia parte do trabalho dela preparar suas refeições.

Aquilo era um favor, pura e simplesmente, e haveria um preço a se pagar.

– Pode ficar – disse ele com delicadeza.

Vianne pegou o frasco da mão dele. Por um segundo, os dois ficaram segurando o frasco. Ela sentiu os dedos dele roçando nos dela.

Seus olhares se encontraram e alguma coisa se passou entre os dois, uma pergunta foi formulada e respondida.

– Obrigada – disse ela.

– Não há de quê.

– Senhor, o Rouxinol está aqui.

O cônsul britânico anuiu.

– Mande entrar.

Isabelle entrou no escritório escuro, forrado de mogno, no final do sofisticado corredor. Antes mesmo de se aproximar da mesa, o homem se levantou.

– É um prazer revê-la.

Isabelle afundou na desconfortável poltrona de couro e aceitou o cálice de conhaque que ele ofereceu. Essa última travessia dos Pireneus tinha sido difícil, mesmo no clima perfeito de julho. Um dos aviadores americanos tivera dificuldade em seguir as ordens de "uma garota" e preferiu ir embora por conta própria. Ficaram sabendo que havia sido preso pelos espanhóis.

– Ianques – disse Isabelle, abanando a cabeça. Não havia mais nada a dizer. Ela e seu contato Ian, codinome Terça-feira, tinham trabalhado desde o começo na rota de fuga do Rouxinol. Com a ajuda da rede de Paul, eles estabeleceram uma série de esconderijos pela França, bem como um grupo de guerrilheiros prontos a dar a vida a fim de ajudar os aviadores abatidos a voltar para casa. Homens e mulheres franceses escrutinavam os céus à noite à procura de aviões com problemas e paraquedas descendo. Vasculhavam as ruas, examinando becos, revistando celeiros em busca de Aliados escondidos. Quando retornassem à Inglaterra, os pilotos não poderiam voltar a cumprir missões – por conhecerem o trabalho da rede –, mas preparavam seus colegas para o pior, ensinando técnicas de evasão, informando como encontrar ajuda e fornecendo cédulas de francos, bússolas e fotos já preparadas para documentos falsos.

Isabelle bebericou o conhaque. A experiência a ensinara a ser cuidadosa com o álcool depois de fazer a travessia. Geralmente estava mais desidratada do que supunha, em especial no calor do verão.

Ian empurrou um envelope para ela. Isabelle pegou-o, contou as notas de francos e guardou o dinheiro no bolso do casaco.

– Você nos trouxe oitenta e sete aviadores nos últimos oito meses, Isabelle – disse ele, voltando a se sentar. Só naquela sala, pessoalmente, ele usava o verdadeiro nome dela. Em toda a correspondência oficial com o MI9, ela era o Rouxinol. Para os outros funcionários do consulado e na Inglaterra, ela era Juliette Gervaise. – Acho que devia ir mais devagar.

– Ir mais devagar?

– Os alemães estão procurando o Rouxinol, Isabelle.

– Isso é notícia velha, Ian.

– Estão tentando se infiltrar na sua rota de fuga. Já há

nazistas se fingindo de aviadores abatidos. Se você encontrar um deles...

– Nós tomamos cuidado, Ian. Você sabe disso. Eu interrogo todos pessoalmente. E a rede de Paris é incansável.

– Eles estão procurando o Rouxinol. Se encontrarem você...

– Não vão encontrar. – Isabelle se levantou.

Ian também se levantou, olhando para ela.

– Tenha cuidado, Isabelle.

– Sempre.

Ian contornou a mesa, pegou Isabelle pelo braço e conduziu-a para fora do prédio.

Isabelle ficou algum tempo apreciando a beleza da praia de San Sebastián, andando pelo caminho do quebra-mar e apreciando as construções que não ostentavam suásticas. No entanto, aqueles momentos de relance na vida normal eram um luxo ao qual ela não podia se permitir por muito tempo. Mandou uma mensagem a Paul via um *courier* dizendo:

Querido tio,
Espero que esta carta o encontre bem de saúde.
Estou no seu lugar favorito à beira-mar.
Nossos amigos chegaram em segurança.
Amanhã vou visitar vovó em Paris às três horas.
Amor para sempre,
Juliette

Voltou a Paris por um trajeto tortuoso, parando em todos os esconderijos – em Carriveau e Brantôme, em Pau e Poitiers –, pagando os que a ajudaram. Alimentar e vestir os aviadores resgatados não era tarefa fácil e, como todos os homens, mulheres e crianças (na maioria mulheres) que mantinham a rota de fuga faziam isso arriscando suas vidas, a rede lutava para evitar a ruína financeira.

Sempre que andava pelas ruas de Carriveau (disfarçada com capa e capuz), Isabelle pensava na irmã. Ultimamente, começara a sentir saudade de Vianne e Sophie. Eram acalentadoras as lembranças das noites jogando belote ou damas perto da lareira, Vianne ensinando Isabelle a tricotar (ou tentando) e o som das risadas de Sophie. Às vezes imaginava que a irmã tinha lhe oferecido uma possibilidade que ela não percebera na ocasião: um lar.

Mas agora era tarde demais. Isabelle não podia arriscar pôr Vianne em perigo aparecendo em Le Jardin. Com certeza Beck perguntaria o que andava fazendo em Paris por tanto tempo. Talvez desconfiasse de algo a ponto de tentar investigar.

Em Paris, ela desceu do trem em meio a uma multidão de olhos baços e roupas escuras que pareciam ter saído de um quadro de Edvard Munch. Ao passar pelo cintilante domo dourado do *Invalides*, uma neblina fina começava a cobrir as ruas, apagando as cores das árvores. A maioria das cafeterias estava fechada, as mesas e cadeiras, empilhadas embaixo dos toldos esfarrapados. Do outro lado da rua ficava o apartamento que ela chamara de casa no último mês, um pequeno sótão esquálido e solitário em cima de uma mercearia abandonada. As paredes ainda recendiam vagamente a carne de porco e especiarias.

Ouviu alguém gritar *Halt!*. Apitos soaram; pessoas gritaram. Vários soldados da Wehrmacht, acompanhados de policiais franceses, rodearam um grupo de pessoas, que imediatamente caíram de joelhos e levantaram os braços. Isabelle viu que usavam estrelas amarelas no peito.

Diminuiu o passo.

Anouk apareceu a seu lado, pegando-a pelo braço.

– *Bonjour* – falou com a voz tão animada que alertou Isabelle para o fato de que estavam sendo observadas. Ou ao menos era o que Anouk achava.

– Do jeito que aparece e desaparece, você lembra um desses personagens de histórias em quadrinhos americanas. O Sombra, talvez.

Anouk sorriu.

– E como foram as últimas férias nas montanhas?

– Nada especiais.

Anouk chegou mais perto.

– Ficamos sabendo de alguma coisa sendo planejada. Os alemães estão recrutando mulheres para trabalhar como escriturárias no domingo à noite. Pagamento em dobro. Tudo muito secreto.

Isabelle tirou o envelope cheio de notas de francos do bolso e entregou a Anouk, que o guardou na bolsa já aberta.

– Trabalho noturno? De escriturária?

– Paul conseguiu um lugar pra você – continuou Anouk. – Você começa às nove. Quando terminar, vá ao apartamento do seu pai. Ele vai estar esperando.

– *Oui.*

– Pode ser perigoso.

Isabelle deu de ombros.

– E o que não é?

🐦

Naquela noite, Isabelle foi até a chefatura da polícia. Havia um murmúrio sob seus pés, ouviu o som de veículos se locomovendo ali perto. Muitos veículos.

– Você aí!

Isabelle parou. Sorriu.

Um alemão se aproximou, o fuzil de prontidão. Seu olhar baixou para o peito dela, procurando uma estrela amarela.

– Eu vim aqui para trabalhar esta noite – disse Isabelle, indicando o prédio da chefatura de polícia à sua frente. Embora as janelas estivessem acortinadas, o lugar estava cheio de gente. Havia oficiais da Wehrmacht alemã e gendarmes franceses por toda parte, entrando e saindo do prédio, o que era uma raridade àquela hora da noite. No pátio, havia uma longa fila de ônibus estacionados de ponta a ponta. Os motoristas se juntavam em grupos, fumando e conversando.

O policial fez um sinal de cabeça.

– Pode ir.

Isabelle fechou a gola do casaco marrom. Embora fizesse calor, não queria chamar atenção de ninguém aquela noite. Uma das maneiras mais eficientes de desaparecer em plena vista era se vestir como uma beata – marrom, marrom e mais marrom. Tinha coberto os cabelos loiros com um lenço preto, amarrado como um turbante com um grande nó na frente, e não usava nada de maquiagem, nem batom.

Manteve a cabeça baixa quando passou por um aglomerado de homens com uniformes da polícia francesa. Parou assim que entrou no prédio.

O espaço era amplo, com escadas dos dois lados e escritórios enfileirados, mas hoje parecia uma linha de montagem, com centenas de mulheres sentadas em mesas encostadas umas às outras. O telefone não parava de tocar e policiais franceses corriam de um lado para o outro.

– Você veio ajudar com a seleção? – perguntou um entediado gendarme francês em uma mesa perto da porta.

– *Oui*.

– Vou encontrar um lugar para você. Venha comigo. – Ele a levou pela sala, contornando as mesas.

As mesas estavam tão próximas umas das outras que Isabelle teve de se virar de lado para passar pelo estreito corredor e chegar à mesa vazia que ele indicou. Quando se sentou, seus cotovelos roçaram nos de mulheres ao seu lado. O tampo da mesa estava coberto de caixas de papelão.

Abriu a primeira caixa e viu uma pilha de cartões dentro. Tirou o primeiro e o leu.

STERNHOLZ, ISSAC
12 Avenue Rast
4ème arrondissement
Sapateiro

Continuava com os nomes da mulher e dos filhos.

– Você precisa separar os judeus nascidos no exterior – disse o gendarme, que ela nem tinha percebido que a seguira.

– Como? – perguntou, pegando outro cartão. Dessa vez o nome era "Berr, Simone".

– Naquela caixa vazia ali. Separe os judeus nascidos na França dos que vêm de outros países. Só estamos interessados em judeus estrangeiros. Homens, mulheres e crianças.

– Por quê?

– Eles são judeus. Quem se importa? Agora pode começar a trabalhar.

Isabelle olhou ao redor. Havia centenas de cartões à sua frente e pelo menos cem mulheres naquela sala. A própria escala de operação já era impossível de compreender. O que aquilo podia significar?

– Há quanto tempo está aqui? – perguntou à mulher ao lado.

– Dias – respondeu ela, abrindo outra caixa. – Pela primeira vez em meses, meus filhos não dormiram com fome ontem à noite.

– O que estamos fazendo?

A mulher deu de ombros.

– Ouvi alguém falar alguma coisa sobre Operação Vento da Primavera.

– E o que significa isso?

– Não quero saber.

Isabelle remexeu nos cartões da caixa. Um perto do fundo chamou sua atenção.

LÉVY, PAUL
61 Rue Blandine, Apt. C
7ème arrondissement
Professor de literatura

Levantou da cadeira tão depressa que esbarrou na mulher ao lado, que praguejou por causa da interrupção. Os cartões da mesa dela deslizaram para o chão em uma cascata. Isabelle se ajoelhou imediatamente para recolhê-los, reunindo coragem para esconder o cartão de monsieur Lévy na manga.

No momento em que se levantou, alguém a agarrou pelo braço e a arrastou pelo estreito corredor. Foi esbarrando em mulheres até o final da passagem.

Quando chegou a um espaço vazio, foi empurrada com tanta força que se chocou com a parede.

– O que está fazendo? – perguntou o policial francês, apertando seu braço com força o bastante para deixar um hematoma.

Será que ele conseguia sentir o cartão embaixo da manga?

– Desculpe. Mil perdões. Eu preciso trabalhar, mas estou doente, sabe? Gripada. – Tossiu o mais alto que conseguiu.

Isabelle passou pelo homem e saiu do prédio. Já lá fora, continuou tossindo até chegar à esquina. De lá, começou a correr.

🐦

– O que isso pode significar?

Isabelle espiou pela cortina preta do apartamento, observando a avenida. O pai estava na sala de jantar, nervoso, tamborilando o tampo da mesa com os dedos manchados de tinta. Era bom estar ali outra vez – com ele – depois de meses fora, mas ela se sentia agitada e nervosa demais para desfrutar a sensação de estar em casa.

– Você deve estar enganada, Isabelle – disse o pai, no segundo conhaque desde que ela chegara. – Você disse que eram dezenas de milhares de cartões. Seriam todos os judeus de Paris. Com certeza eles...

– A questão é o que isso significa, papai, não os fatos – respondeu ela. – Os alemães estão reunindo nomes e endereços de todos os judeus estrangeiros de Paris. Homens, mulheres e crianças.

– Mas por quê? Paul Lévy é de origem polonesa, é verdade, mas já mora aqui há décadas. Lutou pela França na Grande Guerra... o irmão morreu pela França. O governo de Vichy nos garantiu que os veteranos seriam protegidos dos nazistas.

– Eles também pediram uma lista de nomes para Vianne – disse Isabelle. – Ela teve de escrever o nome de todas as professoras judias, comunistas e maçons da escola. Logo depois, todas foram demitidas.

– Mas eles só podem ser demitidos uma vez. – Terminou o drinque e serviu-se de mais uma dose. – E é a polícia francesa que está recolhendo os nomes. Se fossem os alemães, seria diferente.

Isabelle não tinha uma resposta para aquilo. Os dois estavam naquela mesma conversa havia pelo menos três horas.

Agora já passava de duas da manhã e nenhum deles conseguira chegar a alguma razão viável que explicasse por que o governo de Vichy e a polícia francesa estavam recolhendo nomes e endereços de todos os judeus nascidos no exterior que moravam em Paris.

Isabelle viu um lampejo prateado lá fora. Levantando um pouco a persiana, olhou para a rua escura.

Uma fileira de ônibus passava pela avenida, os faróis pintados e apagados, parecendo uma vagarosa centopeia se estendendo por vários quarteirões.

Ela já havia visto vários ônibus na porta da chefatura de polícia, dezenas de ônibus estacionados no pátio.

– Papai... – Antes que concluísse a sentença, ouviu o som de passos subindo a escada do prédio.

Uma espécie de panfleto deslizou por baixo da porta.

O pai se levantou da mesa e se abaixou para pegá-lo. Voltou para a mesa e colocou o panfleto sob a luz da vela.

Isabelle ficou a seu lado.

O pai olhou para ela.

– É um aviso. Diz que a polícia vai prender todos os judeus nascidos no exterior para serem deportados para campos de concentração na Alemanha.

– E nós aqui conversando, quando precisávamos fazer alguma coisa – disse Isabelle. – Temos que esconder nossos amigos no prédio.

– Mas isso é pouco – disse o pai.

A mão dele tremia. Fez Isabelle pensar mais uma vez, com mais nitidez, no que ele tinha visto na Grande Guerra, no que ele sabia e que ela não sabia.

– É o que podemos fazer – retrucou Isabelle. – Podemos esconder alguns em segurança. Pelo menos por esta noite. Amanhã devemos ter mais informações.

– Segurança. E onde estaria essa segurança, Isabelle? Se a polícia francesa está fazendo isso, nós estamos perdidos.

Isabelle não teve resposta para aquilo.

Sem dizer mais nada, os dois saíram do apartamento.

Era difícil se movimentar clandestinamente em um prédio antigo como aquele, e o pai dela, andando à sua frente, nunca tivera os pés muito leves. O conhaque o deixava ainda mais instável no trajeto pelo estreito corredor e pela escada circular que levava ao apartamento logo abaixo do deles. Ele tropeçou duas vezes, praguejando. Afinal bateu à porta.

Contou até dez e bateu mais uma vez. Agora com mais força.

A porta se abriu bem devagar, de início só uma fresta, depois por inteiro.

– Ah, Julien, é você – disse Ruth Friedman. Usava um paletó de homem por cima de uma camisola comprida, com os pés descalços aparecendo embaixo. O cabelo estava cheio de bobes e coberto com um lenço.

– Você viu o panfleto?

– Eu recebi um. É verdade? – cochichou ela.

– Não sei – respondeu o pai. – Tem um ônibus aí na

frente e houve uma movimentação de caminhões a noite inteira. Isabelle esteve na chefatura de polícia agora à noite e eles estavam recolhendo nomes e endereços de todos os judeus estrangeiros. Achamos que é melhor você levar seus filhos ao nosso apartamento por enquanto. Nós temos um esconderijo.

– Mas... meu marido é prisioneiro de guerra. O governo de Vichy prometeu que seríamos protegidos.

– Não sei bem se podemos confiar no governo de Vichy, madame – interveio Isabelle. – Por favor. Por enquanto, é melhor só se esconder.

Ruth ficou ali parada algum tempo, os olhos arregalados. A estrela amarela em seu casaco era um lembrete sombrio da maneira como o mundo tinha mudado. Isabelle viu quando a mulher tomou a decisão. Deu meia-volta e entrou na sala. Menos de um minuto depois, voltou com as duas filhas para a porta.

– O que devemos levar?

– Nada – respondeu Isabelle. Guiou os Friedmans escada acima. Quando chegaram ao apartamento, o pai as levou para o local secreto no quarto dos fundos e fechou a porta.

– Vou pegar os Vizniaks – disse Isabelle. – Não ponha o armário no lugar ainda.

– Eles moram no terceiro andar, Isabelle. Você não vai conseguir...

– Tranque a porta de entrada quando eu sair. Não abra se não ouvir minha voz.

– Não, Isabelle...

Mas ela já tinha saído, correndo escada abaixo, mal se apoiando no corrimão com a pressa. Quando estava quase chegando ao terceiro andar, ouviu vozes lá embaixo.

Eles estavam subindo a escada.

Era tarde demais. Encolheu-se onde estava, escondida atrás do fosso do elevador.

Dois policiais franceses chegaram ao andar. O mais jovem

dos dois bateu à porta dos Vizniaks, esperou alguns segundos e abriu-a a pontapés. Uma mulher gritou lá dentro.

Isabelle se encolheu ainda mais, escutando.

– ... madame Vizniak? – disse o policial à esquerda. – Seu marido é Emile e seus filhos são Anton e Hélène?

Isabelle espiou pela curva do patamar.

Madame Vizniak era uma mulher muito bonita, com a pele cor de creme e uma basta cabeleira que nunca se viu tão despenteada como naquele momento. Usava uma camisola de seda rendada que devia ter custado uma fortuna quando foi comprada. O filho e a filha pequenos, com quem ela estava abraçada, estavam de olhos arregalados.

– Faça suas malas. Só as coisas necessárias. Vocês vão ser realocados – disse o policial mais velho enquanto conferia uma lista de nomes.

– Mas... meu marido está numa prisão perto de Pithiviers. Como ele vai nos achar?

– Depois da guerra, a senhora volta.

– Oh. – Madame Vizniak franziu o cenho, passou a mão nos cabelos desgrenhados.

– Seus filhos são cidadãos nascidos na França – disse o policial. – A senhora pode deixá-los aqui. Eles não estão na minha lista.

Isabelle não conseguiu continuar escondida. Levantou e desceu a escada até o apartamento.

– Eu fico com eles para você, Lily – disse, tentando soar calma.

– Não! – disseram as crianças em uníssono, agarradas à mãe.

Os policiais franceses viraram-se para ela.

– Qual é o seu nome? – perguntou um deles.

Isabelle gelou. Que nome deveria dar?

– Rossignol – respondeu afinal, ainda que fosse uma escolha perigosa, sem os documentos correspondentes. Mesmo assim, Gervaise poderia fazer com que matutassem sobre o que ela estava fazendo naquele prédio às três horas da manhã, metendo o bedelho nos assuntos da vizinha.

O policial consultou sua lista e fez um sinal dispensando-a.

– Pode ir. Não tenho assuntos a tratar com a senhora hoje.

Isabelle dirigiu o olhar para Lily Vizniak.

– Eu fico com as crianças, madame.

Lily parecia não estar entendendo.

– Você acha que vou deixar os meus filhos para trás?

– Acho que...

– Já chega – gritou o outro policial, batendo a coronha do fuzil no piso. – Saia daqui – ordenou a Isabelle. – Isso não é da sua conta.

– Por favor, madame – insistiu Isabelle. – Fique tranquila, vou garantir que eles fiquem em segurança.

– Segurança? – Lily franziu o cenho. – Mas estamos seguros com a polícia francesa. Nós temos garantias. E uma mãe não pode deixar os filhos assim. Um dia você vai entender. – Voltou a atenção para as crianças. – Peguem umas poucas coisas.

O policial francês ao lado de Isabelle tocou no braço dela com delicadeza. Quando ela se virou, o homem disse:

– Saia daqui. – Isabelle percebeu o alerta nos olhos dele, mas não soube dizer se ele queria assustá-la ou protegê-la. – Já.

Isabelle não tinha escolha. Se ficasse, teria de responder perguntas e, cedo ou tarde, seu nome seria passado para a chefatura de polícia – talvez até mesmo para os alemães. Com o que ela e a rede estavam fazendo com a rota de fuga e com o que o pai fazia com os documentos falsos, ela não se atrevia a chamar atenção. Nem mesmo para algo tão irrelevante quanto querer saber para onde a vizinha estava sendo levada.

Em silêncio, mantendo os olhos no chão (não confiava em si mesma se olhasse para eles), passou pelos policiais e tomou a direção da escada.

VINTE E DOIS

Quando retornou do apartamento dos Vizniaks, Isabelle acendeu um lampião e entrou na sala, onde encontrou o pai dormindo na mesa de jantar, a cabeça apoiada na madeira dura, como se tivesse morrido. A seu lado, viu uma garrafa de conhaque que até pouco tempo atrás estivera cheia, mas que agora se encontrava pela metade. Isabelle guardou-a no armário, na esperança de que o pai não pensasse nela se não a visse na manhã seguinte.

Quase se aproximou dele, quase tocou nos cabelos grisalhos que cobriam seu rosto, em uma pequena calva oval revelada por aquela posição. Queria ser capaz de tocá-lo de um jeito que conseguisse expressar um pouco de consolo, de amor, de companheirismo.

Em vez disso, acabou indo à cozinha, onde preparou um bule de café amargo e escuro feito de frutos de carvalho e encontrou uma pequena bisnaga de pão cinzento e sem gosto, que era só o que os parisienses conseguiam comprar agora. Partiu um pedaço com a mão e mastigou devagar (o que madame Dufour diria disso? Comer e andar ao mesmo tempo...).

– Esse café tem cheiro de merda – comentou o pai, de olhos vermelhos, levantando a cabeça quando ela entrou na sala.

Isabelle passou a xícara para ele.

– O gosto é pior ainda.

Serviu outro café para si mesma e sentou-se ao lado do pai. A luz do lampião acentuava as marcas do rosto dele, aprofundando as rugas e cavidades, fazendo as papadas dos olhos parecerem inchadas e feitas de cera.

Esperou o pai dizer alguma coisa, mas ele apenas ficou olhando para ela. Isabelle tomou o resto do café sob seu olhar atento (era necessário, para engolir o pão seco e terrível) e afastou a xícara vazia. Ficou ali até o pai adormecer outra vez e foi para o quarto. Mas não conseguiu dormir de jeito nenhum. Ficou deitada horas na cama, pensativa e preocupada. Finalmente, não aguentou mais. Levantou-se e voltou ao salão.

– Vou sair para ver o que está acontecendo – anunciou.

– Não faça isso – replicou o pai, ainda à mesa.

– Não vou fazer nenhuma besteira.

Voltou para o quarto e trocou de roupa, vestindo uma saia mais curta e azul e uma blusa branca de manga curta. Cobriu o cabelo despenteado com um lenço desbotado de seda azul, amarrou as pontas embaixo do queixo e saiu do apartamento.

No terceiro andar, percebeu que a porta do apartamento dos Vizniaks estava aberta. Espiou lá dentro.

A sala havia sido saqueada. Só restaram os móveis maiores e as gavetas da cômoda *bombé* preta estavam abertas. Roupas e bugigangas baratas espalhavam-se pelo chão. Marcas retangulares nas paredes indicavam obras de arte que tinham sido retiradas.

Isabelle saiu e fechou a porta. No saguão, parou somente para se arrumar e então abriu a porta.

Ônibus passavam pela rua, uns atrás dos outros. Pelas janelas sujas deles, viu dezenas de rostos de crianças com o nariz encostado no vidro e as mães sentadas ao lado. As calçadas estavam curiosamente vazias.

Isabelle viu um policial francês de pé na esquina e foi até ele.

– Para onde eles estão indo?

– Para o Vélodrome d'Hiver.

– O estádio de esportes? Por quê?

– Você não tem nada a ver com isso. Saia daqui antes que eu a ponha num ônibus e você acabe como eles.

– Talvez eu faça mesmo isso. Talvez...

O policial chegou mais perto e sussurrou:

– Fora. – Agarrou-a pelo braço e a arrastou para o lado da rua. – Nossas ordens são para atirar em quem tentar fugir. Está me ouvindo?

– Você *atiraria* neles? Mulheres e crianças?

O jovem policial fez uma expressão de infelicidade.

– Fora daqui.

Isabelle sabia que deveria ficar ali. Seria a coisa mais inteligente a se fazer. Mas também poderia ir a pé até o Vél d'Hiv e chegar quase ao mesmo tempo que os ônibus. Ficava apenas a uns quarteirões de distância. Talvez soubesse melhor o que estava acontecendo.

Pela primeira vez em meses, as barricadas nas ruas laterais de Paris estavam desguarnecidas. Isabelle desviou-se de uma delas e desceu a rua em direção ao rio, passando por lojas fechadas e cafeterias vazias. Alguns poucos quarteirões à frente, parou sem fôlego em frente ao estádio. Uma interminável fila de ônibus lotados de gente estacionava ao longo da imensa construção, despejando passageiros. Assim que desembarcavam, as portas se fechavam com um chiado e os ônibus partiam de novo; outros chegavam para tomar seus lugares. Viu um mar de estrelas amarelas.

Havia milhares de homens, mulheres e crianças judeus, perplexos e desesperados, sendo conduzidos para o estádio. A maioria usava camadas de roupa – excessivas para o calor de julho. A polícia patrulhava o perímetro, como vaqueiros tocando o gado, soprando apitos, berrando ordens, empurrando os judeus para a frente a fim de dar lugar aos ônibus que chegavam.

Famílias.

Viu um policial bater tão forte em uma mulher com o cassetete que ela caiu de joelhos. Bateu de novo quando estava ajoelhada, tentando se levantar, tateando cegamente em busca do garotinho a seu lado, protegendo-o com o corpo enquanto tentava chegar aos portões do estádio.

Viu um jovem policial francês e lutou para atravessar a multidão e chegar até ele.

– O que está acontecendo? – perguntou.

– Não é da sua conta, mademoiselle. Vá embora.

Isabelle deu uma olhada no grande estádio de ciclismo. Só conseguia ver gente, corpos amontoados, famílias tentando se manter juntas na confusão. A polícia gritava com elas, empurrando-as em direção ao estádio, arrastando mães e filhos quando caíam. Isabelle ouviu crianças chorando. Viu uma mulher grávida de joelhos, balançando para a frente e para trás, segurando a barriga.

– Mas... tem gente demais aqui... – comentou Isabelle.

– Eles logo vão ser deportados.

– Para onde?

O policial deu de ombros.

– Não faço a menor ideia.

– Você deve saber de alguma coisa.

– Campos de trabalho – resmungou ele. – Na Alemanha. É só o que sei.

– Mas... são mulheres e crianças.

O policial deu de ombros mais uma vez.

Isabelle não conseguia compreender. Como os gendarmes franceses estavam fazendo isso com *parisienses*? Com mulheres e crianças?

– Crianças não conseguem fazer trabalho pesado, monsieur. Deve haver milhares de crianças ali e mulheres grávidas. Como...

– Você está vendo alguma patente de oficial no meu uniforme? Acha que arquitetei todo esse plano? Só estou fazendo o que me mandaram. Disseram para que eu prendesse os judeus nascidos no exterior e que morassem em Paris, então eu estou fazendo isso. Eles querem a multidão separada... homens solteiros para Drancy, famílias para Vél d'Hiv. *Voilà!* Feito. Mantenha os fuzis a postos e esteja pronto para atirar. O governo quer que todos os judeus estrangeiros que vivem na França sejam mandados para campos de trabalho e nós estamos começando por aqui.

Todos os judeus da França? Isabelle sentiu o ar escapando de seus pulmões. Operação Vento da Primavera.

– Está dizendo que isso não está acontecendo só em Paris?

– Não. Isso é só o começo.

\(\blacktriangledown\)

Vianne ficou o dia inteiro na fila, naquele opressivo calor do verão, e para quê? Duzentos e cinquenta gramas de queijo ressecado e uma baguete de uma massa horrorosa?

– Podemos comer um pouco de geleia de morango hoje, mamãe? Para disfarçar o gosto do pão?

Quando as duas saíram da loja, Vianne manteve Sophie bem próxima, agarrada ao quadril, como faria com uma criança bem mais nova.

– Talvez só um pouquinho, mas não podemos exagerar. Lembra-se de como o inverno foi terrível? Vem se aproximando outro.

Vianne notou um grupo de soldados vindo na sua direção, os fuzis reluzindo sob a luz do sol. Passaram marchando, seguidos por tanques roncando sobre as ruas de paralelepípedo.

– Está movimentado por aqui hoje – observou Sophie.

Vianne já tinha percebido. A rua estava repleta de policiais franceses; os gendarmes chegavam à cidade em hordas.

Foi um alívio entrar no quintal tranquilo e bem-cuidado de Rachel. Vianne ansiava muito pelas visitas que fazia à amiga. Agora era o único momento em que se sentia ela mesma.

Ao ouvir as batidas de Vianne, Rachel olhou para fora, desconfiada, viu quem era e abriu a porta sorrindo, deixando a luz do sol entrar na casa quase vazia.

– Vianne! Sophie! Entrem, entrem!

– Sophie! – gritou Sarah.

As duas meninas se abraçaram como se não se vissem havia semanas, não dias. Foi difícil a separação das duas enquanto Sophie estava doente. Sarah levou a amiga pela mão até o jardim, onde se sentaram sob uma macieira.

Rachel deixou a porta aberta, para que pudessem ouvir as meninas. Vianne tirou o lenço com estampa floral da cabeça e guardou-o no bolso da saia.

– Eu trouxe uma coisa pra você.

– Não, Vianne. Já falamos sobre isso – replicou Rachel.

Usava um macacão que havia feito de uma velha cortina de chuveiro. Seu cardigã de verão – que já fora branco, mas agora parecia acinzentado por tantas lavagens e muito uso – estava pendurado no encosto de uma cadeira. De onde estava, Vianne podia ver dois pontos que prendiam a estrela amarela no suéter.

Vianne foi até a bancada da cozinha e abriu a gaveta de talheres. Não sobrara quase nada – nos dois anos da ocupação, elas tinham perdido a conta das vezes em que os alemães foram de casa em casa "requisitando" o que precisavam. Quantas vezes os alemães tinham entrado em casas durante a noite, levando o que desejassem? Tudo acabava nos trens que partiam em direção à frente oriental.

Agora, a maioria das gavetas, armários e baús da cidade estava vazia. Tudo o que havia restado para Rachel eram alguns garfos e colheres e uma única faca de pão. Vianne levou a faca para a mesa. Tirou o pão e o queijo de sua cesta, cortou os dois na metade, com todo o cuidado, e voltou a guardar uma das porções. Quando ergueu o olhar, Rachel estava com lágrimas nos olhos.

– Gostaria de dizer para você não nos dar isso. Vocês precisam disso.

– Vocês também.

– Eu devia simplesmente arrancar essa estrela. Ao menos teriam me deixado entrar nas filas, quando ainda havia comida.

As novas restrições eram uma constante para os judeus: não podiam mais ter bicicletas e só podiam acessar locais públicos entre três e quatro da tarde, quando eram autorizados a fazer suas compras. Àquela hora, já não restava mais nada.

Antes de poder responder, Vianne ouviu uma motocicleta passar na estrada. Reconheceu o som e foi até a porta da frente.

Rachel se espremeu para ficar a seu lado no vão da porta.

– O que ele está fazendo aqui?

– Vou ver – respondeu Vianne.

– Eu vou com você.

Vianne passou pelo pomar, viu um pássaro voando sobre a roseira e chegou ao portão. Abriu-o e saiu para a rua, deixando Rachel para trás. O portão emitiu um som parecido com o estalar de um osso.

– Mesdames – saudou Beck, tirando o quepe e encaixando-o na axila. – Desculpe interromper a reunião, mas preciso falar com a senhora, madame Mauriac. – Enfatizou levemente a palavra *senhora*, dando a impressão de que os dois partilhavam segredos.

– Oh. E sobre o que seria, Herr capitão? – perguntou Vianne.

Beck olhou para os dois lados antes de se aproximar um pouco mais.

– Será melhor que madame Champlain não esteja em casa amanhã de manhã – disse em voz baixa.

Vianne achou que talvez ele tivesse traduzido mal o que intencionava dizer.

– Perdão?

– Será melhor que madame Champlain não esteja em casa amanhã de manhã – repetiu ele.

– Meu marido e eu somos proprietários desta casa – disse Rachel. – Por que eu precisaria sair?

– Quem é o proprietário da casa não vai fazer diferença. Não amanhã.

– Mas os meus filhos... – começou Rachel.

Finalmente Beck olhou para Rachel.

– Seus filhos não são problema para nós. Eles nasceram na França. Não estão na lista.

Lista.

Uma palavra que agora inspirava temor. Vianne falou em voz baixa:

– O que o senhor está nos dizendo?

– Estou dizendo que se ela estiver aqui amanhã, não estará mais no dia seguinte.

– Mas...

– Se ela fosse minha amiga, eu arranjaria uma maneira de escondê-la por um dia.

– Só por um dia? – indagou Vianne, observando-o com atenção.

– Era só o que eu queria dizer, mesdames, e nem deveria ter dito nada. Eu serei... punido se alguém souber a respeito. Por favor, se forem questionadas sobre isso, não mencionem a minha visita. – Beck bateu os saltos das botas, deu meia-volta e se afastou.

Rachel olhou para Vianne. As duas já tinham ouvido falar das prisões em Paris – mulheres e crianças sendo deportadas –, mas ninguém acreditara. Como poderiam? As notícias eram malucas, impossíveis – dezenas de milhares de pessoas tiradas de suas casas no meio da noite pela polícia francesa. E todas de uma vez? Não poderia ser verdade.

– Você confia nele?

Vianne considerou a pergunta. Ficou surpresa ao responder:

– Confio.

– Então, o que eu faço?

– Leve as crianças para a Zona Livre. Hoje à noite.

Vianne mal conseguia acreditar no que estava pensando e menos ainda no que dizia.

– Na semana passada madame Durant tentou atravessar a fronteira e foi fuzilada. Os filhos foram deportados.

Vianne diria a mesma coisa se estivesse no lugar de Rachel. Uma coisa era uma mulher fugir sozinha, mas arriscar a vida dos filhos era bem diferente. Contudo, e se eles estivessem correndo risco de vida se ficassem ali?

– Você tem razão. É perigoso demais. Mas acho que devia seguir o conselho de Beck. Esconder-se. É só por um dia. Depois talvez tenhamos mais informações.

– Esconder onde?

– Quando Isabelle se preparou para uma situação desse tipo, achei que estivesse louca – disse Vianne com um suspiro. – Nós temos um porão no celeiro.

– Você sabe o que pode acontecer se eles pegarem você me escondendo...

– *Oui* – respondeu Vianne com rispidez. Não queria ouvir o restante da afirmação. *Sob pena de morte.* – Eu sei.

🐦

Vianne jogou uma pílula para dormir na limonada de Sophie e pôs a filha na cama mais cedo. (Não se sentiu uma boa mãe fazendo isso, mas também não seria certo levar Sophie com elas naquela noite, nem deixá-la sozinha acordada. Escolhas difíceis. Eram as únicas que restavam.) Ficou andando de um lado para o outro enquanto esperava a filha dormir. Ouvindo o vento fazer as venezianas baterem, cada rangido das madeiras daquela velha casa. Quando passava um pouco das seis horas, vestiu seu velho macacão de jardinagem e desceu para o térreo.

Encontrou Beck sentado no divã, um velho lampião a óleo aceso ao lado. Segurava um pequeno porta-retratos com uma foto da família. A esposa Hilda – Vianne sabia – e os filhos, Gisela e Wilhelm.

Ele ergueu os olhos quando Vianne entrou, mas não se levantou.

Vianne não sabia bem o que fazer. Gostaria que ele estivesse fora da vista no momento, trancado em seu quarto, de forma a poder ignorá-lo por completo. Mas Beck estava arriscando a própria carreira para ajudar Rachel. Como poderia ignorar esse fato?

– Estão acontecendo coisas ruins, madame. Coisas impossíveis. Fui treinado para ser um soldado, para lutar pelo meu país e ser o orgulho da minha família. Foi uma escolha honrosa. O que vão pensar de nós quando voltarmos? O que vão pensar de mim?

Vianne sentou-se ao lado dele.

– Eu também me preocupo com o que Antoine vai pensar de mim. Eu não deveria ter dado aquela lista de nomes. Deveria ter sido mais frugal com meu dinheiro. Deveria ter me empenhado mais para manter meu emprego. Talvez devesse ter prestado mais atenção ao que Isabelle dizia.

– A senhora não deve se sentir culpada. Tenho certeza de que seu marido concordaria. Nós, os homens, talvez sejamos *rápidos* demais em apelar para as armas.

Beck virou-se para ela, examinando seus trajes.

Vianne usava o macacão e um suéter preto. Um lenço preto cobria seus cabelos. Parecia uma espiã em versão dona de casa.

– É perigoso para ela fugir – disse Beck.

– E ficar também, ao que parece.

– Exatamente – concordou ele. – Um dilema terrível.

– O que será mais perigoso?, é o que me pergunto – insinuou Vianne.

Não esperava uma resposta e ficou surpresa quando ele disse:

– Ficar, acho.

Vianne aquiesceu.

– A senhora não deveria ir – continuou ele.

– Mas eu não posso deixar minha amiga ir sozinha.

Beck considerou aquela afirmação. Afinal, concordou com a cabeça.

– A senhora conhece o sítio do monsieur Frette, onde ele cria vacas?

– *Oui*. Mas...

– Há uma trilha de gado atrás do celeiro, que leva até um posto de controle menos guardado. É uma longa caminhada, mas deve dar para chegar até lá antes do toque de recolher. Se alguém estivesse pensando em fazer isso. Não que eu conheça ninguém que esteja.

– Meu pai, Julien Rossignol, mora em Paris, na Avenue de La Bourdonnais, 57. Se... eu *não voltar em um dia...*

– Eu providenciarei para que sua filha vá para Paris.

Beck se levantou, com o retrato nas mãos.

– Eu vou dormir, madame.

Vianne ficou ao lado dele.

– Eu tenho medo de confiar no senhor.

– Eu teria mais medo de não confiar.

Os dois estavam próximos, unidos pelo frágil círculo de luz.

– O senhor é um homem de bem, Herr capitão?

– Eu costumava achar que sim, madame.

– Obrigada – disse Vianne.

– Não me agradeça ainda, madame.

Deixou-a sozinha no círculo de luz e voltou para o quarto, fechando bem a porta depois de entrar.

Vianne voltou a se sentar, esperando. Às sete e meia, pegou o xale pesado pendurado em um cabide na porta da cozinha.

Seja corajosa, pensou. *Só desta vez.*

Cobriu a cabeça e os ombros com o xale e saiu.

Rachel e os filhos estavam à espera atrás do celeiro. Ari dormia em um carrinho de mão ao lado, enrolado em cobertas, cercado por algumas coisas que Rachel selecionara para levar.

– Você tem documentos falsos? – perguntou Vianne.

Rachel confirmou com a cabeça.

– Não sei se são muito bons, mas me custaram meu anel de casamento.

Olhou para Vianne. As duas se comunicavam sem precisar falar.

Tem certeza de que quer vir conosco?

Tenho.

– Por que a gente precisa ir embora? – perguntou Sarah, parecendo assustada.

Rachel pôs uma das mãos na cabeça da filha.

– Você vai precisar ser forte por mim, Sarah. Lembra-se do que conversamos?

Sarah anuiu devagar.

– Por Ari e pelo papai.

Elas atravessaram a estrada de terra e entraram no descampado em direção a um aglomerado de árvores ao longe. Quando passaram pelo bosque espigado, Vianne se sentiu mais segura, mais protegida de alguma forma. Quando chegaram ao sítio de Frette, a noite já tinha caído. Localizaram a trilha de gado que conduzia bosque adentro, onde raízes grossas e nodosas se espalhavam no solo seco, obrigando Rachel a empurrar o carrinho com mais força para conseguir continuar se movendo. Várias vezes as rodas encontravam alguma raiz e resistiam. Ari resmungava durante o sono, chupando o polegar com sofreguidão. Vianne sentia o suor escorrer pelas costas.

– Eu estava mesmo precisando fazer exercícios – comentou Rachel, respirando com dificuldade.

– E eu adoro uma caminhada no bosque – emendou Vianne. – E você, mademoiselle Sarah, do que está gostando nessa aventura?

– De não estar usando aquela estrela ridícula – respondeu Sarah. – Por que Sophie não está com a gente? Ela adora o bosque. Lembram quando nós duas saíamos passeando para procurar coisas? Ela era sempre a primeira a achar tudo.

Por uma brecha nas árvores à frente, Vianne viu uma luz piscando e, logo adiante, a sinalização em preto e branco que marcava a travessia da fronteira.

O portão estava iluminado por luzes tão brilhantes como

só o inimigo ousaria usar – ou poderia pagar. Um guarda alemão estava a postos, o fuzil cintilando naquela luz artificial. Uma pequena fila de pessoas esperava para atravessar. A aprovação dependia de os documentos estarem em ordem. Se os documentos falsos de Rachel não funcionassem, ela e os filhos seriam presos.

De repente tudo ficou muito real. Vianne estacou.

– Eu escrevo se puder – prometeu Rachel.

Vianne sentiu a garganta apertar. Mesmo se acontecesse o melhor, ela poderia ficar anos sem saber da amiga. Ou nunca mais saber dela. Nesse novo mundo, não havia uma maneira segura de manter contato com as pessoas amadas.

– Não me olhe assim – disse Rachel. – Nós vamos nos ver logo, tomar champanhe e dançar esse jazz que você tanto adora.

Vianne enxugou as lágrimas dos olhos.

– Você sabe que eu prefiro não ser vista em público com você quando começar a dançar.

Sarah puxou Vianne pela manga.

– D-diga para Sophie que eu deixei um beijo.

Vianne se ajoelhou e abraçou Sarah. Podia ficar ali abraçada para sempre, mas soltou a menina.

Fez menção de abraçar Rachel, mas a amiga recuou.

– Se você fizer isso eu vou chorar e eu não posso chorar.

Vianne deixou os braços caírem pesadamente ao lado do corpo.

Rachel levantou o carrinho de mão. Os três seguiram o trecho final da trilha até o fim do bosque, o carrinho quicando e sacolejando, até saírem da proteção das árvores e entrarem na fila do posto de controle. Um homem passou de bicicleta e seguiu em frente, depois uma senhora empurrando um carrinho de flores recebeu permissão para continuar. Rachel estava quase na frente da fila quando um apito trinou e alguém gritou em alemão. O guarda apontou a metralhadora para a multidão e abriu fogo.

Pequenos traços vermelhos rasgaram o ar.

Ra-tá-tá-tá.

Uma mulher gritou quando o homem a seu lado caiu no chão. A fila se dispersou de imediato; as pessoas corriam em todas as direções.

Aconteceu tão depressa que Vianne não conseguiu reagir. Viu Rachel e Sarah virem correndo em sua direção, voltando para as árvores; Sarah na frente, Rachel atrás com o carrinho.

– Aqui! – gritou Vianne, a voz abafada pelo ruído dos disparos.

Sarah caiu de joelhos na relva.

– Sarah! – gritou Rachel.

Vianne avançou e pegou Sarah nos braços. Levou-a para o bosque e deitou a menina no chão, desabotoando seu casaco.

O peito da garota estava crivado de buracos de balas. O sangue borbulhava, escorria, gotejava.

Vianne pegou o xale e apertou os ferimentos.

– Como ela está? – perguntou Rachel, chegando sem fôlego. – Isso é *sangue*?

Rachel se jogou na relva ao lado da filha. No carrinho, Ari começou a gritar.

As luzes do posto de controle piscavam, soldados se agrupavam. Cães começaram a latir.

– Precisamos sair daqui, Rachel – disse Vianne. – Agora.

Levantou-se da relva encharcada de sangue e tirou Ari do carrinho, botando-o no colo de Rachel, que parecia não entender nada. Vianne tirou tudo do carrinho e, com o maior cuidado possível, deitou Sarah no metal enferrujado, o cobertor de Ari apoiando sua cabeça. Agarrando os braços do carrinho com as mãos ensanguentadas, levantou as rodas traseiras e começou a empurrar.

– Vamos logo – disse a Rachel. – Ainda podemos salvá-la.

Rachel concordou, aturdida.

Vianne saiu empurrando o carrinho, passando pelas raízes nodosas da trilha de terra. Seu coração estava acelerado, o medo deixava um gosto azedo na boca, mas ela não parou ou olhou para trás. Sabia que Rachel vinha atrás dela – Ari berrava – e não queria saber se havia alguém as seguindo.

Quando se aproximavam de Le Jardin, Vianne lutou para atravessar o acostamento da estrada e subir a colina até o celeiro empurrando o pesado carrinho. Quando finalmente parou, a caçamba bateu no chão e Sarah deu um gemido de dor.

Rachel pôs Ari no chão. Depois tirou Sarah do carrinho e a colocou na relva com cuidado. Ari chorava e estendia os braços pedindo colo.

Rachel se ajoelhou ao lado e viu a terrível devastação no peito de Sarah. Virou-se para a amiga, com uma expressão tão sofrida que Vianne não conseguia respirar. Voltou a olhar para a filha, pôs a mão em seu rosto pálido.

Rachel levantou a cabeça da menina.

– Nós conseguimos atravessar a fronteira? – perguntou Sarah. O sangue escorreu de seus lábios descoloridos, descendo pelo queixo.

– Conseguimos – respondeu Rachel. – Nós conseguimos. Estamos todos em segurança agora.

– Eu fui corajosa, não fui? – perguntou Sarah.

– *Oui* – respondeu Rachel com a voz entrecortada. – Muito corajosa.

– Eu estou com frio – choramingou Sarah, com um tremor.

Sarah inspirou fundo, arquejando, e expirou devagar.

– Agora nós vamos comer uns doces. E um macaron. Eu amo você, Sarah. E papai também a ama. Você é a nossa estrela. – A voz de Rachel se apagou. Ela começou a chorar. – Você é o nosso amor. Sabe disso?

– Diga para Sophie que eu...

As pálpebras de Sarah adejaram antes de se fecharem. Teve um último alento entrecortado e ficou imóvel. Os lábios se abriram, mas não respiravam mais.

Vianne se ajoelhou ao lado de Sarah. Tentou sentir seu

pulso, sem resultado. O silêncio pairou pesado, espesso, Vianne só conseguia pensar no som do riso daquela criança, em como o mundo ficaria vazio sem ele. Sabia o que era a morte, o que era uma dor capaz de devastar alguém para sempre. Não conseguia imaginar como Rachel continuava respirando. Em circunstâncias diferentes, Vianne se sentaria ao lado da amiga, seguraria sua mão e a deixaria chorar. Ou a abraçaria. Ou falaria alguma coisa. Ou não diria nada. Fosse o que fosse de que Rachel precisasse, Vianne moveria o céu e a terra para providenciar, mas não podia fazer isso naquele momento. Era mais um golpe terrível naquela situação: elas não tinham tempo sequer para sofrer.

Vianne precisava ser forte por Rachel.

– Precisamos enterrar Sarah – disse Vianne, com a maior delicadeza possível.

– Ela odeia o escuro.

– Minha mãe vai estar com ela – disse Vianne. – E a sua. Você e Ari precisam se esconder no porão do celeiro. Eu cuido da Sarah.

– Como?

Vianne sabia que Rachel não estava perguntando como se esconder no celeiro, estava perguntando como continuar vivendo depois de uma perda como aquela, como levar um filho e deixar a filha, como continuar respirando depois de murmurar um "adeus".

– Eu não posso deixá-la.

– Você precisa fazer isso. Pelo Ari.

Vianne se levantou devagar, esperando.

Rachel deu um suspiro que se estilhaçou como vidro e debruçou para beijar o rosto de Sarah.

– Eu sempre vou amar você – sussurrou.

Afinal conseguiu se levantar. Pegou Ari nos braços, abraçando-o tão forte que ele começou a chorar outra vez.

Vianne pegou Rachel pela mão e levou a amiga até o celeiro e o porão.

– Eu volto para buscar você assim que for seguro.

– Seguro – repetiu Rachel mecanicamente, olhando pela porta do celeiro ainda aberta.

Vianne empurrou o carro e abriu o alçapão.

– Tem um lampião lá embaixo. E comida.

Com Ari nos braços, Rachel desceu a escada e desapareceu na escuridão. Vianne fechou a porta, repôs o carro no lugar e se encaminhou para um arbusto de lilases que a mãe plantara trinta anos antes. Era alto e se espalhava pela parede, no comprimento e na altura. Debaixo dele, quase perdidas no meio das folhagens do verão, havia três pequenas cruzes brancas. Duas para os abortos que sofrera e uma para o filho que tinha vivido menos de uma semana.

Rachel estivera a seu lado no enterro de cada um deles. Agora Vianne estava lá para enterrar a filha de sua melhor amiga. A filha da melhor amiga. Que espécie de Deus benevolente podia permitir uma coisa dessas?

VINTE E TRÊS

Os primeiros momentos do alvorecer encontraram Vianne ao lado de um monte de terra recém-assentado. Tentou rezar, mas sua fé parecia distante, a reminiscência da vida de outra mulher.

Levantou-se, devagar.

Enquanto o céu assumia uma tonalidade lavanda e rosada – linda, ironicamente –, Vianne passou pelo quintal dos fundos, onde as galinhas cacarejaram e agitaram as asas com sua inesperada chegada. Tirou as roupas sujas de sangue, deixando-as em uma pilha no chão, e se lavou na bomba do poço.

Recolheu do varal um vestido de festa feito de linho, vestiu-o e entrou na casa.

Sentia-se exausta e abatida até os ossos, mas não podia descansar. Acendeu um lampião e sentou-se no divã. Fechou os olhos e tentou imaginar Antoine a seu lado. O que diria a ele nesse momento? *Não sei mais qual é a coisa certa a fazer. Quero proteger e manter Sophie segura, mas de que adianta a segurança para crescer em um mundo onde as pessoas desaparecem sem deixar vestígios por rezarem a um Deus diferente? Se eu for presa...*

A porta do quarto de hóspedes, se abriu. Ouviu Beck vindo em sua direção. Já de uniforme e recém-barbeado, e ela soube instintivamente que ele estava aguardando sua volta. Preocupado com ela.

– A senhora voltou – falou.

Tinha certeza de que ele veria alguma mancha de sangue ou de terra em sua testa ou nas costas da mão. Houve uma pausa quase imperceptível. Vianne sabia que Beck estava esperando que ela olhasse para ele, informasse sobre o que havia acontecido, mas ficou apenas ali, sentada. Se abrisse a boca, poderia começar a gritar. Ou se olhasse para ele, poderia começar a chorar, querer saber como era possível que uma criança tomasse um tiro no escuro por nada.

– Mamãe – disse Sophie, entrando na sala. – Você não estava na cama quando acordei. Fiquei assustada.

Vianne apertou as mãos sobre o colo.

– Desculpe, Sophie.

– Bem – comentou Beck. – Eu preciso sair. Até logo.

Assim que a porta se fechou atrás dele, Sophie chegou mais perto, os olhos turvos. De cansaço.

– Você está me assustando, mamãe. Aconteceu alguma coisa?

Vianne fechou os olhos. Precisaria dar aquela terrível notícia a Sophie, e depois? Abraçaria a filha e acariciaria seu cabelo, deixando-a chorar, teria de ser forte para isso. Mas estava tão cansada de ser forte...

– Venha cá, Sophie – disse, levantando-se. – Vamos dormir um pouco mais, se conseguirmos.

Naquela tarde, Vianne achava que iria ver soldados se agrupando pela cidade, fuzis em punho, viaturas de polícia estacionadas na praça, cachorros puxando coleiras, oficiais da SS em seus uniformes negros; alguma coisa que indicasse problemas.

Mas não havia nada fora do normal.

Ela e Sophie passaram o dia em Carriveau, nas filas. Vianne sabia que era perda de tempo, mas continuou andando de uma rua a outra. No começo, Sophie não parava de falar. Vianne mal a ouvia. Como poderia se concentrar em uma conversação normal com Rachel e Ari escondidos no celeiro e com Sarah morta?

– Agora a gente pode ir para casa, mamãe? – perguntou Sophie perto das três horas da tarde. – Não vamos conseguir mais nada. Estamos perdendo tempo aqui.

Beck devia ter se enganado. Ou talvez simplesmente fora cauteloso demais.

Com certeza eles não iriam mais prender judeus àquela hora. Todo mundo sabia que as prisões nunca eram feitas na hora das refeições. Os nazistas eram bem pontuais e organizados nessa questão – e adoravam a comida e o vinho franceses.

– *Oui*, Sophie. A gente pode ir para casa.

As duas começaram a sair da cidade. Vianne continuava em alerta, mas por alguma razão a estrada parecia menos movimentada que o normal. O aeroporto estava tranquilo.

– A Sarah pode vir aqui hoje? – perguntou Sophie enquanto Vianne abria o portão de entrada quebrado.

Sarah.

Vianne olhou para Sophie.

– Você parece triste – comentou a filha.

– Eu estou triste – concordou Vianne em voz baixa.

– Está pensando no papai?

Vianne respirou fundo e exalou. Depois disse, com delicadeza:

– Venha comigo.

Guiou Sophie até um local embaixo da macieira, onde as duas se sentaram.

– Você está me assustando, mamãe.

Vianne sabia que já estava lidando mal com aquilo, mas não sabia como proceder. Sophie era nova demais para saber a verdade, no entanto, já não tinha mais idade para mentiras. Vianne não podia dizer que Sarah fora morta tentando atravessar a fronteira. A filha poderia dizer a coisa errada para a pessoa errada.

– Mamãe?

Vianne pegou o rosto fino de Sophie com as mãos.

– Sarah morreu ontem à noite – disse com toda a delicadeza.

– Morreu? Mas ela não estava doente.

Vianne fez força para se controlar.

– Às vezes acontece desse jeito. Deus leva as pessoas de repente. Ela foi para o Céu. Para ficar com a *grandmère* dela e com a sua.

Sophie colocou-se de pé em um salto e se afastou.

– Você acha que eu sou boba?

– C-como assim?

– Ela é judia.

Vianne detestou o que viu nos olhos da filha naquele momento. Não havia nada de jovem naquele olhar – nenhuma inocência, nenhuma ingenuidade, nenhuma esperança. Nem mesmo tristeza. Só raiva.

Uma mãe melhor transformaria aquela raiva em tristeza para se tornar afinal uma espécie de lembrança amorosa com que se pode viver. Mas Vianne estava vazia demais para ser uma boa mãe naquele momento. Não conseguia pensar em palavras que não fossem inúteis ou mentirosas.

Tirou o acabamento de renda que havia no punho de sua blusa.

– Está vendo aquele pedaço de lã vermelho pendurado naquele galho em cima das nossas cabeças?

Sophie olhou para o alto. O fio já tinha perdido um pouco da cor, desbotado, mas ainda se destacava entre os ramos marrons, as folhas e as maçãs ainda não maduras. Sophie fez que sim com a cabeça.

– Eu pus aquilo lá para me lembrar do seu papai. Por que você não amarra um para Sarah, para pensarmos nela cada vez que viermos aqui fora?

– Mas o papai não morreu – disse Sophie. – Você está mentindo para...

– Não. Não. A gente se lembra dos mortos tanto quanto dos ausentes, não é?

Sophie pegou a tira rendada que estava enroscada na mão de Vianne. Meio desequilibrada, amarrou o fio no mesmo galho.

Vianne ficou esperado Sophie retornar, voltar-se para ela, os braços estendidos, mas Sophie apenas ficou parada no mesmo lugar, olhando o pedaço de renda, os olhos marejados de lágrimas.

– Não vai ser sempre assim. – Foi tudo o que Vianne conseguiu pensar em dizer.

– Eu não acredito em você.

Afinal Sophie voltou a olhar para ela.

– Eu vou tirar um cochilo.

Vianne só conseguiu aquiescer. Normalmente ela estaria desalentada com aquela tensão com a filha, tomada por um sentimento de fracasso. Agora, somente deu um suspiro antes de se levantar. Tirou alguns resquícios de grama da saia e se encaminhou ao celeiro. Lá dentro, empurrou o Renault para a frente e abriu a porta do porão.

– Rachel? Sou eu.

– Graças a Deus – murmurou uma voz na escuridão. Rachel subiu os degraus que rangiam e surgiu na luz da manhã, com Ari no colo.

– O que aconteceu? – perguntou Rachel com a voz cansada.

– Nada.

– Nada?

– Fui até a cidade. Tudo parece normal. Talvez Beck tenha sido cauteloso demais, mas acho que você devia passar mais uma noite aqui.

A expressão de Rachel mostrava cansaço.

– Eu vou precisar de fraldas. E de um banho rápido. Eu e Ari estamos cheirando mal.

O garoto começou a chorar. Rachel afastou os cachos de cabelos úmidos da testa suada do menino e falou com o filho com uma voz baixa e cantarolada.

As duas saíram do celeiro e tomaram o caminho da casa de Rachel.

Estavam quase chegando quando uma viatura da polícia francesa estacionou na frente. Paul saiu do carro e entrou no quintal, carregando seu fuzil.

– Seu nome é Rachel de Champlain? – perguntou.

Rachel franziu o cenho.

– Você sabe que sim.

– Você vai ser deportada. Venha comigo.

Rachel abraçou Ari com mais força.

– Não leve o meu filho...

– Seu filho não está na lista – respondeu Paul.

Vianne agarrou o homem pela manga.

– Você não pode fazer isso, Paul. Ela é francesa!

– Ela é judia. – Apontou o fuzil a Rachel. – Saia!

Rachel ia dizer alguma coisa, mas Paul a fez se calar; ele a pegou pelo braço, a arrastou para a estrada e a obrigou a entrar no banco traseiro do veículo.

Vianne tentou perguntar para onde ela estava indo, mas de

repente se viu correndo ao lado do automóvel, esmurrando o capô, implorando para entrar. Paul freou bruscamente, deixou-a subir no banco de trás e voltou a acelerar.

– Vá embora – disse Rachel, conforme passavam por Le Jardin. – Isso não é lugar para você.

– Isso não é lugar para ninguém – replicou Vianne.

Até uma semana antes, ela teria deixado Rachel ir sozinha. Teria virado as costas para aquilo – lamentando muito, era provável, e com certeza se sentindo culpada –, mas teria considerado a segurança de Sophie mais importante que qualquer outra coisa.

Mas a noite anterior a havia mudado. Ainda se sentia frágil e atemorizada, talvez mais ainda, contudo, agora também sentia raiva.

Na cidade, havia barricadas em dezenas de ruas. Viaturas de polícia espalhavam-se por toda parte, despejando gente com estrelas amarelas no peito, tangendo-as em direção à estação ferroviária, onde vagões de gado as esperavam. Eram centenas de pessoas, provavelmente de todas as comunidades da região.

Paul estacionou e abriu as portas do carro. Vianne, Rachel e Ari saíram em meio à multidão de velhos, mulheres e crianças judias que se dirigiam à plataforma.

Um trem estava à espera, baforando fumaça preta no ar já quente. Dois soldados alemães se postavam na plataforma. Um deles era Beck. Segurava um chicote. Um *chicote*.

Mas era a polícia francesa que se encarregava das prisões, obrigando as pessoas a fazerem filas e empurrando-as para dentro dos vagões de gado. Homens iam em um dos vagões; mulheres e crianças, em outro.

Logo à frente, uma mulher com um bebê no colo tentou fugir. Um gendarme atirou nela pelas costas. A mulher tombou, morta; o bebê rolou aos pés do gendarme que segurava a arma fumegante.

Rachel parou e virou-se para Vianne.

– Fique com o meu filho – sussurrou.

A multidão as atropelava.

– Fique com ele. Salve o meu filho – rogou Rachel.

Vianne não hesitou. Agora sabia que ninguém podia ficar neutro – não mais –, e por mais que temesse arriscar a vida de Sophie, de repente sentiu mais medo de deixar a filha crescer em um mundo onde as pessoas de bem não faziam nada para impedir o mal, onde uma mulher decente virava as costas para uma amiga em necessidade. Pegou Ari das mãos de Rachel, colocando-o no colo.

– Você aí! – Um gendarme empurrou Rachel com a coronha do fuzil, com tanta força que ela cambaleou. – Andando!

Rachel olhou para Vianne e todo o universo da amizade entre as duas estampou-se em seu olhar – os segredos partilhados, as promessas que fizeram e mantiveram, os sonhos que tinham para os filhos que as uniam como irmãs.

– Vá embora daqui – disse Rachel com a voz rouca. – Vá.

Vianne começou a se afastar. Antes que percebesse, já abria caminho pela multidão, afastando-se da plataforma, dos soldados e dos cães, do cheiro de medo e do estalar dos chicotes, do som de mulheres lamentando e de bebês choramingando. Só se permitiu diminuir o ritmo ao chegar ao final da plataforma. Apenas ali, segurando firme Ari, ela se virou para trás.

Rachel estava na porta sombria e escancarada de um vagão de gado, o rosto e as mãos ainda manchados do sangue da filha. Escrutinou a multidão, viu Vianne e acenou com a mão ensanguentada antes de desaparecer, arrastada por outras mulheres que entravam aos tropeções. A porta do vagão se fechou com um estrondo.

Vianne desabou no divã. Ari chorava incontrolavelmente, com a fralda molhada e cheirando a urina. Deveria se levantar, cuidar dele, fazer alguma coisa, mas não conseguia se mexer. Sentia-se devastada pelas perdas, sufocada por elas.

Sophie entrou na sala.

– Por que você está com o Ari? – perguntou com a voz vacilante e assustada. – Onde está madame de Champlain?

– Ela foi embora – respondeu Vianne. Não teve forças para inventar uma mentira, e de que serviria, de qualquer maneira?

Não havia como proteger a filha de todo o mal ao redor.

De jeito nenhum.

Sophie iria crescer já sabendo demais. Conhecendo o medo e a perda e, provavelmente, o ódio.

– Rachel nasceu na Romênia – explicou Vianne com a voz tensa. – Esse foi o crime dela... além de ser judia. O governo de Vichy não leva em conta o fato de ela morar há 25 anos na França e de ser casada com um francês que lutou pelo país. Por isso, ela foi deportada.

– Ela foi deportada pelo nosso governo? Achei que eram os nazistas que faziam isso.

Vianne suspirou.

– Hoje foi a polícia francesa. Mas os nazistas estavam lá.

– Para onde vão levar Rachel?

– Não sei.

– Ela vai voltar depois da guerra?

Vai. Não. Espero que sim. Que resposta uma boa mãe daria?

– Espero que sim.

– E Ari? – perguntou Sophie.

– Ari vai ficar com a gente. Ele não estava na lista. Acho que nosso governo acredita que as crianças podem ser criadas sozinhas.

– Mas, mamãe, o que nós vamos...

– Fazer? O que vamos *fazer*? Não faço ideia. – Deu um suspiro. – Por enquanto, fique cuidando do bebê. Eu vou até a casa de Rachel pegar o berço dele e umas roupinhas.

Vianne estava quase na porta quando Sophie falou:

– E quanto ao capitão Beck?

Vianne parou de repente. Lembrou-se de ter visto Beck na plataforma com um chicote na mão, um chicote usado para fazer mulheres e crianças entrarem em um vagão de gado.

– O que tem o capitão Beck?

Vianne lavou as roupas encharcadas de sangue e pendurou-as para secar no varal, tentando não prestar atenção no quanto a água com sabão estava vermelha quando ela a derramou na grama. Preparou o jantar de Sophie e Ari (O que era? Não conseguia se lembrar) e pôs os dois para dormir. No entanto, quando a casa ficou escura e em silêncio, não conseguiu mais reprimir suas emoções. Sentiu-se furiosa – muito furiosa – e arrasada.

Não conseguia aguentar quanto seus pensamentos eram feios e sombrios, quanto sua raiva e tristeza eram profundas. Rasgou o lindo rendado da gola da blusa e saiu da casa, recordando o dia em que Rachel lhe dera aquela roupa.

Três anos antes.

É o que todo mundo está usando em Paris.

As macieiras estendiam seus galhos acima. Precisou de duas tentativas para conseguir amarrar o pedaço de pano em um ramo nodoso entre o de Antoine e o de Sarah. Quando o fez, deu um passo atrás.

Sarah.

Rachel.

Antoine.

As tiras coloridas ficaram embaçadas; foi quando ela percebeu que estava chorando.

– Deus, por favor – começou a rezar, olhando para os pedaços de tecido, renda e lã amarrados no galho nodoso, intercalados por maçãs ainda não maduras. De que serviam as orações nesse momento, quando as pessoas que amava tinham partido?

Ouviu uma motocicleta chegando pela estrada e estacionando no portão de Le Jardin.

Pouco depois:

– Madame?

Vianne se virou e olhou para ele.

– Onde está o seu chicote, Herr capitão?

– A senhora estava lá?

– Qual é a sensação de chicotear uma mulher francesa?

– A senhora não pode pensar que eu faria isso, madame. Isso me deixa enojado.

– Mas ainda assim estava lá.

– Assim como a senhora. Essa guerra pôs todos nós em lugares onde não queremos estar.

– Menos para vocês, alemães.

– Eu tentei ajudar sua amiga – argumentou ele.

Ah, sim. Vianne sentiu a raiva transbordando de dentro; a dor retornou. Ele *tinha* tentado salvar Rachel. Se ao menos ela o tivesse ouvido e mantido Rachel escondida por mais tempo. Bambeou sobre os pés. Beck esticou o braço e deu apoio a Vianne para que não caísse.

– O senhor disse para escondê-la até de manhã. Ela ficou naquele celeiro terrível o dia todo. À tarde, eu pensei... tudo parecia normal.

– Von Richter precisou ajustar o cronograma. Houve um problema com os trens.

Os trens.

Rachel acenando, despedindo-se.

Vianne olhou para ele.

– Para onde eles estão levando Rachel?

Era a primeira pergunta significativa que fazia a Beck.

– Para um campo de trabalho na Alemanha.

– Eu a deixei escondida o dia inteiro – disse Vianne mais uma vez, como se agora aquilo tivesse importância.

– As Forças Armadas não estão mais no controle. Agora é com a Gestapo. Eles são mais... insensíveis do que soldados.

– E por que o senhor estava lá?

– Eu estava seguindo ordens. Onde estão os filhos dela?

– Os seus alemães atiraram em Sarah pelas costas no posto da fronteira.

– *Mein Gott* – murmurou Beck.

– Eu fiquei com o filho dela. Por que Ari não estava na lista?

– Porque ele nasceu na França e tem menos de 14 anos. Não estão deportando judeus franceses. – Deu uma olhada para ela. – Ainda não.

Vianne recuperou o fôlego.

– Eles vão vir buscar Ari?

– Acredito que em breve vão deportar todos os judeus, independentemente de idade ou local de nascimento. E quando começarem a fazer isso, será perigoso você manter *qualquer* judeu em sua casa.

– Deportar crianças. Sozinhas. – O horror daquele ato era inacreditável, mesmo depois de tudo o que vira. – Eu prometi a Rachel que o manteria seguro. O senhor vai me delatar? – perguntou.

– Eu não sou um monstro, Vianne.

Era a primeira vez que ele usava o nome dela.

Aproximou-se um pouco mais.

– Eu quero proteger você – disse.

Era a pior coisa que ele poderia ter dito. Vianne se sentia sozinha havia anos, mas agora estava *realmente* sozinha.

Beck tocou no braço dela, quase em uma carícia, e Vianne sentiu o gesto refletir em todo o corpo, como se fosse uma descarga elétrica. Incapaz de evitar, ela olhou para Beck.

Estava bem próximo, à distância de um beijo. Tudo de que precisava era o mais discreto encorajamento – um alento, um sinal de cabeça, um toque – e ele encerraria a distância entre os dois. Por um momento Vianne esqueceu quem ele era e o que tinha acontecido naquele dia; ansiosa por ser confortada, de modo a se esquecer de tudo aquilo. Inclinou-se um pouco para a frente, o suficiente para sentir o hálito dele e seus lábios, mas logo se lembrou – de repente, em um acesso de raiva – e o empurrou para trás, fazendo-o tropeçar.

Esfregou os lábios, como se tivesse encostado nos dele.

– Não podemos fazer isso – disse.

– Claro que não.

Mas, quando Beck olhou para ela – e Vianne olhou para ele –, os dois souberam que havia algo ainda pior do que beijar a pessoa errada.

Era o desejo de beijar essa pessoa.

VINTE E QUATRO

O verão acabou. Os dias quentes e dourados deram lugar a céus nublados e chuvas. Isabelle estava tão concentrada na rota de fuga que mal notou a mudança no clima.

Em uma manhã fria de outubro, ela desceu do trem em meio a uma multidão de passageiros, segurando um buquê de flores do outono.

Enquanto caminhava pelo bulevar, veículos alemães entupiam as ruas, buzinando alto. Soldados marchavam confiantes em meio a parisienses retraídos e apagados. Bandeiras com a suástica tremulavam ao vento invernal. Isabelle desceu depressa a escada para o metrô.

O túnel estava repleto de gente e de propaganda nazista, poluindo as paredes, demonizando britânicos e judeus e fornecendo a resposta do Führer a todas as perguntas.

De repente, as sirenes de ataque aéreo soaram. A luz piscou e apagou, mergulhando todos no escuro. Isabelle ouviu as pessoas murmurando, os bebês chorando e os velhos tossindo. Ao longe, pôde ouvir os sons abafados das explosões. Provavelmente em Boulogne-Billancourt – de novo –, e por que não? A Renault estava fabricando caminhões para os alemães.

O sinal que indicava o fim do bombardeio afinal soou, mas ninguém se moveu até que as luzes voltassem.

Isabelle estava quase entrando no metrô quando ouviu um apito estridente.

Parou de repente. Soldados nazistas vinham andando pelo túnel acompanhados de colaboracionistas franceses, falando uns com os outros, apontando pessoas, tirando-as do caminho, fazendo com que ajoelhassem.

O cano de um fuzil mirou em sua direção.

– Documentos – disse o alemão.

Isabelle segurou as flores com uma das mãos e remexeu na bolsa, nervosa como todos os outros. Havia uma mensagem para Anouk escondida no buquê. Claro que aquela busca não era uma coisa inesperada. Desde o sucesso das campanhas dos Aliados no Norte da África, os alemães estavam sempre parando pessoas, exigindo documentos. Nas ruas, em lojas, nas estações de metrô, nas igrejas. Ninguém estava seguro, em parte alguma. Isabelle apresentou sua *carte d'identité* falsa.

– Estou indo almoçar com uma amiga da minha mãe.

O francês ao lado do alemão examinou os documentos. Acenou com a cabeça e o alemão devolveu os papéis a Isabelle, dizendo:

– Pode ir.

Isabelle abriu um breve sorriso, agradeceu com um sinal de cabeça e subiu logo no vagão, pouco antes de as portas se fecharem.

Quando desembarcou do metrô, no 16ème arrondissement, Isabelle já tinha se acalmado. Uma névoa úmida tomava as ruas, obscurecendo os edifícios e as barcas que navegavam pelo Sena. Os sons pareciam estranhamente ampliados pela neblina. Em algum lugar uma bola quicou (provavelmente chutada por garotos na rua). Uma das barcas tocou uma buzina e o som ficou pairando no ar.

Já na avenida, Isabelle virou em uma esquina e entrou em um bistrô – um dos poucos que estavam com as luzes acesas. Um vento inclemente assolava o toldo. Passou pelas mesas vazias e chegou até o balcão, onde pediu um *café au lait* (sem café nem leite, é claro).

– Juliette. É você?

Isabelle viu Anouk e sorriu.

– Gabrielle. Como é bom ver você! – Entregou as flores a Anouk.

Anouk pediu um café. Enquanto estavam ali, bebericando café e água gelada, Anouk disse:

– Falei com o tio Henri ontem. Ele está com saudade.

– Ele não está bem?

– Não. Não. Pelo contrário. Está pensando em dar uma festa na quinta-feira que vem. Pediu para convidá-la.

– Devo levar um presente em seu nome?

– Não, mas uma carta seria uma coisa simpática. Olha aqui, já está até escrita.

Isabelle guardou a carta no forro da bolsa.

Anouk a observou. Tinha olheiras fundas. A testa e a face pareciam marcadas por rugas recentes. A vida na clandestinidade começava a mostrar seus sinais.

– Está tudo bem com você, minha amiga? – perguntou Isabelle.

O sorriso de Anouk revelou cansaço, mas era autêntico.

– *Oui*. – Fez uma pausa. – Eu vi Gaëton ontem à noite. Ele vai estar na reunião em Carriveau.

– E por que me diz isso?

– Isabelle, você é a pessoa mais transparente que já conheci. Seus olhos revelam todos os seus pensamentos e as suas emoções. Será que nunca percebeu quantas vezes você falou sobre ele comigo?

– É mesmo? Achei que estava disfarçando bem.

– Na verdade, é uma coisa simpática. Faz lembrar a razão pela qual estamos lutando. Coisas simples: uma garota, um rapaz e o futuro dos dois. – Beijou o rosto de Isabelle. Depois cochichou: – Ele também fala bastante de você.

✦

Para sorte de Isabelle, chovia muito em Carriveau naqueles últimos dias de outubro.

Ninguém prestava atenção em nada em meio a um clima como aquele, nem mesmo os alemães. Ela levantou o capuz e fechou o casaco embaixo do queixo; mesmo assim, a chuva fustigava seu rosto e descia gelada pelo pescoço enquanto empurrava a bicicleta ao longo da plataforma.

Quando chegou à periferia da cidade, começou a pedalar. Escolheu um caminho pouco usado, evitou passar pela praça ao chegar a Carriveau. Havia poucas pessoas na rua em um dia de outono como aquele; apenas mulheres e crianças enfrentavam as filas para comprar alimentos, a água pingando dos casacos e chapéus. A maioria dos alemães estava dentro das casas.

Quando chegou ao Hôtel Bellevue, Isabelle estava exausta. Prendeu a bicicleta em um poste de iluminação e entrou.

Uma campainha soou, anunciando sua entrada para os soldados alemães que estavam sentados no saguão, tomando seus cafés da tarde.

– Mademoiselle – saudou um dos oficiais, pegando um *pain au chocolat* de aspecto macio e dourado. – A senhorita está encharcada.

– Os franceses não sabem como não se molhar.

Todos riram da piada.

Isabelle continuou sorrindo ao passar por eles. Quando chegou à recepção, tocou a campainha.

Henri chegou do escritório do fundo, passando por ela e levando uma bandeja aos agentes alemães que estavam ali sentados, de uniformes negros.

Quando voltou à recepção, Henri falou:

– Madame Gervaise, seja bem-vinda. É um prazer revê-la. Seu quarto está pronto. Queira me acompanhar...

Ela anuiu e seguiu Henri pelo corredor estreito até a escada que levava ao segundo andar. Lá chegando, ele girou a chave-mestra na fechadura e abriu a porta que dava para um quartinho com uma cama de solteiro, uma mesa de cabeceira e um abajur. Assim que entraram, ele fechou a porta com o pé e a abraçou.

– Isabelle – disse, puxando-a para si. – Que bom ver você. – Relaxou o abraço e se afastou. – Depois de Romainville... fiquei preocupado.

Isabelle tirou o capuz.

– *Oui.*

Nos últimos dois meses, os nazistas haviam coletado mais informações sobre o que chamavam de resistentes e sabotadores. Finalmente começaram a perceber o papel que as mulheres desempenhavam nessa guerra e prenderam mais de duzentas francesas em Romainville.

Isabelle desabotoou o casaco e pendurou a peça na cabeceira da cama. Enfiou a mão no forro e tirou dali um envelope, que entregou a Henri.

– Aqui está – disse, entregando o dinheiro que vinha do MI9.

O hotel dele era um dos principais pontos seguros que seu grupo mantinha. Isabelle adorava a ironia de o hotel hospedar britânicos, ianques e membros da Resistência bem debaixo do nariz dos nazistas. Hoje ela ficaria hospedada em um dos menores quartos.

Puxou uma cadeira atrás de uma mesinha toda arranhada e se sentou.

– A reunião está marcada para hoje à noite?

– Às onze horas. No celeiro abandonado da fazenda de Angeler.

– Qual vai ser o assunto?

– Não estou sabendo.

Henri sentou-se na beira da cama. De acordo com sua expressão, Isabelle soube que ele iria começar a falar sério e soltou um gemido.

– Ouvi dizer que os nazistas estão desesperados para prender o Rouxinol. Dizem que estão tentando se infiltrar na rota de fuga.

– Eu já sei, Henri. – Isabelle ergueu uma sobrancelha. – Espero que não vá me dizer que tudo isso é perigoso.

– Você está abusando. Quantas viagens já fez?

– Vinte e quatro.

Henri abanou a cabeça.

– Não admira que estejam desesperados para encontrar você. Ouvimos falar de outra rota de fuga que também está dando certo, passando por Marselha e Perpignan. Você vai começar a ter muitos problemas, Isabelle.

Ela ficou surpresa com quanto se sentiu comovida com a preocupação dele e em como era bom ouvir o próprio nome. Era bom se sentir Isabelle Rossignol de novo, mesmo que por breves instantes, e estar com alguém que a conhecia. Os últimos anos da vida de Isabelle tinham sido gastos se escondendo e correndo, vivendo em locais seguros com desconhecidos.

Mesmo assim, não viu razão para falar sobre aquilo. A rota de fuga tinha um valor inestimável e valia o risco que ela estava correndo.

– Você continua de olho na minha irmã, *n'est-ce pas*?

– *Oui.*

– O nazista continua aquartelado na casa?

Henri desviou o olhar.

– O que foi?

– Vianne foi demitida do emprego na escola.

– Por quê? Os alunos adoram ela. É uma ótima professora.

– Dizem que ela questionou um oficial da Gestapo.

– Não é uma coisa que Vianne faria. Então ela está sem salário. Do que está vivendo?

Henri pareceu constrangido.

– As pessoas fazem fofocas.

– Fofocas?

– Sobre ela e o nazista.

Vianne escondeu o filho de Rachel em Le Jardin durante todo o verão. Fazia questão de nunca sair com ele, nem mesmo para o quintal. Sem documentos, ela não podia fingir que ele não era Ariel de Champlain. Como precisava deixar Sophie em casa cuidando do bebê, cada ida à cidade era um acontecimento tenso, que parecia não terminar nunca. Dizia a todo mundo que conhecia – lojistas, freiras, aldeões – que Rachel havia sido deportada com os dois filhos.

Foi a única coisa que conseguiu imaginar.

Depois de um dia longo e difícil enfrentando filas só para saber que não havia mais nada a adquirir, Vianne saiu da cidade se sentindo derrotada. Havia rumores de mais deportações, mais prisões acontecendo em toda a França. Milhares de judeus franceses estavam sendo mantidos em campos de concentração.

Quando chegou em casa, pendurou a capa molhada no cabide do lado de fora da porta da frente. Não tinha esperança de que ela secasse até o dia seguinte, mas ao menos não ficaria pingando no chão da sala. Tirou as botas de borracha enlameadas perto da porta e entrou na casa. Como sempre, Sophie a aguardava perto da entrada.

– Está tudo bem – disse Vianne.

Sophie anuiu solenemente.

– Com a gente também.

– Será que poderia dar um banho em Ari enquanto preparo o jantar?

Sophie pegou Ari no colo e saiu da cozinha.

Vianne desenrolou o lenço da cabeça e o pendurou. Pôs a cesta no tampo da pia para secar e desceu até a despensa, onde pegou uma linguiça, algumas batatas e cebolas miúdas e molengas.

Quando voltou à cozinha, acendeu o fogão e pôs a frigideira de ferro fundido para aquecer. Adicionou uma preciosa gota de óleo e colocou a linguiça para dourar.

Ficou olhando a fritura, abrindo a linguiça com uma colher de pau, observando as mudanças do rosa ao cinza e depois a um bonito castanho-dourado. Quando estava crocante, acrescentou batatas cortadas em cubos e a cebola e o alho picados. O alho estalou e foi ficando dourado, liberando seu aroma no ar.

– Que cheiro delicioso...

– Herr capitão – disse Vianne em voz baixa. – Não ouvi sua motocicleta.

– Mademoiselle Sophie abriu a porta para mim.

Vianne desligou a chama do fogão e cobriu a panela antes de olhar para ele. Por um acordo tácito, os dois fingiam que aquela noite no pomar nunca havia acontecido. Nenhum dos dois jamais a mencionara, mas algo continuava pairando no ar entre eles.

As coisas tinham mudado sutilmente naquela noite. Agora ele jantava com elas quase todas as noites; principalmente a comida que trazia – nunca grandes quantidades, apenas uma fatia de presunto, um saco de farinha ou algumas linguiças. Falava abertamente da mulher e dos filhos e Vianne falava sobre Antoine. Todas as palavras destinavam-se a reforçar uma muralha que já havia sido rompida. Beck sempre se oferecia – muito amavelmente – para enviar as remessas a Antoine, que Vianne preparava com os poucos itens que conseguia poupar – velhas luvas de inverno grandes demais, cigarros que Beck deixava, um precioso pote de geleia.

Vianne fazia questão de nunca ficar sozinha com Beck. Essa fora a grande mudança. Não saía mais à noite para o quintal nem ficava acordada depois que Sophie ia se deitar. Não confiava em si mesma se ficasse sozinha com ele.

– Eu trouxe um presente para a senhora – disse Beck.

Mostrou uma série de documentos. Uma certidão de nascimento de um bebê nascido em junho de 1939, de Etienne e Aimée Mauriac. Um garoto chamado Daniel Antoine Mauriac.

Vianne olhou para ele. Será que tinha mencionado que ela e Antoine tinham pensado em pôr o nome de Daniel, caso tivessem um filho? Devia ter mencionado, embora não se lembrasse.

– É perigoso abrigar crianças judias em casa agora. Ou ao menos será muito em breve.

– O senhor se arriscou tanto por ele. Por nós – disse Vianne.

– Pela senhora – corrigiu ele em voz baixa. – E são documentos falsos, madame. Lembre-se disso. Para manter a história de que adotou o menino de um parente.

– Eu nunca vou dizer de onde esses documentos vieram.

– Não é comigo que me preocupo, madame. Ari deve se tornar Daniel imediatamente. Completamente. E a senhora deve tomar muito cuidado. Os alemães são... cruéis. As vitórias dos Aliados no Norte da África estão nos atingindo bastante. E essa solução final para os judeus... é uma infâmia impossível de compreender. Eu... – Fez uma pausa, olhando para ela. – Eu gostaria de proteger vocês.

– O senhor tem protegido – disse Vianne, olhando para ele.

Beck começou a se aproximar, e ela também, mesmo sabendo que se tratava de um erro.

Sophie entrou correndo na cozinha.

– Ari está com fome, mamãe. Não para de reclamar.

Beck parou onde estava. Passou por Vianne – esbarrando a mão no braço dela –, pegou um garfo na bancada e espetou uma linguiça perfeita, um cubo de batata crocante e um pedaço de cebola caramelada.

Ficou olhando para Vianne enquanto comia. Estava tão perto que ela podia sentir seu hálito no rosto.

– A senhora é uma cozinheira incrível, madame.

– *Merci* – respondeu Vianne com a voz em falsete.

Beck deu um passo atrás.

– Lamento não poder ficar para o jantar, madame. Preciso sair.

Vianne desviou o olhar e fitou Sophie.

– Pode pôr a mesa só para três – disse.

Mais tarde, enquanto o jantar esfriava no fogão, Vianne pôs as duas crianças na cama.

– Sophie, Ari, venham aqui, preciso falar com vocês.

– O que foi, mamãe? – perguntou Sophie, já demonstrando preocupação.

– Estão começando a deportar judeus nascidos na França. – Fez uma pausa. – Inclusive crianças.

Sophie fez uma expressão preocupada, olhando para Ari, de 3 anos, que pulava alegremente na cama. Era novo demais para assimilar uma nova identidade. Mesmo que Vianne começasse agora a repetir insistentemente que ele se chamava Daniel Mauriac, Ari nunca iria entender por quê. Se acreditasse que a mãe iria voltar e ficasse esperando por isso, cedo ou tarde cometeria um engano que causaria sua deportação, e isso talvez até resultasse na morte de todos ali. Vianne não podia correr esse risco. Teria de partir o coração do menino para proteger a todos.

Perdoe-me, Rachel.

Trocou um olhar sofrido com Sophie.

Ambas sabiam o que tinha de ser feito, mas como uma mãe podia fazer aquilo com o filho de outra mulher?

– Ari – disse em voz baixa, pegando o rosto dele entre as mãos. – Sua mamãe está com os anjos no Céu. Ela não vai voltar mais.

O garoto parou de pular.

– O quê?

– Sua mamãe se foi para sempre – repetiu Vianne, sentindo as lágrimas rolarem dos olhos. Teria que dizer aquilo muitas vezes, até ele acreditar. – Agora eu sou sua mamãe. E você vai se chamar Daniel.

O garoto franziu o cenho, mastigando ruidosamente a parte interna da boca, abrindo os dedos como se estivesse contando.

– Você disse que ela ia voltar.

Vianne detestou o que disse:

– Não vai voltar mais. Ela morreu. Como o coelhinho que perdemos no mês passado, lembra?

Eles tinham enterrado o coelho no quintal, com uma grande cerimônia.

– Morreu como o coelhinho?

Lágrimas inundaram seus olhos castanhos, verteram, a boca estremeceu. Vianne o pegou nos braços e acarinhou suas costas. Mas não conseguia tranquilizá-lo, nem soltá-lo do abraço. Afinal, afastou-se o suficiente para olhar para ele.

– Você entendeu... Daniel?

– Você vai ser meu irmão – disse Sophie, falseando a voz. – De verdade.

Vianne sentiu o coração apertar, mas sabia que não havia outra forma de manter o filho de Rachel em segurança. Rezava para que ele fosse novo o bastante para se esquecer de que já tinha sido Ari. Era uma prece de tristeza avassaladora.

– Diga – pediu com a voz inexpressiva. – Diga o seu nome.

– Daniel – respondeu ele, claramente confuso, tentando agradar.

Vianne fez com que dissesse isso várias vezes naquela noite, enquanto comiam linguiça com batatas durante o jantar e depois, quando lavavam os pratos e se preparavam para dormir. Rezou para que aquele ardil fosse suficiente para salvá-lo, para que os documentos passassem pela inspeção. Nunca mais ela o chamaria de Ari ou pensaria nele como Ari. Amanhã, cortaria o cabelo dele o mais curto possível. Depois iria até a cidade e diria a todos (e Hélène Ruelle, aquela fofoqueira, seria a primeira) sobre a criança que tinha adotado de um primo morto em Nice.

Que Deus ajude a todos nós.

VINTE E CINCO

*I*sabelle esgueirou-se pelas ruas de Carriveau vestida de preto, os cabelos loiros cobertos. Já passava da hora do toque de recolher. Uma lua delgada às vezes lançava sua luz sobre os paralelepípedos irregulares, mas na maior parte do tempo permanecia oculta pelas nuvens.

Ouvia sons de passos e de motores de caminhões, imobilizando-se nesses momentos. Na periferia da cidade, escalou um muro recoberto de rosas, ignorando os espinhos, e deixou-se cair em um campo de feno preto e úmido. Estava a meio caminho do ponto de encontro quando três aviões rugiram, voando tão baixo que as árvores estremeceram e o solo trepidou. Metralhadoras disparavam umas contra as outras, com lampejos de luzes e sons.

O avião menor virou-se de lado com uma guinada. Isabelle

viu a insígnia dos Estados Unidos embaixo das asas quando o avião tombou para a esquerda e subiu. Instantes depois, ouviu o assobio de uma bomba – um guincho inumano e penetrante – e alguma coisa explodiu.

O campo de pouso. O campo de pouso estava sendo bombardeado.

Os aviões voltaram roncando. Houve mais uma salva de tiros e o avião americano foi atingido, começou a soltar fumaça. Um som estridente encheu a noite; o avião mergulhou em direção ao solo, rodopiando, as asas refletindo a luz do luar.

A queda foi tão ruidosa que estremeceu os ossos de Isabelle e o chão sob seus pés; aço batendo na terra, rebites ejetados do metal, raízes sendo diaceradas. O avião abatido fez um voo rasante acima do bosque, quebrando árvores como se fossem palitos de fósforo. O cheiro de queimado era impressionante e depois, em meio a um *vuuuush* enorme, o avião explodiu em chamas.

Um paraquedas surgiu no céu, oscilando de um lado a outro, com um homem suspenso, pequeno como uma vírgula.

Isabelle atravessou o aglomerado de árvores em chamas. A fumaça ardia nos olhos.

Onde ele estava?

A visão de algo mais claro chamou sua atenção e ela correu naquela direção.

O paraquedas murcho estendia-se no solo rugoso, ainda preso ao aviador.

Isabelle ouviu o som de vozes – não estavam muito longe – e o tropel de passos. Rezou para que fossem seus colegas chegando para o encontro, mas não havia como saber. Os nazistas estariam ocupados no campo de pouso, mas não por muito tempo.

Isabelle caiu de joelhos, desenganchou o paraquedas do homem, juntou-o nas mãos e correu para o mais longe que ousou, enterrando-o o melhor que pôde sob uma pilha de folhas secas. Voltou correndo até o piloto e agarrou o homem pelos pulsos, arrastando-o para o bosque mais denso.

– Você vai ter que ficar em silêncio. Está me entendendo? Eu vou voltar, mas você precisa ficar imóvel e em silêncio.

– Pode apostar – respondeu ele, com um fiapo de voz.

Isabelle cobriu o piloto com folhas e gravetos, mas quando se afastou viu suas próprias pegadas na lama, cada uma delas se enchendo de água escura, bem como as marcas que fizera ao arrastá-lo até ali. A fumaça negra a envolveu, e seguiu adiante. O fogo estava chegando mais perto, cada vez mais intenso.

– *Merde* – murmurou.

Logo depois ouviu vozes. Gente gritando.

Tentou esfregar as mãos para limpar a lama, mas a sujeira se espalhava cada vez mais.

Três figuras saíram do bosque, vindo em sua direção.

– Isabelle! – chamou um homem. – É você?

Uma tocha reluziu, mostrando Henri e Didier. E Gaëton.

– Você localizou o piloto? – perguntou Henri.

Isabelle aquiesceu.

– Ele está ferido.

Cães começaram a latir ao longe. Os nazistas estavam chegando.

Didier olhou para trás.

– Não temos muito tempo.

– Nós nunca vamos conseguir chegar à cidade – disse Henri.

Isabelle tomou uma decisão em um segundo:

– Eu conheço um lugar aqui perto onde podemos esconder o piloto.

– Isso não é uma boa ideia – comentou Gaëton.

– Depressa – insistiu Isabelle.

Agora eles estavam no celeiro de Le Jardin, atrás da porta

fechada. O aviador jazia afundado no chão de terra, inconsciente, e seu sangue deixara manchas no casaco e nas luvas de Didier.

– Empurrem o carro para a frente.

Henri e Didier empurraram o Renault e levantaram o alçapão. Ele protestou com um rangido, caiu de volta e bateu no para-choque do veículo com um estrondo.

Isabelle acendeu um lampião, segurando-o com uma das mãos, e desceu com cuidado a escada instável. Parte das provisões que havia deixado tinham sido consumidas.

Ergueu o lampião.

– Tragam ele aqui para baixo.

Os homens trocaram um olhar preocupado.

– Não estou bem certo quanto a isso – observou Henri.

– Que outra escolha temos? – disparou Isabelle. – Tragam logo esse homem para cá.

Gaëton e Henri carregaram o homem inconsciente para o porão úmido e escuro e o acomodaram no colchão, que farfalhou sob seu peso.

Henri olhou para Isabelle com um ar preocupado. Mas logo voltou pela escada e falou lá de cima:

– Vamos, Gaëton.

Gaëton olhou para Isabelle.

– Vamos ter que pôr o carro no lugar. Você não vai conseguir sair daqui enquanto não voltarmos para buscá-la. Se alguma coisa acontecer com a gente, ninguém vai saber que você está aqui.

Isabelle percebeu que Gaëton queria tocá-la, e era tudo o que ela também desejava. Mas os dois ficaram onde estavam, os braços caídos ao lado do corpo.

– Os nazistas vão procurar esse aviador até não aguentarem mais. Se você for apanhada...

Isabelle ergueu o queixo, tentando esconder quanto se sentia assustada.

– Então não deixe que me prendam.

– Você acha que não me preocupo com a sua segurança?

– Eu sei que se preocupa – respondeu ela em voz baixa.

Antes que Gaëton pudesse dizer qualquer coisa, Henri chamou lá de cima:

– Vamos, Gaëton. Precisamos encontrar um médico e descobrir como tirar esses dois daqui amanhã.

Gaëton deu um passo atrás. O mundo inteiro pareceu pairar naquele pequeno espaço entre os dois.

– Quando voltarmos, vou bater três vezes e assobiar, não atire na gente.

– Vou tentar – ironizou Isabelle.

Gaëton fez uma pausa.

– Isabelle...

Ela ficou esperando, mas ele não tinha mais nada a dizer, só o nome dela, pronunciado com uma espécie de tristeza que já se tornara comum. Com um suspiro, ele se virou e subiu a escada.

Instantes depois, o alçapão se fechou com um ruído. Isabelle ouviu as tábuas rangerem quando o Renault voltou para o lugar.

Depois, silêncio.

Isabelle começou a entrar em pânico. Estava de novo trancada no quarto; madame Maldita batendo a porta, girando a fechadura, mandando que se calasse e que parasse de pedir coisas.

Não poderia sair de lá, nem mesmo em uma emergência.

Pare com isso. Fique calma. Você sabe o que deve ser feito. Foi até a prateleira, afastou a espingarda do pai e tirou a caixa de medicamentos. Um rápido inventário revelou tesouras, fio e uma agulha, álcool, clorofórmio, cápsulas de benzedrina e esparadrapo.

Ajoelhou-se ao lado do aviador e colocou o lampião no chão perto dela. O peito do macacão de voo estava coberto de sangue, foi preciso um grande esforço para retirar o tecido de sobre a pele. Quando afinal conseguiu, viu um buraco imenso no peito do aviador, e soube que não havia nada que pudesse fazer.

Sentou-se ao lado dele, segurando sua mão até ouvir um último e perturbado suspiro antes de o homem parar de respirar. A boca se abriu, lentamente.

Tirou com cuidado as plaquetas de identificação do pescoço do piloto. Elas precisavam ser escondidas. Examinou-as por algum tempo.

– Tenente Keith Johnson – disse.

Isabelle apagou o lampião e ficou lá, no escuro, com um homem morto.

Na manhã seguinte, Vianne vestiu um macacão de brim e uma camisa de flanela de Antoine que havia ajustado para servir nela. Estava tão magra que a camisa sobrava em seu corpo franzino. Seria preciso ajustar a camisa de novo. A mais recente encomenda para Antoine repousava na bancada da cozinha, pronta para ser enviada.

Sophie tivera uma noite agitada, por isso Vianne tinha deixado a filha dormindo. Desceu para fazer café e quase trombou com o capitão Beck andando pela sala de estar.

– Oh. Herr capitão. Desculpe.

Beck pareceu nem tê-la ouvido. Vianne nunca o tinha visto tão agitado. Seu cabelo, em geral assentado com vaselina, estava despenteado, com uma mecha caindo no rosto, e ele amaldiçoava cada vez que a afastava. Também estava armado, o que nunca se via na casa.

Beck passou por ela, as mãos crispadas ao lado do corpo. A raiva contorcia suas bonitas feições, tornando-o quase irreconhecível.

– Um avião caiu aqui perto ontem à noite – disse, finalmente encarando Vianne. – Um avião americano. O que eles chamam de Mustang.

– Achei que vocês gostassem de ver os aviões deles caindo. Não é por isso que atiram neles?

– Nós procuramos a noite toda e não encontramos ninguém. Alguém está escondendo o piloto.

– *Escondendo?* Ah, duvido. O mais provável é que tenha morrido.

– Nesse caso haveria um cadáver, madame. Nós encontramos o paraquedas, mas não o corpo.

– Mas quem seria tão louco? – perguntou Vianne. – Vocês não... executam pessoas por causa disso?

– Sumariamente.

Vianne nunca o havia ouvido falar naquele tom. Fez com que ela se retraísse. E se lembrasse do chicote que estava na mão de Beck no dia em que Rachel e os outros foram deportados.

– Desculpe meus modos, madame. Mas nós agimos muito bem com vocês e é isso que obtemos em troca com a maioria dos franceses. Mentiras, traição e sabotagens.

Vianne ficou de queixo caído, chocada.

Beck olhou para ela, viu a maneira como o encarava e tentou sorrir.

– Desculpe mais uma vez. Não quis dizer que a senhora faça isso, é claro. O Kommandant está me culpando por não ter localizado o aviador. Fui encarregado de me sair melhor hoje. – Andou até a porta da frente, abriu-a. – Se eu não...

Pela porta entreaberta, Vianne vislumbrou uma movimentação de verde e cinza no seu quintal. Soldados.

– Bom dia, madame.

Vianne o acompanhou até a porta.

– Feche e tranque todas as portas, madame. Esse piloto pode estar desesperado. A senhora não iria gostar se ele invadisse sua casa.

Vianne aquiesceu, aturdida.

Beck se juntou aos soldados de seu *entourage* e assumiu a

liderança. Os cães latiam alto, tentavam correr, farejando o chão perto da base do muro rachado.

Vianne olhou para o lado e viu que a porta do celeiro se encontrava parcialmente aberta.

– Herr capitão – chamou.

O capitão parou; assim como seus homens. Os cães rosnavam, puxavam as guias.

Mas naquele momento ela pensou em Rachel. Aquele seria o lugar para onde ela viria se tivesse escapado.

– N-nada, não, Herr capitão – concluiu Vianne.

Beck fez um gesto brusco com a cabeça e seguiu com seus homens pela estrada.

Vianne calçou as botas que deixava perto da porta. Assim que os soldados desapareceram, ela subiu a colina até o celeiro. Na pressa, escorregou duas vezes na relva molhada e quase caiu. Aprumando-se no último instante, respirou fundo e abriu a porta do celeiro.

Logo percebeu que o carro havia sido movido.

– Já estou indo, Rachel – disse.

Pôs o carro em ponto morto e o empurrou para a frente até ter acesso ao alçapão. Agachando-se, tateou para encontrar a trava de metal e levantou a porta, deixando-a cair com um estrondo no para-choque do automóvel.

Acendeu um lampião, espiou dentro do porão escuro.

– Rach?

– Vá embora daqui, Vianne. Já!

– Isabelle? – Vianne desceu correndo a escada: – Isabelle, o que você... – Atingiu o chão e se virou, a lanterna na mão balançando com suavidade.

Seu sorriso desapareceu.

O vestido de Isabelle estava coberto de sangue, o cabelo loiro totalmente desgrenhado – cheio de folhas e gravetos –, o rosto tão arranhado que parecia que a irmã tinha percorrido um campo de amoras.

Mas não era o pior.

– O piloto – murmurou Vianne, olhando para o homem estendido no colchão disforme. Ficou tão assustada que recuou até as prateleiras. Algo caiu no chão em um estrépito e rolou. – O piloto que eles estão procurando.

– Você não devia ter vindo aqui.

– *Eu não devia ter vindo aqui? Sua louca!* Sabe o que eles vão fazer se encontrarem esse homem aqui? Como você ousa expor minha casa a esse perigo?

– Desculpe. É só fechar a porta do porão e voltar o carro para o lugar. Quando você acordar amanhã, a gente não vai mais estar aqui.

– *Desculpe?* – disse Vianne, trêmula de raiva.

Como a irmã ousava fazer uma coisa daquelas, pôr Sophie e a ela em perigo? E agora também havia Ari, que ainda nem entendia que precisava ser Daniel.

– Você vai matar todos nós.

Vianne recuou em direção à escada. Precisava se afastar o máximo possível daquele piloto... e daquela irmã irrequieta e egoísta.

– Esteja fora daqui até amanhã de manhã, Isabelle. E não volte mais.

Isabelle ainda teve o desplante de parecer magoada.

– Mas...

– Não – repetiu Vianne. – Já cansei de arranjar desculpas para você. Sei que fui mesquinha quando éramos crianças, que mamãe morreu, que papai é um bêbado, que madame Dumas tratava você muito mal. Tudo isso é verdade, e eu queria muito ser uma irmã melhor para você, mas isso acaba aqui. Você continua descuidada e egoísta como sempre, só que agora pode acabar fazendo pessoas morrerem. Não posso deixar Sophie exposta a esse perigo. Não volte mais. Não quero mais você na minha casa. Se voltar, eu mesma entrego você aos alemães.

Dito isso, Vianne subiu a escada e fechou a porta do porão.

Vianne precisava se manter ocupada para não entrar totalmente em pânico. Acordou as crianças e serviu um desjejum leve antes de começar suas tarefas.

Depois de colher os últimos legumes do outono, preparou pepinos e abobrinhas em conserva e enlatou um pouco de purê de abóbora. Durante todo o tempo, não parava de pensar em Isabelle e no aviador dentro do celeiro.

O que poderia ser feito? A pergunta assombrou-a o dia todo, ressurgindo a cada momento. Todas as escolhas eram perigosas. Era óbvio que deveria manter silêncio sobre o aviador no celeiro. O silêncio era sempre mais seguro.

Mas e se Beck e a Gestapo, os nazistas e seus cães entrassem lá por conta própria? O Kommandant não iria gostar de que o aviador fosse encontrado na casa onde Beck estava aquartelado. Beck seria humilhado.

O Kommandant está me culpando por não ter localizado o aviador.

Homens humilhados podem se tornar perigosos.

Talvez ela devesse contar a Beck. Ele era um homem bom. Tentou salvar Rachel. Conseguiu documentos para Ari. Enviava os pacotes de Vianne para o marido.

Talvez ele pudesse ser convencido a só capturar o aviador e deixar Isabelle de fora. O aviador seria enviado a um campo de prisioneiros de guerra; não era tão ruim.

Continuou matutando sobre essas questões até bem depois do jantar e de ter posto as crianças na cama. Nem tentou subir para dormir. Como poderia dormir com a família correndo tal risco? Quanto mais pensava, mais aumentava a raiva que sentia de Isabelle. Às dez horas, ela ouviu passos na frente da casa e um *rap-rap* nítido na porta.

Vestiu seu roupão remendado e se levantou. Desceu para abrir a porta ajeitando o cabelo caído no rosto. As mãos tremiam tanto que teve de fechar os punhos para disfarçar.

– Herr capitão – saudou. – O senhor chegou tarde. Quer que prepare algo para comer?

– Não, obrigado – resmungou ele, afastando-a do caminho com uma falta de delicadeza até então inédita nele. Entrou no quarto e saiu com uma garrafa de conhaque. Serviu-se de uma boa dose em um copo lascado, tomou de um só gole e serviu mais outra.

– Herr capitão?

– Não conseguimos encontrar o piloto – disse, tomando a segunda dose e servindo uma terceira.

– Oh.

– Essa Gestapo. – Olhou para ela. – Eles vão me matar – disse em voz baixa.

– É claro que não.

– Eles não toleram fracassos. – Tomou a terceira dose de conhaque e bateu com o copo na mesa, quase o quebrando. – Eu o procurei por toda parte – continuou. – Cada centímetro dessa maldita cidade. Procurei em celeiros, porões e galinheiros. Em arbustos espinhosos e embaixo de pilhas de lixo. E o que posso mostrar como resultado? Um paraquedas ensanguentado e nada de piloto.

– C-com certeza o senhor ainda não procurou em todos os lugares – disse Vianne para animá-lo. – Quer comer alguma coisa? Eu guardei um pouco do jantar.

De repente Beck se imobilizou. Vianne viu seus olhos se estreitarem, ouviu-o dizer:

– Não é possível, mas... – Pegou uma lamparina, foi até a cozinha e abriu a porta do armário.

– O que o senhor está fazendo?

– Estou revistando sua casa.

– O senhor não acredita que...

Vianne ficou ali parada, o coração disparado enquanto ele revistava a casa de quarto em quarto, arrancando casacos do armário e afastando o divã da parede.

– Está satisfeito?

– Satisfeito, madame? Nós perdemos quatorze pilotos nessa semana e Deus sabe quantas tripulações de voo. Uma fábrica da Mercedes-Benz foi explodida dois dias atrás e todos os operários morreram. Meu tio trabalha naquele prédio. Trabalhava, suponho.

– Sinto muito – disse Vianne.

Respirou fundo, pensando que o episódio tinha acabado, e então viu Beck saindo da casa.

Será que Isabelle tinha feito algum barulho? Vianne temia que sim. Correu atrás dele, querendo agarrá-lo pela manga, mas era tarde demais. Beck já estava lá fora, seguindo o facho de sua lamparina, deixando a porta da cozinha aberta.

Vianne foi atrás dele.

Beck já estava abrindo a porta do pombal.

– Herr capitão. – Vianne diminuiu o passo, tentando acalmar a respiração enquanto esfregava as mãos úmidas nas pernas das calças. – O senhor não vai encontrar nada nem ninguém aqui, Herr capitão. Deveria saber disso.

– A senhora é uma mentirosa, madame? – Beck não estava com raiva. Estava com medo.

– Não. E o senhor sabe disso. Wolfgang – disse, usando o primeiro nome dele pela primeira vez. – Com certeza seus superiores não vão culpá-lo por isso.

– Esse é o problema com vocês franceses – retrucou. – Vocês não conseguem ver o que acontece bem diante dos seus olhos.

Passou por Vianne e subiu a rampa em direção ao celeiro.

Ele ia encontrar Isabelle e o aviador...

E se encontrasse?

Todos seriam presos. Talvez pior.

Ele jamais acreditaria que Vianne não sabia a respeito. Ela já se revelara demais para fingir inocência. E agora era muito tarde para confiar que sua honra poderia salvar Isabelle. Vianne tinha mentido para ele.

Beck abriu a porta do celeiro e ficou parado, mãos nos

quadris, olhando ao redor. Pôs a lamparina de lado e acendeu um lampião, pousando-o no chão. Revistou cada centímetro do celeiro, todas as baias e o palheiro.

– E-está vendo? – disse Vianne. – Vamos voltar para casa. Talvez o senhor queira outro conhaque.

Beck olhou para o chão. Havia marcas de pneu apagadas na poeira.

– A senhora disse que madame de Champlain se escondeu num porão.

Não. Vianne quis dizer alguma coisa, mas não encontrou palavras.

Beck abriu a porta do Renault, pôs o carro em ponto morto e o empurrou para a frente, até revelar o alçapão.

– Capitão, por favor...

Beck abaixou-se na frente dela. Seus dedos tatearam o piso, procurando alguma abertura que revelassem as ranhuras do alçapão.

Se Beck abrisse aquela porta, estaria tudo acabado. Ele mataria Isabelle, ou a levaria presa. Vianne e as crianças seriam presas. Não haveria como argumentar, como convencê-lo de nada.

Beck sacou a arma, engatilhou.

Em desespero, Vianne olhou ao redor e viu uma pá apoiada na parede.

Beck levantou o alçapão e gritou alguma coisa. Abriu a tampa por completo e ficou de pé, apontando a arma. Vianne pegou a pá e bateu nele com toda a força. A lâmina de metal acertou sua nuca com um som doentio, penetrando fundo no crânio. O sangue escorreu pelas costas do uniforme.

No mesmo instante, dois tiros foram disparados, um da arma de Beck e outro vindo do porão.

Beck girou, cambaleando de lado. Um furo do tamanho de uma cebola surgiu em seu peito, jorrando sangue. Uma sanguinolenta aba de cabelo e escalpo caía sobre um de seus olhos.

– Madame – falou, tombando de joelhos.

Sua pistola rolou no chão. O lampião rodopiou sobre as pranchas irregulares, fazendo barulho.

Vianne largou a pá e ajoelhou ao lado de Beck, que se encontrava estendido de costas sobre uma poça de sangue. Usando todo o seu peso, ela o rolou de lado. Já estava pálido, branco como giz. O sangue coagulava em seus cabelos, escorria pelo nariz, borbulhava a cada respiração.

– Desculpe – disse Vianne.

Os olhos de Beck se abriram, estremeceram.

Vianne tentou limpar o sangue do rosto dele, mas só piorou a situação. Suas mãos ficaram sujas de sangue.

– Eu não podia deixar você fazer isso – explicou ela em voz baixa.

– Diga a minha família...

Vianne viu a vida abandonando seu corpo, viu quando o peito deixou de arfar, o coração parar de bater.

Atrás dela, ouviu a irmã subindo a escada.

– Vianne!

Vianne não conseguia se mexer.

– Você... está bem? – perguntou Isabelle com a voz rouca e arfante. Parecia pálida e um pouco trêmula.

– Eu o matei. Ele está morto – disse Vianne.

– Não, não matou. Eu atirei no peito dele – falou Isabelle.

– Eu bati na cabeça dele com uma pá. Uma *pá*.

Isabelle aproximou-se da irmã.

– Vianne...

– Não – reagiu Vianne, arisca. – Não quero ouvir desculpas de você. Você sabe o que fez? Tem um nazista morto no meu celeiro.

Antes que Isabelle pudesse responder, ouviu-se um assobio alto, seguido pelo som de uma carroça puxada por uma mula que entrava no celeiro.

Vianne pegou a arma de Beck, aprumou-se no piso escorregadio de sangue e apontou a pistola para os desconhecidos.

– Não atire, Vianne – disse Isabelle. – São amigos.

Vianne olhou para os homens maltrapilhos na carroça; depois para a irmã, toda de preto e pálida como cera, com olheiras sob os olhos.

– Claro que são amigos. – Deu um passo para o lado, mas manteve a arma apontada para os homens apinhados na boleia da frágil carroça. Atrás deles, na caçamba, viu um caixão de pinho.

Vianne reconheceu Henri – o homem que administrava o hotel na cidade, com quem Isabelle tinha fugido para Paris. O comunista por quem Isabelle pensou que poderia estar um pouco apaixonada.

– É claro – disse Vianne. – O seu amante.

Henri pulou da carroça e fechou a porta do celeiro.

– O que foi que aconteceu?

– Vianne bateu nele com uma pá e eu dei um tiro – explicou Isabelle. – Ainda estamos disputando irmãmente para ver quem o matou, mas ele está morto. Capitão Beck. O soldado aquartelado aqui em casa.

Henri trocou um olhar com um dos outros desconhecidos – um jovem desengonçado e de rosto fino, com o cabelo comprido.

– Isso é um problema – comentou ele.

– Você consegue se livrar do corpo? – perguntou Isabelle, com a mão no peito, como se o coração estivesse acelerado demais. – E o do aviador também... ele não resistiu.

Um homem grande e peludo, com um casaco remendado e uma calça pequena demais, desceu da carroça.

– Sumir com os corpos é a parte mais fácil.

Quem eram aquelas pessoas?

Isabelle fez um sinal de cabeça.

– Eles vão vir procurar Beck. Minha irmã não consegue resistir a um interrogatório. Vamos ter que esconder ela e Sophie.

Agora era demais. Eles estavam falando sobre Vianne como se ela nem estivesse aqui.

– Fugir só iria provar minha culpa.

– Mas você não pode ficar. Não é seguro – disse Isabelle.

– Faça-me o favor, Isabelle! *Agora* é que você se preocupa comigo, depois de colocar em risco minha vida e a das crianças e me obrigar a matar um homem decente.

– Vianne, por favor...

Vianne sentiu alguma coisa enrijecer dentro de si. Parecia que cada vez que ela pensava ter chegado ao fundo do poço nessa guerra, algo pior acontecia. Ela se tornara uma assassina, e tudo por culpa de Isabelle. A última coisa que faria agora seria seguir o conselho da irmã e sair de Le Jardin.

– Vou dizer que Beck saiu para procurar o aviador e não voltou mais. O que uma dona de casa francesa como eu poderia saber sobre essas coisas? Ele estava aqui, mas desapareceu. *C'est la vie.*

– Até que é uma boa resposta – observou Henri.

– É culpa minha – disse Isabelle, aproximando-se de Vianne.

Notou a tristeza da irmã pela situação, a culpa que sentia, mas Vianne não se importou. Estava temerosa demais pelas crianças para se preocupar com os sentimentos de Isabelle.

– Sim, é mesmo, mas você fez com que fosse minha responsabilidade também. Nós matamos um homem bom, Isabelle.

Isabelle oscilou um pouco, sem firmeza.

– Eles vão vir falar com você, Vi.

Vianne começou a dizer:

– E de quem é a culpa? – Mas, quando olhou para Isabelle, as palavras morreram.

Vianne viu sangue escorrendo entre os dedos da irmã. Por uma fração de segundo, o mundo girou bem devagar, oscilou, tornando-se apenas ruído – os homens falando atrás dela, a mula batendo os cascos no chão, sua própria respiração agitada. Isabelle desabou, desfalecida.

Antes de Vianne começar a gritar, alguém cobriu sua boca com a mão, braços a agarraram por trás. Quando percebeu, estava sendo arrastada para longe da irmã. Lutou para se libertar, mas o homem que a segurava era muito forte.

Viu Henri se ajoelhar ao lado de Isabelle, rasgar seu casaco e sua blusa e revelar um buraco de bala abaixo da clavícula. Henri tirou a camisa, comprimindo-a no ferimento.

Vianne deu uma cotovelada em seu captor com força o bastante para provocar nele um gemido de dor. Desvencilhou-se e correu até Isabelle, escorregando no sangue, quase caindo.

– Tem uma caixa de medicamentos no porão.

O homem de cabelos escuros – que de repente parecia tão abalado quanto Vianne – desceu correndo a escada e voltou logo depois, trazendo a caixa de primeiros-socorros.

As mãos de Vianne tremiam quando ela pegou a garrafa de álcool e lavou as mãos o melhor que pôde.

Respirou fundo e assumiu a função de pressionar a camisa de Henri sobre o ferimento que pulsava sob suas mãos.

Por duas vezes teve de se afastar, torcer a camisa para retirar o excesso de sangue antes de retomar o processo, mas afinal o sangue estancou. Com toda a delicadeza, virou Isabelle nos braços e viu o ferimento de saída da bala.

Graças a Deus.

Deitou Isabelle de costas de novo, com cuidado.

– Isso vai doer – sussurrou. – Mas você é forte, não é, Isabelle?

Despejou álcool no ferimento. Isabelle se contraiu, mas não acordou nem gritou.

– Muito bem – disse Vianne. O som da própria voz a acalmou, lembrando-a de que ainda era mãe, e mães cuidam da própria família. – É melhor continuar inconsciente.

Pegou a agulha do kit médico e passou o fio pelo buraco. Mergulhou a agulha no álcool e debruçou-se sobre a ferida. Com muito cuidado, começou a suturar o tecido rompido. Não demorou muito – e não chegou a ser um belo trabalho, mas foi o melhor que pôde fazer.

Ao terminar a sutura do ferimento de entrada, se sentiu

um pouco mais confiante para suturar o ferimento de saída e aplicar uma atadura.

Quando finalmente acabou, sentou-se e ficou olhando as mãos e a saia sujas de sangue.

Isabelle estava tão frágil e pálida, nem parecia ser quem era. O cabelo estava imundo e opaco, as roupas encharcadas do próprio sangue – e o do aviador – e ela pareceu tão nova.

Tão nova.

Vianne sentiu um remorso tão profundo que ficou de estômago embrulhado. Será que tinha mesmo mandado a irmã – a *irmã* – embora e pedido para que ela não voltasse mais?

Quantas vezes na vida Isabelle tinha ouvido aquilo, da própria família, de pessoas que deveriam amá-la?

– Eu vou levar Isabelle para o nosso esconderijo em Brantôme – disse o de cabelo escuro.

– Ah, não. Não vai, não – retrucou Vianne.

Olhou para a irmã, viu os três homens reunidos ao lado da carroça, conspirando. Levantou-se.

– Ela não vai a lugar nenhum com vocês. Vocês são a razão de ela estar aqui.

– Ela é que é a razão de estarmos aqui – replicou o homem de cabelo escuro. – Eu vou levar Isabelle para outro lugar. Imediatamente.

Vianne aproximou-se do jovem. A expressão dos olhos dele – a intensidade do olhar – normalmente a teria amedrontado, mas no momento ela se encontrava além do medo, além da precaução.

– Eu sei quem você *é* – disse. – Ela me contou de você. Você é aquele de Tours, que deixou um bilhete espetado na blusa da minha irmã, como se ela fosse uma cachorro vira-lata. Gaston, certo?

– Gaëton – corrigiu ele, falando tão baixo que Vianne precisou chegar mais perto para ouvir. – E você deve saber bem sobre isso. Não foi você que não conseguiu ser a irmã dela quando Isabelle mais precisava?

– Se tentar levar Isabelle para longe de mim, eu mato você.

– Você me mata – repetiu ele, sorrindo.

Vianne apontou Beck com a cabeça.

– Eu matei aquele homem com uma pá e eu *gostava* dele.

– Agora chega! – bradou Henri, interpondo-se entre os dois. – Ela não pode ficar aqui, Vianne. Pense um pouco. Os alemães vão vir procurar o capitão. E vão encontrar uma mulher ferida a bala com documentos falsos. Está entendendo?

O homenzarrão deu um passo à frente.

– Vamos enterrar o aviador e o capitão. E vamos garantir que a motocicleta desapareça. Gaëton, você leva Isabelle para um esconderijo seguro na Zona Livre.

Vianne olhou de um homem para o outro.

– Mas já passou da hora do toque de recolher, a fronteira fica a 6 quilômetros e ela está ferida. Como vocês...

No meio da frase, ela entendeu a resposta.

O caixão.

Vianne deu um passo atrás. Era uma ideia tão hedionda que ela balançou a cabeça.

– Eu vou cuidar dela – disse Gaëton.

Vianne não acreditou nas palavras dele. Nada, nada.

– Eu vou com você. Até a fronteira. Só volto quando tiver certeza de que ela chegou à Zona Livre.

– Você não pode fazer isso – retrucou Gaëton.

Vianne o encarou.

– Você ficaria surpreso com as coisas que eu posso fazer. Vamos sair logo daqui.

VINTE E SEIS

6 de maio de 1995
Litoral do Oregon

*A*quele maldito convite está me assombrando. Parece até que está vivo. Eu o ignorei durante dias. Mas, nesta linda manhã de primavera, de repente estou diante da bancada, olhando para ele. Engraçado. Eu não me lembro de ter vindo até aqui, mas aqui estou eu.

A mão de outra mulher se estende à minha frente. Não pode ser minha mão, essa monstruosidade trêmula, cheia de veias e juntas nodosas. Ela pega o envelope, essa outra mulher.

As mãos estão mais trêmulas do que o habitual.

A senhora está convidada para a reunião da AFEES em Paris, no dia 7 de maio de 1995.
O quinquagésimo aniversário do fim da guerra.

Pela primeira vez, amigos e familiares dos finados irão se reunir em louvor e gratidão à extraordinária "Rouxinol", também conhecida como Juliette Gervaise, no salão de festas do Île de France Hôtel, em Paris, às 19:00.

O telefone toca a meu lado. Quando vou atender, o convite escorrega da minha mão, cai na bancada.

– Alô?

Alguém falando comigo em francês. Ou será que estou imaginando coisas?

– É uma ligação de telemarketing? – pergunto, confusa.

– Não! Não. É sobre o nosso convite.

Quase derrubo o telefone de tanta surpresa.

– Foi muito difícil localizá-la, madame. Estou ligando para falar da reunião de *passeurs* amanhã à noite. Estamos nos reunindo para homenagear as pessoas que tornaram a rota de escape do Rouxinol tão bem-sucedida. A senhora recebeu o convite?

– *Oui* – respondo, apertando o receptor.

– O primeiro que enviamos foi devolvido, sinto dizer. Por favor, desculpe a demora da entrega. Mas... a senhora virá?

– Não é a mim que as pessoas querem ver. É Juliette. E ela já não está entre nós há muito tempo.

– A senhora está muito enganada, madame. Sua presença seria muito importante para muita gente.

Desligo o telefone com tanta força que parece que esmaguei um inseto.

Mas de repente a ideia de voltar – voltar para *casa* – está na minha cabeça. E só consigo pensar nisso.

Durante anos, tenho mantido essas lembranças a distância. Escondi tudo em um sótão empoeirado, longe de olhares curiosos. Disse a meu marido, a meus filhos, a mim mesma, que não havia nada para mim na França. Achei que poderia vir para os Estados Unidos e construir essa nova vida para mim e esquecer tudo o que fiz para sobreviver.

Agora não consigo esquecer.

Devo tomar uma decisão? Uma decisão consciente, do tipo "vamos pensar melhor e decidir qual a melhor coisa a se fazer"?

Não. Ligo para meu agente de viagem e reservo um voo para Paris, passando por Nova York. Depois faço a mala. Pouca coisa, apenas uma mala de rodinhas que uma mulher de negócios levaria para uma viagem de dois dias. Com algumas meias, umas calças e alguns suéteres, os brincos de pérola que meu marido me deu no nosso aniversário de 40 anos de casados e mais alguns itens essenciais. Não faço ideia do que vou precisar e realmente não estou pensando direito. Depois fico esperando. Impacientemente.

No último minuto, depois de já ter chamado um táxi, ligo

para meu filho e decido deixar um recado na secretária eletrônica. Se tiver um pouco de sorte. Não sei se teria coragem de dizer a verdade pessoalmente.

– Alô, Julien – digo o mais animadamente possível. – Estou indo passar o fim de semana em Paris. Meu voo sai à uma e dez. Eu ligo quando chegar para dizer que está tudo bem. Mande um beijo para as meninas.

Faço uma pausa, sabendo o que ele vai sentir quando receber a mensagem, como vai ficar preocupado. Isso porque o fiz pensar que eu era fraca, todos esses anos; ele me viu como uma pessoa dependente do pai dele, sempre concordando com as decisões que tomava. Sempre me ouvindo dizer, um milhão de vezes: "Se você pensa assim, querido..." Meu filho sempre me viu em um papel periférico em sua vida, sem que eu mostrasse meu verdadeiro campo de atuação. A culpa é minha. Não admira que ele ame uma versão incompleta de mim.

– Eu deveria ter contado a verdade a você.

Quando desligo o telefone, vejo o táxi estacionando na frente. E saio de onde estou.

VINTE E SETE

Outubro de 1942
França

Vianne sentou-se com Gaëton na boleia da carroça, com o caixão balançando na caçamba atrás deles. Era difícil encontrar a trilha pelo bosque no escuro; precisaram parar várias vezes e voltar para recomeçar. Em algum momento começou a chover. As únicas palavras que os dois trocaram na hora e meia de percurso foram sobre o caminho a seguir.

– Por ali – disse Vianne, quando chegaram ao final do bosque.

Uma luz cintilava à frente, passando através das árvores, transformando-as em silhuetas escuras contra o fundo branco ofuscante.

A fronteira.

– *Ooa* – fez Gaëton, puxando as rédeas.

Vianne não pôde deixar de se lembrar da última vez em que estivera ali.

– Como você vai atravessar? Já passou da hora do toque de recolher – disse, juntando as mãos para evitar que tremessem.

– Eu vou ser Lawrence Olivier. Um homem arrasado pela tristeza, levando sua adorada irmã para ser enterrada em casa.

– E se eles perceberem que ela está respirando?

– Nesse caso alguém vai morrer nesse posto – respondeu ele em voz baixa.

Vianne entendeu o que ele quis dizer por trás das palavras que escolheu. Ficou tão surpresa que não soube o que dizer. Gaëton estava dizendo que morreria para proteger Isabelle. Virou-se para ela e a encarou. *Encarou*, não olhou. Mais uma vez ela viu a intensidade daqueles olhos cinzentos e predadores, mas havia algo mais naquele olhar. Ele estava esperando – pacientemente – pelo que Vianne diria. Por alguma razão, era importante para ele.

– Meu pai era outro homem quando voltou da Grande Guerra – disse Vianne em voz baixa, surpreendendo-se ao admitir aquele fato. Não era uma coisa sobre a qual costumasse falar. – Raivoso. Mesquinho. Começou a beber demais. Enquanto mamãe estava viva, ele era diferente... – Deu de ombros. – Quando ela morreu, acabou o fingimento. Ele fez com que eu e Isabelle fôssemos morar com uma desconhecida. Nós éramos meninas, muito traumatizadas. A diferença entre nós foi que eu aceitei a rejeição. Tirei meu pai da minha vida e encontrei outra pessoa para amar. Mas Isabelle... não sabe aceitar uma derrota. Ficou esmurrando a muralha fria do desinteresse do nosso pai por anos, tentando desesperadamente ganhar o amor dele.

— Por que está me contando tudo isso?

— Isabelle parece indestrutível. Tem um exterior de aço, que serve de proteção para um coração mole feito algodão-doce. Não magoe a minha irmã, é isso que estou dizendo. Se você não amá-la...

— Eu a amo.

Vianne avaliou a expressão dele.

— E ela sabe disso?

— Espero que não.

Um ano antes, ela não teria entendido aquela resposta. Não teria entendido o lado obscuro que um amor pode ter, que às vezes a coisa mais generosa a se fazer é esconder esse sentimento.

— Não sei por que é tão fácil para mim esquecer quanto a amo. A gente começa a brigar e...

— Coisa de irmãs.

Vianne soltou um suspiro.

— Acho que sim, mas eu não fui uma boa irmã para ela.

— Você vai ter outra chance.

— Acredita mesmo nisso?

O silêncio dele foi uma resposta satisfatória. Afinal, ele continuou:

— Cuide-se bem, Vianne. Ela vai precisar de um lugar para voltar quando tudo isso acabar.

— Se um dia acabar.

— *Oui*.

Vianne desceu da carroça, atolando as botas na relva úmida e lamacenta.

— Não sei se ela me vê como um lugar seguro para o qual voltar — disse.

– Você vai precisar ser corajosa – respondeu Gaëton. – Quando os nazistas vierem procurar o capitão deles. Você sabe os nossos nomes verdadeiros. Isso é um perigo para todos nós. Inclusive para você.

– Eu vou ser corajosa – prometeu ela. – Mas diga a minha irmã que ela precisa começar a sentir medo.

Gaëton sorriu pela primeira vez e Vianne entendeu como aquele homem esquelético, de rosto magro e roupas de mendigo tinha arrebatado Isabelle. Ele tinha o tipo de sorriso que ocupava todo o rosto – os olhos, as bochechas; havia até uma covinha. *Meu coração é transparente*, dizia aquele sorriso, e nenhuma mulher poderia deixar de se comover com tal transparência.

– *Oui* – respondeu ele. – Você sabe que é muito fácil dizer qualquer coisa para sua irmã.

🐦

Fogo.

Por toda a sua volta, saltando, dançando. Uma fogueira. Ela pode ver as labaredas vermelhas tremeluzentes indo e voltando. Uma centelha toca em seu rosto, queimando profundamente.

Está em toda parte e então... desaparece.

O mundo é gelado, branco, deserto e rachado. Ela treme de frio, vê os dedos ficarem azulados, racharem e se partirem. Caem como pedaços de giz, empoeirando seus pés gelados.

– Isabelle.

Um pássaro canta. Um rouxinol. Ela ouve o trinado da triste melodia. Os rouxinóis simbolizam as perdas, não é? Um amor que vai embora, que não perdura ou nunca existiu. Há um poema sobre isso, ela acha. Uma ode.

Não, não é um passarinho.

Um homem. Talvez o rei do fogo. Um príncipe escondido nos bosques gelados. Um lobo.

Ela procura pegadas na neve.

– Isabelle. Acorde.

Ela ouve a voz dele em sua imaginação. Gaëton.

Mas ele não está realmente aqui. Ela está sozinha – sempre esteve sozinha – e isso é estranho demais para ser mais do que um sonho. Está com calor e com frio, dolorida e exausta.

Lembra-se de alguma coisa – um barulho alto. A voz de Vianne. *Não volte nunca mais.*

– Eu estou aqui.

Ela o sente a seu lado. O colchão cede para acomodar seu peso imaginário.

Uma coisa úmida e fria encosta em sua testa, uma sensação agradável que momentaneamente a distrai. Depois sente os lábios dele roçarem os seus, ficarem por um tempo; ele disse alguma coisa que ela não conseguiu ouvir bem antes de se afastar. Sente o fim do beijo com a mesma intensidade que sentiu o início.

Pareceu tão... real.

Queria dizer: "Não me abandone", mas não conseguiu, mais uma vez. Estava tão cansada de implorar que as pessoas a amassem...

Além do mais, ele não estava realmente aqui, então, qual o sentido de dizer qualquer coisa?

Fechou os olhos e virou-se de costas para o homem que não estava ali.

🐦

Vianne sentou-se na cama de Beck.

Era ridículo estar pensando daquela maneira, mas lá estava ela. Sentada no quarto que se tornara dele, com a esperança de que não fosse assim para sempre. Em sua mão estava o pequeno retrato da família dele.

A senhora iria gostar de Hilda. Olha, ela mandou esse strudel para a senhora. Por aguentar um tipo como eu.

Vianne engoliu em seco. Não chorou por ele de novo. Recusava-se a fazer isso, mas, Deus, ela queria chorar por si mesma, pelo que fez, pelo que havia se tornado. Queria chorar pelo homem que tinha matado, pela irmã que talvez não sobrevivesse. Foi uma escolha fácil, matar Beck para salvar Isabelle. Então por que Vianne rejeitou Isabelle logo depois? *Não quero mais você na minha casa.* Como pôde ter dito aquilo para a própria irmã? E se fossem as últimas palavras ditas entre as duas?

Continuou ali sentada com o retrato nas mãos (*Diga a minha família...*), esperando alguém bater à porta. Já fazia 48 horas que Beck tinha sido morto. Os nazistas chegariam a qualquer minuto.

Não era uma questão de se, mas de quando. Iriam bater à porta da casa e entrar. Vianne passou horas refletindo sobre o que faria. Seria melhor ir ao gabinete do Kommandant e informar que Beck tinha desaparecido?

(Não, sua tola, que francês iria informar uma coisa dessas?)

Ou deveria esperar até que eles viessem falar com ela?

(O que nunca era uma coisa boa.)

Ou deveria tentar fugir?

Isso apenas a fazia se lembrar de Sarah e da noite enluarada que sempre a levava a pensar nas manchas de sangue no rosto de uma criança, fazendo-a mais uma vez retornar ao problema inicial.

– Mamãe – chamou Sophie, parada na soleira da porta, com Ari nos braços. – Você precisa comer alguma coisa – continuou.

Sophie estava mais alta; quase da altura de Vianne. Quando aquilo tinha acontecido? E estava magra. Vianne recordou a época em que a filha tinha bochechas cor de maçã e olhos que brilhavam travessos. Agora estava como todos os demais, magra e abatida, parecendo mais velha do que realmente era.

– Logo eles vão chegar por essa porta – disse Vianne.

Tinha dito isso tantas vezes nos últimos dois dias que suas palavras não surpreendiam mais ninguém.

– Você se lembra do que deve fazer?

Sophie concordou com a cabeça, solene. Sabia quanto aquilo era importante, mesmo que não soubesse o que acontecera com o capitão. Curiosamente, ela não tinha perguntado.

– Se eles me levarem... – disse Vianne.

– Eles não vão levar você – retrucou Sophie.

– Mas se levarem? – insistiu Vianne.

– Ficamos esperando três dias até você voltar, depois procuramos a madre Marie-Thérèse no convento.

Alguém bateu à porta. Vianne levantou-se tão depressa que desequilibrou-se de lado e bateu o quadril no canto da mesa, derrubando o retrato. O vidro quebrou.

– Para cima, Sophie. Já.

Os olhos da menina se arregalaram, mas ela sabia que não deveria contestar. Segurou o bebê com mais firmeza e subiu a escada com rapidez. Quando ouviu a porta do quarto se fechar, Vianne ajeitou a saia amassada. Tivera o esmero de vestir um cardigã de lã cinza e uma saia preta cheia de remendos. Uma aparência respeitável. Penteou o cabelo em um ondulado que suavizava seu rosto encovado.

Bateram outra vez. Vianne se permitiu um suspiro, controlando a respiração enquanto atravessava a sala de estar. A respiração estava quase tranquila quando abriu a porta.

Dois soldados alemães estavam ali parados, as armas no coldre. O mais baixo passou por Vianne, afastando-a do caminho ao entrar na casa. Andou de quarto em quarto, empurrando para o lado as coisas, derrubando no chão os pouquíssimos enfeites que ainda lhe restavam. No quarto de Beck, parou e virou-se para trás.

– Este é o quarto do Hauptmann Beck?

Vianne aquiesceu.

O soldado mais alto chegou perto de Vianne rapidamente,

inclinado para a frente, como se acossado por um vento forte nas costas. Olhou para ela do alto, a testa sombreada pela aba brilhante do quepe militar.

– Onde ele está?

– C-como eu posso saber?

– Quem está lá em cima? – indagou o soldado. – Estou ouvindo alguma coisa.

Era a primeira vez que alguém perguntava sobre Ari.

– São... meus filhos. – A mentira transpareceu em sua voz, que saiu fraca demais. Limpou a garganta e tentou de novo. – Podem subir, é claro, mas por favor não acordem o bebê. Ele... está gripado. Ou talvez com tuberculose. – Acrescentou a última frase por saber quanto os nazistas tinham medo de ficar doentes.

Ele fez um sinal com a cabeça para o outro alemão, que subiu a escada confiante. Ouviu os movimentos do homem lá em cima. O teto rangeu. Instantes depois, ele voltou e disse alguma coisa em alemão.

– Venha conosco – disse o mais alto. – A senhora não deve ter nada a esconder.

Agarrou Vianne pelo braço e a arrastou até o Citroën preto estacionado em frente ao portão. Empurrou-a para o banco traseiro e bateu a porta.

Vianne teve mais ou menos cinco minutos para pensar sobre sua situação antes de eles pararem e conduzi-la pelos degraus de pedra da prefeitura da cidade. A praça estava cheia de gente, soldados e moradores. Os aldeões logo se dispersaram com a chegada do Citroën.

– É Vianne Mauriac. – Ela ouviu alguém dizer, uma mulher.

O aperto dos nazistas em seu braço estava provocando um hematoma, mas ela não emitiu qualquer som enquanto atravessava o saguão da prefeitura e descia um lance de degraus estreitos. Lá dentro, fizeram-na passar por uma porta e a deixaram trancada.

Demorou algum tempo para seus olhos se adaptarem à

obscuridade. Estava em um cômodo pequeno, sem janelas, de paredes de pedra e piso de madeira. No meio do quarto havia uma escrivaninha, com um abajur preto que distribuía um cone de luz na madeira arranhada do tampo. Atrás da escrivaninha, viu uma cadeira de madeira e encosto reto – e outra na frente.

Ouviu a porta se abrir e se fechar. Seguiram-se passos; ela sabia que havia alguém atrás dela. Podia sentir seu hálito – linguiça e cigarro – e o aroma almiscarado de seu suor.

– Madame – disse uma voz a seu ouvido, fazendo-a recuar.

Apertaram sua cintura, com firmeza.

– Está com alguma arma? – perguntou o homem, sibilando as palavras com seu francês terrível.

Apalpou as laterais de seu corpo, passando os dedos que mais pareciam aranhas no meio dos seios, exercendo uma pequena pressão, e passou a mão por suas pernas.

– Não está armada. Ótimo.

Passou por ela e sentou-se à escrivaninha. Olhos azuis a fitaram por baixo do quepe preto.

– Sente-se.

Vianne fez o que ele ordenou, cruzando as mãos sobre o colo.

– Eu sou o Sturmbannführer Von Richter. A senhora é madame Vianne Mauriac?

Vianne aquiesceu.

– A senhora sabe por que está aqui? – perguntou, tirando um cigarro do bolso e o acendendo com um fósforo que cintilou em meio às sombras.

– Não – respondeu ela com a voz hesitante, as mãos tremendo um pouco.

– Hauptmann Beck está desaparecido.

– Desaparecido. Tem certeza?

– Quando foi a última vez que o viu, madame?

Vianne franziu o cenho.

– Eu quase não sei de suas andanças, mas se tentar me

lembrar... eu diria que duas noites atrás. Ele estava bastante agitado.

– Agitado?

– Por causa do aviador abatido. Estava muito infeliz por não ter conseguido encontrá-lo. Herr capitão achou que alguém estava escondendo o piloto.

– Alguém?

Vianne se esforçou para não desviar o olhar e também para não ficar batendo o pé no chão ou esfregar uma coceira que a incomodava no pescoço.

– Ele ficou o dia inteiro procurando o aviador. Quando voltou para casa, estava... agitado é a única palavra que me ocorre. Tomou uma garrafa inteira de conhaque e até quebrou alguns objetos por causa da irritação. Depois...

Fez uma pausa, aprofundando a ruga na testa.

– Depois?

– Acho que não quer dizer nada.

Ele bateu com a mão espalmada na mesa com tanta força que a luz estremeceu.

– Depois o quê?

– De repente Herr capitão disse: "Eu sei onde ele está escondido", pegou a pistola e saiu da minha casa batendo a porta da frente. Vi quando ele subiu na motocicleta e partiu pela estrada a uma velocidade perigosa, então... Ele não voltou mais. Imaginei que estava ocupado no Kommandantur. Como já disse, eu nunca me intrometi nas suas idas e vindas.

O homem deu uma longa tragada no cigarro. A ponta se avermelhou. Cinzas caíram na mesa. Ficou observando-a por trás do véu de fumaça.

– Um homem não ia querer deixar uma mulher bonita como a senhora.

Vianne não se mexeu.

– Bem – disse ele afinal, jogando a ponta do cigarro no chão. Levantou-se e pisou no cigarro ainda aceso, esmagando-o com o salto da bota. – Desconfio que o jovem Hauptmann não era tão habilidoso com uma arma como deveria ser. Wehrmacht – concluiu, abanando a cabeça. – Eles sempre nos decepcionam. São disciplinados, mas... não muito ambiciosos.

Saiu de trás da escrivaninha e andou na direção de Vianne. Quando se aproximou, ela se levantou. Uma questão de educação.

– O infortúnio do Hauptmann é uma sorte para mim.

– Mas como?

O olhar dele vagou pelo pescoço de Vianne e pela pele acima dos seios.

– Estou precisando de um novo local para aquartelar. O Hôtel Bellevue não é satisfatório. Acredito que sua casa será muito melhor.

Quando saiu do prédio da prefeitura, Vianne parecia uma náufraga lançada à praia. Sentia-se desequilibrada e um pouco trêmula, as palmas das mãos úmidas, a testa coçando. Para onde quer que olhasse na praça havia soldados; naqueles dias os uniformes negros alemães predominavam. Ouviu alguém gritar *HALT.* Ao se virar, viu duas mulheres de casacos esfarrapados com estrelas amarelas no peito sendo obrigadas por um soldado armado a se ajoelhar. O soldado agarrou uma delas e a arrastou, colocando-a de pé, enquanto a mais velha gritava. Era madame Fournier, a mulher do açougueiro. O filho dela, Gilles, gritou:

– Vocês não podem levar minha mãe. – E começou a correr em direção a dois policiais franceses que se encontravam ali perto.

Um gendarme agarrou o garoto e deu uns safanões com força o suficiente para fazê-lo parar.

– Não seja louco.

Vianne não pensou. Viu seu ex-aluno em perigo e correu até

ele. Era só um garoto, pelo amor de Deus. Da idade de Sophie. Vianne fora sua professora antes de ele aprender a ler.

– O que você está fazendo? – perguntou, percebendo tarde demais que deveria ter controlado a voz.

O policial virou-se para ela. Paul. Ainda mais gordo que da última vez que o vira. O rosto estava tão redondo que os olhos pareciam estreitos como buracos de agulhas.

– Não se meta nisso, madame – disse Paul.

– Madame Mauriac! – gritou Gilles. – Eles estão levando minha mãe para o trem. Eu quero ir junto com ela!

Vianne olhou para a mãe de Gilles, madame Fournier, a mulher do açougueiro, vendo o desalento em seus olhos.

– Venha comigo, Gilles – disse Vianne sem pensar muito.

– *Merci* – murmurou madame Fournier.

Paul voltou a agarrar Gilles.

– Já chega. Esse garoto está fazendo um estardalhaço. Ele vem conosco.

– Não! – contestou Vianne. – Paul, por favor, somos todos franceses.

Esperava que, ao chamá-lo pelo nome, talvez ele se lembrasse de que antes de tudo aquilo eles eram uma comunidade. As filhas dele tinham sido alunas dela.

– O garoto é um cidadão francês. Ele nasceu aqui!

– A gente não liga para onde ele nasceu, madame. Ele está na minha lista. E também vai. – Os olhos dele se estreitaram. – Gostaria de prestar uma queixa?

Madame Fournier chorava, agarrada à mão do filho. O outro policial tocou o apito e empurrou Gilles para a frente com o cano do fuzil.

Gilles e a mãe cambalearam junto com a multidão que estava sendo conduzida para a estação ferroviária.

A gente não liga para onde ele nasceu, madame.

Beck tinha razão. Ser francês não protegeria mais Ari.

Vianne segurou firme a bolsa embaixo do braço e tomou a direção de casa. Como de hábito, a estrada tinha virado lama e seus sapatos estavam arruinados quando ela chegou ao portão de Le Jardin.

As duas crianças a esperavam na sala de estar. Vianne relaxou os ombros, aliviada. Abriu um sorriso cansado quando largou a bolsa.

– Tudo bem com você? – perguntou Sophie.

Ari correu logo para ela, sorrindo e abrindo os braços para um abraço, dizendo "Mamãe", com uma expressão que demonstrava que entendia as regras do novo jogo.

Vianne deu um abraço apertado no garoto de 3 anos. Disse a Sophie:

– Eu fui interrogada e solta. Essa é a boa notícia.

– E qual é a má notícia?

Vianne olhou para a filha com uma expressão de desânimo. Sophie estava crescendo em um mundo em que garotos de sua turma de escola eram postos em vagões de trem como gado, sob a mira de uma arma, para talvez nunca mais serem vistos.

– Outro alemão vai ficar aquartelado aqui em casa.

– Ele vai ser como o Herr capitão Beck?

Vianne pensou na expressão feroz dos olhos azuis e gelados de Von Richter, na forma como a "revistaram".

– Não – respondeu em voz baixa. – Não é o que espero dele. Você não deve falar com ele a não ser que seja necessário. Não olhe para ele. Fique o mais invisível que puder. E, Sophie, agora estão deportando judeus nascidos na França também, inclusive crianças, embarcando-os em trens e mandando-os para campos de trabalho. – Apertou o abraço no filho de Rachel. – Agora ele é Daniel. Seu irmão. *Sempre*. Mesmo quando estivermos sozinhas. A história é que nós o adotamos de um parente em Nice. Não podemos cometer nenhum erro, senão vão levá-lo embora... e a nós também. Você entendeu? Não quero que ninguém nem *veja* os documentos dele.

– Estou com medo, mamãe – disse Sophie em voz baixa.

– Eu também, Sophie. – Foi tudo o que Vianne conseguiu responder.

Agora elas estavam nisso juntas, assumindo aquele terrível risco. Antes que pudessem dizer qualquer outra coisa, houve uma batida à porta e Sturmbannführer Von Richter entrou na casa, ereto como a lâmina de uma baioneta, o rosto impassível por baixo do reluzente quepe militar preto. Cruzes de ferro prateadas pendiam de vários lugares de seu uniforme negro – do colarinho alto, do peito. Um broche com a suástica enfeitava o bolso superior.

– Madame Mauriac – disse. – Vejo que chegou em casa embaixo de chuva.

– *Mais oui* – respondeu ela, tirando o cabelo molhado e despenteado do rosto.

– Devia ter pedido uma carona aos meus homens. Uma mulher bonita como a senhora não deveria andar pela lama como uma novilha no pasto.

– *Oui, merci*, da próxima vez vou criar coragem e pedir aos seus homens.

O oficial seguiu em frente, sem tirar o quepe. Deu uma olhada ao redor, examinando tudo. Vianne sabia que observaria as marcas nas paredes onde antes havia quadros pendurados, o aparador da lareira vazio e o assoalho desbotado indicando que ali, durante décadas, houve tapetes. Agora não existia mais nada.

– Sim. Aqui vai ser bom. – Olhou para as crianças. – E quem nós temos aqui? – perguntou com seu francês terrível.

– Meu filho – disse Vianne, ficando ao lado dele, aproximando-se para tocar nos dois. Não falou "Daniel", com medo de que Ari a corrigisse. – E minha filha, Sophie.

– Não me lembro de Hauptmann Beck ter mencionado dois filhos.

– E por que mencionaria, Herr Sturmbannführer? Eles não têm nada de extraordinário.

– Bem – continuou Von Richter, fazendo um gesto

enérgico de cabeça para Sophie. – Garota, vá pegar minhas malas. – E, para Vianne: – Mostre-me os quartos. Quero escolher o meu.

VINTE E OITO

*I*sabelle acordou em um quarto escuro como breu. E com dor.

– Você está acordada, não está? – disse alguém a seu lado.

Ela reconheceu a voz de Gaëton. Quantas vezes nos últimos dois anos ela tinha imaginado estar na cama com ele?

– Gaëton? – respondeu, e junto com seu nome vieram as lembranças.

O celeiro. Beck.

Sentou-se tão depressa que a cabeça girou e ela ficou zonza.

– Vianne – disse.

– Sua irmã está bem. – Gaëton acendeu o lampião, deixando-o sobre um caixote emborcado perto da cama. A luz caramelada envolveu os dois, criando um pequeno mundo oval na escuridão. Isabelle tocou o ponto dolorido no ombro, fazendo uma careta.

– O canalha me acertou – constatou, surpresa ao perceber que uma coisa daquela podia ser esquecida. Lembrou-se de ter escondido o aviador e de ser surpreendida por Vianne... lembrou-se de estar na adega com o piloto morto...

– E você acertou nele.

Lembrou-se de Beck escancarando o alçapão e apontando a pistola para ela. Lembrou-se de dois tiros... e de sair da adega, cambaleando, sentindo-se zonza. Será que sabia que tinha sido baleada?

Vianne coberta de sangue, segurando uma pá. Beck em uma poça de sangue a seu lado.

Vianne pálida como giz, tremendo. *Eu o matei.*

Depois disso, as lembranças se misturavam, com exceção da raiva de Vianne. *Não quero você na minha casa. Se voltar, eu mesma entrego você aos alemães.*

Isabelle recostou-se, devagar. A dor daquelas lembranças era pior que a do ferimento. Ao menos daquela vez, Vianne tivera razão ao expulsar Isabelle. No que estava pensando ao esconder o aviador no celeiro da irmã, com um capitão da Wehrmacht aquartelado na casa? Não era de admirar que as pessoas não confiassem nela.

– Há quanto tempo estou aqui?

– Quatro dias. Seu ferimento melhorou muito. Sua irmã fez um belo trabalho de sutura. Sua febre baixou ontem.

– E... Vianne? Não deve estar muito bem, claro. Como ela está?

– Nós a protegemos o máximo que pudemos. Ela se recusou a ficar num esconderijo. Henri e Didier enterraram os corpos, limparam o celeiro e desmontaram a motocicleta.

– Ela vai ser interrogada – disse Isabelle. – E vai viver atormentada por ter matado aquele homem. Não é fácil para ela odiar.

– Vai ser, antes de essa guerra acabar.

Isabelle sentiu o estômago se contrair de vergonha e remorso.

– Eu gosto dela, sabe? Ou ao menos quero gostar. Como consigo esquecer isso no minuto em que discordamos sobre alguma coisa?

– Vianne disse algo bem parecido na fronteira.

Isabelle começou a se virar, gemendo por causa da dor no ombro. Respirou fundo, reuniu forças e virou-se de lado, devagar. Tinha calculado mal quanto ele estava perto, quanto a cama era pequena. Os dois estavam deitados como amantes; ela de lado, olhando para ele; ele de costas, olhando para o teto.

– Vianne foi até a fronteira?

– Você estava dentro de um caixão na parte de trás da carroça. Ela queria ver se íamos conseguir atravessar em segurança.

– Isabelle ouviu um sorriso na voz dele, ou assim imaginou.

– Ameaçou me matar se eu não cuidasse bem de você.

– Minha *irmã* disse isso? – perguntou Isabelle, sem conseguir acreditar. Mas também não acreditava que Gaëton fosse o tipo de homem que mentiria para reconciliar duas irmãs. De perfil, os traços dele eram afilados, mesmo sob a luz do lampião. Recusava-se a olhar para ela e estava o mais perto possível da beirada da cama.

– Ela estava com medo de que você morresse. Nós dois estávamos.

Gaëton disse aquilo em uma voz tão baixa que ela mal conseguiu ouvir.

– Essa situação está lembrando os velhos tempos – disse Isabelle, hesitante, temendo dizer a coisa errada. Mas o medo de não dizer nada era maior. Quem saberia dizer quantas chances ainda haveria naqueles tempos tão incertos? – Eu e você no escuro. Lembra?

– Lembro.

– Parece que já faz uma eternidade desde Tours – continuou ela. – Eu era uma garotinha.

Gaëton não falou nada.

– Olhe para mim, Gaëton.

– Durma um pouco, Isabelle.

– Sabe que vou continuar pedindo até você não aguentar mais.

Ele suspirou e virou-se de lado.

– Eu penso em você – disse ela.

– Não pense. – A voz dele saiu rouca.

– Você me beijou – disse ela. – Não foi um sonho.

– Você não ia conseguir se lembrar disso.

Isabelle sentiu uma coisa estranha ao ouvir aquelas palavras, um sobressalto opressor no peito.

– Você me quer tanto quanto eu o quero – disse.

Gaëton negou com a cabeça, mas ela ouviu o silêncio dele; sua respiração acelerada.

– Você acha que sou muito nova, muito inocente e muito impetuosa. Muito tudo. Eu entendo. As pessoas sempre disseram isso de mim. Que sou imatura.

– Não é isso.

– Mas você está enganado. Talvez não estivesse dois anos atrás. Eu disse que amava você, o que deve ter soado como uma loucura. – Respirou fundo. – Mas agora não é loucura, Gaëton. Talvez seja a única coisa saudável de tudo isso. O amor, quero dizer. Vimos casas explodindo na nossa frente, nossos amigos estão sendo presos e deportados. Só Deus sabe se nós vamos voltar a nos ver. Eu poderia ter morrido, Gaëton – concluiu em voz baixa. – Não estou dizendo isso como uma colegial tentando ganhar um beijo de um garoto. É a verdade, e você sabe disso. Qualquer um de nós pode morrer amanhã. E sabe o que eu iria lamentar?

– O quê?

– Nós.

– Não pode haver um nós, Iz. Não agora. É o que estou tentando dizer desde o começo.

– Se eu prometer não falar mais nisso, você me responde a uma pergunta com toda a sinceridade?

– Só uma?

– Só uma. Depois eu vou dormir. Prometo.

Ele concordou com a cabeça.

– Se nós dois não estivéssemos aqui, escondidos nessa casa... se o mundo não estivesse se despedaçando, se fosse um dia normal num mundo normal, você gostaria que houvesse um nós, Gaëton?

Isabelle viu como a expressão dele se contraiu, como a pontada de dor expôs seu amor.

– Não importa, você não vê isso?

– É a única coisa que importa, Gaëton. – Ela viu o amor

nos olhos dele. Que importância poderiam ter as palavras depois daquilo?

Sentiu que estava mais madura que antes. Agora sabia quanto o amor e a vida eram frágeis. Talvez ela o amasse só nesse dia, ou talvez pela próxima semana, ou talvez até ficar velha, bem velha. Talvez Gaëton fosse o amor da sua vida... ou um amor que só perduraria enquanto aquela guerra durasse... ou talvez ele fosse apenas seu primeiro amor. Só sabia que, nesse mundo terrível e assustador, ela esbarrara em algo realmente inesperado.

E não deixaria aquilo passar outra vez.

– Eu sabia – disse a si mesma, sorrindo.

A respiração dele roçava seus lábios, tão íntima quanto qualquer beijo. Isabelle se debruçou sobre ele, olhando fixamente, com firmeza e honestidade, e apagou o lampião.

No escuro, ela se aninhou nele, enterrando-se mais fundo nas cobertas. De início ele continuou rígido, como se tivesse medo até de tocá-la, mas aos poucos foi relaxando. Virou-se de costas e começou a ressonar. Em algum momento – não sabia quando –, ela fechou os olhos, estendeu o braço e pôs a mão sobre o estômago dele, sentindo-o subir e descer com a respiração. Era como descansar a mão no mar no verão, quando a maré estava subindo.

Ainda tocando nele, Isabelle adormeceu.

Os pesadelos não a deixaram em paz. Em alguma parte longínqua do seu cérebro, ela ouviu os próprios gemidos, ouviu Sophie dizer "Mamãe, você está pegando todos os cobertores", mas nada daquilo a despertou. Em seu pesadelo, estava em uma cadeira, sendo interrogada. *O garoto, Daniel. Ele é judeu. Entregue-o para mim*, dizia Von Richter, apontando a arma para o rosto dela... depois o rosto dele mudava, derretia, e ele se transformava em Beck, segurando a fotografia da mulher e abanando a cabeça, mas faltava um lado de seu rosto... e depois Isabelle estendida no chão, sangrando, dizendo: *Desculpe, Vianne*, e Vianne gritando: *Não quero você na minha casa...*

Vianne acordou sobressaltada, a respiração presa. Os mesmos pesadelos a atormentavam havia seis dias e ela sempre acordava se sentindo exausta e preocupada. Já era novembro, e até agora não tivera qualquer notícia de Isabelle. Saiu de baixo das cobertas. O chão estava frio, mas não tanto quanto estaria dali a algumas semanas. Pegou o xale deixado no pé da cama e o enrolou nos ombros.

Von Richter tinha escolhido o quarto de cima. Vianne deixou o andar todo para ele, preferindo se mudar com as crianças para o quarto menor no térreo, onde todos dormiam juntos em uma cama de casal.

No quarto de Beck. Não era de admirar que sonhasse com ele. O ar ainda conservava seu cheiro, lembrando-a de que o homem que conhecera não estava mais vivo, que ela o havia matado. Vianne ansiava por se penitenciar por tal pecado, mas o que podia fazer? Tinha matado um homem – um homem decente, apesar de tudo. Para ela, não fazia diferença que fosse um inimigo ou que tivesse feito aquilo para salvar a irmã. Sabia que fizera a escolha certa. Não era a questão de certo ou errado que a atormentava. Era o próprio ato em si. O *assassinato*.

Saiu do quarto e fechou a porta, que emitiu um estalido abafado.

Von Richter estava sentado no divã, lendo um romance, tomando uma xícara de café de verdade. O aroma a deixou quase doente de vontade. O nazista estava aquartelado havia vários dias na casa e todas aquelas manhãs recendiam a um café torrado, intenso e amargo – e Von Richter fazia questão de que ela sentisse o cheiro, sentisse vontade. Mas não podia dar nem um gole; e ele deixava isso bem claro também. No dia anterior pela manhã tinha despejado um bule inteiro na pia, sorrindo para ela enquanto fazia isso.

Era um homem que de repente adquirira um pouco de poder e dele se aproveitava. Vianne percebeu isso logo nas primeiras horas desde sua chegada, quando ele escolheu o melhor quarto e levou as melhores cobertas para a própria cama, quando ficou com todos os travesseiros que restavam na casa e todas as velas, deixando Vianne com um único lampião a óleo.

– Herr Sturmbannführer – disse Vianne, ajeitando o vestido amassado e o cardigã surrado.

O oficial não levantou o olhar do jornal alemão que prendia sua atenção.

– Mais café.

Vianne pegou a xícara vazia e foi até a cozinha, logo voltando com outra xícara.

– Os Aliados estão perdendo seu tempo no Norte da África – comentou, pegando a xícara e colocando-a na mesinha a seu lado.

– *Oui*, Herr Sturmbannführer.

A mão dele segurou o pulso dela com força o suficiente para deixar um hematoma.

– Teremos visitas para jantar hoje à noite. Você vai cozinhar. E mantenha aquele garoto longe de mim. O choro dele parece o de um porco moribundo.

Soltou o pulso dela.

– *Oui*, Herr Sturmbannführer.

Vianne se afastou depressa, voltando para o quarto e fechando a porta atrás de si. Debruçou-se para acordar Daniel, sentindo o hálito dele no pescoço.

– Mamãe – resmungou o menino, ainda chupando furiosamente o polegar. – Sophie está roncando muito alto.

Vianne sorriu e estendeu o braço para acariciar a cabeça de Sophie. Surpreendentemente, apesar da guerra e de estarem aterrorizados e famintos, de alguma forma uma menina da idade dela ainda conseguia dormir sem se importar com nada.

– Você parece um búfalo roncando, Sophie – brincou Vianne.

– Muito engraçado – murmurou a menina, sentando-se na cama. Olhou para a porta fechada. – Herr Besouro-da-batata ainda está em casa?

– Sophie! – ralhou Vianne, olhando para a porta fechada com uma expressão preocupada.

– Ele não está ouvindo a gente – disse Sophie.

– Mesmo assim – replicou Vianne em voz baixa –, não sei por que você compara o nosso hóspede com um besouro que come batata. – Ela tentou não sorrir.

Daniel abraçou Vianne e deu um beijo molhado nela.

Enquanto acariciava as costas do menino em um abraço apertado, enterrando o nariz nas suas bochechas macias, ela ouviu o motor de um carro dando a partida.

Graças a Deus.

– Ele está saindo – murmurou para o garoto, esfregando o nariz na bochecha dele. – Vamos levantar, Sophie.

Carregou Daniel para a sala, que ainda recendia a café recém-coado e colônia masculina, e começou seu dia.

As pessoas diziam que Isabelle era impetuosa desde que ela conseguia se lembrar. Depois começaram a chamá-la de precipitada e, mais recentemente, de temerária. No último ano, amadurecera o suficiente para enxergar a verdade daquilo. Desde que se lembrava, sempre agira primeiro e pensara nas consequências depois. Talvez por ter se sentido sozinha durante tanto tempo. Nunca tivera alguém que funcionasse como uma caixa de ressonância, uma melhor amiga. Nunca tivera alguém para fazer planos junto com ela ou esmiuçar seus problemas.

Além disso, nunca conseguira se controlar muito. Talvez porque nunca tivesse tido algo a perder.

Agora ela sabia o que significava sentir medo, desejar alguma coisa – ou alguém – tanto que chegava a doer o coração.

A velha Isabelle simplesmente teria dito a Gaëton que o amava e deixado as cartas caírem onde caíssem.

A nova Isabelle queria se afastar sem nem ao menos tentar. Não sabia se tinha forças para ser rejeitada mais uma vez.

E mais.

Eles estavam em guerra. Tempo era o único luxo de que ninguém mais dispunha. O amanhã parecia tão efêmero quanto um beijo no escuro.

Ela estava no pequeno armário com teto calafetado que usavam como lavabo no esconderijo. Gaëton trouxe alguns baldes de água quente para ela tomar banho e Isabelle ficou deitada na banheira de cobre até a água esfriar. O espelho na parede estava rachado e pendia torto. Sua imagem refletida parecia desarticulada, com um lado do rosto ligeiramente mais baixo que o outro.

– Como você consegue sentir medo? – perguntou ao próprio reflexo. Já tinha escalado os Pireneus debaixo de neve, nadado nas águas frias e revoltas do rio Bidassoa sob a luz de um holofote espanhol. Certa vez, pedira a um agente da Gestapo para levar uma mala cheia de documentos de identidade falsos para passar por um posto de controle alemão "porque ele parecia tão forte e ela estava muito cansada da viagem". Mas nunca se sentira tão nervosa como naquele exato momento. De repente, sabia que uma mulher podia mudar toda a sua vida, eliminar a própria existência a partir de uma escolha.

Respirou fundo, enrolou-se em uma toalha rota e voltou ao cômodo principal do esconderijo. Fez uma parada, o suficiente para acalmar o coração agitado (a tentativa fracassou) e abriu a porta.

Gaëton se encontrava em pé perto da cortina de blecaute em suas roupas gastas e rasgadas, ainda manchadas com o sangue dela. Isabelle abriu um sorriso nervoso e pegou a ponta da toalha que enfiara entre os seios.

Ele ficou tão rígido que parecia ter parado de respirar, apesar de estar ofegante.

– Não faça isso, Iz.

Os olhos dele se estreitaram. Antes, ela veria aquilo como raiva, mas agora já sabia das coisas.

Desenrolou a toalha e a deixou cair no chão. Agora tudo o que estava usando era o curativo no ferimento a bala.

– O que você quer de mim? – perguntou ele.

– Você sabe.

– Você é inocente. Nós estamos em guerra. Eu sou um criminoso. Quantas razões você precisa para se manter longe de mim?

Eram argumentos para outro mundo.

– Se fosse em outros tempos, eu faria você vir atrás de mim – disse Isabelle, dando um passo à frente. – Faria você saltar entre aros para conseguir me ver nua. Mas não temos tempo, não é?

A silenciosa admissão de Gaëton fez com que sentisse uma onda de tristeza. Essa era a verdade entre eles desde o início: eles não tinham tempo. Não podiam namorar e se apaixonar, se casar e ter filhos. Talvez não houvesse um amanhã. Isabelle odiou que sua primeira vez fosse banhada em tristeza, atropelada por uma sensação de já terem perdido o que tinham acabado de encontrar, mas esse era o mundo atual.

De uma coisa tinha certeza: queria que ele fosse o primeiro homem em sua cama. Queria se lembrar dele pelo tempo que durasse o para sempre.

– As freiras sempre disseram que eu não ia acabar bem. Acho que estavam falando de você.

Gaëton se aproximou, pegou o rosto dela com as mãos em concha.

– Você me dá medo, Isabelle.

– Me beije. – Foi tudo o que ela conseguiu responder.

Ao primeiro toque dos lábios dele, tudo mudou, ou Isabelle mudou. Um estremecimento de desejo a envolveu, susteve sua respiração. Sentiu-se perdida naquele abraço, depois resgatada, desfeita e refeita. As palavras "eu amo você" queimaram dentro dela, desesperadas para serem expressas. Porém, ainda mais que dizê-las, ela queria *ouvir* aquelas palavras, que alguém lhe dissesse, ao menos uma vez, que era amada.

– Você vai se arrepender de ter feito isso – disse Gaëton.

Como ele podia dizer aquilo?

– Nunca. E você, vai?

– Já estou arrependido – respondeu ele em voz baixa, mas imediatamente voltou a beijá-la.

VINTE E NOVE

A semana seguinte foi de uma felicidade quase insuportável para Isabelle. Longas conversas sob a luz de velas, mãos se afagando e pele roçando, noites em que os dois acordavam fremindo de desejo, faziam amor e adormeciam de novo.

Nesse dia, assim como em todos os outros, Isabelle acordou ainda cansada e sentindo um pouco de dor. O ferimento no ombro já estava sarando, mas ainda coçava e doía. Sentiu Gaëton a seu lado, o corpo quente e sólido. Sabia que ele estava acordado; talvez por causa da respiração, ou pela maneira como seu pé se esfregava distraidamente no dela, ou pelo silêncio. Simplesmente sabia. Nos últimos dias ela se tornara uma observadora dele. Nada do que fazia era pequeno demais ou insignificante para que ela não notasse. Vivia pensando *lembre-se disso*, nos menores detalhes.

Já havia lido dezenas de romances na vida, já tinha sonhado com um amor eterno; mesmo assim, nunca pensou que um simples colchão de casal velho poderia se tornar um mundo em si mesmo, um oásis. Virou-se para o lado e estendeu o braço por cima do corpo de Gaëton para acender o lampião. Sob a luz pálida, aproximou-se um pouco mais, descansando o braço no peito dele. Uma minúscula cicatriz prateada cortava sua testa onde começava o cabelo desfeito. Acompanhou a cicatriz com a ponta do dedo.

– Meu irmão me atirou uma pedra. Eu demorei para me desviar – explicou. – Georges – disse com orgulho; o tenor de sua voz lembrou a Isabelle que o irmão de Gaëton era um prisioneiro de guerra.

Gaëton tinha toda uma vida sobre a qual ela não sabia quase nada. Filho de mãe costureira e pai criador de porcos, morara em algum lugar no campo, em uma casa sem água corrente, onde todos dormiam no mesmo quarto. Ele respondia a todas as perguntas, mas não dizia quase nada se não fosse questionado. Dizia preferir ouvir as histórias dela, sobre as aventuras que a fizeram ser expulsa das várias escolas. *São melhores que histórias de gente pobre tentando sobreviver*, disse.

Mas, subjacente a todas aquelas palavras, as histórias iam e voltavam e ela sentiu que o tempo passava. Os dois não podiam ficar ali por muito mais tempo. Eles já tinham ficado demais. Ela já estava saudável o bastante para viajar. Não para atravessar os Pireneus, talvez, mas por certo não precisava mais ficar acamada.

Porém, como poderia sair de perto dele? Talvez os dois nunca mais se vissem.

Esse era o ponto crucial do medo que ela sentia.

– Já entendi, sabe? – disse Gaëton.

Isabelle não entendeu o que ele estava dizendo, mas ouviu o vazio de sua voz e sabia que não era bom. A tristeza de estar na cama dele aumentou – assim como a alegria.

– Entendeu o quê? – perguntou, mas não queria ouvir a resposta.

– Que toda vez que nos beijamos, é uma despedida.

Isabelle fechou os olhos.

– Há uma guerra lá fora, Iz. Eu preciso voltar para ela.

Isabelle sabia e concordava, apesar do aperto que sentia no peito.

– Eu sei. – Foi tudo o que conseguiu responder, temerosa de que uma exploração mais profunda a magoasse mais do que ela seria capaz de suportar.

– Há um grupo se reunindo em Urrugne – disse ela. – Devo estar lá na quarta-feira ao cair da tarde, se tivermos sorte.

– Nós não temos sorte – retrucou ele. – Você já devia saber disso.

– Você está enganado, Gaëton. Agora que me encontrou, nunca mais vai poder me esquecer. Isso é alguma coisa. – Inclinou-se para beijá-lo.

Ele disse alguma coisa suave, baixinho, que se misturou com o beijo; talvez fosse "Não é o bastante". Mas ela não se importava. Não queria ouvir.

Em novembro, os moradores de Carriveau começaram mais uma vez a entrar na rotina de sobrevivência para o inverno. Agora sabiam algo de que não tinham noção no inverno anterior: a vida podia piorar. A guerra se espalhava pelo mundo inteiro; a África, a União Soviética, o Japão, uma ilha em algum lugar chamada Guadalcanal. Com os alemães lutando em tantas frentes, a comida ficava cada vez mais escassa, assim como a lenha e o gás, a eletricidade e os suprimentos do dia a dia.

Aquela manhã de sexta-feira estava especialmente fria e cinzenta. Não era um bom dia para se aventurar ao ar livre, mas Vianne decidiu que aquele seria O Dia. Foi difícil reunir coragem para sair de casa com Daniel, mas ela sabia o que tinha de ser feito. O cabelo dele fora cortado tão curto que o menino estava quase careca, e ela o vestiu com roupas maiores, para que parecesse menor. Tudo para disfarçá-lo.

Teve de se esforçar para aparentar normalidade enquanto andava pela cidade com duas crianças, Sophie e Daniel.

Daniel.

Na *boulangerie*, Vianne ocupou seu lugar no final da fila. Esperou com a respiração suspensa alguém perguntar sobre o garoto a seu lado, mas as mulheres na fila estavam tão cansadas, famintas e abatidas que nem sequer olhavam para cima. Quando afinal chegou a vez de Vianne, Yvette ergueu o olhar. Até dois anos antes, Yvette era uma bela mulher, com uma vistosa cabeleira cor de cobre e olhos negros como o carvão. Agora, depois de três anos de guerra, parecia mais velha e cansada.

– Vianne Mauriac. Faz tempo que não vejo você e sua filha. *Bonjour*, Sophie, como você cresceu. – Olhou por cima do balcão. – E quem é esse garoto bonito?

– Daniel – respondeu ele com orgulho.

Vianne pousou uma mão trêmula sobre a cabeça dele.

– Eu o adotei de uma prima de Antoine que morava em Nice. Ela... morreu.

Yvette afastou uma mecha do cabelo crespo dos olhos, tirando alguns fios da boca enquanto examinava o menino. Tinha três filhos, um deles não muito mais velho que Daniel.

O coração de Vianne batia forte no peito.

Yvette se afastou do balcão e foi até uma portinha que separava a loja da padaria.

– Herr tenente – chamou. – O senhor pode vir aqui fora?

Vianne apertou a alça da cesta de vime, dedilhando-a como se fosse um piano.

Um imponente alemão saiu do recinto dos fundos, os braços transbordando com baguetes recém-saídas do forno. Viu Vianne e parou.

– Madame – saudou com a boca cheia e as bochechas estufadas.

Vianne mal conseguiu fazer um aceno de cabeça.

Yvette disse ao soldado:

– Hoje não vai mais ter pão, Herr tenente. Mas, se eu fizer mais, vou guardar os melhores para o senhor e seus homens. Essa pobre mulher não conseguiu nem uma baguete dormida.

Os olhos do homem se estreitaram em reconhecimento. Andou na direção de Vianne, os pés chatos fazendo barulho no chão de pedra. Sem dizer nada, jogou uma baguete parcialmente comida no cesto dela. Depois fez um sinal de cabeça e saiu da padaria, fazendo o sino soar quando passou pela porta.

Quando as duas ficaram sozinhas, Yvette chegou mais perto de Vianne, tão perto que ela teve de lutar para não dar um passo atrás.

– Ouvi dizer que você agora está com outro oficial em casa. O que aconteceu com o capitão bonitão?

– Desapareceu – respondeu Vianne, indiferente. – Ninguém sabe.

– Ninguém? E por que você foi interrogada? Todo mundo viu quando você entrou.

– Eu sou apenas uma dona de casa. O que posso saber sobre essas coisas?

Yvette ficou olhando um pouco mais para ela, avaliando Vianne em silêncio. Pouco depois se afastou.

– Você é uma boa amiga, Vianne Mauriac – disse em voz baixa.

Vianne aquiesceu brevemente, levando as crianças em direção à porta. Os dias em que as pessoas paravam na rua para conversar com amigos não existiam mais. Agora até olhar diretamente para alguém era perigoso; as conversas amistosas tinham tomado o mesmo rumo da manteiga, do café e da carne de porco.

Vianne deu uma parada nos degraus de pedra na porta da padaria, por cujas rachaduras crescia um mato ressequido pelo frio. Usava um casaco de inverno feito de uma colcha de cama. Tinha copiado um modelo que vira em uma revista: abotoadura dupla, até os joelhos, lapelas largas e botões que tirara dos paletós de tweed Harris que eram os favoritos de sua mãe. Era quente o bastante para o dia de hoje, mas logo estaria precisando de camadas de jornais e revistas entre o suéter e o casaco.

Quando o vento gelado fustigou seu rosto, Vianne ajeitou a echarpe ao redor da cabeça e amarrou o tecido com mais firmeza embaixo do queixo à medida que o vento gélido atingia seu rosto. Folhas se agitavam na calçada de pedra, passando por cima de suas botas.

Segurou firme a mão enluvada de Daniel e saiu andando pela rua. Logo soube que algo estava errado. Havia soldados alemães e gendarmes franceses por toda parte – em automóveis, motocicletas, marchando na calçada gelada, reunidos em bando nas cafeterias.

O que quer que estivesse acontecendo, não era bom, e era sempre melhor ficar longe dos soldados – principalmente depois das vitórias dos Aliados no Norte da África.

– Vamos, Sophie e Daniel. Vamos para casa.

Tentou virar à direita na esquina, mas encontrou uma barricada. Dos dois lados da rua as portas estavam trancadas e as janelas fechadas. Os bistrôs pareciam desertos. Havia uma terrível sensação de perigo no ar.

A segunda rua que tentou também estava bloqueada. Dois soldados nazistas postavam-se de guarda, os fuzis apontados para ela. Atrás deles, soldados alemães marchavam a passo de ganso pela rua em sua direção, em formação.

Vianne segurou a mão das crianças e acelerou o passo, mas todas as ruas que tentava se encontravam bloqueadas e vigiadas. Estava claro que havia uma movimentação planejada. Caminhões e ônibus rugiam sobre as ruas de paralelepípedo indo em direção à praça da cidade.

Vianne foi até lá e parou, respirando com dificuldade, puxando as crianças mais para perto de si.

Um pandemônio. Havia ônibus enfileirados, despejando passageiros – todos eles usando uma estrela amarela. Mulheres e crianças eram tangidas em direção à praça, aos trancos e empurrões. Os nazistas guardavam no perímetro, em uma patrulha terrível e atemorizante das extremidades, enquanto os policiais franceses tiravam pessoas dos ônibus, arrancavam joias do pescoço das mulheres, empurravam-nas ameaçando-as com o fuzil.

– Você! – gritou um gendarme para um homem muito velho, não longe de Vianne. – Alto lá!

O velho de barba grisalha apoiou-se pesadamente na bengala e se virou para o policial, que passou esbaforido por Vianne.

Agarrou o velho pelas calças. O velho tentou segurar a calça, mas o policial o empurrou com tanta força que ele caiu e quebrou o vidro de uma vitrine. O policial tirou a calça do velho para ver seu pênis circuncisado. Em seguida, bateu no homem com a coronha do fuzil com tanta força que daria para ele sair voando.

– Mamãe! – gritou Sophie.

Vianne tapou a boca da filha com a mão.

À sua esquerda, uma jovem foi atirada no chão e arrastada pelos cabelos em meio à multidão.

– Vianne?

Ela se virou, viu Hélène Ruelle com uma pequena mala de couro e segurando um garoto pela mão, com outro garoto mais velho a seu lado. Uma estrela rota e amarela os identificava.

– Fique com os meus filhos – pediu Hélène, desesperada.

– Aqui? – perguntou Vianne, olhando ao redor.

– Não, mamãe – replicou o mais velho. – Papai pediu para eu tomar conta de você. Eu não vou ficar sem você. Nem se você largar minha mão. É melhor a gente ficar juntos.

Atrás deles guinchou outro apito.

Hélène empurrou o garoto mais novo para Vianne, manteve-o com força junto a Daniel.

– O nome dele é Jean Georges, como o tio. Vai fazer 4 anos em junho. A família do meu marido mora em Burgundy.

– Eu não tenho documentos para ele... eles vão me matar se eu ficar com esse menino.

– Você! – bradou um nazista para Hélène.

Chegou por trás, agarrou-a pelos cabelos, quase a derrubando. Ela trombou com o filho mais velho, que se esforçou para mantê-la de pé.

No momento seguinte Hélène e o filho tinham sumido, perdidos na multidão. O menino mais novo ficou ao lado de Vianne, chorando e soluçando.

– Mamãe...

– Precisamos sair daqui – disse Vianne a Sophie. – *Agora*.

Agarrou a mão de Jean Georges com tanta força que ele chorou mais ainda. Cada vez que o garoto gritava "mamãe", Vianne se retraía e rezava para ele ficar quieto. Os quatro correram pelas ruas, desviando-se de barricadas e contornando soldados que arrombavam portas para arrebanhar judeus para a praça. Duas vezes foram parados, mas liberados por não terem estrelas amarelas nas roupas. Vianne teve de desacelerar quando chegou na rua enlameada, mas não parou, nem quando os dois garotos começaram a chorar.

Ao chegar a Le Jardin, finalmente parou.

O Citroën preto de Von Richter estava estacionado na frente.

– Ah, não – disse Sophie.

Vianne olhou para sua aterrorizada filha e viu seu próprio medo refletido naqueles olhos queridos. Imediatamente soube o que precisava fazer.

– Precisamos tentar salvar esse garoto, senão seremos tão ruins quanto eles – disse.

E foi isso. Ela detestava expor a filha àquele perigo, mas que escolha tinha?

– Preciso salvar este garoto.

– Mas como?

– Ainda não sei – admitiu Vianne.

– Mas Von Richter...

Como que atraído por seu nome, o nazista apareceu na porta da frente, com seu uniforme espalhafatoso.

– Ah, madame Mauriac – disse, estreitando os olhos ao se aproximar. – A senhora chegou.

Vianne lutou para se acalmar.

– Estávamos na cidade fazendo compras.

– Não é um bom dia para isso. Os judeus estão sendo deportados.

Andou na direção dela, as botas socando a grama molhada. Ao lado dele, a macieira desfolhada ostentava pedaços de pano coloridos no movimento do vento. Vermelho. Rosa. Amarelo. Branco. Um novo para Beck – na cor preta.

– E quem é esse belo rapazote? – perguntou Von Richter, tocando a face escorrida de lágrimas com um dedo da mão calçada na luva preta.

– Filho d-de uma amiga. A mãe dele morreu de tuberculose esta semana.

Von Richter recuou depressa, como se ela tivesse dito peste bubônica.

– Eu não quero essa criança na casa. Estamos entendidos? Leve o garoto para o orfanato neste instante.

O orfanato. Madre Marie-Thérèse.

Vianne anuiu.

– É claro, Herr Sturmbannführer.

O alemão fez um gesto brusco com a mão, como se dissesse *Vá logo*, e começou a se afastar. Logo depois parou e virou-se para Vianne.

– Quero que esteja aqui à noite para o jantar.

– Eu estou sempre em casa, Herr Sturmbannführer.

– Estamos partindo amanhã e quero ter uma boa refeição com meus homens antes de ir.

– Partindo? – perguntou Vianne, sentindo uma ponta de esperança.

– Amanhã vamos ocupar o resto da França. Não existe mais Zona Livre. Já era hora. Deixar vocês, franceses, se governarem foi uma piada. Bom dia, madame.

Vianne ficou onde estava, imóvel, segurando a mão do menino. Acima do som do choro de Jean Georges, ouviu o portão se abrir com um rangido e se fechar com um estrondo. Logo depois o motor de um carro deu a partida.

Quando o alemão foi embora, Sophie falou:

– A madre Marie-Thérèse vai escondê-lo?

– Espero que sim. Leve Daniel para casa e tranque a porta. Não abra para ninguém, a não ser para mim. Volto assim que puder.

De repente Sophie pareceu mais velha, madura para a idade que tinha.

– Boa sorte, mamãe.

– Vamos ver. – Foi só o que conseguiu reunir de esperança.

Quando as crianças estavam dentro de casa, com a porta trancada, ela disse ao garoto a seu lado:

– Vamos, Jean Georges, vamos fazer uma caminhada.

– Para encontrar mamãe?

Vianne não conseguiu olhar para ele.

– Vamos.

Enquanto Vianne e o garoto caminhavam de volta à cidade, uma chuva intermitente começou a cair. Jean Georges alternava choros e resmungos, mas Vianne estava tão nervosa que mal o ouvia.

Como poderia pedir que a madre superiora assumisse esse risco?

Como poderia não fazer isso?

Passaram pela igreja que ficava na frente do convento. A Ordem das Irmãs de São José se iniciara em 1650, com seis mulheres que só desejavam servir aos pobres de sua comunidade. Chegara a 6 mil membros em toda a França, até as comunidades religiosas serem proibidas pelo Estado durante a Revolução Francesa. Algumas das seis irmãs originais se tornaram mártires de suas convicções – mortas na guilhotina por causa de sua fé.

Vianne chegou à entrada da abadia e levantou a pesada argola da aldrava, deixando-a cair na porta de carvalho com um baque forte.

– Por que estamos aqui? – choramingou Jean Georges. – Minha mamãe está aqui?

– Shhh.

Uma freira atendeu, o rosto meigo e gorducho emoldurado pela touca branca e o véu preto de seu hábito.

– Ah, Vianne – saudou, sorrindo.

– Irmã Agatha, eu gostaria de falar com a madre superiora, se for possível.

A freira deu um passo atrás, o hábito farfalhando no piso de pedra.

– Vou ver. Vocês não querem se sentar no jardim?

Vianne aquiesceu.

– *Merci*.

Passou pela porta das frias clausuras com Jean. No final de um corredor arqueado, viraram à esquerda e chegaram ao jardim. Era de bom tamanho, quadrado, coberto por uma grama amarronzada por causa do frio, uma fonte com uma cabeça de leão e diversos bancos de pedra distribuídos aqui e ali. Vianne se sentou em um dos bancos frios protegidos da chuva e acomodou o garoto a seu lado.

Não precisou esperar muito.

– Vianne – disse a madre, se aproximando, arrastando o hábito na grama, os dedos segurando um grande crucifixo pendurado no pescoço por uma corrente. – Que bom ver você. Faz tempo. E quem é esse jovenzinho?

O garoto ergueu os olhos.

– Minha mamãe está aqui?

Vianne olhou nos olhos da madre superiora.

– O nome dele é Jean Georges Ruelle, madre. Gostaria de falar com a senhora a sós, se possível.

A madre bateu palmas e uma jovem freira apareceu para cuidar do menino. Quando ficaram a sós, a madre superiora sentou-se ao lado de Vianne.

Ela não conseguia organizar seus pensamentos, por isso houve um silêncio entre as duas.

– Sinto muito pela sua amiga Rachel.

– E tantas outras pessoas – completou Vianne.

A madre aquiesceu.

– Temos ouvido notícias terríveis pela Rádio Londres sobre o que acontece nos campos.

– Talvez nosso Santo Pai...

– Ele está em silêncio sobre essa questão – disse a madre, a voz embargada de desapontamento.

Vianne respirou fundo.

– Hélène Ruelle e o filho mais velho foram deportados hoje. Jean Georges ficou sozinho. A mãe dele... o deixou comigo.

– Deixou o menino com você? – A madre fez uma pausa. – É perigoso ter uma criança judia em casa, Vianne.

– Quero proteger o menino – explicou ela em voz baixa.

A madre olhou para ela. Ficou tanto tempo em silêncio que os temores de Vianne começaram a se enraizar, crescer.

– E como pretende fazer isso? – perguntou ela afinal.

– Escondendo-o.

– Onde?

Vianne olhou para a madre sem dizer nada.

O rosto da madre empalideceu.

– Aqui?

– Um orfanato. Que lugar pode ser melhor?

A madre superiora se levantou e voltou a se sentar. Levantou-se de novo, as mãos segurando a cruz. Tornou a se sentar, lentamente. Seus ombros se curvaram, mas logo se aprumaram, quando ela tomou sua decisão.

– Uma criança sob nossos cuidados precisa de documentos. Certificados de batismo. Isso... eu posso conseguir, é claro, mas os documentos de identidade...

– Posso arranjar os documentos – disse Vianne, embora não fizesse ideia de se aquilo era possível.

– Você sabe que agora é ilegal esconder judeus. A punição é deportação, se tiver sorte, e ultimamente acredito que ninguém ande com sorte na França.

Vianne anuiu.

Então a madre superiora falou:

– Eu fico com o garoto. E acho que... posso arranjar lugar para mais uma criança judia.

– Mais uma?

– Claro que há mais crianças nessa situação, Vianne. Vou falar com um homem que conheço em Girot. Trabalha para a OSE, a OEuvre de Secours aux Enfants. É uma organização humanitária de assistência a crianças. Acredito que ele conheça outras famílias e crianças escondidas. Vou falar para ele recebê-la.

– Eu?

– Agora você está liderando esse processo e, já que vamos arriscar nossas vidas por uma criança, podemos também tentar salvar outras.

A madre levantou-se abruptamente. Enlaçou o braço no de Vianne e as duas começaram a circular pelo pequeno jardim.

– Ninguém aqui pode saber a verdade. As crianças precisam ser treinadas e ter documentos que passem por uma inspeção. E você vai precisar de um cargo aqui... talvez como professora, *oui*, como professora em meio período. Isso nos possibilita lhe pagar um pequeno estipêndio e explicar a razão de estar aqui com as crianças.

– *Oui* – concordou Vianne, começando a tremer.

– Não fique tão assustada, Vianne. Você está fazendo a coisa certa.

Ela não tinha dúvida de que aquilo era verdade, contudo, ainda assim sentia-se aterrorizada.

– Foi isso que eles fizeram conosco. Estamos com medo de nossa própria sombra. – Vianne olhou para a madre. – E como vou fazer isso? Falando com mulheres assustadas e famintas e pedir que me entreguem seus filhos?

– Você vai perguntar se elas já viram alguma amiga sendo levada a um trem para ser deportada. Vai perguntar se elas se arriscariam para que os filhos não entrassem nesse trem. E vai deixar que cada mãe tome sua decisão.

– É uma escolha inimaginável. Não sei se eu poderia simplesmente entregar Sophie e Daniel a uma estranha.

A madre chegou mais perto.

– Ouvi dizer que você está com um Sturmmann aquartelado em sua casa. Você percebe que isso coloca você e Sophie em grande perigo.

– É claro. Mas como vou fazer minha filha acreditar que é certo não fazer nada num momento como esse?

A madre parou de caminhar. Soltou o braço de Vianne e encostou a palma da mão lisa no rosto dela, sorrindo com ternura.

– Tome cuidado, Vianne. Já fui ao enterro da sua mãe. Não quero ir ao seu.

TRINTA

*E*m um dia gelado de meados de novembro, Isabelle e Gaëton saíram de Brantôme e tomaram um trem em direção a Bayonne. O vagão transbordava de soldados alemães empertigados – em quantidade maior do que o normal – e, ao desembarcarem, encontraram mais deles congestionando a plataforma.

Isabelle segurou a mão de Gaëton enquanto os dois abriam caminho pelos uniformes cinza-esverdeados. Poderiam ser dois jovens amantes a caminho de uma cidade praiana.

– Minha mãe adorava ir à praia. Eu já contei isso? – perguntou Isabelle enquanto passavam perto de dois oficiais da SS.

– Vocês, ricos, gostam das coisas boas.

Ela sorriu.

– Não éramos ricos, Gaëton – replicou quando já tinham saído da estação.

– Bem, pobre é que não eram – disse ele. – Eu sei o que é pobreza. – Fez uma pausa e deixou a afirmação decantar, antes de dizer: – Um dia eu ainda posso ser rico.

– Um dia – repetiu ela com um suspiro, sabendo no que ele estava pensando. Era no que sempre pensavam: existirá uma França no futuro? Gaëton diminuiu o passo.

Isabelle viu o que tinha chamado sua atenção.

– Continue andando – disse ele.

Havia um bloqueio montado à frente. Soldados espalhavam-se por toda parte, empunhando fuzis.

– O que está acontecendo? – perguntou Isabelle.

– Eles viram a gente – respondeu Gaëton, apertando a mão dela. Continuaram andando em direção ao enxame de soldados alemães.

Um guarda grandalhão, de cabeça quadrada, se interpôs no caminho e exigiu que eles mostrassem passes e documentos.

Isabelle apresentou seus documentos de Juliette. Gaëton também apresentou documentos falsos, mas o soldado estava mais interessado no que acontecia atrás dele. Mal olhou para os documentos e os devolveu.

Isabelle abriu seu sorriso mais inocente.

– O que está acontecendo hoje?

– A Zona Livre acabou – respondeu o soldado, fazendo sinal para passarem.

– A Zona Livre acabou? Mas...

– Estamos ocupando a França toda – explicou com rispidez. – Acabou a pretensão de que o ridículo governo de Vichy esteja administrando alguma coisa. Vão.

Gaëton puxou Isabelle para a frente, passando pelos soldados agrupados.

Os dois andaram por horas, ouvindo buzinas de caminhões e automóveis alemães apressados passarem por eles.

Só conseguiram se livrar da chusma de nazistas quando chegaram à fantástica cidade litorânea de Saint-Jean-de-Luz. Ficaram andando pela calçada à beira-mar vazia, localizada acima das ondas do oceano Atlântico. Abaixo deles, uma faixa curvilínea de areia amarela continha o mar poderoso e bravio na baía. Ao longe, uma península verde e luxuriante era pontilhada de casas construídas dentro da tradição basca, com paredes brancas e portas e telhas vermelhas. O céu tinha uma tonalidade desbotada de azul, com nuvens espalhadas como que em um varal. Não havia mais ninguém ali hoje, nem na praia, nem andando pela antiga muralha.

Pela primeira vez em horas, Isabelle conseguiu respirar.

– O que ele quis dizer com a Zona Livre acabou?

– Nada de bom, com certeza. Vai tornar o seu trabalho ainda mais perigoso.

– Eu já andei pelos territórios ocupados.

Isabelle apertou a mão dele e o conduziu para longe do quebra-mar. Desceram uma escada de degraus irregulares e tomaram o caminho da estrada.

– A gente costumava passar as férias aqui quando eu era pequena – disse Isabelle. – Antes de minha mãe morrer. Ao menos foi o que me contaram. Eu mal me lembro.

Queria que aquilo fosse o início de uma conversa, mas as palavras caíram no novo silêncio que se abria entre eles e ficaram sem resposta. Aquele silêncio fez Isabelle experimentar o sufocante peso de sentir falta de Gaëton, mesmo que ainda segurasse sua mão. Por que não fizera mais perguntas nos dias em que estiveram juntos, para saber tudo sobre ele? Agora não havia mais tempo, os dois sabiam disso. Continuaram caminhando, envoltos em um silêncio pesado.

Na neblina do começo da tarde, Gaëton teve o primeiro vislumbre dos Pireneus.

As escarpadas montanhas pontilhadas de neve assomavam no céu cor de chumbo, os picos nevados envoltos por nuvens.

– *Merde*. Quantas vezes você atravessou aquelas montanhas?

– Vinte e sete vezes.

– Você é um prodígio – comentou.

– Sou mesmo – concordou ela com um sorriso.

Continuaram subindo as ruas escuras e desertas de Urrugne, passando por lojas de portas fechadas e bistrôs cheios de velhos. Depois da cidade, encontraram a estrada de terra que levava ao pé das montanhas. Finalmente avistaram o chalé encravado na sombra da montanha, a chaminé soltando fumaça.

– Tudo bem com você? – perguntou Gaëton, ao perceber que ela diminuíra o ritmo dos passos.

– Eu vou sentir sua falta – disse ela em voz baixa. – Quanto tempo você pode ficar?

– Eu tenho que ir embora amanhã de manhã.

Isabelle quis largar a mão dele, mas era difícil. Sentiu um terrível e irracional temor de que, se o soltasse, nunca mais voltasse a tocar nele, e aquele era um pensamento paralisante. No entanto, ela tinha uma missão a cumprir. Largou a mão dele e bateu na porta três vezes, com firmeza e em rápida sucessão.

Madame abriu a porta. Vestida como um homem, fumando um Gauloises, disse:

– Juliette! Entre, entre.

A mulher abriu caminho e admitiu Isabelle e Gaëton na sala principal, onde quatro aviadores estavam sentados em torno da mesa de jantar. O fogo ardia na lareira e, sobre as labaredas, um caldeirão de ferro fundido borbulhava, estalava e chiava. Isabelle reconheceu o aroma dos ingredientes – carne de carneiro, vinho, toucinho, um molho muito grosso, cogumelos e sálvia. Era um cheiro divino e a fez lembrar que não tinha comido nada o dia todo.

Madame reuniu e apresentou os homens – três pilotos da Força Aérea Britânica e um aviador americano. Os três britânicos já estavam lá havia dias, esperando o americano, que tinha chegado no dia anterior. Eduardo iria guiar todos pelas montanhas no dia seguinte de manhã.

– É um prazer conhecê-la – disse um deles, sacudindo a mão de Isabelle como se fosse uma alavanca para bombear água. – Você é tão bonita quanto nos disseram que era.

Os homens começaram a falar ao mesmo tempo. Gaëton se misturou com facilidade, como se fizesse parte do grupo. Isabelle ficou ao lado de madame Babineau, entregando o envelope de dinheiro que deveria ter sido entregue quase duas semanas antes.

– Sinto muito pelo atraso.

– Você teve uma boa desculpa. Como está se sentindo?

Isabelle movimentou o ombro, experimentando.

– Melhor. Mais uma semana e vou estar pronta para fazer a travessia de novo.

Madame passou o cigarro a Isabelle, que deu uma longa tragada e exalou, observando os homens que estavam agora a seu encargo.

– Como eles são?

– Está vendo aquele alto e magro... com um nariz de imperador romano?

Isabelle não conseguiu deixar de sorrir.

– Estou vendo.

– Diz que é um lorde, duque ou coisa assim. Sarah disse que era um problema. Não obedece a ordens de meninas.

Isabelle fez uma anotação mental daquilo. Não era uma raridade, claro, aviadores que não aceitavam ordens femininas – fossem garotas, damas ou mulheres –, mas era sempre um desafio.

Madame entregou uma carta suja e amassada a Isabelle.

– Um deles me pediu para dar isso a você.

Isabelle abriu depressa, observando o conteúdo. Reconheceu a relapsa caligrafia de Henri:

J... sua amiga sobreviveu ao feriado alemão, mas está com hóspedes. Não a visite. Vou cuidar dela.

Vianne estava bem – fora liberada depois do interrogatório –, mas agora havia outro soldado, ou soldados, na casa. Amassou o papel e o jogou na lareira. Não sabia se deveria se sentir aliviada ou mais preocupada ainda. Instintivamente, seu olhar saiu em busca de Gaëton, que a observava enquanto conversava com um aviador.

– Já percebi o jeito como você olha para ele, sabe?

– O lorde narigão?

Madame Babineau soltou uma risada.

– Eu sou velha, mas não cega. O jovem bonitão com olhar faminto. Ele também não para de olhar para você.

– Ele vai embora amanhã de manhã.

– Ah.

Isabelle virou-se para a mulher que tinha se tornado sua amiga nos últimos dois anos.

– Tenho medo de deixá-lo ir, o que é uma loucura, com todas as coisas perigosas que eu faço.

Os olhos escuros de madame mostraram sabedoria e compaixão.

– Eu recomendaria cuidado se vivêssemos em tempos normais. Diria que ele é jovem e está envolvido num negócio perigoso, e jovens em perigo podem ser volúveis. – Deu um suspiro. – Mas já estamos tendo tantos cuidados nos dias que correm, por que acrescentar o amor a essa lista?

– Amor – repetiu Isabelle.

– Vou dizer mais uma coisa, já que sou mãe e não podemos evitar: um coração magoado dói tanto em tempos de guerra como de paz. Despeça-se direito do seu menino.

Isabelle esperou a casa ficar quieta – o máximo possível, com homens dormindo no chão, roncando e se mexendo. Movimentando-se com cuidado, livrou-se das cobertas, passou pela sala principal e saiu.

Estrelas cintilavam na paisagem escura de um céu imenso. A luz da lua iluminava as cabras, transformando-as em pontos prateados na encosta da montanha.

Ficou encostada na cerca de madeira, olhando a paisagem. Não precisou esperar muito tempo.

Gaëton apareceu atrás dela, enlaçou-a pela cintura. Isabelle inclinou-se para trás, contra o corpo dele.

– Eu me sinto segura nos seus braços – disse.

Como ele não respondeu, Isabelle soube que havia algo errado. Sentiu o coração pesado. Virou-se devagar, olhando para ele.

– O que foi?

– Isabelle.

A maneira como disse aquilo a assustou. Pensou: *Não, não me diga, seja o que for, não me diga.* No silêncio, os ruídos se tornaram notáveis: o balido das cabras, as batidas de seu coração, uma pedra rolando na encosta distante.

– Aquela reunião. A que estávamos indo em Carriveau quando você encontrou o aviador, sabe?

– *Oui* – respondeu ela.

Isabelle o havia observado tão atentamente nos últimos dias, estudado cada nuance de emoção estampada em seu rosto, que sabia que, o que quer que ele fosse dizer, não era uma boa coisa.

– Eu estou saindo do grupo do Paul. Para lutar... de um jeito diferente.

– Diferente como?

– Com armas – respondeu ele em voz baixa. – E bombas. Tudo o que conseguirmos encontrar. Estou me juntando a um grupo de guerrilheiros que moram nas florestas. Vou trabalhar com explosivos. – Abriu um sorriso. – E roubando peças de bombas.

– O seu passado deve ajudar nesse quesito. – A brincadeira não teve graça.

O sorriso dele esmaeceu.

– Não consigo mais ficar só entregando bilhetes, Iz. Preciso fazer mais do que isso. E... vou ficar sem ver você por um tempo, acho.

Ela aquiesceu, mas, enquanto movia a cabeça, pensou: "Como? Como posso me afastar e deixar que ele vá embora?", e entendeu do que estava com medo desde o começo.

O olhar dele era íntimo como um beijo. Nele, Isabelle viu seu próprio medo refletido. Talvez eles nunca mais se encontrassem.

– Faça amor comigo, Gaëton – pediu ela.

Como se fosse a última vez.

Vianne enfrentava um aguaceiro em pé na frente do Hôtel Bellevue. As janelas do hotel estavam embaçadas; pelas vidraças foscas ela podia ver uma multidão de homens de uniformes cinza-esverdeados.

Vamos lá, Vianne, agora você já está envolvida.

Endireitou os ombros e abriu a porta. Um sinete soou e os homens reunidos no saguão pararam o que estavam fazendo a fim de olhar para ela. Wehrmacht, SS, Gestapo. Sentiu-se como uma ovelha a caminho do abate.

Na recepção, Henri ergueu os olhos. Ao vê-la, saiu de trás do balcão e atravessou rapidamente a multidão para encontrá-la.

Pegou Vianne pelo braço, sussurrando:

– Sorria.

Ela tentou obedecer. Não sabia ao certo se tinha conseguido.

Ele a conduziu até a recepção e só então largou o braço dela. Estava dizendo alguma coisa – rindo como se tivesse ouvido alguma piada – quando voltou a se sentar em seu posto, ao lado do pesado telefone e da caixa registradora.

– Seu pai, certo? – falou em voz alta. – Um quarto para duas noites?

Vianne aquiesceu, aturdida.

– Venha comigo, vou mostrar os quartos que tenho disponíveis – disse Henri afinal.

Vianne o seguiu pelo saguão e entrou em um corredor estreito. Passaram por uma mesinha com frutas frescas (só os alemães podiam comprar tais extravagâncias) e um lavabo vazio. No final do corredor, ele a levou por uma série de escadas estreitas até um quarto tão pequeno que só continha uma cama de solteiro e uma janela com cortinas de blecaute.

Fechou a porta quando entraram.

– Não devia ter vindo aqui. Mandei um recado dizendo a Isabelle que você estava bem.

– *Oui, merci*. – Respirou fundo. – Eu preciso de documentos de identidade. Você foi a única pessoa em que consegui pensar que poderia me ajudar.

Henri fechou o cenho.

– É um pedido perigoso, madame. Para quem?

– Para uma criança judia que está escondida.

– Escondida onde?

– Acho que é melhor não saber, não é?

– Não. Não. O lugar é seguro?

Vianne deu de ombros, respondendo com seu silêncio. Quem ainda sabia o que era seguro?

– Ouvi dizer que Sturmbannführer Von Richter está aquartelado na sua casa. Ele já ficou hospedado aqui. É um homem perigoso. Cruel e vingativo. Se ele pegá-la...

– O que podemos fazer, Henri, ficar parados sem fazer nada, esperando o que virá?

– Você me lembra a sua irmã.

– Eu não sou uma mulher corajosa, acredite em mim.

Henri ficou um bom tempo em silêncio. Depois falou:

– Vou tentar arranjar alguns documentos em branco. Você mesma vai ter que aprender a fazer a falsificação. Estou ocupado demais para assumir outras tarefas. Pratique antes, observando bem os seus documentos.

– Obrigada.

Vianne fez uma pausa, olhando para ele, lembrando-se do bilhete que ele havia entregado meses antes e as inferências que fizera sobre a irmã naquela ocasião. Sabia que Isabelle vinha realizando trabalhos perigosos desde o começo. Trabalhos importantes. Tinha escondido isso de Vianne para protegê-la, mesmo que precisasse se fingir de boba. Tinha contado com o fato de que Vianne acreditaria facilmente no que ela tinha de pior.

Vianne agora sentia vergonha de ter acreditado em uma mentira tão deslavada.

– Não conte a Isabelle que estou fazendo isso. Para o bem dela.

Henri concordou.

– *Au revoir* – disse Vianne.

Quando estava saindo, ouviu-o dizer:

– Sua irmã se orgulharia de você.

Vianne não respondeu, nem diminuiu o passo. Ignorando

os assovios dos soldados alemães, saiu do hotel e tomou o caminho de casa.

✦

Agora a França toda estava ocupada pelos alemães, mas aquilo fez pouca diferença na vida cotidiana de Vianne. Continuava passando o dia todo em alguma fila. Seu maior problema era Daniel. Ainda parecia mais inteligente mantê--lo escondido dos moradores, mesmo que sua mentira sobre a adoção não tivesse sido questionada quando ela contara (e tinha contado aquilo para todo mundo que encontrara, mas estavam ocupados demais com a própria sobrevivência para dar importância, ou talvez tivessem percebido a verdade e aprovado).

Agora preferia deixar as crianças escondidas em casa com as portas fechadas. O resultado é que se sentia sempre nervosa na cidade, agitada. Naquele dia, quando conseguiu tudo o que podia de sua cota de rações, enrolou a echarpe de lã no pescoço e saiu do açougue.

Enquanto enfrentava o frio da Rue Victor Hugo, sentia-se tão infeliz e preocupada que demorou um momento para perceber que Henri caminhava a seu lado.

Ele olhou para os dois lados da rua, para a direita e para a esquerda, mas, naquele frio e naquele vento, não havia ninguém por perto. Janelas trepidavam e toldos balançavam. As mesas dos bistrôs estavam vazias.

Entregou uma baguete a ela.

– O recheio é diferente. Receita da minha mãe.

Vianne entendeu. Os documentos estavam lá dentro. Confirmou com a cabeça.

– É difícil arranjar pão com recheio especial hoje em dia. Use com prudência.

– E se eu precisar de mais... pão?

– Mais?

– São tantas crianças famintas.

Henri parou, virou-se para ela, beijou de forma ligeira suas duas bochechas.

– Pode vir falar comigo de novo, madame.

Vianne cochichou no ouvido dele:

– Diga a minha irmã que eu perguntei por ela. Nós não nos despedimos muito bem.

Ele sorriu.

– Estou sempre discutindo com meu irmão, mesmo na guerra. No final, continuamos sendo irmãos.

Vianne anuiu, esperando que fosse verdade. Guardou a baguete na cesta, cobrindo-a com um pedaço de linho, junto com a farinha de manjar branco e a farinha de aveia que conseguira encontrar naquele dia. Enquanto via Henri se afastar, a cesta pareceu ficar mais pesada. Saiu andando pela rua segurando a alça com mais força.

Já estava quase saindo da cidade quando ouviu alguém dizer:

– Madame Mauriac. Que surpresa!

A voz dele parecia óleo sendo derramado a seus pés, pegajoso e escorregadio. Vianne molhou os lábios e jogou os ombros para trás, tentando parecer ao mesmo tempo confiante e despreocupada. Ele tinha voltado na noite anterior, triunfante, vangloriando-se de como fora fácil ocupar a França inteira. Vianne serviu um jantar para ele e seus homens, acompanhado por inúmeras taças de vinho – no final da refeição, ele jogou as sobras para as galinhas. Vianne e as crianças tinham ido dormir com fome.

Estava com seu uniforme, todo decorado com suásticas e cruzes de ferro, fumando um cigarro, soprando a fumaça à esquerda do rosto dela.

– Já acabou suas compras de hoje?

– Pode-se dizer que sim, Herr Sturmbannführer. Não havia muita coisa para comprar, mesmo com nossos cartões de racionamento.

– Se seus homens não tivessem sido tão covardes, talvez suas mulheres não estivessem com tanta fome.

Vianne cerrou os dentes no que esperava ser visto como um sorriso.

O alemão ficou examinando o rosto dela, que Vianne sabia estar pálido como giz.

– A senhora está bem, madame?

– Muito bem, Herr Sturmbannführer.

– Permita-me levar sua cesta. Vou acompanhá-la até a casa.

Vianne se agarrou à cesta.

– Não, realmente, não é necessário...

Ele estendeu a mão coberta por luvas pretas na direção dela. Vianne não teve escolha a não ser entregar a retorcida alça da cesta de vime.

O alemão pegou a cesta e começou a andar. Ela o acompanhou um passo atrás, sentindo-se chamando atenção demais por andar com um oficial da SS pelas ruas de Carriveau.

Enquanto caminhavam, Von Richter entabulou uma conversação. Discorreu sobre a inevitável derrota dos Aliados no Norte da África, sobre a covardia dos franceses e a avareza dos judeus, falou sobre a Solução Final como se fosse uma receita trocada entre amigos.

Vianne mal conseguia entender as palavras dele em meio ao tumulto de seus pensamentos. Quando se atrevia a olhar para a cesta, via a baguete aparecendo embaixo da toalha xadrez vermelha e branca que a cobria.

– A senhora está respirando como um cavalo de corrida, madame. Está se sentindo bem?

Pronto. Lá estava a solução.

Forçou uma tosse, levou a mão à boca.

– Desculpe, Herr Sturmbannführer. Não queria aborrecê-lo com isso, mas infelizmente acho que peguei uma gripe com aquele garoto naquele dia.

Ele parou de repente.

– Já não falei para manter seus germes longe de mim?

Devolveu a cesta para ela com tanta força que bateu em seu peito. Vianne agarrou a alça desesperada, com medo que caísse e a baguete se desfizesse espalhando os documentos falsos no chão.

– D-desculpe. Foi distração da minha parte.

– Não vou jantar em casa hoje – informou ele, dando meia-volta.

Vianne ficou ali parada algum tempo – o suficiente para parecer educada, caso ele se virasse –, depois saiu correndo para casa.

Bem depois da meia-noite, quando Von Richter já estava deitado havia horas, Vianne saiu do quarto e foi até a cozinha vazia. Carregou uma cadeira para o quarto, fechando a porta em silêncio ao entrar. Encostou a cadeira na mesa de cabeceira, bem perto, e se sentou. Sob a luz de uma única vela, tirou os documentos em branco da cinta.

Pegou os próprios documentos e examinou-os minuciosamente. Em seguida abriu a Bíblia da família. Ficou treinando assinaturas falsificadas em todos os espaços em branco que encontrou. De início estava tão nervosa que a caligrafia saiu tremida e irregular, mas quanto mais praticava, mais calma se sentia. Quando suas mãos e a respiração se estabilizaram, ela falsificou uma certidão de nascimento para Jean Georges, com o nome de Emile Duvall.

Mas só o documento novo não era suficiente. O que aconteceria se a guerra acabasse e Hélène Ruelle voltasse? Se Vianne não estivesse mais aqui (com o risco que estava correndo, era preciso considerar essa possibilidade terrível), Hélène não teria ideia de onde procurar pelo filho ou que nome estaria usando.

Era preciso criar uma *fiche*, um registro contendo todas as informações que tinha sobre o garoto – quem era na verdade, quem eram seus pais, quaisquer parentes conhecidos. Tudo em que conseguisse pensar.

Arrancou três páginas da Bíblia e fez uma lista em cada página.

Na primeira, escreveu em tinta escura sobre as orações:

Ari de Champlain 1
Jean Georges Ruelle 2

Na segunda folha, escreveu:

1. Daniel Mauriac
2. Emile Duvall

E, na terceira:

1. Carriveau. Mauriac.
2. Abbaye de la Trinité

Enrolou as páginas em canudos, com o maior cuidado. No dia seguinte ela as esconderia em três lugares diferentes. Uma delas em um pote sujo no barracão, que ela encheria de pregos; outra em uma velha lata de tinta no celeiro, e iria enterrar a última em uma caixa no galinheiro. As *fiches*, ela deixaria com a madre na abadia.

Quando comparados, os documentos e as listas identificariam as crianças depois da guerra e tornaria possível fazer com que voltassem às suas famílias. Era perigoso escrever essas coisas, claro, mas se não mantivesse um registro – e o pior acontecesse –, como as crianças clandestinas poderiam encontrar seus pais?

Vianne ficou tanto tempo observando seu trabalho que as crianças adormecidas na cama começaram a se mexer e a resmungar, e a chama da vela, a bruxulear. Debruçou-se e pousou uma das mãos nas costas de Daniel para acalmá-lo. Depois deitou na cama com as crianças. Demorou muito tempo até conseguir adormecer.

TRINTA E UM

6 de maio de 1995
Portland, Oregon

— *E*u estou fugindo de casa – digo para a jovem sentada a meu lado.

O cabelo dela é da cor de algodão-doce e a garota é mais tatuada que um motoqueiro dos Hell's Angels, mas está sozinha como eu, nesse aeroporto cheio de gente ocupada. O nome dela, como fiquei sabendo, é Felicia. Nas últimas duas horas – desde o anúncio de que nosso voo iria atrasar –, nós nos tornamos companheiras de viagem. Foi uma coisa natural, nossa aproximação. Eu estava pegando uma porção dessas horríveis batatas fritas que os americanos adoram e vi que ela olhava para mim. Com fome, era óbvio. Naturalmente, chamei a moça e me ofereci para pagar uma refeição. As mães nunca deixam de ser *mães*.

– Ou talvez eu esteja finalmente indo pra casa depois de ficar anos fora – emendo. Às vezes é difícil saber a verdade.

– Eu estou fugindo de casa – diz ela, bebendo o refrigerante do tamanho de uma caixa de sapatos que comprei para ela. – Se Paris não for longe o bastante, minha próxima parada é na Antártida.

Enxergo através da máscara fria do rosto dela e da rebeldia das tatuagens e sinto uma estranha ligação, como se ela fosse uma compatriota. Estamos fugindo de casa juntas.

– Eu estou doente – digo, surpresa com a admissão.

– Doente? Tipo com herpes? Minha tia tinha isso. Era nojento.

– Não, doente tipo com câncer.

– Oh. – Golada. Golada. – Então você está indo para Paris? Mas não precisa, tipo, de quimioterapia?

Começo a responder (não, não existe mais tratamento para mim, já passei dessa fase) quando a pergunta me atinge. *Por que você está indo para Paris?* E fico em silêncio.

– Já entendi. Você está morrendo. – Sacode o copão, de modo que o gelo chacoalha lá dentro. – Desistiu de tentar. Perdeu a esperança, essas coisas.

– Mas o que é isso?

Fico tão imersa em pensamentos – e na inesperada crueza da afirmação dela (*você está morrendo*) – que demoro um pouco a perceber que foi Julien que acabou de falar. Olho para meu filho. Está usando o blazer esporte azul-marinho que eu lhe dei no Natal deste ano e uma calça jeans escura, da última moda. O cabelo está bem cortado e uma sacola de couro preta se encontra pendurada em seu ombro. Não parece feliz.

– Paris, mãe?

– Voo número 605 da Air France, embarque em cinco minutos.

– É o nosso – diz Felicia.

Sei o que meu filho está pensando. Quando era garoto, ele vivia me implorando para ir a Paris. Queria conhecer os lugares que eu mencionava nas histórias para dormir – queria saber como era andar à noite pelo Sena, comprar objetos de arte na Place Des Vosges, ou se sentar no Jardin des Tuilleries, comer um macaron da Ladurée. Eu neguei todos aqueles pedidos, dizendo simplesmente: *Agora eu sou americana, meu lugar é aqui.*

– Vamos começar o embarque com passageiros que estejam com crianças com menos de 2 anos ou que tenham mobilidade reduzida e os passageiros de primeira classe...

Eu me levanto, estendendo a alça da minha mala de rodinhas.

– Sou eu.

Julien está bem na minha frente, como que para impedir meu acesso ao portão.

– Você vai a Paris assim, de repente, sozinha?

– Foi uma decisão de última hora. Você sabe como essas coisas acontecem. – Abro o melhor sorriso que consigo expressar diante das circunstâncias. Magoei os sentimentos dele, o que nunca foi minha intenção.

– É aquele convite – diz ele. – E a tal verdade que você nunca me contou.

Por que falei aquilo ao telefone?

– Do jeito que você fala, parece tão dramático – comento, fazendo um gesto com minha mão encarquilhada. – Não tem nada de mais. E agora preciso embarcar. Eu ligo quando...

– Não precisa. Eu vou com você.

De repente vejo nele o cirurgião, o homem acostumado a enxergar através da pele e dos ossos para verificar o que está quebrado.

Felicia põe a mochila camuflada no ombro e joga na cesta de lixo o copo vazio, que resvala na borda antes de entrar.

– Fugir de casa não tem nada de mais, cara.

Não sei o que eu mais sinto, se é alívio ou decepção.

– Você vai sentar junto comigo?

– Assim em cima da hora? Não.

Saio andando com minha mala de rodinhas em direção a uma moça bonita de uniforme azul e branco. Ela examina meu cartão de embarque, deseja uma boa viagem e faz sinal para eu seguir.

A esteira rolante me leva em frente. De repente me sinto um pouco claustrofóbica. Mal consigo respirar, não consigo botar as rodinhas pretas da minha mala no avião, passar por cima da ranhura de metal.

– Estou aqui, mãe – diz ele em voz baixa, pegando minha

mala, passando com facilidade por cima do obstáculo. O som da voz dele me faz lembrar que sou mãe, e as mães não podem se dar ao luxo de desmoronar na frente dos filhos, nem quando sentem medo, nem quando os filhos já são adultos.

Uma comissária de bordo me dá uma olhada e faz aquela cara de *essa é uma daquelas que precisam de ajuda*. Morando onde estou, naquela caixa de sapatos cheia de gente velha que parece cotonete, passei a reconhecer aquela expressão. Normalmente me deixa irritada, me faz endireitar as costas e dar um empurrão no jovem que acha que não posso lidar sozinha com o mundo, mas nesse momento estou me sentindo cansada e temerosa, e um pouco de ajuda não me parece tão ruim. Deixo que ela me ajude a chegar ao meu lugar na segunda fileira do avião. Esbanjei com uma passagem de primeira classe. Por que não? Não vejo mais razão para economizar meu dinheiro.

– Obrigada – digo para a comissária quando me sento. Meu filho é o próximo a entrar no avião. Quando ele sorri para a comissária, ouço um pequeno suspiro e penso: *é claro*. As mulheres já se encantavam com Julien antes mesmo de a voz dele engrossar.

– Vocês estão viajando juntos? – pergunta ela, e sei que ele está ganhando pontos por ser um bom filho.

Julien abre seu sorriso de derreter corações.

– Sim, mas não conseguimos lugares juntos. Eu estou três fileiras atrás dela. – Ele mostra o cartão de embarque.

– Ah, mas eu posso resolver isso para vocês – responde ela enquanto Julien acomoda minha mala e a sacola dele no compartimento acima do meu assento.

Olho pela janela, esperando ver a pista cheia de homens e mulheres com coletes laranja agitando os braços e descarregando bagagens, mas o que vejo é água escorrendo pela superfície de acrílico, com meu reflexo entremeado por aquelas linhas prateadas; meus olhos estão olhando para mim.

– Muito obrigado. – Ouço Julien dizer, e em seguida ele está sentado a meu lado, afivelando o cinto de segurança. – Então – diz ele depois de fazer uma pausa até que as pessoas tenham embarcado em um fluxo contínuo e a comissária bonita (que penteou o cabelo e retocou a maquiagem) ofereça o champanhe. – O convite.

Solto um suspiro.

– O convite. – Sim. Esse é o começo. Ou o fim, dependendo do ponto de vista. – É uma reunião. Em Paris.

– Não estou entendendo – diz ele.

– Não era para entender, mesmo.

Ele pega na minha mão. É tão seguro e reconfortante, esse toque de curandeiro que ele tem.

Vejo minha vida toda em seu rosto. Vejo um bebê que me chegou bem depois de eu ter desistido... e um vislumbre da beleza que já tive. Vejo... minha vida nos olhos dele.

– Sei que está querendo me contar alguma coisa e que é difícil para você fazer isso, seja o que for. Tente começar pelo começo.

Não consigo deixar de sorrir diante daquela afirmação. Ele é tão americano, esse meu filho. Acha que a vida de alguém pode ser destilada em uma narrativa com um começo e um fim. Não sabe nada do tipo de sacrifício que, uma vez consumado, não pode jamais ser totalmente esquecido, nem totalmente suportado. E como poderia saber? Eu o protegi disso tudo.

Ainda assim. Aqui estou, em um avião, indo para casa, e tenho a oportunidade de fazer uma escolha diferente da que fiz quando minha dor era recente e um futuro predicado no passado parecia impossível de existir.

– Mais tarde – digo, e dessa vez falo sério.

Vou contar a ele a história da minha guerra e da guerra da minha irmã. Não toda, é claro, não as piores partes, mas algumas coisas. Ao menos ele vai conhecer uma versão mais verdadeira de mim.

– Mas não aqui. Estou exausta.

Reclino a grande poltrona da primeira classe e fecho os olhos. Como posso começar pelo começo, quando só consigo pensar no fim?

TRINTA E DOIS

Se você vai atravessar o inferno, siga
em frente sem parar.
— Winston Churchill

Maio de 1944
França

Nos dezoito meses seguintes à ocupação de toda a França pelos nazistas, a vida foi ficando cada vez mais perigosa, se é que isso ainda era possível. Prisioneiros políticos franceses eram recolhidos em Drancy e aprisionados em Fresnes – e centenas de milhares de judeus franceses foram deportados para campos de concentração na Alemanha. Os orfanatos de Neuilly-sur-Seine e Montreuil foram esvaziados, e as crianças foram levadas para campos de concentração. Crianças detidas no estádio Vél d'Hiv – mais de quatro mil – foram separadas dos pais e mandadas sozinhas para campos de concentração. Os Aliados bombardeavam dia e noite. As detenções eram constantes; pessoas eram tiradas de suas casas e de suas lojas pelas menores infrações, por um boato de pertencerem à Resistência, e presas ou deportadas. Reféns inocentes eram fuzilados em retaliação a ações das quais não sabiam nada a respeito e todos os homens entre 18 e 50 anos deviam ir para campos de trabalho forçado na

Alemanha. Ninguém se sentia seguro. Não se via mais ninguém com estrelas amarelas na roupa. Ninguém olhava ou falava com estranhos. A eletricidade tinha sido cortada.

Isabelle estava em uma movimentada esquina de Paris, pronta para atravessar a rua, mas antes que a sola de madeira de seu surrado sapato tocasse nos paralelepípedos, soou um apito. Ela voltou para a sombra de uma nogueira em flor.

Naqueles dias, Paris era uma mulher gritando. Barulho, barulho, barulho. Apitos, disparos, ronco de caminhões, soldados berrando. Os Aliados tinham desembarcado na Itália e os nazistas não conseguiram expulsá-los. As derrotas provocavam cada vez mais a agressividade dos alemães. Em março, mais de trezentos italianos foram massacrados em Roma como retaliação a um ataque de bombas de guerrilheiros que mataram vinte e oito alemães. Finalmente, Charles de Gaulle assumira o controle de todas as forças da França Livre e algo importante estava sendo planejado para a semana.

Uma coluna de soldados alemães subia marchando o bulevar de Saint-Germain a caminho dos Champs-Élysées, liderados por um oficial montado em um garanhão branco.

Assim que passaram, Isabelle atravessou a rua e se misturou à multidão de soldados alemães reunida na outra calçada. Mantinha os olhos baixos e as mãos enluvadas agarradas à bolsa. Suas roupas estavam gastas e remendadas, como a da maioria dos parisienses, e as solas de madeira faziam barulho no chão. Ninguém mais tinha couro. Passou por longas filas de donas de casa e crianças de rostos magros esperando na porta de *boulangeries* e *boucheries*. As cotas de alimentos não paravam de ser reduzidas nos últimos dois anos; a população de Paris estava sobrevivendo com oitocentas calorias por dia. Não se via um cachorro, gato ou rato nas ruas. Naquela semana, só se podia comprar farinha e feijão de fava. Nada mais. No bulevar de la Gare, havia pilhas de móveis, quadros e joias – tudo de valor confiscado de pessoas deportadas. Seus pertences eram classificados e encaixotados para serem mandados para a Alemanha.

Isabelle entrou de cabeça baixa no Les Deux Magots, no Boulevard Saint-Germain, e sentou-se a uma mesa de fundo; ficou esperando impaciente no banco forrado de fustão vermelho, espiando por cima das estátuas dos mandarins chineses. Uma mulher que poderia ser Simone de Beauvoir ocupava uma mesa perto da entrada, encurvada sobre um pedaço de papel, escrevendo furiosamente. Isabelle afundou na confortável cadeira; sentia-se cansada até os ossos. Só no último mês, já tinha atravessado os Pireneus três vezes e visitado todos os esconderijos, fazendo pagamentos aos *passeurs*. Cada passo era perigoso, agora que não havia mais Zona Livre.

– Juliette.

Ela ergueu os olhos e viu o pai. Tinha envelhecido nos últimos poucos anos – todos tinham. A fome e as privações, o desespero e o medo tinham deixado suas marcas – na pele isso se traduzia em uma cor e textura de areia de praia com rugas profundas.

Estava tão magro que agora a cabeça parecia grande demais para o corpo.

Deslizou para dentro do reservado, pondo-se à frente dela, e colocou as mãos enrugadas sobre a mesa de mogno arranhado.

Isabelle se inclinou e segurou os pulsos dele. Quando os largou, tinha empalmado um rolo de documentos falsos do tamanho de um lápis que ele guardara na manga. Escamoteou-o habilmente na cinta e sorriu para o garçom que tinha acabado de aparecer.

– Café – disse o pai com uma voz cansada.

Isabelle balançou a cabeça.

O garçom retornou, deixou uma xícara de café de cevada e desapareceu outra vez.

– Eles fizeram uma reunião hoje – disse o pai. – Nazistas de alta patente. Ouvi dizerem a palavra "Rouxinol".

– Nós estamos tomando cuidado – disse Isabelle em voz baixa. – E você está se arriscando mais do que eu, roubando documentos em branco.

– Eu sou um velho. Eles nem sabem que eu existo. Mas talvez você devesse dar um tempo. Deixe outra pessoa fazer essas travessias pelas montanhas.

Isabelle retribuiu com um olhar significativo. Será que as pessoas diziam coisas assim para os homens? As mulheres eram essenciais à Resistência. Por que os homens não conseguiam ver isso?

O pai suspirou, vendo a resposta naquele olhar afrontoso.

– Está precisando de um lugar para ficar?

Isabelle gostou da oferta. Fez com que se lembrasse do ponto em que haviam chegado. Ainda não eram muito próximos, mas trabalhavam juntos, e isso era alguma coisa. Ele não tentava mais afastá-la – e agora, um convite. Aquilo dava esperança de que algum dia, quando a guerra acabasse, eles pudessem realmente conversar.

– Não posso. Seria muito arriscado para você.

Fazia mais de dezoito meses que ela não ia ao apartamento. Também não tinha ido a Carriveau nem encontrado Vianne em todo esse tempo. Isabelle raramente passava mais de três noites no mesmo local. Sua vida era uma sucessão de quartos clandestinos, colchões empoeirados e desconhecidos suspeitos.

– Alguma notícia da sua irmã?

– Eu tenho amigos cuidando dela. Ouvi dizer que não está se arriscando, mantendo a cabeça baixa e a filha em segurança. Ela vai ficar bem – disse, percebendo quanto a esperança esmaecera na última sentença.

– Você sente saudade dela – constatou o pai.

De repente Isabelle se surpreendeu pensando no passado, desejando que fosse possível largar tudo. Sim, sentia saudade da irmã, mas já fazia muitos anos – a vida inteira – que sentia saudade de Vianne.

– Bom.

O pai se levantou de repente. Isabelle notou as mãos dele.

– Suas mãos estão tremendo.

– Eu parei de beber. Pareceu que não era um bom momento para ficar bêbado.

– Não sei, não – replicou ela, sorrindo para ele. – Não é uma ideia tão má estar bêbado nos dias que correm.

– Tenha cuidado, Juliette.

O sorriso dela esmaeceu. Cada vez que ela encontrava alguém ultimamente, era difícil se despedir. Não se podia saber se haveria outro encontro.

– Você também.

Meia-noite.

Isabelle agachou-se no escuro atrás de um muro de pedra esfarelento. Estava em uma floresta densa, usando roupas de camponês – macacão de brim que já tinha visto dias melhores, botas de solado de madeira e uma blusa leve feita de uma velha cortina de banheiro. Contra o vento, sentia o cheiro de fumaça de fogueiras por perto, mas não conseguia ver a luminosidade das labaredas.

Um graveto estalou atrás dela.

Isabelle se encolheu mais ainda, mal respirando.

Ouviu um assobio. Era o trinado de um rouxinol. Ou quase isso. Ela respondeu com outro assobio.

Ouviu passos; respiração. Depois:

– Iz?

Levantou-se e virou. Um rápido facho de luz passou por ela e se apagou. Ela pulou por cima de um tronco caído e caiu nos braços de Gaëton.

– Senti saudade – disse ele, depois de um beijo, afastando-se com uma relutância que ela pôde sentir.

Os dois não se viam havia mais de oito meses. Cada vez

que ouvia dizer de um trem descarrilado, da explosão de um hotel ocupado por alemães ou de uma escaramuça com guerrilheiros, ela se preocupava.

Gaëton a pegou pela mão e a levou por um bosque tão escuro que ela não conseguia ver o homem a seu lado, nem a trilha debaixo dos pés. Gaëton não ligou a lanterna. Conhecia intimamente aquela mata, tendo vivido lá por mais de um ano.

Na orla do bosque os dois encontraram um imenso campo gramado cheio de fileiras de gente. Todos empunhavam tochas, que iluminavam a área plana entre as árvores com seus fachos de luz.

Isabelle ouviu o motor de um avião, sentiu a lufada de ar no rosto, o cheiro do cano de escapamento. O avião voava baixo, o suficiente para fazer as árvores estremecerem. Ouviu um guinchado mecânico e o som de metal contra metal antes de ver o paraquedas descendo, com uma grande caixa balançando na ponta.

– Entrega de armas – explicou Gaëton.

Pegou-a pela mão outra vez, voltou com ela para o bosque e subiu uma encosta, chegando ao acampamento escondido na mata. No centro, uma fogueira crepitava com uma luz alaranjada, oculta pelo denso aglomerado de árvores. Ao redor da fogueira, vários homens fumavam e conversavam. A maioria tinha vindo para evitar a deportação compulsória para campos de trabalho na Alemanha. Quando chegaram, pegaram em armas e entraram na guerrilha contra os alemães; em sigilo, sob a cobertura da noite. Os maquis. Explodiam trens e depósitos de munição, inundavam canais e faziam o que pudessem para interromper o fluxo de bens e de homens da França para a Alemanha. Obtinham suprimentos – e informação – dos Aliados. Estavam sempre arriscando a vida; se fossem localizados pelo inimigo, a represália costumava ser rápida e brutal. Torturados com fogo e choques, sendo cegados. Todos os guerrilheiros maquis levavam uma pílula de cianureto no bolso.

Os homens pareciam sujos, famintos e andrajosos. A maioria usava calças de veludo marrom e boinas pretas, tudo esgarçado, remendado e desbotado.

Por mais que acreditasse na causa, Isabelle não gostaria de ficar ali sozinha.

– Venha – disse Gaëton.

Os dois passaram pela fogueira e chegaram a uma pequena tenda encardida com uma aba de lona, que foi aberta para revelar um saco de dormir, uma pilha de roupas e um par de botas enlameadas. Como sempre, tinha o odor de suor e chulé.

Isabelle abaixou a cabeça e se agachou para entrar.

Gaëton sentou ao lado dela e fechou a aba. Não acendeu um lampião (os homens veriam a silhueta e começariam a gozação).

– Senti sua falta, Isabelle – falou.

Isabelle deu um passo à frente e se deixou abraçar e beijar. Quando tudo acabou, cedo demais, ela respirou fundo.

– Eu tenho uma mensagem de Londres para o seu grupo. Paul recebeu às cinco da tarde de hoje. "Os longos soluços dos violinos de outono".

Ela ouviu Gaëton respirar fundo. Obviamente aquelas palavras, recebidas pelo rádio da BBC, eram um código.

– É importante? – perguntou ela.

Gaëton pôs as duas mãos no rosto dela, carinhosamente, e puxou-a para mais um beijo. Esse foi repleto de tristeza. Mais uma despedida.

– Importante o bastante para eu ter que sair já.

Isabelle só pôde aquiescer.

– Nós nunca temos tempo – murmurou.

Cada momento que passavam juntos era, de certa forma, um tempo roubado, ou arrancado. Os dois se encontravam, se escondiam em cantos escuros, tendas imundas ou quartinhos de fundos e faziam amor no escuro, mas não podiam depois se deitar e conversar como amantes. Ele estava sempre a deixando, ou vice-versa. Cada vez que Gaëton a abraçava, ela pensava: "Vai ser desta vez, a última vez que o verei." E esperava que ele dissesse que a amava.

Isabelle dizia a si mesma que isso era por causa da guerra. Que ele a amava, mas tinha medo desse amor, medo de perdê-la, e aquilo de alguma forma magoava mais do que se ele se declarasse. Nos bons momentos, chegava até a acreditar nisso.

– Quanto é perigosa, essa coisa que você vai fazer quando sair daqui?

Mais uma vez, silêncio.

– Eu vou encontrá-la – disse ele em voz baixa. – Talvez eu vá a Paris por uma noite e a gente vá a um cinema, vaiar o noticiário e depois fazer um passeio nos Jardins de Rodin.

– Como namorados – disse ela, tentando sorrir.

Era o que sempre diziam um ao outro, aquele sonho compartilhado de uma vida que parecia impossível de se lembrar e improvável de voltar a acontecer.

Gaëton acariciou o rosto dela com uma ternura que a fez sentir lágrimas nos olhos.

– Como namorados.

Nos últimos dezoito meses, conforme a guerra acirrava e aumentava a agressividade dos nazistas, Vianne tinha escondido treze crianças no orfanato. De início ela procurou nas redondezas, seguindo pistas indicadas pela OSE. Algum tempo depois, a madre entrou em contato com o Comitê Conjunto de Recolocação de Judeus Americanos – um grupo de instituições beneficentes judaicas nos Estados Unidos que lutava para salvar crianças judias –, que puseram Vianne em contato com outras crianças em necessidade. Às vezes apareciam mães em sua porta, chorando desesperadas, pedindo ajuda. Vianne nunca rejeitou ninguém, mas sempre se sentiu aterrorizada.

Agora, em um dia ameno de junho de 1944, uma semana depois de os Aliados terem desembarcado mais de cento e cinquenta mil soldados na Normandia, Vianne estava na sala de aula do orfanato, observando crianças acabrunhadas e exaustas nas carteiras. É claro que estavam exaustas.

Nesse último ano, os bombardeios quase não haviam cessado. Ataques aéreos eram tão constantes que Vianne nem se dava mais o trabalho de levar os filhos à despensa no porão quando soava o alarme durante a noite. Simplesmente ficava na cama com eles, abraçando-os forte até a sirene do alarme ou o bombardeio parar.

Mas nunca parava por muito tempo.

Vianne bateu palmas e pediu atenção. Talvez um jogo melhorasse os ânimos.

– Mais um ataque aéreo, madame? – perguntou Emile.

Já estava com 6 anos e não falava mais da mãe. Se perguntassem, respondia que ela morreu "porque ficou doente". Não se lembrava de ter sido Jean Georges Ruelle. Assim como Daniel, com 5 anos, não tinha lembrança de quem era antes.

– Não. Não é um ataque aéreo – respondeu Vianne. – Na verdade, eu estava pensando que está muito calor aqui dentro.

Puxou a gola da blusa.

– É por causa das cortinas de blecaute, madame – observou Claudine (ex-Bernardette). – A madre diz que se sente como um presunto defumado naquele hábito de lã.

As crianças deram risada.

– É melhor do que o frio do inverno – disse Sophie, e todos concordaram com entusiasmo.

– Eu estava pensando – começou Vianne – que hoje seria um bom dia para...

Antes de terminar a sentença, ela ouviu o ronco matraqueado de uma motocicleta fora do prédio; instantes depois, passos – de coturnos – reverberaram pelo corredor de pedra.

Todos ficaram imóveis.

A porta da sala de aula se abriu.

Von Richter entrou na sala. Ao se aproximar de Vianne, tirou o quepe e o enfiou sob a axila.

– Madame – disse. – Será que pode vir comigo até o corredor?

Vianne anuiu.

– Um momento, crianças – falou. – Fiquem lendo em silêncio até eu voltar.

Von Richter pegou-a pelo braço – em um aperto doloroso e punitivo – e a conduziu pelo corredor. Dava para ouvir o som da água correndo na fonte musgosa lá perto.

– Estou aqui para perguntar sobre um conhecido seu. Henri Navarre.

Vianne rezou para não hesitar.

– Quem, Herr Sturmbannführer?

– Henri Navarre.

– Ah. *Oui*. O hoteleiro.

Fechou os punhos para as mãos não tremerem.

– Vocês são amigos?

Vianne balançou a cabeça.

– Não, Herr Sturmbannführer. Nós apenas nos conhecemos. É uma cidade pequena.

Von Richter a examinou com atenção.

– Se a senhora estiver mentindo para mim sobre algo tão simples, talvez eu pondere sobre o que mais estará escondendo.

– Herr Sturmbannführer...

– A senhora foi vista com ele.

O hálito dele recendia a toucinho e cerveja, os olhos estavam estreitados.

Ele vai me matar, pensou Vianne pela primeira vez. Apesar de todo o cuidado, por tanto tempo, nunca o contestando ou antagonizando com ele, jamais olhando diretamente em seus olhos sempre que fosse possível. Mas nas últimas duas semanas ele vinha se mostrando volátil, imprevisível.

– É uma cidade pequena, mas...

– Ele foi preso por colaborar com o inimigo, madame.

– Oh! – exclamou ela.

– Vamos continuar falando sobre isso, madame. Em um quarto pequeno e sem janelas. E, pode acreditar, eu vou descobrir a verdade sobre vocês dois. Vou descobrir se a senhora está trabalhando com ele.

– Eu?

O alemão apertou tanto o braço dela que Vianne achou que poderia fraturar o osso.

– Se eu descobrir que a senhora sabia alguma coisa sobre isso, eu vou interrogar seus filhos... intensamente... e depois vou mandá-la para a prisão de Fresnes.

– Não faça nada com meus filhos, eu imploro.

Era a primeira vez que ela implorava alguma coisa dele e o alemão não se comoveu com o desespero de sua voz. A respiração dele ficou acelerada. E lá estava, claro como o tom de azul dos seus olhos: ele ficou excitado. Durante mais de um ano e meio, Vianne tinha se comportado da forma mais escrupulosa na presença dele, vestindo-se e agindo com insignificância, nunca chamando a atenção, nunca dizendo nada além de sim ou não, Herr Sturmbannführer. Agora, em um instante, tudo aquilo fora desfeito. Vianne tinha revelado sua fraqueza e ele tinha percebido. Agora sabia como machucá-la.

Horas depois, Vianne encontrava-se num quarto sem janelas nos porões do prédio da prefeitura. Sentada rígida em uma cadeira, as mãos tão apertadas nos descansos de braço que as juntas estavam embranquecidas.

Já estava lá havia muito tempo, sozinha, tentando decidir quais seriam as melhores respostas. Quanto eles sabiam? No que acreditariam? Será que Henri tinha mencionado o nome dela?

Não. Se soubessem que tinha forjado documentos e escondido crianças judias, ela já teria sido presa.

Atrás dela, a porta se abriu com um rangido e se fechou.

– Madame Mauriac.

Vianne se levantou.

Von Richter andou em volta dela lentamente, o olhar escrutinando seu corpo. Ela usava um vestido desbotado, já muitas vezes remendado, e estava sem meias, com sapatos oxford com solado de madeira. O cabelo, sem lavar havia dois dias, estava coberto por um turbante de tecido de algodão listrado amarrado por um nó em cima da testa. O batom já tinha acabado havia muito, os lábios estavam empalidecidos.

O alemão parou na frente dela, próximo demais, as mãos atrás das costas.

Foi preciso coragem para levantar o queixo, e quando conseguiu fazer isso – quando olhou para os olhos azuis e gelados do alemão –, Vianne soube que estava encrencada.

– A senhora foi vista andando pela praça com Henri Navarre. Ele é suspeito de trabalhar com os maquis de Limousin, aqueles covardes que vivem como animais na floresta e que colaboraram com o inimigo na Normandia.

Ao mesmo tempo que acontecia o desembarque dos Aliados na Normandia, os maquis semearam a destruição em todo o país, cortando linhas ferroviárias, explodindo bombas, alagando canais. Os nazistas estavam desesperados para encontrar e castigar os guerrilheiros.

– Eu mal o conheço, Herr Sturmbannführer; não sei nada de homens que ajudam o inimigo.

– A senhora está me fazendo de bobo, madame?

Vianne fez que não com a cabeça.

O alemão queria bater nela. Podia ver em seus olhos azuis; um desejo doentio e maligno. Plantado quando ela implorou por alguma coisa, e agora Vianne não sabia o que fazer para erradicar aquilo.

Ele estendeu a mão e passou um dedo pela mandíbula dela. Vianne recuou.

– A senhora é realmente tão inocente?

– Herr Sturmbannführer, o senhor mora na minha casa há dezoito meses, me vê todos os dias. Eu alimento meus filhos, cuido da minha horta e dou aulas no orfanato. Como poderia estar colaborando com os Aliados?

Ele usou a ponta dos dedos para acariciar sua boca, forçando uma pequena abertura dos lábios.

– Se descobrir que está mentindo para mim, eu vou machucá-la, madame. E vou gostar de fazer isso. – Afastou a mão do rosto dela. – Mas se me disser a verdade, agora talvez eu a poupe. E também a seus filhos.

Vianne estremeceu ao pensar que ele poderia descobrir que estava morando esse tempo todo com uma criança judia. Iria se sentir enganado.

– Eu nunca mentiria ao senhor, Herr Sturmbannführer. Devia saber isso.

– O que eu sei é o seguinte... – retrucou ele, chegando mais perto, murmurando no ouvido dela. – Eu *espero* que não esteja mentindo para mim, madame.

Afastou-se.

– A senhora está com medo – disse ele, sorrindo.

– Eu não tenho nada a temer – replicou Vianne, incapaz de imprimir volume na voz.

– Veremos se isso é verdade. Por enquanto, madame, pode ir para casa. E reze para eu não descobrir que a senhora mentiu para mim.

Naquele mesmo dia, Isabelle andava por uma rua de paralelepípedos da cidade de Urrugne, na montanha. Podia ouvir o eco de passos atrás de si. Em sua viagem de Paris até ali, suas mais recentes "melodias" – o major Foley e o sargento Smythe

– tinham seguido suas instruções perfeitamente e passado por diversos pontos de inspeção. Já fazia um bom tempo que não olhava para trás, mas não tinha dúvida de que os dois caminhavam da maneira como tinham sido instruídos a fazer: mantendo uma distância de pelo menos 100 metros entre eles.

No alto da colina, ela viu um homem sentado em um banco em frente à agência de correio fechada. Segurava um cartaz que dizia: SURDO E MUDO. ESPERANDO MINHA MAMÃE ME BUSCAR. Surpreendentemente, um artifício simples que ainda funcionava para enganar os nazistas.

Isabelle foi até ele.

– Eu tenho um guarda-chuva – falou em inglês com um forte sotaque.

– Parece que vai chover – respondeu ele.

Isabelle anuiu.

– Ande pelo menos cinquenta passos atrás de mim.

Continuou subindo a encosta, sozinha.

Já era quase noite quando chegou à casa de madame Babineau. Fez uma pequena parada na curva do caminho de acesso, esperando que os aviadores a alcançassem.

O homem que estava sentado no banco foi o primeiro a chegar.

– Olá, madame – disse, tirando a boina emprestada. – Major Tom Dowd. Só tenho elogios a Sarah, em Pau. Ela foi uma anfitriã de primeira.

Isabelle abriu um sorriso cansado. Aqueles ianques eram tão... caricaturais, com seus sorrisos prontos e vozes animadas. E toda aquela gratidão. Bem diferentes dos britânicos, que agradeciam com poucas palavras, a voz monocórdia e firmes apertos de mão. Já tinha perdido a conta das vezes que um americano a tinha abraçado tão forte que chegava a erguê-la do chão.

– Eu sou Juliette – disse ao major.

O major Jack Foley foi o segundo a chegar. Abriu um grande sorriso e disse:

– Que belas montanhas!

– Você falou tudo – atalhou Dowd, estendendo a mão. – Dowd. Chicago.

– Foley. Boston. Prazer.

O sargento Smythe chegou por último, poucos minutos depois.

– Olá, senhores – falou educadamente. – Foi uma caminhada e tanto.

– Vocês ainda não viram nada – comentou Isabelle dando risada.

Levou os homens até o chalé e bateu três vezes à porta da frente.

Madame Babineau abriu um pouco a porta, viu Isabelle pela fresta e sorriu, recuando para que entrassem. Como sempre, um caldeirão de ferro pendia em cima das chamas na lareira enegrecida. A mesa estava preparada para a chegada deles, com copos de leite quente e tigelas de sopa vazias.

Isabelle olhou ao redor.

– E Eduardo?

– No celeiro, com outros dois aviadores. Estamos tendo problemas para obter suprimentos por causa dessas porcarias de bombardeios. Metade da cidade está em ruínas. – Encostou uma das mãos no rosto de Isabelle. – Você parece cansada. Está tudo bem?

O toque foi tão reconfortante que ela se deixou acariciar por um momento. Queria falar de seus problemas com a amiga, desabafar o que sentia, mas aquele era mais um dos luxos perdidos na guerra. Eram problemas que ela teria de carregar sozinha. Isabelle não queria contar a madame Babineau que a Gestapo tinha intensificado suas buscas pelo Rouxinol, nem que estava preocupada com o pai, a irmã e a sobrinha. De que adiantava? Todos tinham famílias com que se preocupar. Eram infelicidades comuns, pontos fixos no mapa dessa guerra.

Isabelle afagou a mão da senhora. Havia tantos aspectos

terríveis nas vidas que tinham agora, mas também havia aquilo, amizades forjadas em fogo que se provavam fortes como ferro. Depois de tantos anos de solidão, enfurnada em conventos e esquecida em internatos, Isabelle ainda não conseguia acreditar que agora tinha amigos, pessoas de que gostava e que também gostavam dela.

– Está tudo bem, minha amiga.

– E aquele seu bonitão?

– Continua explodindo depósitos e descarrilando trens. Nos encontramos pouco antes da invasão da Normandia. Pude ver que estava para acontecer algo importante. Ele está envolvido em tudo isso. E eu estou preocupada...

Isabelle ouviu o ronronar distante de um motor. Virou-se para madame.

– A senhora está esperando alguém?

– Ninguém vem aqui de carro.

Os aviadores também ouviram. Pararam de conversar. Smythe ergueu os olhos. Foley tirou uma faca da cintura.

Lá fora, as cabras começaram a balir. Uma sombra passou pela janela.

Antes que Isabelle conseguisse dar um grito de alarme, a porta se abriu e o quarto foi inundado de luz e por vários agentes alemães.

– *Mãos na cabeça!*

Isabelle tomou uma coronhada na têmpora. Engasgou e perdeu o equilíbrio.

Sentiu as pernas fraquejarem e caiu feio, batendo a cabeça no piso de pedra.

A última coisa que ouviu antes de perder a consciência foi:

– Estão todos presos.

TRINTA E TRÊS

*I*sabelle acordou amarrada pelos pulsos e tornozelos em uma cadeira de madeira; as cordas machucavam sua pele e estavam tão apertadas que ela não conseguia se mexer. Os dedos estavam dormentes. Uma lâmpada solitária pendia do teto sobre sua cabeça; um cone de luz na escuridão. O recinto cheirava a mofo, urina e água minando pelas rachaduras da pedra.

Em algum lugar à sua frente, um fósforo faiscou.

Ouviu o som do fósforo sendo riscado, sentiu o cheiro de enxofre e tentou levantar a cabeça, mas o movimento causou tanta dor que ela emitiu um gemido involuntário.

– *Gut* – disse alguém. – Dói.

A Gestapo.

O homem puxou uma cadeira da escuridão e sentou-se de frente para ela.

– Com dor ou sem dor – disse apenas. – A escolha é sua.

– Nesse caso, sem dor.

O homem bateu nela com força, inundando sua boca de sangue. O gosto era ácido e metálico. Isabelle sentiu o líquido escorrer pelo queixo.

Dois dias, pensou. *Só dois dias.*

Precisava resistir ao interrogatório por 48 horas sem dar nenhum nome. Se conseguisse, se não cedesse, seu pai e Gaëton, Henri e Didier, Paul e Anouk teriam tempo suficiente para se proteger. Logo saberiam que ela fora capturada, se é que já não sabiam. Eduardo já devia ter dado o alarme e se escondido. Esse era o plano.

– Nome? – perguntou o homem, tirando um caderninho e um lápis do bolso do peito.

Isabelle sentiu o sangue escorrendo pelo queixo, caindo no colo.

– Juliette Gervaise. Mas você já sabe isso. Está com os meus documentos.

– Nós estamos com documentos que dizem que seu nome é Juliette Gervaise, é verdade.

– Então por que perguntar?

– Quem você é na verdade?

– Eu sou Juliette.

– Nascida onde? – perguntou ele distraidamente, examinando as unhas bem-cuidadas.

– Nice.

– E o que estava fazendo em Urrugne?

– Eu estava em Urrugne? – perguntou ela.

O homem endireitou o corpo ante aquela resposta, olhando para ela com interesse.

– Quantos anos você tem?

– Vinte e dois, ou quase isso, acho. Os aniversários já não significam muita coisa.

– Você parece mais nova.

– Eu me sinto mais velha.

O homem se levantou devagar.

– Você trabalha para o Rouxinol. Eu quero o nome dele.

Eles não sabiam quem ela era.

– Eu não entendo nada de passarinhos.

O murro saiu do nada, com um impacto devastador. A cabeça dela virou de lado, batendo forte no encosto da cadeira.

– Fale sobre o Rouxinol.

– Eu já disse...

Dessa vez ele bateu com uma régua de ferro no lado do rosto, tão forte que Isabelle sentiu a pele abrir e o sangue escorrer.

O homem sorriu e falou de novo:

– O Rouxinol.

Isabelle cuspiu com toda a força, mas só conseguiu emitir

uma baba de sangue borbulhante que caiu em seu colo. Sacudiu a cabeça para clarear a visão e se arrependeu imediatamente.

Ele veio se aproximando de novo, batendo metodicamente a régua de ferro na palma da mão.

– Eu sou Rittmeister Schmidt, Kommandant da Gestapo em Amboise. E você, quem é?

Ele vai me matar, pensou Isabelle. Lutou contra as amarras, respirando com dificuldade, sentindo o gosto do próprio sangue.

– Juliette – murmurou, agora desesperada para que ele acreditasse.

Não conseguiria resistir dois dias.

Esse era o risco sobre o qual todos a haviam alertado, a terrível verdade do que ela vinha fazendo. Como pôde ter parecido uma aventura? Ela ia acabar morrendo – assim como todos de quem gostava.

– Nós capturamos a maioria dos seus compatriotas. Não faz sentido você morrer para proteger homens mortos.

Seria verdade?

Não. Se fosse verdade, ela também já estaria morta.

– Juliette Gervaise – repetiu ela.

O homem bateu nela com a régua em um movimento reverso com tanta força que a cadeira balançou de um lado para o outro e tombou. Isabelle bateu a cabeça no chão de pedra ao mesmo tempo que o homem chutou sua barriga com a ponta da bota. Foi uma dor que ela nunca tinha sentido. Ouviu quando ele disse:

– Agora, mademoiselle, diga o nome do Rouxinol.

Mas ela não poderia responder nem se quisesse.

O homem desferiu outro pontapé, botando todo o peso do corpo no pé de apoio.

A consciência trouxe a dor.

Tudo doía. A cabeça, o rosto, o corpo. Foi preciso esforço – e coragem – para levantar a cabeça. Continuava amarrada pelos pulsos e tornozelos. As cordas atritavam contra a pele lacerada e sanguinolenta, penetrando na carne.

Onde estou?

A escuridão a envolvia, não uma escuridão normal, de um quarto com a luz apagada. Era outra coisa; uma escuridão retinta e impenetrável que fazia pressão em seu rosto espancado. Sentiu uma parede a centímetros do rosto. Tentou mover o pé minimamente para a frente e a dor a açoitou mais uma vez nos cortes da corda nos tornozelos.

Estava dentro de uma caixa.

E sentia frio. Sentia que sua respiração era visível. Os pelos das narinas estavam congelados. Ela tremia muito, incontrolavelmente.

Gritou de terror; o som do grito ecoou e se perdeu.

Congelando.

Isabelle tremia de frio, choramingando. Agora podia sentir a própria respiração esfumaçando na frente de seu rosto, enregelando seus lábios. As pestanas estavam congeladas.

Pense, Isabelle. Não desista.

Movimentou um pouco o corpo, lutando contra o frio e a dor.

Estava sentada, ainda amarrada pelos pulsos e tornozelos.

Nua.

Fechou os olhos, enojada pela imagem daquele homem a despindo, tocando nela quando estava inconsciente.

Naquela escuridão fétida, começou a perceber um som trepidante. De início pensou que era o próprio sangue, pulsando de dor, ou o coração, batendo desesperadamente para se manter vivo, mas não era.

Era um motor, ali perto, zumbindo. Ela reconheceu o som, mas o que era mesmo?

Teve mais um estremecimento, tentando mexer os dedos das mãos e dos pés para combater o entorpecimento mortal que tomava suas extremidades. Primeiro foi a dor que sentia nos pés, que depois se transformou em uma comichão, e agora... nada. Mexeu a única coisa que podia – a cabeça –, que bateu em algo duro. Estava nua, amarrada em uma cadeira dentro de...

Gelado. Escuro. Zumbindo. Pequeno...

Um refrigerador.

Entrou em pânico, tentou freneticamente se libertar, tombar o que a prendia, mas só conseguiu se cansar com seu esforço. Sentiu-se derrotada. Não conseguia se mexer. Nada além dos dedos dos pés e das mãos, que estavam congelados demais para cooperar. *Assim não, por favor.*

Sua respiração retornava para ela, a envolvia, um tremor de respiração a toda volta. Começou a chorar e suas lágrimas congelaram, transformando-se em pingentes de gelo em suas faces. Pensou em todas as pessoas que amava – Vianne, Sophie, Gaëton, o pai. Por que não disse que os amava todos os dias em que teve oportunidade de fazer isso? E agora iria morrer sem falar nada para Vianne.

Vianne, pensou. Só isso. O nome. Em parte uma prece, em parte um remorso, em parte um adeus.

Todos os postes de luz da praça da cidade tinham um cadáver pendurado.

Vianne parou de repente, incapaz de acreditar no que via. À sua frente, uma senhora se postava embaixo de um dos cadáveres. O som de cordas tesas rangendo pairava no ar. Vianne andou pela praça com cuidado, evitando se aproximar dos postes...

Cadáveres flácidos, inchados e de rosto azulado.

Deveria haver uns dez homens mortos ali – franceses, podia notar. Pela aparência, maquis – os rudes guerrilheiros da floresta. Usavam calças marrons, boinas pretas e uma faixa tricolor no braço.

Vianne aproximou-se da senhora de idade, pegou-a pelos ombros.

– A senhora não deve ficar aqui – disse.

– Meu filho – rouquejou a mulher. – Ele não pode ficar aqui...

– Vamos – insistiu Vianne, dessa vez mais enérgica, conseguindo retirar a mulher da praça.

Na Rue La Grande, a mulher se desvencilhou e se afastou murmurando sozinha, chorando.

Vianne passou por mais três cadáveres a caminho da *boucherie*. Parecia que Carriveau suspendera a respiração. Havia meses os Aliados vinham bombardeando a região e diversas construções da cidade estavam reduzidas a escombros. Parecia que havia sempre alguma coisa desmoronando e caindo.

O ar cheirava a morte e a cidade estava em silêncio; o perigo espreitava em cada sombra, depois de cada esquina.

Na fila do açougue, Vianne ouviu as mulheres conversando, falando baixo.

– Retaliação...

– Em Tulle foi pior...

– Você soube o que aconteceu em Oradour-sur-Glane?

Mesmo com tudo aquilo, com todas as prisões, deportações e execuções, Vianne não conseguia acreditar nos mais recentes boatos. Na manhã do dia anterior os nazistas haviam entrado no pequeno vilarejo de Oradour-sur-Glane – não muito longe de Carriveau – e reunido todos na igreja da cidade sob a mira de fuzis, aparentemente para verificar seus documentos.

– Todos os moradores da cidade – cochichava a mulher

com quem Vianne havia conversado. – Homens. Mulheres. Crianças. Os nazistas fuzilaram todo mundo, depois trancaram as portas com todos lá dentro e queimaram a igreja. – Os olhos dela marejaram de lágrimas. – É verdade.

– Não pode ser – disse Vianne.

– Minha Dedee viu quando eles atiraram na barriga de uma mulher grávida.

– Ela *viu* isso? – perguntou Vianne.

A mulher confirmou.

– Dedee ficou de quatro, escondida durante horas atrás de uma gaiola de coelhos e viu a cidade em chamas. Disse que nunca vai se esquecer daqueles gritos. Nem todos estavam mortos quando eles incendiaram a igreja.

Teria sido uma retaliação por um Sturmbannführer capturado pelos maquis.

Será que ali iria acontecer a mesma coisa? Será que em uma próxima virada desfavorável da guerra os alemães prenderiam os habitantes de Carriveau na prefeitura da cidade e abririam fogo?

Vianne pegou a latinha de óleo que seu cartão de racionamento permitia naquela semana e saiu da loja, vestindo o capuz para cobrir o rosto.

Alguém a puxou pelo braço com força. Vianne se desequilibrou, quase caiu.

Foi empurrada até uma viela escura, onde o homem se revelou.

– Papai! – exclamou Vianne, surpresa demais com sua aparição para dizer qualquer outra coisa.

Viu o que a guerra havia feito com ele, aprofundado as rugas de sua testa e produzido bolsas flácidas embaixo dos olhos cansados, desbotado a cor de sua pele e embranquecido seus cabelos. Ele estava terrivelmente magro; manchas senis salpicavam-lhe as bochechas caídas. Lembrou-se de quando ele voltou da Grande Guerra, parecendo igualmente mal.

– Tem algum lugar mais tranquilo em que possamos conversar? – perguntou ele. – Eu preferia não encontrar o seu alemão.

– Ele não é o *meu* alemão, mas *oui*.

Vianne não podia culpá-lo por não querer encontrar Von Richter.

– A casa ao lado da minha está vazia. Os alemães a consideraram pequena demais para ser usada. Podemos nos encontrar lá.

– Em vinte minutos – disse o pai.

Vianne voltou a subir o capuz sobre o cabelo coberto com um lenço e saiu da viela. Quando deixou a cidade e começou a andar na estrada enlameada a caminho de casa, tentou imaginar por que o pai estaria lá. Vianne supunha que Isabelle estava morando com ele em Paris, embora fosse apenas uma conjetura. Até onde sabia, a irmã e o pai levavam vidas separadas estando na mesma cidade. Não tivera notícias de Isabelle desde aquela noite fatídica no celeiro, ainda que Henri tivesse informado que ela estava bem.

Passou rapidamente pelo campo de pouso, mal notando os aviões destruídos e ainda fumegantes de um recente ataque aéreo.

Parou no portão da casa de Rachel e olhou para os dois lados. Ninguém a seguira e parecia não estar sendo observada. Atravessou logo o quintal em direção ao chalé abandonado. A porta da frente tinha sido quebrada havia muito tempo e pendia nas dobradiças. Vianne entrou.

O interior estava escuro e empoeirado. Quase todo o mobiliário fora requisitado pelos alemães ou levado por saqueadores, os quadros tinham sido retirados deixando retângulos mais escuros nas paredes; apenas um sofá de dois lugares com almofadas sujas e o pé quebrado restava na sala de estar. Vianne se sentou, nervosa, batendo com o pé no assoalho coberto de musgo.

Ficou mordiscando o polegar, agitada, até ouvir o som de passos. Foi até a janela, erguendo as cortinas de blecaute.

O pai estava na porta. Só que não era o pai dela, não aquele velho alquebrado.

Abriu a porta para ele entrar. Quando olhou para ela, as rugas de seu rosto se aprofundaram, as dobras da pele pareciam bolsas de cera derretida. Passou uma das mãos nos poucos cabelos. As longas mechas se arrepiaram, conferindo-lhe uma estranha aparência eletrificada.

Andou lentamente na direção da filha, mancando um pouquinho, fazendo-a lembrar de toda uma vida naquele instante, aquele jeito oscilante e desajeitado de andar. A mãe dela dizendo: *Perdoe o seu pai, Vianne, ele não é mais o mesmo homem e não consegue se perdoar... nós é que temos de fazer isso.*

– Vianne. – O pai disse o nome dela com ternura, com a voz rouca.

Mais uma vez ela se lembrou de como era *antes*, quando ele ainda era ele mesmo. Mas se tratava de uma lembrança havia muito esquecida. Nos anos depois, ela havia relegado todos os pensamentos que tinha sobre ele a algum recôndito, que foram esquecidos com o tempo. Agora ela se lembrou. Era assustador sentir aquilo. Ele a tinha magoado muitas vezes.

– Papai.

Ele se sentou no sofá. As almofadas se afundaram sob seu corpo magro.

– Eu fui um pai terrível para vocês duas.

Foi tão surpreendente – e verdadeiro – que ela não sabia o que dizer.

O pai deu um suspiro.

– Mas é tarde demais para consertar tudo.

Vianne foi se sentar ao lado dele.

– Nunca é tarde demais – falou com certa hesitação.

Seria verdade? Será que poderia perdoá-lo?

Sim. A resposta foi instantânea, tão inesperada quanto a presença dele em Carriveau.

O pai virou-se para ela.

– Eu tenho tanto a dizer, mas não há tempo.

– Fique aqui – disse Vianne. – Posso cuidar do senhor e...

– Isabelle foi presa, acusada de colaborar com o inimigo. Está em uma prisão em Girot.

Vianne prendeu a respiração. O remorso que sentiu foi imenso, assim como a culpa. Quais tinham sido suas últimas palavras para a irmã? *Não volte mais.*

– O que nós podemos fazer?

– Nós? – perguntou ele. – É uma pergunta adorável, mas totalmente indevida. Você não vai fazer nada. Vai ficar aqui em Carriveau sem se meter em encrencas, como tem feito. Mantendo minha neta em segurança. Esperando o seu marido.

Tudo o que Vianne não poderia dizer era: *Eu agora sou diferente, papai. Estou ajudando a esconder crianças judias.* Por mais que quisesse se ver refletida no olhar dele, que desejasse ao menos uma vez que o pai sentisse orgulho dela.

Diga. Conte para ele.

Mas como poderia? Ele parecia tão velho sentado ali, velho, alquebrado e sem rumo. Era uma pálida sombra do homem que já fora. Ele não precisava saber que Vianne também estava arriscando a vida, não podia ficar preocupado com a possibilidade de perder as duas filhas. Melhor deixar que pensasse que ela estava em segurança. Que era uma covarde.

– Isabelle vai precisar de você quando voltar para casa depois que tudo isso acabar. Você vai dizer que ela fez a coisa certa. Um dia ela ainda vai se preocupar com isso. Vai pensar que deveria ter ficado com vocês, para protegê-las. Vai se lembrar de ter deixado vocês com os nazistas, de ter arriscado as suas vidas, vai se angustiar com a escolha que fez.

Vianne entendeu a confissão subjacente. O pai estava contando sua própria história da única maneira que podia, sob o manto da de Isabelle. Estava dizendo que se preocupava com sua escolha de entrar para o Exército na época da Grande Guerra, que agora se angustiava com o que aquela opção fizera com sua família. Sabia quanto tinha voltado diferente e que sua dor o havia afastado da mulher e das filhas, em vez de aproximá-los mais. Lamentava ter afastado as filhas de sua vida, deixando-as com madame Dumas tantos anos atrás.

Que fardo devia ter sido aquela escolha. Pela primeira vez, Vianne teve uma visão da própria infância, já como adulta, com o distanciamento, com a sabedoria que a guerra lhe havia propiciado. A guerra tinha alquebrado o pai; ela sempre soubera. A mãe repetira aquilo muitas vezes, mas agora Vianne entendia.

A guerra o havia *alquebrado*.

– Vocês, meninas, são parte da geração que vai seguir vivendo, que vai se lembrar – continuou ele. – As lembranças do que aconteceu serão... difíceis de ser esquecidas. Vocês vão precisar ficar juntas. Mostre a Isabelle que ela é amada. Infelizmente, foi uma coisa que eu nunca fiz. E agora é tarde demais.

– Você fala como se estivesse se despedindo.

Vianne percebeu a expressão triste e desamparada dos olhos dele e entendeu por que ele estava ali, o que tinha vindo dizer. Ele ia se sacrificar por Isabelle. Não sabia bem como, mas tinha certeza de que era a intenção dele. Era a forma que ele tinha para compensar por todos os anos em que as decepcionara.

– Papai – disse Vianne. – O que o senhor vai fazer?

O pai pousou a mão no rosto dela, e aquele toque paterno foi cálido, sólido e reconfortante. Vianne nunca tinha percebido – ou admitido para si mesma – quanto sentira a falta do pai. E agora, justamente quando vislumbrava um futuro diferente, uma redenção, tudo se desfazia.

– O que você faria para salvar Sophie?

– Qualquer coisa.

Vianne olhou para aquele homem, que antes de ser transformado pela guerra a havia ensinado a gostar de livros e de escrever, a prestar atenção a um pôr do sol. Havia muito tempo ela não se lembrava daquele homem.

– Eu preciso ir – disse o pai, entregando um envelope a Vianne.

No envelope estava escrito *Isabelle e Vianne* com sua caligrafia trêmula.

– Leiam isso juntas.

Levantou-se e se virou para sair.

Vianne não estava pronta para perder o pai. Tentou agarrá-lo na saída. Arrancou um pedaço do punho da camisa dele na tentativa. Ficou olhando para aquela tira de tecido xadrez marrom e branco em suas mãos. Uma tira de pano como as outras amarradas nos galhos de sua árvore. Lembranças de pessoas queridas perdidas ou desaparecidas.

– Eu te amo, papai – disse em voz baixa, percebendo quanto aquilo era verdade, quanto sempre fora verdade.

O amor havia se transformado em perda e Vianne o rejeitara, mas de alguma forma, contra todas as possibilidades, uma parte daquele amor tinha permanecido. O amor de uma filha pelo pai. Imutável. Insuportável e inquebrantável.

– Como você consegue?

Vianne engoliu em seco, viu que o pai tinha lágrimas nos olhos.

– Como eu não conseguiria?

O pai deu um último e demorado olhar – e beijou-a nas duas faces – antes de se afastar, dizendo em uma voz tão baixa que ela quase não escutou:

– Eu também te amei.

E então a deixou.

Vianne ficou olhando enquanto ele ia embora. Quando afinal desapareceu, ela voltou para casa. Parou embaixo da macieira repleta de tiras de pano. Nos anos em que vinha amarrando aqueles panos nos galhos, a árvore tinha morrido e seus frutos amargaram. As outras macieiras estavam fortes e saudáveis, mas aquela, a árvore de suas recordações, estava escura e retorcida como a cidade bombardeada atrás dela.

Vianne amarrou o pedaço de pano xadrez marrom ao lado do retalho de Rachel.

Então entrou em casa.

A lareira estava acesa na sala; a casa inteira estava aquecida e esfumaçada. Que desperdício... Fechou a porta, franziu o cenho e chamou:

– Crianças!

– Elas estão lá em cima, no meu quarto. Dei a elas alguns chocolates e um jogo para brincar.

Von Richter. O que ele estava fazendo ali no meio do dia? Será que a tinha visto com o pai?

Será que sabia sobre Isabelle?

– Sua filha me agradeceu pelos chocolates. Ela é uma coisinha muito bonita.

Vianne sabia que não deveria demonstrar medo. Continuou firme e em silêncio, tentando acalmar o coração acelerado.

– Mas o seu *filho* – enfatizou ligeiramente a palavra. – Ele não se parece em nada com você.

– É que m-meu marido, Ant...

O golpe foi tão rápido que ela nem viu o movimento. Pegou-a pelo braço, apertando com força, torcendo a carne macia. Vianne deu um grito abafado quando ele a jogou contra a parede.

– Você vai mentir para mim outra vez?

Pegou as duas mãos dela e as torceu por cima da cabeça, imobilizando-a contra a parede.

– Por favor – disse Vianne –, não...

Soube instantaneamente que implorar era um erro.

– Eu verifiquei os registros. Você e Antoine só tiveram um filho. Uma garota, Sophie. Os outros você enterrou. Quem é o menino?

Vianne estava assustada demais para pensar com clareza. Só sabia que não poderia contar a verdade, sob risco de Daniel ser deportado. E só Deus sabe o que fariam com ela... e com Sophie.

– Uma prima de Antoine morreu dando à luz Daniel. Nós adotamos o bebê pouco antes do começo da guerra. O senhor sabe como é difícil conseguir documentos oficiais hoje em dia, mas eu estou com a certidão de nascimento e o registro de batismo dele. Agora ele é nosso filho.

– Seu sobrinho, então. Mais ou menos sangue do seu sangue. E quem pode dizer que o pai dele não é um comunista? Ou judeu?

Vianne não parava de engolir a seco. Ele não desconfiava da verdade.

– Nós somos católicos. O senhor sabe disso.

– O que você faria para continuar com ele aqui?

– Qualquer coisa – respondeu ela.

Von Richter começou a desabotoar a blusa dela, lentamente, retirando cada botão de sua casa. Quando o corpete se abriu, ele enfiou a mão, acariciando o seio dela, beliscando o mamilo com tanta força que ela gemeu de dor.

– Qualquer coisa? – perguntou.

Vianne engoliu em seco.

– No quarto, por favor – disse Vianne. – Os meus filhos.

O alemão recuou.

– Pode ir na frente, madame.

– O senhor vai me deixar ficar com Daniel?

– Está querendo *negociar* comigo?

– Estou.

Ele a agarrou pelos cabelos e puxou com força, arrastando-a para o quarto. Abriu a porta com um chute e fechou com o pé enquanto a empurrava na parede, o que fez Vianne soltar um gemido. Ele a manteve contra a parede, levantou sua saia e arrancou a calcinha de tricô.

Vianne virou a cabeça e fechou os olhos, ouvindo a fivela do cinto dele e depois os botões se abrirem.

– Olhe para mim – disse ele.

Vianne não se moveu, quase não respirava. Tampouco abriu os olhos.

Von Richter bateu nela outra vez. Vianne continuou como estava, os olhos bem fechados.

– Se você olhar para mim, Daniel fica.

Ela virou a cabeça e abriu os olhos, lentamente.

– Assim está melhor.

Vianne cerrou os dentes quando ele tirou a calça e abriu as pernas dela, violando tanto seu corpo como sua alma. Ela não emitiu um som.

Nem desviou o olhar.

TRINTA E QUATRO

*I*sabelle tentou se arrastar para fugir de alguma coisa... do quê? Acabara de receber um pontapé, ou era uma queimadura? Não estava trancada em uma geladeira? Não conseguia se lembrar. Arrastou os pés doloridos e ensanguentados pelo chão, um doloroso centímetro de cada vez. Tudo doía. A cabeça, o rosto, o queixo, os pulsos e os tornozelos.

Alguém a agarrou pelos cabelos, puxou sua cabeça para trás. Dedos grossos e sujos forçaram-na a abrir a boca; então ali despejavam conhaque, sufocando-a. Cuspiu fora o que pôde.

Seu cabelo começava a descongelar. Uma água fria escorria por seu rosto.

Abriu lentamente os olhos.

Viu um homem à sua frente, fumando. O cheiro a fez enjoar.

Há quanto tempo estava ali?

Pense, Isabelle.

Fora transferida para aquela cela úmida e abafada. Duas manhãs sem ver a luz do sol, certo?

Duas? Ou só uma?

Será que já tinha dado tempo para seu pessoal se esconder? Não conseguia pensar.

O homem estava falando, fazendo perguntas. A boca abria, fechava, soltava fumaça.

Recuou instintivamente, encolheu-se agachada. O homem atrás dela chutou sua coluna, com força, e Isabelle ficou imóvel.

Então são dois. Um na frente e outro atrás. *Preste atenção no homem que está falando.*

O que ele estava dizendo?

– Sente-se.

Queria confrontá-lo, mas não tinha força. Subiu em uma cadeira. A pele ao redor dos pulsos sangrava e escorria pus, toda cortada. Tentou usar as mãos para cobrir sua nudez, mas sabia que era inútil. Um deles ia abrir as pernas dela para amarrar os tornozelos nos pés da cadeira.

Quando se sentou, alguma coisa macia bateu em seu rosto e caiu no seu colo. Tonta, ela olhou.

Um vestido.

Não era dela.

Abraçou o vestido, cobrindo os seios nus e olhou para cima.

– Vista – disse o homem.

As mãos tremiam quando ela se levantou para se enfiar no vestido de linho azul amassado e disforme que devia ter pelo menos três vezes o seu tamanho. Demorou uma eternidade para abotoar o folgado corpete.

– O Rouxinol – disse o homem, dando uma longa tragada no cigarro.

A ponta emitiu uma luz alaranjada e Isabelle instintivamente se encolheu na cadeira.

Schmidt. Era o nome dele.

– Eu não entendo nada de passarinhos – respondeu ela.

– Você é Juliette Gervaise – disse ele.

– Eu já falei isso cem vezes.

– E não sabe nada sobre o Rouxinol.

– Eu também já disse isso.

O homem fez um sinal de cabeça e Isabelle imediatamente ouviu a porta atrás dela abrir com um rangido.

Pensou: *Não dói, é só o meu corpo. Eles não podem tocar na minha alma.* A frase tinha se tornado seu mantra.

– Já terminamos com você.

O homem sorriu de um jeito que fez a pele dela se arrepiar.

– Pode trazer ele aqui para dentro.

Um homem entrou cambaleando, acorrentado. *Papai.*

Viu o horror nos olhos dele e compreendeu como estava sua aparência: lábios cortados, olhos roxos e rosto lanhado... queimaduras de cigarro nos braços, cabelo emplastrado de sangue. Deveria ficar quieta, firme onde estava, mas não conseguiu. Saiu mancando, cerrando os dentes de dor.

Não viu hematomas no rosto do pai, o que significava que ele ainda não tinha sido interrogado.

– Eu sou o Rouxinol – disse o pai para o homem que a torturava. – É isso que você quer ouvir?

Isabelle fez que não com a cabeça, negou com uma voz que ninguém ouviu.

– *Eu* sou o Rouxinol – disse, apoiada nos pés queimados e sanguinolentos. Virou-se para o alemão que a torturava.

Schmidt deu risada.

– Você, uma garota? O infame Rouxinol?

O pai disse alguma coisa em inglês para o alemão, que claramente não entendeu.

Isabelle entendeu: eles dois poderiam conversar em inglês.

Estava tão perto do pai que poderia tocá-lo, mas não o fez.

– Não faça isso – implorou.

– Está feito – respondeu o pai.

O sorriso que começou a abrir para ela demorou a se formar e Isabelle sentiu uma dor comprimindo seu peito. As lembranças vieram em ondas, passando por cima da barragem que tinha construído naqueles anos de isolamento. O pai segurando-a nos braços, girando com ela; levantando-a depois de um tombo, limpando sua roupa e cochichando: *Não fale tão alto, minha pequena terrorista, vai acordar sua mãe...*

Isabelle soluçou e enxugou os olhos. Ele estava tentando compensar o passado, pedir perdão e buscar redenção de uma só vez, se sacrificando por ela. Foi um vislumbre do que ele já tinha sido, o poeta por quem a mãe se apaixonara. Aquele homem, o de antes da guerra, poderia ter seguido outro caminho, encontrado as palavras perfeitas para curar seu passado. Mas ele não era mais aquele homem. Tinha perdido muitas coisas na vida. Aquele era o único modo que conhecia para dizer que amava a filha.

– Não desse jeito – sussurrou ela.

– Não há outro jeito. Me desculpe – respondeu ele mansamente.

O homem da Gestapo se interpôs entre os dois. Agarrou o pai pelo braço e o puxou para a porta.

Isabelle saiu mancando atrás deles.

– Eu sou o Rouxinol! – gritou.

A porta se fechou na cara dela com um estrondo. Isabelle seguiu mancando até a janela e agarrou as barras enferrujadas.

– Eu sou o Rouxinol! – gritou.

Lá fora, sob o amarelado sol da manhã, o pai dela foi arrastado para a praça, onde um pelotão de fuzilamento estava a postos, armas erguidas.

O pai passou cambaleando por uma fonte, tropeçando nos paralelepípedos. A luz do sol da manhã conferia a tudo um belo brilho dourado.

– A gente deveria ter tempo. – Ela suspirou, sentindo as lágrimas fluírem.

Quantas vezes tinha imaginado um novo começo para ela e o pai, para toda a família? Todos reunidos depois da guerra, Isabelle, Vianne e o pai, aprendendo a rir, conversar e agir como uma família de novo.

Agora aquilo nunca mais aconteceria; Isabelle jamais conheceria melhor o pai, nunca mais sentiria o toque de sua mão quente na dela, nunca mais adormeceria no divã a seu lado, nunca mais seria capaz de dizer o que precisava ser dito entre eles. Eram palavras perdidas, não pronunciadas, transformadas em fantasmas que se esvaíam. Agora eles nunca seriam a família que a mãe dela tinha prometido.

– Papai – murmurou Isabelle; e aquilo soou como uma palavra tão grandiosa, um sonho em sua plenitude.

O pai se virou para encarar o pelotão de fuzilamento. Isabelle viu quando ele ficou mais alto, endireitando os ombros. Afastou a mecha de cabelos brancos dos olhos sem lágrimas. Seus olhares se encontraram através da praça. Isabelle agarrou com mais força as barras da cela, em busca de apoio.

– Eu te amo – sussurrou.

Os tiros reverberaram.

Vianne sentia o corpo todo doído.

Deitada na cama, ladeada pelos filhos adormecidos, tentava não se lembrar do estupro da noite anterior em seus excruciantes detalhes.

Movimentando-se devagar, foi até a bomba e se lavou na água fria, fazendo caretas cada vez que encostava em um hematoma.

Vestiu o que foi mais fácil – um vestido com botões feito de linho e amassado, de corpete justo e saia rodada.

Tinha passado a noite acordada, abraçando as crianças, ora gemendo pelo que ele fizera – pelo que tinha tirado dela –, ora furiosa por não poder fazer nada.

Queria matar aquele homem.

Queria se matar.

O que Antoine pensaria dela?

Na verdade, quase tudo nela só queria se encolher em algum canto escuro e nunca mais mostrar o rosto.

Mas mesmo isso – a vergonha – era um luxo naqueles tempos. Como era capaz de se preocupar consigo mesma quando Isabelle estava presa e o pai delas ia tentar salvar a filha?

– Sophie? – disse quando eles acabaram um desjejum de torradas e um ovo *poché*. – Preciso fazer uma coisa na rua. Você fica em casa com o Daniel. Tranque a porta.

– Mas Von Richter...

– Ele só volta amanhã. – Sentiu o rosto arder. Era o tipo de informação íntima que ela não deveria saber. – Ele me disse ontem... à noite. – A voz dela ficou entrecortada na última palavra.

Sophie se levantou.

– Mamãe?

Vianne driblou as lágrimas mais uma vez.

– Está tudo bem. Mas eu preciso ir. Sejam bonzinhos.

Despediu-se dos dois com um beijo e saiu correndo antes de começar a pensar em razões para ficar.

Como Sophie e Daniel. E Von Richter. Ele *disse* que ia passar a noite fora, mas quem saberia? Poderia mandar que a seguissem. Mas, se começasse a se preocupar muito com os "e se", ela não faria nada. Desde que começara a esconder crianças judias, Vianne tinha aprendido a seguir em frente apesar dos medos.

Ela precisava ajudar Isabelle...

(Não volte mais.)

(Se voltar, eu mesma entrego você aos alemães.)

... e o pai, se pudesse.

Embarcou no trem e sentou-se em um banco de madeira de um vagão de terceira classe. Quase todos os passageiros – na maioria mulheres – mantinham a cabeça baixa, mãos cruzadas no colo. Um Sturmbannführer alto mantinha a porta vigiada, o fuzil a postos. Um esquadrão de milicianos de olhos miúdos – a brutal polícia de Vichy – se alojava em outra parte do vagão.

Vianne não olhou para nenhuma das mulheres no compartimento com ela. Uma delas cheirava a alho e cebola. O aroma deixou Vianne ligeiramente enjoada no ambiente fechado e abafado. Felizmente, elas desceram logo e pouco depois das dez da manhã ela desembarcou em uma pequena estação na periferia de Girot.

E agora?

O sol ia alto no céu, assando a cidadezinha em um clima de estupor. Vianne levava a bolsa perto do corpo, sentindo o suor escorrer pelas costas e pelas têmporas. Muitos dos prédios cor de areia tinham sido bombardeados; pilhas de escombros acumulavam-se por toda parte. O desenho da Cruz de Lorene estampava a parede lateral de uma escola abandonada.

Viu algumas poucas pessoas nas ruas de paralelepípedos irregulares. De vez em quando uma garota de bicicleta ou um menino empurrando uma carreta passavam por ela, mas na maior parte do tempo ela só notou o silêncio, um ar de deserção.

De repente uma mulher gritou.

Vianne virou a última esquina e viu a praça da cidade. Um cadáver jazia na fonte da praça, avermelhando a água que batia em seus tornozelos. A cabeça fora puxada para trás com um cinto do exército, de uma forma que ele parecia quase relaxado, a boca frouxa, os olhos abertos, porém sem enxergar. Buracos de bala haviam dilacerado seu peito, deixando seu suéter em farrapos, o sangue escurecendo seu peito e suas pernas.

Era o pai dela.

Isabelle passou a noite encolhida em um canto úmido e escuro da cela. O horror da morte do pai se repetindo sem cessar na cabeça.

Logo ela também seria morta. Disso não tinha dúvida.

Conforme as horas passavam – com o tempo medido em inspirações e expirações, em batidas do coração –, Isabelle escreveu cartas imaginárias de despedida para o pai, para Gaëton, para Vianne. Trançou as lembranças em sentenças que memorizava, ou tentava, mas todas terminavam com "desculpe". Quando os soldados vieram buscá-la, chaves de ferro retinindo em velhas fechaduras, portas carcomidas por bichos raspando o chão irregular ao se abrir, quis reclamar, protestar, gritar *NÃO*, mas não tinha mais voz.

Foi posta de pé. Uma mulher que parecia um carro de combate jogou sapatos e meias em sua direção e disse alguma coisa em alemão. Obviamente não falava francês.

Devolveu a Isabelle os documentos de Juliette. Agora sujos e amarrotados.

Os sapatos eram apertados e machucavam os dedos, mas Isabelle ficou grata mesmo assim. A mulher mandou que descesse pela escada irregular e que saísse na praça, naquele sol cegante. Vários soldados postavam-se no prédio em frente, fuzis nas costas, fazendo seu trabalho. Quando viu o corpo do pai crivado de balas jogado na fonte, Isabelle deu um grito.

Todos na praça olharam para ela. Os soldados deram risada, apontando.

– Silêncio – sibilou a mulher.

Isabelle ia dizer alguma coisa quando viu Vianne vindo em sua direção.

A irmã andava desajeitada, como se não conseguisse controlar muito bem o corpo. Usava um vestido surrado que Isabelle lembrou já ter sido bonito. O cabelo loiro-avermelhado estava opaco e escorrido, preso atrás das orelhas. O rosto era fino e encovado como uma xícara de chá.

– Eu vim ajudar você – disse Vianne mansamente.

Isabelle poderia ter chorado. A coisa que ela mais queria no mundo era correr para a irmã mais velha, cair a seus pés e pedir desculpas e abraçá-la de gratidão. Dizer "perdão" e "eu te amo" com todas as outras palavras no meio. Mas ela não conseguia fazer nada daquilo.

Teve que se esforçar para magoar Vianne.

– Ele também – respondeu ela, apontando o pai com a cabeça. – Vá embora. *Por favor*. Me esqueça.

A alemã empurrou Isabelle pelas costas, que saiu cambaleando, os pés gritando de dor, não se permitindo olhar para trás. Achou que estava sendo levada para um pelotão de fuzilamento, mas passou pelo corpo jogado do pai e saiu da praça por uma rua lateral, onde um caminhão a esperava.

A mulher jogou Isabelle na carroceria do caminhão. Ela se arrastou até um canto e ficou agachada, sozinha. A lona da carroceria desceu, trazendo a escuridão. Quando o motor começou a roncar, apoiou o queixo nos joelhos duros e ossudos e fechou os olhos.

Quando acordou, estava tudo parado. O caminhão tinha estacionado. Em algum lugar, um apito trinou.

As abas da lona foram puxadas e a luz inundou a caçamba, tão clara que Isabelle só conseguia ver silhuetas vindo em sua direção, gritando:

– *Schnell, schnell!*

Foi arrancada do caminhão e jogada na calçada de pedra como um saco de lixo. Quatro vagões de gado se enfileiravam na plataforma. Os três primeiros estavam trancados. O quarto continuava aberto – lotado de mulheres e crianças. O barulho era ensurdecedor – gritos, choros, cães latindo, soldados berrando, apitos trinando, o zumbido resfolegante do trem na estação.

O nazista empurrou Isabelle para o meio da multidão, forçando-a a andar cada vez que parava, até chegarem ao último vagão.

Quando foi jogada lá dentro, trombou com uma multidão e quase caiu. Só o aglomerado de corpos a mantinha em pé. E pessoas continuavam chegando, tropeçando, chorando, agarradas às mãos dos filhos, tentando encontrar um espaço para ficar em pé entre tanta gente.

Barras de ferro cobriam as janelas. Em um canto, Isabelle viu um só balde.

A privada de todas.

Malas empilhavam-se em um canto em cima de um fardo de feno.

Mancando, com os pés doendo a cada passada, Isabelle seguiu com o enxame de mulheres gemendo e crianças chorando para o fundo do vagão. Em um canto, viu uma mulher de pé sozinha, os braços cruzados em uma atitude desafiadora, o cabelo áspero e grisalho coberto por um lenço preto.

O rosto fechado de madame Babineau se abriu em um sorriso de dentes amarelados. Isabelle se sentiu tão aliviada ao ver a amiga que quase chorou.

– Madame Babineau – sussurrou Isabelle, dando um abraço apertado na amiga.

– Acho que já chegou a hora de você me chamar de Micheline – disse a amiga.

Usava calças de homem compridas demais para ela e uma camisa rústica de flanela. Tocou no rosto despedaçado, machucado e ensanguentado de Isabelle.

– O que fizeram com você?

– O pior que puderam – respondeu ela, tentando fazer jus a quem era.

– Acho que não.

Micheline esperou a palavra ressoar por um momento, em seguida apontou com a cabeça um balde perto do pé dela. O balde estava cheio de uma água cinzenta, que às vezes transbordava com o movimento de tantos pés no piso de madeira. Uma concha de madeira rachada se encontrava ao lado.

– Beba. Enquanto está aqui – disse Micheline.

Isabelle encheu a concha com a água fétida. Engasgou com o gosto, mas se obrigou a engolir. Aprumou-se, ofereceu uma concha a Micheline, que tomou tudo e enxugou os lábios na manga.

– Isso vai ser ruim – disse Micheline.

– Desculpe ter envolvido você nessa história – comentou Isabelle.

– Você não me envolveu em nada, Juliette – retrucou Micheline. – Eu queria fazer parte dessa história.

O apito tocou novamente e as portas do vagão se fecharam, mergulhando todos na escuridão. Ferrolhos foram colocados em seus lugares com estrondo, trancando as portas. O trem arrancou. Pessoas caíram umas em cima das outras, no chão. Bebês choraram e crianças gemeram. Alguém começou a urinar em um balde e o cheiro superou o fedor de suor e do medo.

Micheline passou o braço ao redor de Isabelle e as duas subiram na pilha de fardos de feno e se sentaram juntas.

– Meu nome é Isabelle Rossignol – disse Isabelle em voz baixa, ouvindo seu nome ser engolido pela escuridão.

Se ia morrer naquele trem, queria que alguém soubesse quem era.

Micheline suspirou.

– Você é filha de Julien e Madeleine.

– Você sempre soube?

– *Oui*. Você tem os olhos da sua mãe e o temperamento do seu pai.

– Ele foi fuzilado – disse Isabelle. – Por ter declarado que era o Rouxinol.

Micheline pegou na mão dela.

– É claro que ele fez isso. Um dia, quando você for mãe, vai entender. Lembro-me de já ter pensado que os seus pais não combinavam... o introvertido intelectual Julien e sua mãe, uma mulher vivaz e animada. Achava que os dois não tinham nada em comum, mas agora sei como o amor é quase sempre assim. Foi a guerra, sabe?; ele quebrou como um graveto frágil. De forma irreparável. Sua mãe tentou salvá-lo. Tentou muito.

– Quando ela morreu...

– *Oui*. Em vez de se corrigir, ele começou a beber e a ficar cada vez pior, mas ele já não era mais o mesmo homem – interrompeu Micheline. – Algumas histórias não têm um final feliz. Até mesmo histórias de amor. Principalmente histórias de amor.

As horas se passaram lentamente. O trem parou várias vezes para recolher mais mulheres e crianças ou para evitar bombardeios. As mulheres se revezavam se sentando e ficando em pé, uma ajudando a outra sempre que possível. A água desapareceu e o barril de urina ficou cheio até a boca, respingando para fora. Sempre que o trem reduzia a velocidade, Isabelle procurava a lateral do vagão, espiando pelas rachaduras, tentando saber onde estavam, mas só via mais soldados, mais cães e chicotes... mais mulheres sendo tangidas como gado para outros vagões do trem. Mulheres escreviam seus nomes em pedaços de papel ou em panos e jogavam pelas fendas das paredes do vagão, na esperança de serem lembradas.

No segundo dia, estavam todas famintas, exauridas e com tanta sede que ninguém falava nada, economizando a saliva. O calor e o mau cheiro no vagão eram insuportáveis.

Tenha medo.

Não foi isso que Gaëton disse a ela? E que o recado de alerta tinha vindo de Vianne naquela noite do celeiro.

Na época, Isabelle não entendeu bem. Entendia agora. Na época, ela se considerava indestrutível.

Mas o que poderia ter feito de diferente?

– Nada – murmurou na escuridão.

Ela faria tudo de novo.

E aquilo não era o fim. Era preciso se lembrar sempre disso. Cada dia de vida era uma chance de salvação. Não podia desistir. Não poderia *jamais* desistir.

O trem parou. Isabelle se sentou, olhos vermelhos, o corpo doendo das pancadas do interrogatório. Ouviu vozes ríspidas, cães latindo. Um apito soou.

– Acorde, Micheline – disse Isabelle, sacudindo a mulher a seu lado com delicadeza.

Micheline se levantou.

Setenta outras pessoas no vagão – mulheres e crianças – levantaram-se devagar, emergindo do estupor da viagem. As que estavam sentadas ficaram de pé. As mulheres se juntavam instintivamente, cada vez mais próximas umas das outras.

Isabelle fez uma careta de dor ao calçar os pés feridos nos sapatos apertados. Segurou as mãos frias de Micheline.

As grandes portas do vagão se abriram. A luz do sol invadiu, ofuscando todas. Isabelle viu oficiais, vestidos de preto, e seus cães que rosnavam. Gritavam ordens para as mulheres e crianças, palavras incompreensíveis, com um significado óbvio. *Desçam, andem, façam fila.*

As mulheres ajudavam umas às outras. Isabelle se apoiou na mão de Micheline e desceu na plataforma.

Tomou uma pancada tão forte na cabeça que tombou de lado e caiu de joelhos.

– Levante – disse uma mulher. – Você precisa se levantar.

Isabelle deixou que a ajudassem a ficar em pé. Zonza, apoiou-se na mulher. Micheline se aproximou pelo outro lado, apoiando Isabelle e passando o braço pela cintura dela, para ajudar no equilíbrio.

À esquerda de Isabelle um chicote estalou, chiando e atingindo a face rosada de uma mulher. A mulher gritou, tentando fechar a ferida aberta na pele com a mão. O sangue escorreu por entre os dedos, mas ela continuou andando.

As mulheres formaram filas capengas e marcharam no chão irregular até entrar por um portão flanqueado de arame farpado. Um guarda assomava acima.

Lá dentro, Isabelle viu centenas – milhares – de mulheres que pareciam fantasmas vagando por uma paisagem surreal e cinzenta, os corpos emaciados, olhos fundos e mortos despontando em rostos cor de cinza, cabelos tosados. Usavam vestidos listrados, largos e sujos; algumas estavam descalças. Somente mulheres e crianças. Nenhum homem.

Atrás dos portões e debaixo da torre de vigília, viu barracas alinhadas.

O cadáver de uma mulher jazia na lama na frente delas. Isabelle passou por cima da morta, aturdida demais para pensar em qualquer coisa que não fosse continuar andando. A última mulher a parar tinha tomado uma pancada tão forte que não conseguiu mais se levantar.

Soldados tiravam as maletas de suas mãos, arrancavam colares, puxavam brincos e alianças de casamento. Após terem sido subtraídas de todos os objetos de valor, eram conduzidas a uma sala, onde ficavam apinhadas, suando e acaloradas, tontas de sede. Uma mulher agarrou os braços de Isabelle, puxando-a de lado. Antes que pudesse entender, ela estava sendo despida – todas elas. Mãos ásperas esfregaram sua pele com unhas encardidas. Foi raspada por todas as partes – embaixo dos braços, na cabeça e nos pelos púbicos – com uma brutalidade que a fez sangrar.

– *Schnell!*

Isabelle entrou em uma fila com outras mulheres raspadas, nuas e com frio, os pés doendo, a cabeça ainda zunindo das pancadas. E todas começaram a andar outra vez, em direção a outro prédio.

De repente Isabelle se lembrou das histórias que ouvira no MI9 e das notícias da BBC sobre judeus morrendo em câmaras de gás em campos de concentração.

Teve uma sensação de pânico enquanto seguia como em manada e entrava em um grande recinto repleto de chuveiros.

Ficou embaixo de um chuveiro, nua e trêmula. Apesar do barulho dos guardas, das prisioneiras e dos cães, Isabelle ouviu o matraquear de um velho sistema de ventilação. Alguma coisa vinha chegando, trepidando pelo encanamento.

É isso.

As portas do recinto se fecharam com um estrondo.

A água gelada jorrou dos chuveiros, dando um choque em Isabelle, gelando-a até os ossos. Logo depois, estavam todas sendo tangidas de novo. Tremendo, tentando inutilmente cobrir sua nudez com as mãos trêmulas, Isabelle seguiu com aquela horda de mulheres. Uma a uma, foram todas espiolhadas. Em seguida Isabelle recebeu um vestido listrado disforme, duas cuecas masculinas sujas e dois sapatos sem cadarços.

Agarrando suas novas posses sobre o peito frio e úmido, foi enfiada em uma construção em forma de celeiro com camas beliche de madeira amontoadas. Subiu em uma delas e ficou lá com nove outras mulheres. Movendo-se devagar, Isabelle se vestiu e se deitou, olhou as ripas cinzentas do estrado de madeira da cama de cima e cochichou:

– Micheline.

– Estou aqui, Isabelle – respondeu a amiga na cama de cima.

Isabelle estava cansada demais para dizer qualquer outra coisa. Ouviu o estalido de açoites lá fora, chicotes sibilando, os gritos das mulheres que andavam devagar demais.

– Bem-vindas a Ravensbrück – disse a mulher ao lado de Isabelle.

Isabelle sentiu o quadril esquelético da mulher encostado em sua perna.

Fechou os olhos, tentando bloquear os sons, o cheiro, o medo, a dor.

Continue viva, pensou.

Continue. Viva.

TRINTA E CINCO

Agosto

Vianne respirava o mais silenciosamente possível. Na escuridão quente e abafada do quarto de cima – o quarto *dela*, que dividia com Antoine –, todos os sons eram amplificados. Ela ouviu as molas da cama rangerem em protesto quando Von Richter se virou de lado. Observava sua respiração, mensurando cada uma. Quando ele começou a roncar, Vianne se esgueirou e desgrudou o lençol úmido do corpo nu.

Nos últimos meses, aprendera muito sobre dor, vergonha e degradação. E também sobre sobrevivência – como avaliar os estados de espírito de Von Richter, quando se ausentar e ficar em silêncio. Às vezes, se fizesse tudo certo, ele mal a notava. Só quando ele tinha um dia ruim, quando já chegava em casa irritado, Vianne tinha problemas. Como na noite anterior.

Von Richter chegara em casa com um mau humor terrível, resmungando sobre as revoltas em Paris. Os maquis estavam começando a lutar nas ruas. Vianne soubera imediatamente o que Von Richter iria querer naquela noite. Infligir dor.

Tirara as crianças da sala depressa, acomodando-as na cama no quarto de baixo. Depois subira.

Isso era o pior de tudo, talvez; que Von Richter a fizesse ir até ele, e que ela fosse. Tirara a roupa para que ele não a rasgasse.

Agora, enquanto se vestia, percebeu quanto doía levantar os braços. Fez uma pausa diante da janela escurecida com blecaute. Viu terras destruídas por bombas incendiárias, árvores partidas em dois, muitas ainda fumegantes, portões e chaminés quebrados. Uma paisagem apocalíptica. O campo de pouso era uma pilha de restos de pedra e madeira rodeada por aviões e caminhões bombardeados. Desde que o general De Gaulle assumira o comando do Exército de Libertação da França e os Aliados tinham invadido a Normandia, os bombardeios da Europa se tornaram constantes.

Será que Antoine ainda estava preso? Em algum campo de prisioneiros, olhando por uma fenda da barraca ou por uma janela vedada, vendo aquela lua que já iluminara uma casa cheia de amor? E Isabelle. Tinha partido fazia apenas dois meses, mas parecia toda uma vida. Vianne sempre se sentia preocupada com ela, mas não havia nada mais a fazer a não ser se preocupar; era preciso viver com aquilo.

Desceu a escada e acendeu uma vela. Havia muito tempo que já não tinham eletricidade. No lavabo, deixou a vela perto da pia e se olhou no espelho oval. Mesmo sob a luz da vela, parecia pálida e esquelética. O cabelo opaco e avermelhado escorria pelos dois lados do rosto. Nesses anos de privações, parecia que seu nariz tinha aumentado, e seus malares, se tornado mais proeminentes. Um hematoma manchava sua têmpora. Sabia que logo ficaria mais escuro. Mesmo sem olhar, sabia que haveria marcas de mão no braço e um hematoma feio no seio esquerdo.

Von Richter estava ficando mais cruel. Mais irado. As forças aliadas já invadiam o sul da França e começavam a libertar cidades. Os alemães estavam perdendo a guerra e Von Richter parecia querer que Vianne pagasse por isso.

Tirou a roupa e se lavou na água tépida. Esfregou-se até a pele ficar vermelha, porém mesmo assim não se sentiu limpa. Nunca se sentia limpa.

Quando não aguentou mais, se enxugou e voltou a vestir a camisola, com um roupão por cima amarrado na cintura, e saiu do banheiro levando a vela.

Sophie a aguardava na sala, sentada na última peça de mobiliário do cômodo – o divã – com os joelhos unidos e as mãos cruzadas. O restante da mobília tinha sido queimado ou requisitado.

– O que está fazendo acordada até agora?

– Eu poderia fazer a mesma pergunta, mas acho que não preciso, não é?

Vianne ajustou o cinto do roupão. Era um tique nervoso, algo para ocupar as mãos.

– Vamos deitar.

Sophie olhou para ela. Com quase 14 anos, seu rosto começava a amadurecer. Os olhos negros destacados na pele clara, os cílios longos e vistosos. A dieta forçada diminuíra seus cabelos, mas ainda caíam em cachos. Ela fez um bico com os lábios carnudos.

– É mesmo, mamãe? Quanto tempo vamos fingir?

A tristeza e a raiva estampadas naqueles lindos olhos era de cortar o coração. Parecia que Vianne não tinha conseguido esconder nada daquela filha que perdera a infância para a guerra.

Qual seria a coisa certa para uma mãe dizer à filha quase crescida sobre a feiura do mundo? Como poderia ser sincera? Como poderia esperar que a filha a julgasse com menos severidade do que ela própria se julgava?

Vianne sentou-se ao lado de Sophie. Pensou sobre a antiga vida que partilhavam – risadas, beijos, jantares em família, manhãs de Natal, dentes de leite, primeiras palavras.

– Eu não sou boba – disse Sophie.

– Eu nunca achei que fosse. Nem por um segundo. – Respirou fundo e exalou. – Eu só queria proteger você.

– Da verdade?

– De tudo.

– Isso não existe – replicou Sophie com amargura. – Você ainda não percebeu? Rachel foi embora. Sarah morreu. *Grandpère* morreu. *Tante* Isabelle está... – Seus olhos se encheram de lágrimas. – E papai... quando tivemos notícias pela última vez? Um ano? Oito meses? Provavelmente também deve ter morrido.

– Seu pai está vivo. Sua tia também. Eu saberia se tivessem morrido. – Pôs a mão no coração. – Eu saberia aqui.

– No seu coração? Saberia no seu *coração*?

Vianne sabia que Sophie estava sendo moldada por aquela guerra, endurecida pelo medo e o desespero, transformada em uma versão mais cínica e ácida de si mesma, mas ainda assim era difícil ver isso em detalhes nítidos.

– Como você consegue... ir com ele? Eu vejo os hematomas.

– Essa é a *minha* guerra – disse Vianne em voz baixa, quase mais envergonhada do que podia suportar.

– *Tante* Isabelle teria estrangulado esse alemão enquanto dormisse.

– *Oui* – concordou Vianne. – Isabelle é uma mulher forte. Eu não sou. Sou apenas... uma mãe tentando manter os filhos em segurança.

– Você acha que queremos que você nos salve dessa maneira?

– Você é nova – disse Vianne, os ombros caídos, desanimada. – Quando você for mãe...

– Eu não vou ser mãe – retrucou ela.

– Sinto muito por ter decepcionado você, Sophie.

– Eu quero matar esse alemão – disse Sophie depois de um tempo.

– Eu também.

– A gente podia pôr um travesseiro na cara dele enquanto ele dorme.

– Você acha que já não sonhei em fazer isso? Mas é perigoso demais. Beck já sumiu enquanto morava nesta casa. Acontecer a mesma coisa aqui com um segundo oficial? Isso chamaria a atenção deles, coisa que não queremos.

Sophie concordou, relutante.

– Eu não suporto o que Von Richter faz comigo, Sophie. Mas não aguentaria perder você ou Daniel, nem me afastar de vocês dois. Ou que vocês se machucassem.

Sophie não desviou o olhar.

– Eu o odeio.

– Eu também – disse Vianne em voz baixa. – Eu também.

– Está muito quente hoje. Estava pensando que seria um ótimo dia para ir nadar – disse Vianne com um sorriso.

O rugido de aprovação foi unânime.

Vianne saiu com as crianças da sala de aula do orfanato, mantendo-as próximas de si enquanto passavam pelas clausuras. Quando chegaram em frente ao escritório da madre superiora, a porta se abriu.

– Madame Mauriac – disse a madre, sorrindo. – Sua turminha parece contente, pronta para cantar uma canção.

– Não num dia quente como hoje, madre. – Enlaçou o braço da madre. – Venha para o açude com a gente.

– Uma adorável ideia num dia de setembro.

– Em fila única – orientou Vianne às crianças quando saíram à rua.

Imediatamente as crianças formaram uma fila. Vianne começou a cantar uma música, que as crianças logo acompanharam, cantando alto, dançando e batendo palmas.

Será que elas chegavam a notar as casas bombardeadas quando passavam? As pilhas de escombros fumegantes que já tinham abrigado famílias? Ou a destruição era uma visão normal na infância deles, corriqueira, imperceptível?

Daniel ficou perto de Vianne – como sempre –, agarrado à sua mão. Era como andava ultimamente, com medo de se separar dela por muito tempo. Às vezes aquilo a aborrecia, chegava a cortar seu coração. Conjeturava se havia uma parte no garoto, bem no fundo, que se lembrava de tudo o que havia perdido – a mãe, o pai, a irmã. Imaginava se, quando dormia, aninhado a seu lado, ele não seria Ari, o menino deixado pela mãe.

Vianne bateu palmas.

– Crianças, vocês vão atravessar a rua de maneira ordenada. Sophie, você é a minha líder.

As crianças atravessaram a rua com cuidado, em seguida subiram a colina até o grande açude sazonal, que era um dos locais favoritos de Vianne. O primeiro beijo de Antoine fora naquele exato lugar.

Ao chegarem, começaram a tirar as roupas e logo estavam todos na água.

Vianne olhou para Daniel.

– Não quer entrar na água com a sua irmã?

Daniel mordeu o lábio inferior, observando as crianças brincando na água azulada.

– Não sei...

– Você não precisa entrar na água se não quiser. Pode só molhar os pés.

Ele franziu a testa e estufou as bochechas, pensando. Então soltou a mão de Vianne e andou com cuidado na direção de Sophie.

– Ele é muito apegado a você – comentou a madre.

– E tem pesadelos. – Vianne ia dizer *Deus sabe como eu também tenho*, quando de repente se sentiu enjoada. – Com licença – murmurou, correndo pela relva até as árvores, onde se debruçou para vomitar.

Estava com o estômago quase vazio, mas os espasmos secos continuaram, deixando-a cansada e ofegante.

Sentiu a mão da freira em suas costas, acariciando-a, confortando-a.

Vianne se endireitou. Tentou sorrir.

– Desculpe. Eu não... – Parou no meio da frase. A verdade a atingiu com força. Virou-se para a madre. – Eu também vomitei ontem de manhã.

– Ah, não, Vianne. Um bebê?

Vianne não sabia se ria, chorava ou reclamava com Deus. Tinha rezado tanto para ter outro filho crescendo em seu útero.

Mas não agora.

Não *dele*.

Vianne não dormia fazia uma semana. Sentia-se fraca e cansada, aterrorizada. E os enjoos ficavam piores a cada manhã.

Sentou-se na beira da cama, observando Daniel. Com 5 anos, já estava maior que o pijama de novo; os pulsos e tornozelos magricelos despontando das mangas e das pernas puídas. Ao contrário de Sophie, ele nunca reclamava de estar com fome, de ler sob a luz de uma vela ou do terrível pão acinzentado provido pelas rações. Não se lembrava de nada melhor.

– Ei, capitão Dan – disse Vianne, afastando os cachos de cabelo escuro dos olhos dele.

Daniel se virou e sorriu para ela, exibindo a falta dos dentes da frente.

– Mamãe, eu sonhei que tínhamos doces.

A porta do quarto se abriu bruscamente e Sophie entrou, a respiração agitada.

– Venha depressa, mamãe.

– Ah, Sophie, eu...

– *Agora.*

– Vamos lá, Daniel. Parece que ela está falando sério.

Daniel enlaçou Vianne com entusiasmo. Era grande demais para ser carregado, de modo que ela correspondeu com um forte abraço e o pôs no chão. Pegou as únicas roupas que ainda serviam nele – uma calça feita com um saco de aniagem que encontrou no celeiro e um suéter tricotado com um precioso novelo de lã azul. Quando estava vestido, ela o pegou pela mão e o levou para a sala. A porta da frente estava escancarada.

Sinos tocavam. Sinos de igreja. Parecia que havia música em

algum lugar. "La Marseillaise"? Em uma terça-feira, às nove da manhã?

Lá fora, Sophie estava embaixo da macieira. Uma fila de nazistas passava pela casa marchando. Pouco depois vieram os veículos. Tanques, caminhões e automóveis passavam em frente a Le Jardin, um atrás do outro, levantando poeira.

Um Citroën preto estacionou ao lado da estrada. Von Richter desceu e andou na direção dela, as botas sujas, os olhos escondidos atrás de óculos escuros, os lábios contorcidos num esgar zangado.

– Madame Mauriac.

– Herr Sturmbannführer.

– Estamos saindo da sua cidadezinha triste e miserável.

Vianne não falou nada. Se falasse, teria dito alguma coisa que poderia resultar em sua morte.

– Essa guerra não acabou – continuou ele, mas Vianne não soube ao certo se estava falando com ela ou consigo mesmo.

O olhar dele passou por Sophie e pousou em Daniel.

Vianne ficou absolutamente imóvel, a expressão impassível.

O alemão virou-se para ela. O mais recente hematoma no rosto da mulher o fez sorrir.

– Von Richter! – gritou alguém do seu *entourage*. – Deixe essa sua vagabunda francesa aí e vamos embora.

– Isso é o que você sempre foi, sabe? – disse ele.

Vianne apertou os lábios para não dizer nada.

– Eu vou esquecer você. – Inclinou-se para a frente. – Será que você pode dizer o mesmo?

Entrou na casa e saiu outra vez, com sua valise de couro. Voltou para o carro sem olhar para ela. A porta se fechou com um estrondo atrás dele.

Vianne teve de se apoiar no portão para se manter em pé.

– Eles estão indo embora – disse Sophie.

As pernas de Vianne bambearam. Ela caiu de joelhos.

– Ele foi embora.

Sophie se ajoelhou ao lado da mãe e a abraçou bem forte.

Daniel veio correndo descalço pelo caminho de terra.

– Eu também! – gritou. – Eu também quero um abraço!
– Atirou-se com tanto ímpeto que as duas caíram na relva
ressecada.

Um mês depois que os alemães saíram de Carriveau, de
todas as partes surgiam boas notícias sobre as vitórias dos
Aliados, mas a guerra não tinha acabado. A Alemanha não
se rendia. O blecaute foi suavizado, de forma que as janelas
voltaram a deixar a luz entrar – uma dádiva surpreendente.
Vianne ainda não conseguia relaxar. Sem Von Richter na cabeça (nunca mais ela diria o nome daquele homem em voz
alta enquanto vivesse, mas não conseguia parar de pensar
nele), sentia uma preocupação obsessiva com Isabelle, Rachel
e Antoine. Escrevia cartas para o marido quase todos os dias,
ficando na fila para postar, mesmo com a Cruz Vermelha informando que as cartas não estavam chegando. Já fazia um
ano que não tinham notícias dele.

– Você está andando de um lado para o outro de novo,
mamãe – disse Sophie, sentada no divã abraçada a Daniel,
um livro aberto entre os dois.

Sobre a cornija da lareira, havia agora algumas fotografias
que Vianne trouxera do porão do celeiro. Foi uma das poucas
coisas em que conseguiu pensar para voltar a dar uma aparência de lar a Le Jardin.

– Mamãe?

A voz de Sophie trouxe Vianne de volta à realidade.

– Ele vai voltar – disse a filha. – *Tante* Isabelle também.

– Sim.

– O que vamos dizer ao papai? – perguntou Sophie, e pelo
olhar da menina Vianne percebeu que ela queria fazer aquela
pergunta já havia algum tempo.

Levou a mão ao abdômen ainda esguio. Não havia sinal

da gravidez, mas Vianne conhecia bem o próprio corpo; uma vida crescia dentro dela. Atravessou a sala e saiu pela porta da frente. Descalça, desceu os degraus de pedra rachados, sentindo o musgo macio na sola dos pés. Desviou-se de uma pedra pontuda e saiu andando pela estrada em direção à cidade.

O cemitério apareceu à direita, arruinado pela explosão de uma bomba dois meses antes. Velhas tumbas de pedra pendiam de lado, despedaçadas. O chão estava quebrado e rachado, com grandes buracos aqui e ali: esqueletos pendiam de galhos das árvores, ossos batiam por causa da brisa.

A distância, viu um homem virando a curva na estrada.

Nos anos seguintes, Vianne se perguntaria o que a havia atraído até ali naquele dia quente de outono, exatamente naquele momento, mas ela sabia.

Antoine.

Começou a correr, ignorando os pés descalços. Quando estava quase nos braços dele, prestes a estender as mãos para tocá-lo, ela parou de repente, retraindo-se. Bastaria apenas um olhar para que ele soubesse que ela fora arruinada por outro homem.

– Vianne – disse Antoine com uma voz que ela mal reconheceu. – Eu fugi da prisão.

O marido estava muito mudado; tinha o rosto afilado e os cabelos grisalhos. Parecia terrivelmente magro e tufos de pelos brancos cobriam a mandíbula e as faces encovadas. O braço esquerdo pendia em um ângulo estranho, como se tivesse sido fraturado e calcificado errado.

Antoine pensava o mesmo sobre ela. Vianne podia ver em seus olhos.

O nome dele saiu em um alento sussurrado.

– Antoine.

Sentiu o ardor das próprias lágrimas e viu que ele também chorava. Foi até ele e o beijou, mas ele se retraiu, e naquele momento pareceu um homem que ela nunca vira antes.

– Eu vou melhorar – disse ele.

Vianne o pegou pela mão. Queria se sentir perto dele, mais do que qualquer coisa no mundo, mas a vergonha pelo que havia sofrido criava uma muralha entre os dois.

– Eu pensava em você todas as noites – disse ele enquanto voltavam para casa. – Imaginava você na nossa cama, pensava em você com aquela camisola branca... Sabia que estava tão sozinha quanto eu.

Vianne não conseguia encontrar a própria voz.

– Suas cartas e pacotes me deram força para seguir em frente – continuou.

Antoine parou em frente ao portão quebrado de Le Jardin.

Vianne viu a casa através dos olhos dele. O portão tombado, a parede desmoronada, a macieira morta que dava fiapos de linha em vez de frutas vermelhas e brilhantes.

Antoine empurrou o portão, que despencou de lado, ainda ligado ao batente capenga por um único conjunto frouxo de parafuso e porca. Parecia sempre gemer um protesto ao ser tocado.

– Espere – pediu ela.

Precisava contar a verdade agora, antes que fosse tarde demais. A cidade toda sabia que dois nazistas tinham ficado aquartelados na casa. Antoine iria saber das fofocas, com certeza. Se um filho nascesse em oito meses, todos desconfiariam.

– Foi difícil sem você – começou, tentando encontrar um caminho. – Le Jardin é muito perto do campo de pouso. Os alemães notaram a casa a caminho da cidade. Dois oficiais ficaram aquartelados aqui...

A porta da frente se abriu de repente e Sophie saiu correndo e gritando pelo quintal:

– Papai!

Antoine se apoiou desajeitadamente sobre um joelho e abriu os braços para a filha.

Vianne sentiu sua dor se abrir, se expandir. Antoine estava em casa, atendendo às suas preces, mas ela sabia que não era a mesma coisa, não podia ser. Ele estava mudado. Ela estava mudada. Levou a mão ao ventre plano.

– Você cresceu tanto – disse Antoine à filha. – Deixei uma garotinha em casa e estou voltando para uma moça. Você vai ter que me contar tudo o que perdi.

Sophie olhou para Vianne.

– Acho que não devíamos falar sobre a guerra. Sobre *nada* da guerra. Nunca. A guerra acabou.

Sophie preferia que Vianne mentisse.

Daniel apareceu na porta, de calça curta, um tricô vermelho de gola alta que já tinha perdido a forma e meias que sobravam em cima dos sapatos de segunda mão. Segurando um livro ilustrado contra o peito, ele desceu a escada e veio na direção de Antoine, franzindo a testa.

– E quem é esse mocinho bonito? – perguntou Antoine.

– Eu sou o Daniel – respondeu ele. – E você?

– Sou o pai de Sophie.

Os olhos de Daniel se arregalaram. Largou o livro no chão e se atirou em Antoine, gritando:

– Papai! Você voltou!

Antoine pegou o garoto nos braços.

– Vou contar tudo para você – prometeu Vianne. – Mas antes vamos entrar e comemorar.

Vianne tinha fantasiado de mil maneiras a volta do marido para casa. No começo, imaginava-o largando a mala ao avistá-la, abraçando-a com braços grandes e fortes.

Então Beck foi morar em sua casa, fazendo-a sentir coisas por um homem – por um inimigo – que até agora ela se recusava a assumir. Quando Beck informou sobre a prisão de Antoine, ela reduziu suas expectativas. Imaginou o marido mais magro, maltrapilho, mas que continuaria sendo Antoine quando voltasse.

O homem naquela mesa de jantar era um estranho. Debruçado sobre a comida, abraçado ao prato, derramando o caldo de tutano pela boca como se a refeição tivesse um prazo para terminar. Quando percebeu o que estava fazendo, corou de vergonha e murmurou algumas desculpas.

Daniel não parava de falar, enquanto Sophie e Vianne observavam aquela versão esmaecida de Antoine. Ele se sobressaltava com qualquer som, se retraía se fosse tocado e era impossível não perceber o sofrimento nos seus olhos.

Depois do jantar, ele subiu para pôr as crianças na cama enquanto Vianne lavava os pratos. Ficou contente com a ausência dele, o que só aumentou sua culpa. Antoine era seu marido, o amor de sua vida. Mesmo assim, tinha de lutar para não se afastar quando ele a tocava.

Agora, olhando pela janela do quarto, Vianne se sentia ansiosa enquanto o esperava.

Ele chegou por trás. Vianne sentiu suas mãos fortes e firmes nos ombros, ouviu sua respiração. Ansiava por se aconchegar, apoiar o corpo no dele com a familiaridade que vinha dos anos que estiveram juntos, mas não conseguia. As mãos de Antoine acariciaram seus ombros, desceram pelos braços e pararam nos quadris. Virou-a delicadamente de frente.

Desceu o decote do roupão dela e beijou seus ombros.

– Você está muito magra – disse, a voz enrouquecida pela paixão e algo mais, alguma coisa que havia de novo entre os dois: perda, talvez, ou a sensação de que algo mudara durante a ausência dele.

– Engordei um pouco desde o inverno – disse Vianne.

– É. Eu também.

– Como você fugiu?

– Quando eles começaram a perder a guerra, ficou... muito ruim. Chegaram a me bater tanto que perdi o uso do braço esquerdo. Decidi que preferia morrer tentando fugir a ser torturado até a morte. Tudo fica mais fácil quando a gente está pronto para morrer.

Tinha chegado a hora de dizer a verdade. Talvez ele entendesse que estupro era uma forma de tortura, que ela também tinha sido uma prisioneira. O que tinha acontecido não fora culpa dela. Vianne acreditava nisso, mas achou que culpa não faria diferença em uma situação como aquela.

Antoine pegou o rosto dela entre as mãos e a forçou a levantar o queixo.

Foi um beijo triste, quase um pedido de desculpa, um lembrete do que os dois um dia tinham compartilhado. Vianne tremia quando ele a despiu. Viu as manchas vermelhas que riscavam as costas e o pescoço dele, as cicatrizes serrilhadas e cruéis em seu braço esquerdo.

Sabia que Antoine jamais bateria nela ou a magoaria. Mesmo assim, estava com medo.

– O que foi, Vianne? – perguntou ele, se afastando.

Vianne olhou para a cama, a cama do casal, mas só conseguiu pensar *nele*. Von Richter.

– E-enquanto você estava fora...

– Será que é necessário falar sobre isso?

Vianne queria confessar tudo, chorar nos braços do marido, ser consolada, ouvi-lo dizer que estava tudo bem. Mas... e Antoine? Ele também tinha vivido um inferno. Podia ver isso nele. As cicatrizes vermelhas em seu peito pareciam marcas de chicote.

E ele a amava. Vianne via isso também.

No entanto, ainda assim era um homem. Contar a ele que tinha sido estuprada – e que o filho de outro homem crescia em seu ventre – seria um tormento. Com o tempo, talvez ele começasse a pensar que talvez ela pudesse ter impedido Von Richter. Quem sabe um dia chegasse a se perguntar se ela havia gostado.

Então era isso. Vianne poderia contar tudo sobre Beck, talvez até que o havia matado, mas não poderia jamais contar a Antoine que fora estuprada. O filho em seu ventre nasceria prematuro. Mas é comum bebês nascerem um mês antes do esperado.

Não pôde deixar de refletir se esse segredo acabaria os destruindo de qualquer forma.

– Eu poderia contar tudo – disse Vianne em voz baixa. Agora chorava lágrimas de vergonha, de perda e de amor. Principalmente de amor. – Poderia falar sobre os oficiais alemães que ficaram aquartelados aqui, como a vida foi difícil e como quase não conseguimos sobreviver, como Sarah morreu na minha frente, quanto Rachel foi forte quando a puseram num vagão de gado e da promessa que fiz de manter Ari em segurança. Poderia dizer que meu pai morreu, que Isabelle foi presa e deportada... mas acho que você já sabe de tudo isso. – *Deus me perdoe.* – E talvez não faça sentido falar sobre isso. Talvez... – Vianne seguiu com o dedo um vergão vermelho que percorria o bíceps esquerdo dele no formato de um raio. – Talvez seja melhor simplesmente esquecer o passado e seguir em frente.

Antoine a beijou. Quando se afastou, seus lábios continuaram colados aos dela.

– Eu te amo, Vianne.

Vianne fechou os olhos e correspondeu ao beijo, esperando que seu corpo despertasse com o toque dele. Mas, quando se posicionou embaixo do marido, experimentando a proximidade dos dois corpos juntos, como já acontecera tantas vezes, Vianne não sentiu absolutamente nada.

– Eu também te amo, Antoine. – E ela tentou não chorar ao dizer isso.

Noite fria de novembro. Antoine já tinha voltado havia quase dois meses. Ninguém tinha notícias de Isabelle.

Vianne não conseguia dormir. Deitada ao lado do marido,

ouvindo seu ronco baixo, percebeu que aquilo nunca a incomodara, nunca a impedira de dormir, mas agora atrapalhava seu sono.

Não.

Aquilo não era verdade.

Virou-se de lado e olhou para ele. No escuro, com a luz da lua cheia entrando pela janela, Antoine parecia um desconhecido: magro, anguloso, de cabelos grisalhos aos 35 anos. Saiu de mansinho, cobrindo-o com o pesado edredom que fora de sua *grandmère*.

Vestiu o roupão. No andar de baixo, andou de cômodo em cômodo, procurando... o quê? Sua vida anterior, talvez, ou o amor que não conseguia mais sentir por um homem.

Nada mais parecia certo. Os dois pareciam estranhos. Antoine também sentia isso. Vianne sabia que ele sentia. A guerra se interpunha entre eles à noite.

Enrolou-se em uma colcha que pegou no baú da sala e saiu da casa.

Uma lua cheia pairava sobre o campo arruinado. A luz iluminava as rachaduras no chão sob as macieiras. Foi até a árvore do centro e ficou ali embaixo. Os galhos escuros e mortos se arqueavam sobre ela, retorcidos e sem folhas. Lá estavam os pedaços de barbante, os fios e as fitas.

Quando amarrou aquelas lembranças naquele galho, Vianne tinha ingenuamente pensado que tudo o que importava era continuar viva. A porta atrás dela se abriu e se fechou sem ruído. Ela sentiu a presença do marido, como sempre sentia.

– Vianne – disse ele, chegando por trás e enlaçando-a num abraço. Vianne queria corresponder, mas não conseguiu. Olhou para a primeira fita que amarrara na árvore. A de Antoine. A cor havia mudado, desbotado, como eles dois.

O momento havia chegado. Ela não podia esperar mais. Sua barriga estava crescendo.

Virou-se e olhou para ele.

– Antoine. – Foi tudo o que conseguiu dizer.

– Eu amo você, Vianne.

Ela respirou fundo e disse:

– Eu estou grávida.

Antoine ficou imóvel. Passou-se um longo tempo até ele reagir.

– O quê? Quando?

Vianne olhou para ele, lembrando-se das outras vezes, como eles se apoiaram na perda e na alegria.

– Já estou com dois meses de atraso, acho. Deve ter acontecido... na noite em que você voltou para casa.

Vianne viu todas as nuances das emoções nos olhos dele: surpresa, preocupação, interesse, admiração e, finalmente, alegria. Antoine acariciou o queixo dela, levantando sua cabeça.

– Agora sei por que você parece estar com tanto medo, mas não se preocupe, Vi. Esse nós não vamos perder – disse. – Não depois de tudo o que aconteceu. É um milagre.

Lágrimas brotaram nos olhos dela. Tentou sorrir, mas a culpa que sentia era sufocante.

– Você passou por tanta coisa.

– Todos nós passamos.

– Então vamos escolher ver milagres.

Seria essa a maneira de ele dizer que sabia a verdade? Será que desconfiava de alguma coisa? O que ele diria quando o bebê chegasse antes do esperado?

– O-o que você quer dizer com isso?

Vianne viu lágrimas brilharem nos olhos dele.

– Estou dizendo que devemos esquecer o passado, Vi. O que importa é o agora. Sempre vamos nos amar. Foi a promessa que fizemos quando tínhamos 14 anos. Na beira do açude, quando nos beijamos pela primeira vez, lembra?

– Lembro.

Tinha sido uma sorte tão grande encontrar aquele homem... Não era de admirar que tivesse se apaixonado por ele.

E Vianne encontraria um jeito de voltar para ele, da mesma forma que ele encontrara seu caminho até ela.

– Esse filho vai ser o nosso novo começo.

– Me beije – sussurrou ela. – Me faça esquecer.

– Não precisamos esquecer, Vianne – disse Antoine, abaixando-se para beijá-la. – Nós precisamos nos lembrar.

TRINTA E SEIS

*E*m fevereiro de 1945, a neve cobria cadáveres nus empilhados na frente do recém-construído crematório do campo de concentração. Uma fumaça negra e pútrida subia das chaminés.

Isabelle estava ali parada, tremendo, em seu lugar para a *Appell* matinal – a lista de chamada. Era o tipo de frio que ardia nos pulmões, congelava os cílios e queimava as pontas dos dedos das mãos e dos pés.

Ficou esperando a chamada terminar, mas nenhum apito soou.

A neve continuava caindo. Nas filas de prisioneiras, algumas mulheres começaram a tossir. Outra caiu de cara na neve enlameada e não pôde ser erguida. Um vento implacável assolava o campo.

Finalmente, um oficial a cavalo passou pelas mulheres, observando uma a uma. Parecia prestar atenção em tudo – no cabelo tosado, nas picadas de pulga, nas pontas dos dedos azuladas por causa do congelamento e nos símbolos de tecido que as identificavam como judias, homossexuais ou prisioneiras políticas. Ao longe, as bombas caíam, reverberando como um trovão distante.

Quando o oficial apontava uma mulher, ela era imediatamente retirada da fila.

Ele apontou para Isabelle e ela foi puxada e arrastada dali.

Os esquadrões rodearam as mulheres escolhidas, obrigando-as a formar duas filas. Um apito trinou.

– *Schnell! Eins! Zwei! Drei!*

Isabelle marchou em frente, os pés doendo de frio, os pulmões ardendo. Micheline entrou a seu lado.

Tinham percorrido quase 2 quilômetros desde os portões quando um caminhão passou roncando, a caçamba cheia de corpos nus empilhados.

Micheline tropeçou. Isabelle interveio, apoiando a amiga.

E continuaram marchando.

Afinal chegaram a um campo nevado recoberto de neblina.

Os alemães fizeram uma nova separação entre as mulheres. Isabelle foi afastada de Micheline e jogada em um grupo de outras prisioneiras políticas.

Os alemães as reuniram, gritando e apontando até que Isabelle entendeu.

A mulher ao lado dela deu um grito abafado quando viu para o que elas tinham sido escolhidas. Trabalho na estrada.

– Não faça isso – disse Isabelle na mesma hora em que a mulher tomou um golpe tão forte de cassetete que caiu no chão.

Isabelle ficou parada e estarrecida como uma mula de arado quando os nazistas passaram arreios de couro por seus ombros e a amarraram pela cintura. Foi amarrada a onze outras mulheres jovens, lado a lado. Atrás delas, presa aos arreios, havia uma roda de pedra do tamanho de um carro.

Isabelle tentou dar um passo adiante, não conseguiu.

Um chicote estalou em suas costas, queimando sua carne. Agarrou as correias e tentou de novo, dando um passo à frente. Todas estavam exaustas. Não tinham força, os pés enregelavam no chão nevado, mas tinham de se mover para não serem chicoteadas.

Isabelle inclinou o corpo para a frente, tentando se mover, fazer a roda girar. As correias machucavam seu peito. Uma das mulheres tropeçou, caiu; as outras continuaram puxando. As correias de couro rangeram e a roda começou a girar.

As mulheres continuaram puxando, até abrir uma estrada no chão coberto de neve atrás delas. Outras presas usavam pás e carrinhos de mão para limpar a trilha.

Durante todo o tempo, os guardas observavam de guaritas, reunidos ao redor de fogueiras, conversando e dando risada.

Um passo.

Outro.

Um passo.

Isabelle não conseguia pensar em mais nada. Nem no frio, nem na fome ou na sede, nem nas picadas de pulgas e piolhos que cobriam seu corpo. Nem na vida real. Isso era o pior de tudo. Seria a coisa que a faria perder um passo, chamar atenção, ser espancada, chicoteada ou coisa pior.

Um passo.

Só podia pensar em andar.

Sua perna cedeu e ela desabou na neve. A mulher a seu lado esticou o braço em sua direção. Isabelle agarrou sua mão trêmula e azulada, com dedos dormentes, e conseguiu se levantar. Cerrando os dentes, ela deu mais um doloroso passo. E depois outro.

A sirene tocou às três e meia, como em todas as manhãs, para a chamada. Assim como suas nove companheiras de beliches, Isabelle dormia com todas as roupas que tinha – com sapatos que não eram o seu número, roupas de baixo, o vestido largo e listrado com seu número de identificação de prisioneira costurado na manga. Mas nada aquecia. Tentava animar as mulheres ao redor, recomendando que continuassem firmes, mas ela própria estava fraquejando. O inverno havia sido terrível; todas estavam morrendo, algumas mais rapidamente, de tifo ou crueldade, e outras mais lentamente, de fome e frio; mas todas estavam morrendo.

Isabelle teve febre durante semanas, mas não alta o suficiente para ser mandada para o bloco hospitalar. Na semana anterior tinha sido espancada tão intensamente que desfaleceu no trabalho – e apanhou mais por ter caído. Seu corpo, que não devia pesar mais de 36 quilos, estava coberto de piolhos e feridas abertas.

Ravensbrück sempre fora um lugar perigoso, mas agora, em março de 1945, estava ainda pior. Centenas de mulheres haviam morrido em câmaras de gás ou de espancamentos no mês anterior. As únicas que restavam vivas eram as *Verfügbaren* – as descartáveis, que eram doentes, fracas ou mais velhas – e as *Nacht und Nebel*, "Noite e Neblina", prisioneiras políticas, como Isabelle e Micheline. Mulheres da Resistência. Diziam os rumores que os nazistas agora temiam mandá-las para a câmara de gás, por causa da mudança da maré da guerra.

– Você vai conseguir.

Isabelle percebeu que estava oscilando, começando a cair.

Micheline Babineau abriu um sorriso cansado e encorajador.

– Não chore.

– Não estou chorando – disse Isabelle. As duas sabiam que as mulheres que choravam à noite eram as que morriam de manhã. A tristeza e a dor eram drenadas a cada respiração, mas nunca expelidas. Não dava para desistir. Nem por um segundo.

Isabelle sabia disso. No campo, ela lutou do único jeito que sabia fazer – cuidando de suas colegas de prisão e ajudando essas mulheres a se manterem fortes. Naquele inferno, tudo o que tinham eram umas às outras. De noite, elas se curvavam em seus beliches escuros e sussurravam entre si, cantando suavemente, tentando manter viva alguma memória de quem tinham sido. Durante os nove meses em que estava ali, Isabelle havia feito – e perdido – inúmeras amigas.

Mas agora estava cansada e doente.

Pneumonia, tinha quase certeza. E tifo, talvez. Tossia baixinho, cumpria suas tarefas e tentava não chamar atenção. A última coisa que queria era acabar na "tenda" – uma casinha de tijolos com paredes de lona em que os nazistas jogavam as mulheres com doenças incuráveis. Era aonde elas iam para morrer.

– Continuar viva – disse Isabelle em voz baixa.

Micheline anuiu, dando força.

Elas precisavam continuar vivas. Agora mais do que nunca. Na semana anterior, novas prisioneiras trouxeram notícias: os russos avançavam pela Alemanha, esmagando o Exército nazista. Auschwitz fora libertado. Disseram que os Aliados estavam vencendo sucessivas batalhas na frente ocidental.

Havia uma corrida pela sobrevivência em curso e todas sabiam disso. A guerra estava acabando. Isabelle precisava continuar viva para ver a vitória dos Aliados e a França livre.

Um apito trinou na frente da fila.

A multidão de prisioneiras ficou em silêncio; a maioria era composta por mulheres e havia algumas crianças. Diante delas, três oficiais andavam com seus cães.

O Kommandant do campo apareceu diante delas. Parou e passou a mão pela nuca. Disse alguma coisa em alemão e os oficiais avançaram. Isabelle percebeu que eles se referiam às prisioneiras políticas.

Um dos oficiais apontou para ela e outro a tirou do grupo, derrubando outras mulheres no processo e pisando nelas. Agarrou o braço esquelético de Isabelle e puxou com força. Ela o acompanhou, cambaleando, rezando para não perder os sapatos – perder os sapatos era uma ofensa sujeita a açoitamento e se isso acontecesse ela passaria o resto do inverno com os pés enregelados.

Não muito longe, viu Micheline sendo arrastada por outro oficial.

Isabelle só conseguia pensar em não perder os sapatos.

Um dos oficiais disse uma palavra que Isabelle reconheceu. As duas estavam sendo mandadas para outro campo.

Sentiu uma onda de raiva impotente. Ela nunca sobreviveria a uma marcha forçada na neve até outro campo.

– Não – murmurou.

Falar consigo mesma tinha se tornado um estilo de vida. Durante meses, enquanto ficava nas filas para o trabalho, fazendo alguma coisa que a repugnava e horrorizava, ela sussurrava consigo mesma. Quando se agachava em um buraco em uma fila de fossas higiênicas, ao lado de outras mulheres com disenteria, observando as mulheres em frente, tentando não engasgar com o fedor dos movimentos dos intestinos, ela falava sozinha sobre o futuro e sobre as lembranças do passado que compartilhava consigo mesma.

Agora eram apenas palavras. Às vezes bobagens, qualquer coisa que a lembrasse de que era humana e continuava viva.

Isabelle tropeçou em alguma coisa e caiu de cara na neve suja.

– De pé! – alguém gritou. – Marchando.

Isabelle não conseguia se mexer, mas se ficasse ali seria chicoteada. Ou coisa pior.

– De pé – disse Micheline.

– Não consigo.

– Consegue. Antes que percebam que você caiu. – Micheline a ajudou a se levantar.

Isabelle e Micheline entraram na fila de prisioneiras esfarrapadas, seguindo trôpegas, passando pelo muro de tijolo que ficava nos limites do campo sob o olhar vigilante dos soldados na torre de vigília.

Elas marcharam por dois dias, percorrendo 35 quilômetros, desabando no chão gelado à noite, aninhando-se umas com as outras em busca de calor, rezando para ver a aurora, só para serem despertadas por apitos e continuarem marchando.

Quantas morreram naquele percurso? Isabelle queria se lembrar de seus nomes, mas sentia tanto frio, tanta fome e tanto cansaço que o cérebro mal funcionava.

Finalmente chegaram ao destino, uma estação ferroviária, onde foram jogadas em vagões de gado que cheiravam a morte e excremento. Uma fumaça negra subia no céu embranquecido pela neve. As árvores estavam desfolhadas. Não havia mais pássaros voando, nenhum pio, chilreio ou qualquer som de vida que viesse da floresta.

Isabelle subiu nos fardos de feno empilhados ao longo das laterais e tentou se fazer o menos visível possível. Encolheu os joelhos ensanguentados contra o peito e abraçou os tornozelos para conservar o que ainda lhe restava de calor.

A dor no peito era excruciante. Era preciso cobrir a boca quando tinha um acesso de tosse que a fazia se dobrar ao meio.

– Aí está você – disse Micheline, subindo no fardo de feno a seu lado.

Isabelle soltou um suspiro de alívio, mas logo começou a tossir outra vez. Levou a mão à boca e viu sangue espalhado na palma. Já vinha tossindo sangue fazia semanas.

Isabelle sentiu uma mão ressecada na testa e voltou a tossir.

– Você está ardendo em febre.

As portas do vagão se fecharam. O trem estremeceu, as gigantescas rodas de ferro começaram a girar. O vagão balançava, matraqueava. Lá dentro, as mulheres se juntaram e tentaram se acomodar. Ao menos naquele clima a urina congelava e por isso não transbordava dos baldes.

Isabelle deitou ao lado da amiga e fechou os olhos.

Ouviu um zunido agudo em algum lugar ao longe. Uma bomba caindo. O trem freou de repente e a bomba explodiu, tão perto que fez o vagão estremecer. O cheiro de fogo e fumaça encheu o ar. A próxima poderia cair sobre o trem e matar todas elas.

🐦

Quatro dias depois, quando o trem afinal parou (pois tinha desacelerado dezenas de vezes para não ser bombardeado), as portas se abriram para uma paisagem toda branca, marcada apenas pelos casacões pretos dos oficiais alemães esperando lá fora.

Isabelle se sentou, surpresa por não estar com frio. Sentia calor; sentia tanto calor que transpirava.

Viu o número de amigas que tinha morrido durante a noite, mas não havia tempo para lamentar, nem para dizer uma prece ou murmurar uma despedida. Os nazistas da plataforma já estavam vindo em sua direção, soprando os apitos, gritando.

– *Schnell! Schnell!*

Isabelle acordou Micheline com um cutucão.

– Segure minha mão – disse Isabelle.

As duas deram-se as mãos e desceram dos fardos de feno devagar. Isabelle pisou em um cadáver que já estava descalço.

Uma fila de prisioneiras formava-se do outro lado da plataforma.

Isabelle seguiu em frente, mancando. A mulher logo à frente tropeçou e caiu de joelhos.

Um oficial da Gestapo levantou a mulher só para dar um tiro no seu rosto.

Isabelle não diminuiu o passo. Ora sentindo frio, ora sentindo muito calor, instável e desequilibrada, continuou em frente pela floresta nevada até avistar outro campo de prisioneiras.

– *Schnell!*

Isabelle foi seguindo a mulher à frente. Entraram por um portão aberto e passaram por uma multidão de mulheres e homens esqueléticos de pijamas cinzentos listrados, que as observavam de uma cerca de arame farpado.

– Juliette!

Ela ouviu seu nome. A princípio não fez sentido, era apenas outro som. Depois se lembrou.

Ela já tinha sido Juliette. E antes disso Isabelle. E o Rouxinol. Antes de ser apenas A-5491.

Olhou para os prisioneiros esqueléticos atrás do alambrado.

Alguém acenava para ela. Uma mulher: pele acinzentada, o nariz pontudo e olhos fundos.

Os olhos.

Isabelle reconheceu aquele olhar sábio e cansado que a encarava.

Anouk.

Isabelle foi mancando até a cerca.

Anouk veio a seu encontro. Dedos se enlaçaram através do metal gelado.

– Anouk – disse Isabelle, ouvindo o tremor da própria voz. . Tossiu um pouco, cobrindo a boca.

A tristeza nos olhos escuros de Anouk era insuportável. O olhar da amiga dirigiu-se a uma edificação com uma chaminé soltando uma fumaça negra e pútrida.

– Eles estão nos matando, para esconder o que fizeram.

– E Henri? Paul?... Gaëton?

– Foram todos presos, Juliette. Henri foi enforcado em praça pública. Os outros... – Deu de ombros.

Isabelle ouviu um soldado da SS gritando com ela. Afastou-se do alambrado. Queria dizer alguma coisa concreta a Anouk, algo que perdurasse, mas não conseguiu fazer nada a não ser tossir. Cobriu a boca com a mão, cambaleou de lado e então voltou à fila.

Viu os lábios da amiga dizendo "Adeus" e nem conseguiu responder. Estava muito, muito cansada de despedidas.

TRINTA E SETE

*M*esmo sob o céu azul daquela manhã de março, o apartamento da Avenue de La Bourdonnais parecia um mausoléu. A poeira recobria todas as superfícies e formava uma camada no chão.

Vianne foi até as janelas e abriu as cortinas de blecaute, deixando a luz entrar na sala pela primeira vez em anos.

· Parecia que ninguém entrava no apartamento havia um bom tempo. Provavelmente desde o dia em que seu pai saíra para salvar Isabelle.

Os quadros ainda estavam nas paredes, a mobília continuava no lugar – fora algumas peças que tinham sido desmontadas para serem queimadas e jaziam empilhadas em um canto. Uma terrina de sopa vazia fora esquecida na mesa de jantar. Os volumes de poesia autopublicados do pai alinhavam-se na cornija.

– Parece que ela não esteve aqui. Talvez a gente deva tentar o Hôtel Lutetia.

Vianne sabia que deveria embalar as coisas da família, considerar tudo aquilo como pertences de outra vida, mas não conseguia fazer aquilo no momento. Não queria. Mais tarde.

Saiu do apartamento com Antoine e Sophie. Na rua, tudo ao redor dava sinais de recuperação. Os parisienses pareciam toupeiras saindo das tocas para tomar sol depois de anos no escuro. Mas ainda se viam filas para comprar alimento em toda parte, sinais de racionamento e privações. A guerra podia estar terminando – os alemães se retiravam em todas as frentes –, mas ainda não tinha acabado.

Seguiram para o Hôtel Lutetia, que fora sede da *Abwehr*

durante a ocupação e agora servia como centro de recepção para prisioneiros que voltavam dos campos da Alemanha.

Vianne entrou no saguão elegante e cheio de gente. Quando olhou ao redor, sentiu o estômago enjoado e certo alívio por ter deixado Daniel com a madre Marie-Thérèse. A área da recepção estava lotada de pessoas andrajosas, esqueléticas, carecas e de olhares vazios. Pareciam cadáveres ambulantes. Médicos, funcionários da Cruz Vermelha e jornalistas andavam entre elas.

Um homem se aproximou de Vianne, uma fotografia em preto e branco desbotada na mão.

– Você viu essa menina? Da última vez que soubemos ela estava em Auschwitz.

A foto era de uma linda garota ao lado de uma bicicleta, sorrindo abertamente. Não poderia ter mais de 15 anos.

– Não – respondeu Vianne. – Sinto muito.

Mas o homem já se afastava, parecendo tão aturdido quanto ela.

Para onde Vianne olhasse, via as mesmas famílias ansiosas, fotos erguidas em suas mãos trêmulas, implorando por notícias de entes queridos. A parede à sua direta estava forrada de fotografias, bilhetes, nomes e endereços. Os vivos procurando pelos perdidos. Antoine chegou mais perto de Vianne, pôs a mão em seu ombro.

– Nós vamos encontrar sua irmã, Vi.

– Mamãe? – disse Sophie. – Tudo bem com você?

Vianne olhou para a filha.

– Talvez fosse melhor você ter ficado em casa.

– É tarde demais para me proteger – respondeu Sophie. – Você já devia saber disso.

Vianne detestava admitir aquela verdade. Pegou a mão da filha e avançou resoluta pela multidão, com Antoine a seu lado. Em uma área à esquerda, viu um aglomerado de homens de pijamas listrados que pareciam esqueletos. Como ainda continuavam vivos?

Só percebeu que tinha parado de novo quando uma mulher surgiu à sua frente.

– Madame – disse a mulher, uma funcionária da Cruz Vermelha.

Vianne desviou o olhar dos sobreviventes esfarrapados.

– Estou procurando algumas pessoas... minha irmã, Isabelle Rossignol. Foi presa e deportada por ajudar o inimigo. E minha melhor amiga, Rachel de Champlain, também deportada. O marido dela, Marc, era prisioneiro de guerra. Eu... não sei o que aconteceu com nenhum deles, nem como procurá-los. E... estou com uma lista de crianças judias que estão em Carriveau. Preciso encontrar os pais delas.

A funcionária da Cruz Vermelha, uma mulher magra de cabelos grisalhos, pegou um pedaço de papel e anotou os nomes mencionados por Vianne.

– Vou verificar esses nomes nos arquivos. Quanto às crianças, venha comigo.

Levou os três a uma sala no final do corredor, onde um homem de aparência antiga, com uma barba comprida, ocupava uma mesa cheia de papéis.

– Monsieur Montand – disse a funcionária da Cruz Vermelha –, essa senhora tem informações sobre algumas crianças judias.

O velho olhou para ela com olhos vermelhos e fez um movimento rápido com dedos que tinham tufos de pelos.

– Entre.

A funcionária da Cruz Vermelha saiu da sala. O súbito silêncio pareceu desconcertante depois de todo o barulho e a comoção lá fora.

Vianne aproximou-se da mesa. Suas mãos estavam úmidas de suor. Enxugou-as na saia.

– Eu sou Vianne Mauriac. De Carriveau.

Abriu a bolsa e tirou a lista que havia compilado na noite anterior, a partir das três outras que mantivera durante a guerra. Colocou o papel com cuidado sobre a mesa.

– Estas são algumas crianças judias que foram escondidas, monsieur. Estão na abadia do orfanato de la Trinité, sob os cuidados da madre superiora, Marie-Thérèse. Não sei como encontrar suas famílias. O primeiro da lista, Ari de Champlain, está comigo. Estou procurando os pais dele.

– Dezenove crianças – comentou ele em voz baixa.

– Não é muito, eu sei, mas...

O homem a fitou como se ela fosse uma heroína, não uma assustada sobrevivente.

– São dezenove crianças que teriam morrido nos campos junto com os pais, madame.

– E o senhor pode reuni-las com as famílias? – perguntou ela mansamente.

– Posso tentar, madame. Mas, infelizmente, a maioria dessas crianças agora já está órfã. As listas que chegam dos campos são sempre as mesmas: mães mortas, pais mortos, sem parentes vivos na França. E tão poucas crianças sobreviveram...

Passou a mão pelos cabelos grisalhos e raros da cabeça.

– Vou mandar sua lista para a OSE em Nice. Eles estão tentando reunir famílias. *Merci*, madame.

Vianne ficou esperando durante um instante, mas o homem não disse mais nada. Ela saiu do escritório, reencontrou o marido e a filha e os três voltaram para a multidão de refugiados e famílias de sobreviventes dos campos de concentração.

– O que fazemos agora? – perguntou Sophie.

– Vamos ver o que a funcionária da Cruz Vermelha tem a dizer – respondeu Vianne.

Antoine apontou a parede de fotografias e para os nomes de pessoas desaparecidas.

– Nós devíamos procurar por elas aqui.

Eles trocaram um olhar, um reconhecimento de quanto seria doloroso examinar aquelas fotos de desaparecidos. Mesmo assim, aproximaram-se daquele mar de imagens e começaram a examinar todas, uma por uma.

Demorou umas duas horas para a funcionária da Cruz Vermelha voltar.

– Madame?

Vianne se virou.

– Sinto muito, madame. Os nomes Rachel e Marc de Champlain constam na lista de falecidos. E não encontrei registro de nenhuma Isabelle Rossignol em parte alguma.

Quando ouviu a palavra *falecidos*, Vianne sentiu uma dor quase insuportável. Bloqueou sua emoção resolutamente. Mais tarde pensaria em Rachel, quando estivesse sozinha. Tomaria uma taça de champanhe no quintal, embaixo da árvore de linhas e fitas, e conversaria com a amiga.

– O que isso significa? Nenhum registro de Isabelle? Eu vi quando a levaram.

– Volte para casa e espere sua irmã voltar para lá – disse a funcionária da Cruz Vermelha, tocando o braço de Vianne. – Tenha esperança. Nem todos os campos de concentração foram libertados.

Sophie olhou para a mãe.

– Talvez ela tenha ficado invisível.

Vianne passou a mão no rosto da filha, esboçando um sorriso triste.

– Você está tão crescida. Isso me deixa orgulhosa e de coração partido ao mesmo tempo.

– Vamos logo – disse Sophie, puxando a mãe pela mão.

Vianne deixou a filha levá-la. Sentia-se mais filha que mãe enquanto passavam pelo congestionado saguão e saíam para a intensa luz da rua.

Horas depois, já no trem que os levaria de volta para casa, sentada em um banquinho de madeira da terceira classe, Vianne observava pela janela a paisagem dos campos bombardeados. Antoine dormia a seu lado, a cabeça recostada no vidro sujo.

– Como está se sentindo? – perguntou Sophie.

Vianne pôs uma das mãos no abdômen estufado. Uma

leve trepidação – um pontapé – atingiu sua palma. Ela pegou na mão de Sophie.

Sophie tentou evitar; Vianne insistiu com delicadeza, colocando a mão da filha na sua barriga.

Sophie sentiu a trepidação do movimento e arregalou os olhos. Olhou para a mãe.

– Como você consegue...

– Todos mudamos com essa guerra, Soph. Daniel é seu irmão, agora que Rachel... morreu. Seu irmão de verdade. E esse bebê, seja menino ou menina, é inocente... de sua concepção.

– Mas é difícil esquecer – replicou ela em voz baixa. – Eu nunca vou me esquecer.

– Mas o amor tem de ser mais forte que o ódio, senão não haverá um futuro para nós.

Sophie suspirou.

– Acho que sim – disse, parecendo adulta demais para uma garota de sua idade.

Vianne pôs a mão em cima da mão da filha.

– Vamos lembrar uma à outra, *oui*? Dos dias escuros. Vamos ser fortes uma para a outra.

A chamada estava demorando horas. Isabelle caiu de joelhos. No instante em que tocou o chão, pensou *ficar viva* e voltou a se levantar.

Guardas patrulhavam o perímetro com seus cães, selecionando mulheres para a câmara de gás. Falava-se que haveria outra marcha. Dessa vez para Mauthausen, onde milhares já tinham morrido de tanto trabalhar. Prisioneiros de guerra soviéticos, judeus, aviadores americanos, presos políticos. Dizia-se que ninguém que passasse pelos portões saía vivo.

Isabelle tossiu. O sangue se espalhou na palma de sua mão. Limpou rápido no vestido, antes que os guardas vissem.

A garganta queimava, a cabeça doía e latejava. Estava tão concentrada na própria agonia que demorou para notar o som dos motores.

– Está ouvindo isso? – perguntou Micheline.

Isabelle sentiu a comoção que agitava as prisioneiras. Era difícil se concentrar com tantas dores. Os pulmões ardiam a cada respiração.

– Eles estão indo embora. – Ouviu alguém dizer.

– Isabelle, olhe!

De início só viu o céu azul e brilhante, árvores e prisioneiros. Depois percebeu.

– Os guardas foram embora – disse numa voz rouca e esgarçada.

Os portões se abriram para dar entrada a um fluxo de caminhões americanos; soldados sentados nos capôs ou na caçamba, com grandes fuzis atravessados no peito.

Americanos.

Os joelhos de Isabelle cederam.

– Miche... line – sussurrou, a voz tão fraturada quanto seu espírito. – Nós... conseguimos.

Naquela primavera a guerra começou a acabar. O general Eisenhower transmitiu uma mensagem exigindo a rendição da Alemanha. Os americanos atravessaram o Reno e entraram no país; os Aliados venciam uma batalha atrás da outra e começavam a libertar os campos de concentração. Hitler estava vivendo em um bunker.

Mesmo assim, Isabelle não voltava para casa.

Vianne se afastou da caixa de correio fechada.

– É como se ela tivesse desaparecido.

Antoine não disse nada. Os dois ficaram procurando Isabelle durante semanas. Vianne enfrentava filas que duravam horas para fazer telefonemas e enviar um sem-fim de cartas a agências e hospitais. Na semana anterior, tinham visitado outros centros de pessoas desalojadas, sem resultado. Não havia registro de Isabelle Rossignol em parte alguma. Era como se tivesse desaparecido da face da terra – junto com centenas de milhares de outros.

Talvez Isabelle tivesse sobrevivido aos campos de concentração, só para ser fuzilada um dia antes da chegada dos Aliados. Constava que em um desses campos, um lugar chamado Bergen-Belsen, os Aliados encontraram pilhas de cadáveres ainda quentes quando chegaram.

Por quê? Eles também não diriam.

– Venha comigo – disse Antoine, pegando-a pela mão.

Ela não se enrijecia mais com o toque dele, nem refugava, mas tampouco se sentia relaxada. Nos meses desde a volta de Antoine, os dois estavam fingindo se amar e ambos sabiam disso. Ele dizia que não fazia amor com ela por causa do bebê, Vianne concordava que era melhor assim, mas os dois sabiam a verdadeira razão.

– Tenho uma surpresa para você – disse ele, levando-a até o quintal atrás da casa.

O céu estava azul-claro, mas a árvore de fios e fitas providenciava uma zona de sombra fresca e amarronzada. Na pérgola, as poucas galinhas que sobraram ciscavam o chão, cacarejando e batendo as asas.

Um velho lençol tinha sido estendido entre um galho do teixo e um porta-chapéus de ferro que Antoine devia ter encontrado no celeiro. Levou Vianne até uma das cadeiras dispostas no pátio de pedra. Durante os anos de sua ausência, o musgo e a grama tinham começado a invadir parte do pátio, por isso a cadeira dela estava instável. Sentou-se com cuidado; era difícil se movimentar naquela fase. O sorriso que o marido lhe destinou era ao mesmo tempo radiante de alegria e surpreendente em sua intimidade.

– Eu e as crianças trabalhamos o dia todo nisso. É para você.

Eu e as crianças.

Antoine ocupou seu lugar em frente ao lençol pendurado e fez um gesto abrangente com o braço bom.

– Senhoras e senhores, crianças, coelhos esqueléticos e galinhas com fedor de merda...

Daniel deu risada atrás da cortina e Sophie o repreendeu.

– Seguindo a rica tradição de Madeleine em Paris, que foi o primeiro papel principal de mademoiselle Mauriac, tenho o prazer de apresentar os cantores de Le Jardin.

Com um floreio, soltou um lado do lençol, descortinando uma plataforma de madeira montada na grama em um trecho não muito bem nivelado. Em cima dela, se encontravam Sophie e Daniel. Os dois usavam capas feitas de cobertores, com um colar de flores de macieira no pescoço e coroas feitas de um metal brilhante, sobre a qual haviam colado pedrinhas e pedaços de vidro colorido.

– Oi, mamãe! – disse Daniel, acenando freneticamente.

– Psiu. – Fez Sophie. – Lembra?

Daniel aquiesceu, fazendo uma expressão séria.

Os dois se viraram devagar – com as pranchas frágeis do tablado rangendo sob os pés – e se deram as mãos, olhando para Vianne.

Antoine levou uma gaita prateada à boca e emitiu uma nota triste. O som pairou no ar por um longo tempo, vibrando como um convite, antes de ele começar a tocar.

Sophie começou a cantar numa voz límpida e aguda.

– *Frère Jacques, Frère Jacques...*

Em seguida se agachou e Daniel subiu, prosseguindo:

– *Dormez-vous? Dormez-vous?*

Vianne levou a mão à boca, mas não conseguiu evitar que uma risadinha escapasse.

A música continuou no palco. Vianne percebeu quanto Sophie estava feliz em fazer aquilo, uma coisa tão banal, aquela pequena apresentação para os pais, e quanto Daniel se concentrava para desempenhar bem sua parte.

A sensação foi de uma ocasião rara, ao mesmo tempo

profundamente mágica e lindamente normal. Um momento da vida que já haviam desfrutado antes.

Vianne sentiu a alegria desabrochar dentro de si.

Nós vamos ficar bem, pensou, olhando para Antoine. Na sombra projetada pela árvore que seu bisavô tinha plantado, com as vozes dos filhos no ar, ela viu sua outra metade, pensando mais uma vez: *Nós vamos ficar bem*.

– ... *ding... dang... dong...*

Quando a canção terminou, Vianne bateu palmas com entusiasmo. As crianças fizeram uma reverência em agradecimento. Daniel tropeçou na capa, caiu na grama e se pôs de pé dando risada. Vianne subiu no palco e sufocou os filhos com beijos e congratulações.

– Que ideia adorável – disse a Sophie, os olhos luzindo de amor e orgulho.

– Eu estava me concentrando, mamãe – disse Daniel, satisfeito.

Vianne não conseguia largar dos filhos. O futuro que tinha vislumbrado enchia sua alma de alegria.

– Eu planejei com papai – disse Sophie. – Como a gente fazia antes, mamãe.

– Eu também organizei – completou Daniel, estufando o pequeno tórax.

Vianne deu risada.

– Vocês estavam *magnifiques* cantando. E...

– Vianne – disse Antoine atrás dela.

Vianne não conseguia tirar os olhos do sorriso de Daniel.

– Quanto tempo você levou para aprender a sua parte?

– Mamãe – disse Sophie em voz baixa. – Tem alguém aqui.

Vianne se virou e olhou para trás.

Antoine estava perto da porta com dois homens; ambos usavam ternos pretos surrados e boinas pretas. Um deles segurava uma maleta desgastada.

– Sophie, tome conta do seu irmão um minuto – disse Antoine à filha. – Nós precisamos conversar com esses homens.

Foi para trás de Vianne e colocou a mão na base das costas da mulher, ajudando-a a se levantar. Entraram na casa em fila e em silêncio.

Quando a porta fechou, os homens se viraram para Vianne.

– Meu nome é Nathaniel Lerner – disse o mais velho dos dois.

Tinha cabelos grisalhos e a pele da cor de linho manchado de chá. Manchas senis descoloriam grandes áreas das faces.

– E eu sou o rabino Horowitz – disse o outro.

– E qual é o motivo da visita? – perguntou Vianne.

– Estamos aqui por causa de Ari de Champlain – disse o rabino com uma voz suave. – O menino tem parentes nos Estados Unidos. Em Boston, mais especificamente, e eles entraram em contato conosco.

Vianne poderia ter desmaiado, se não tivesse sido amparada por Antoine.

– Soubemos que a senhora resgatou dezenove crianças judias sozinha. E com oficiais alemães aquartelados em sua casa. Impressionante, madame.

– Heroico – acrescentou o rabino.

Antoine pôs a mão no ombro dela; aquele toque fez com que Vianne percebesse quanto tempo ficara em silêncio.

– Rachel era minha melhor amiga – disse em voz baixa. – Eu tentei ajudá-la a fugir para a Zona Livre antes da deportação, mas...

– A filha dela foi morta – disse Lerner.

– Como sabe disso?

– Faz parte do nosso trabalho coletar histórias e reunir famílias – respondeu ele. – Nós falamos com diversas mulheres que estiveram com Rachel em Auschwitz. Infelizmente, ela viveu menos de um mês lá. O marido dela, Marc, morreu em Stalag 13A. Não teve a sorte do seu marido.

Vianne não disse nada. Sabia que os homens iam lhe dar um tempo e sentiu-se ao mesmo tempo grata e com raiva. Não queria aceitar nada daquilo.

– Daniel... *Ari*... nasceu uma semana antes de Marc partir para a guerra. Ele não se lembra nem do pai nem da mãe. Foi a maneira mais segura... fazer com que ele acreditasse que era meu filho.

– Mas ele não é seu filho, madame. – A voz de Lerner era delicada; as palavras, no entanto, pareceram estalar como um chicote.

– Eu prometi a Rachel que o manteria em segurança – disse Vianne.

– E o manteve. Mas agora chegou a hora de Ari voltar para sua família. Para sua gente.

– Ele não vai entender – disse Vianne.

– Talvez não – concordou Lerner. – Mesmo assim.

Vianne olhou para Antoine, em busca de ajuda.

– Nós o amamos. Ele faz parte da nossa família. Nós devíamos ficar com ele. Você quer que ele fique, não quer, Antoine?

O marido anuiu, solene.

Ela se virou para os dois homens.

– Nós poderíamos adotar o garoto, criá-lo como um filho. E como judeu, é claro. Contaríamos quem ele é e o levaríamos à sinagoga e...

– Madame – interrompeu Lerner com um suspiro.

O rabino se aproximou de Vianne, tomando uma das mãos de mulher nas dele.

– Nós sabemos que Ari é novo demais para entender, que vai chorar e sentir sua falta... talvez durante anos.

– Mas o senhor quer tirá-lo daqui assim mesmo.

– A senhora está considerando o coração de um menino. Eu estou aqui por causa do coração de todo o nosso povo. A senhora compreende?

O rosto dele murchou, a boca se contraiu.

– Milhões de judeus morreram nessa guerra, madame. *Milhões*.

Ele esperou a frase fazer efeito.

– Toda uma geração foi perdida. Agora precisamos nos reagrupar, os poucos de nós que restaram; precisamos reconstruir. Um garoto que não se lembra de quem foi pode parecer uma perda pequena, mas para nós ele é o futuro. Não podemos deixar a senhora criá-lo numa religião que não é a sua, levá-lo a uma sinagoga quando se lembrar. Ari precisa ser quem ele é, estar com sua gente. Com certeza a mãe dele iria querer o mesmo.

Vianne pensou nas pessoas que vira no Hôtel Lutetia, aqueles esqueletos ambulantes com olhos atormentados, a interminável parede de fotografias.

Milhões tinham sido mortos.

Uma geração perdida.

Como poderia dizer não ao rabino? Ou manter Ari afastado de seu povo, de sua família? Seria capaz de lutar até a morte pelos dois filhos, mas aqui não havia um oponente a ser enfrentado, só perdas de ambos os lados.

– Quem vai ficar com ele? – perguntou, sem se importar em disfarçar a voz embargada.

– A prima em primeiro grau da mãe dele. Ela tem uma filha de 11 anos e um garoto de 6. Vai criar Ari como um filho.

Vianne não encontrou ânimo para aquiescer, nem para enxugar as lágrimas dos olhos.

– Será que eles vão me mandar fotos?

O rabino olhou para ela.

– Ele terá que esquecê-la, madame, começar uma nova vida.

Vianne conhecia muito bem a verdade daquilo.

– Quando vocês vão levar o garoto?

– Agora – respondeu Lerner.

Agora.

– Não se pode mudar isso? – perguntou Antoine.

– Não, monsieur – respondeu o rabino. – Ari voltar ao seu povo é a coisa certa a fazer. Ele é um dos que teve sorte... que tem uma família ainda viva.

Vianne sentiu Antoine segurar sua mão e levá-la até a escada, puxando-a mais de uma vez para que continuasse andando. Subiu os degraus de madeira com as pernas pesadas e incontroláveis.

Quando chegou ao quarto do filho (não, não era seu filho), ela se movimentou como uma sonâmbula, pegando suas poucas roupas e recolhendo seus pertences. Um surrado macaco de pelúcia já sem os olhos, um pedaço de madeira petrificado encontrado no rio no verão anterior, a manta que Vianne tinha feito de retalhos das roupas que tinham ficado pequenas no menino. Ela havia bordado na manta: "Para o nosso Daniel, com amor de mamãe, papai e Sophie." Lembrou-se de que quando o menino leu aquilo, tinha perguntado: "O papai vai voltar para casa?"

E Vianne dissera que sim, que as famílias sempre davam um jeito de voltarem para casa.

– Eu não quero perdê-lo. Não posso...

Antoine a abraçou, deixando que chorasse. Quando afinal se acalmou, ele murmurou no ouvido dela:

– Você é forte. Precisamos fazer isso. Nós o amamos, mas ele não é nosso filho.

Vianne estava cansada de ser forte. Quantas perdas seria capaz aguentar?

– Quer que eu fale com ele? – perguntou Antoine.

Queria que ele fizesse isso, era o que mais desejava na vida, mas aquilo era trabalho para a mãe.

Com as mãos trêmulas, guardou os pertences de Daniel – de Ari – em uma surrada bolsa de lona e saiu do quarto, percebendo um segundo depois que tinha deixado Antoine para trás. Precisou reunir todas as suas forças para continuar respirando, se mexendo. Entrou em seu quarto e remexeu no armário até encontrar um pequeno porta-retrato com uma foto dela com Rachel. Era a única foto que tinha da amiga, tirada dez ou doze anos antes. Escreveu os nomes das duas no verso, guardou no bolso da bolsa e saiu do quarto. Ignorou os homens lá embaixo e foi direto para o quintal, onde as crianças – ainda de capas e coroas – continuavam brincando no palco improvisado.

Os três homens a seguiram.

Sophie estranhou aquela comitiva.

– Mamãe?

Daniel deu risada. Por quanto tempo ela ainda se lembraria exatamente daquele som? Não o suficiente. Já sabia disso. Lembranças sempre se dissolviam – até as melhores.

– Daniel? – Precisou limpar a garganta e tentar de novo. – Daniel? Você pode vir até aqui?

– Qual é o problema, mamãe? – perguntou Sophie. – Parece que você estava chorando.

Vianne seguiu andando, segurando a bolsa ao lado do corpo.

– Daniel?

O garoto sorriu para ela.

– Quer que a gente cante outra vez, mamãe? – perguntou, ajeitando a coroa que escorregava na cabeça.

– Você pode vir até aqui, Daniel? – pediu uma segunda vez, só para garantir.

Estava com muito medo do que estava acontecendo em sua cabeça.

Daniel se aproximou, afastando a capa de lado para não tropeçar. Vianne se ajoelhou na grama e pegou na mão dele.

– Não tem jeito de fazer você entender isso. – Sua voz embargou. – No tempo certo, eu ia contar tudo a você. Quando ficasse mais velho. Ia inclusive levar você até sua antiga casa. Mas o tempo acabou, Capitão Dan.

O garoto franziu a testa.

– O que você está dizendo?

– Você sabe quanto nós o amamos – disse.

– *Oui*, mamãe – concordou Daniel.

– Nós o amamos muito, Daniel, desde o momento em que entrou nas nossas vidas, mas você pertence a outra família. Você tinha outra mamãe e outro papai e eles também o amavam.

Daniel franziu a testa.

– Eu tinha outra mamãe?

Sophie falou atrás dela:

– Ah, não...

– O nome dela era Rachel de Champlain e ela o amava muito, meu querido. E seu pai era um homem corajoso chamado Marc. Gostaria de poder contar a você a história deles, mas não posso – ela enxugou as lágrimas –, porque a prima da sua mamãe também o ama e quer que você vá morar com ela nos Estados Unidos, onde as pessoas têm muita comida e as crianças têm um monte de brinquedos para brincar.

Lágrimas afloraram nos olhos dele.

– Mas *você* é a minha mamãe. Eu não quero ir.

Vianne queria dizer "Eu também não quero que você vá", mas isso só o deixaria ainda mais amedrontado, e seu último dever como mãe era fazê-lo se sentir seguro.

– Eu sei – disse ela em voz baixa –, mas você vai adorar, Capitão Dan, e a sua nova família também vai adorar e amar você. Pode até ser que eles tenham um cachorrinho, como você sempre quis.

Daniel começou a chorar e Vianne o abraçou. Talvez tenha precisado da maior dose de coragem da vida para largá-lo e se levantar. Os dois homens imediatamente apareceram a seu lado.

– Olá, rapazinho – disse o rabino para Daniel, com um sorriso sincero.

Daniel começou a chorar mais ainda.

Vianne o pegou pela mão e entrou com ele na casa, seguindo até o jardim da frente. Passou por baixo da macieira morta coberta de fitas memoriais e saiu pelo portão quebrado, chegando ao Peugeot azul estacionado na rua.

Lerner sentou ao volante, enquanto o rabino ficou esperando perto do para-choque traseiro. Ele deu a partida, lançando fumaça pelo cano de escapamento.

O rabino abriu a porta traseira. Lançando um último e triste olhar a Vianne, ele entrou e deixou a porta aberta.

Sophie e Antoine chegaram por trás, abaixando-se para abraçar Daniel.

– Nós vamos amá-lo para sempre – disse Sophie. – Espero que você não se esqueça da gente.

Vianne sabia que era a única que poderia pôr Daniel no automóvel. Ele só confiaria nela.

De todas as coisas terríveis e tristes que tinha feito nessa guerra, nenhuma a machucou tanto quanto aquela. Pegou Daniel pela mão e o fez entrar no automóvel que o levaria para longe dela. O garoto se sentou no banco traseiro.

Olhou para ela com os olhos confusos e lacrimosos.

– Mamãe?

– Espere só um minuto – disse Sophie, correndo para a casa.

Voltou pouco depois com Bebê e entregou o ursinho de pelúcia a Daniel.

Vianne se abaixou para olhar nos olhos dele.

– Agora você precisa ir, Daniel. Confie na mamãe.

Seu lábio inferior tremia. Agarrou o brinquedo no peito.

– *Oui*, mamãe.

– Seja um bom menino.

O rabino se debruçou e fechou a porta.

Daniel se jogou na janela, pressionando o vidro com as mãos. Chorava e gritava.

– Mamãe! Mamãe!

Os gritos continuaram ressoando por minutos depois que o automóvel partiu.

Vianne falou em voz baixa:

– Tenha uma boa vida, Ari de Champlain.

TRINTA E OITO

*I*sabelle se encontrava em estado de alerta. Precisava se manter em pé para a chamada. Se cedesse à tontura e caísse, seria chicoteada, ou pior.

Não. Não era a chamada. Ela agora estava em Paris, em um quarto de hospital.

Esperando alguma coisa. Alguém.

Micheline saiu para falar com funcionários da Cruz Vermelha e jornalistas no saguão. Isabelle deveria ficar esperando ali.

A porta se abriu.

– Isabelle – disse Micheline em tom de bronca. – Você não devia estar de pé.

– Tenho medo de morrer se deitar – respondeu Isabelle. Ou talvez só tenha pensado nas palavras.

Assim como Isabelle, Micheline estava magra como um palito de fósforo, os ossos dos quadris protuberantes sob o vestido disforme. Estava quase totalmente careca – apenas uns tufos de cabelo aqui e ali – e sem sobrancelhas. A pele no pescoço e nos braços estava coberta de feridas abertas e purulentas.

– Venha – disse Micheline, levando Isabelle para fora do quarto.

Passaram em silêncio pela estranha multidão de resgatados esfarrapados arrastando os pés, pelos chorosos e barulhentos familiares em busca de seus entes queridos e depois pelos jornalistas que faziam perguntas. Micheline a conduziu para um quarto mais tranquilo, com outros sobreviventes de campos de prisioneiros sentados de maneira desleixada em cadeiras.

Isabelle sentou e descansou as mãos no colo. Seus pulmões doíam e ardiam a cada respiração e uma dor de cabeça martelava seu crânio.

– Chegou a hora de voltar para casa – disse Micheline.

Isabelle levantou a cabeça, com olhos vermelhos e sem expressão.

– Você quer que eu viaje com você? – ofereceu Micheline.

Piscou devagar, tentando pensar. A dor de cabeça era intensa, ofuscante.

– Para onde eu vou?

– Para Carriveau. Vai rever sua irmã. Ela está esperando por você.

– Está?

– O seu trem parte em quarenta minutos. O meu sai daqui a uma hora.

– Mas como vamos voltar? – Isabelle se atreveu a perguntar. A voz era quase um sussurro.

– Nós tivemos sorte – respondeu Micheline, e Isabelle anuiu.

Micheline ajudou Isabelle a se levantar.

As duas caminharam com dificuldade até a porta dos fundos do hospital. Lá fora, uma fila de automóveis e caminhões da Cruz Vermelha esperava para transportar os sobreviventes até a estação ferroviária. Ficaram lado a lado esperando sua vez, próximas uma da outra, como fora comum no último ano – em filas aguardando serem chamadas, dentro de vagões de gado ou esperando para comprar alimentos.

Uma jovem de rosto afogueado com o uniforme da Cruz Vermelha entrou na sala, trazendo uma prancheta.

– Rossignol?

Isabelle segurou o rosto enrugado e acinzentado de Micheline com as mãos quentes e suadas.

– Eu gostava muito de você, Micheline Babineau – disse mansamente, beijando o rosto da mulher mais velha com lábios ressecados.

– Não se refira a você mesma no passado.

– Eu sou o passado. A garota que eu era...

– Continua sendo, Isabelle. Essa garota está doente e foi muito maltratada, mas ainda está aí. Tinha um coração de leão.

– Agora é você que está falando no passado.

De fato, Isabelle não conseguia de forma nenhuma se lembrar daquela garota, a que aderira à Resistência quase sem pensar. A garota que, audaciosa, escondera um aviador no apartamento do pai e estupidamente levara outro ao celeiro da irmã. A garota que tinha atravessado os Pireneus e se apaixonado durante o êxodo de Paris.

– Nós conseguimos – disse Micheline.

Isabelle tinha ouvido aquelas palavras muitas vezes na última semana. *Nós conseguimos*. Quando os americanos chegaram para libertar o campo de prisioneiros, aquelas palavras estavam nos lábios de todos os prisioneiros. Na ocasião Isabelle se sentira aliviada – depois de tudo, dos espancamentos, do frio, da degradação, da doença, da marcha forçada pela neve, ela sobrevivera.

Mas, agora, refletia sobre o que poderia ser sua vida. Não podia voltar a ser quem tinha sido, mas como poderia seguir em frente? Despediu-se uma última vez de Micheline e subiu no veículo da Cruz Vermelha.

Mais tarde, no trem, ela fingiu não notar a maneira como as pessoas olhavam para ela. Tentou se sentar ereta, mas não conseguiu. Deixou-se cair de lado e apoiou a cabeça na janela.

Fechou os olhos e logo adormeceu, um sono cheio de sonhos febris com o matraquear de um vagão de gado, bebês chorando e mulheres tentando desesperadamente acalmá-los... depois as portas se abrindo e os cachorros esperando...

Isabelle acordou com um sobressalto, tão desorientada que levou um momento para se lembrar de que estava em segurança. Enxugou a testa com a manga. A febre tinha voltado.

Duas horas depois, o trem entrou em Carriveau.

Eu consegui. Então, por que não *sentia* nada?

Levantou-se e saiu penosamente do trem. Quando desceu na plataforma, foi acometida por um acesso de tosse. Debruçou-se, tossindo sangue na mão. Só endireitou o corpo quando conseguiu respirar outra vez, mas sentia-se vazia, drenada. Velha.

A irmã esperava por ela na beira da plataforma, com a barriga protuberante da gravidez e usando um vestido de verão desbotado e remendado. O cabelo louro-avermelhado estava mais comprido, ondulado e já passava da altura dos ombros. Enquanto Vianne escrutinava os passageiros que saíam do trem em busca da irmã, seu olhar passou direto por Isabelle.

Isabelle fez um aceno com a mão ossuda.

Vianne viu o aceno e empalideceu.

– Isabelle! – gritou, correndo em sua direção.

Segurou o rosto encovado da irmã com as duas mãos.

– Não chegue muito perto. Eu estou com o hálito terrível.

Vianne beijou os lábios rachados, inchados e ressecados de Isabelle e murmurou:

– Bem-vinda à sua casa, irmã.

– Casa – Isabelle repetiu a palavra inesperada.

Não conseguia associar nenhuma imagem àquela palavra. Seus pensamentos estavam tão confusos, a cabeça latejava.

Vianne a abraçou com delicadeza e a fez se aproximar. Isabelle sentiu a pele macia da irmã, o aroma cítrico de seus cabelos. Sentiu a irmã acariciar suas costas, como fazia quando ela era menina, e pensou: *Eu consegui*.

Casa.

– Você está ardendo em febre – disse Vianne quando as duas já estavam em Le Jardin. Isabelle se encontrava na cama, limpa, seca e quentinha.

– *Oui*. Parece que não estou conseguindo me livrar dessa febre.

– Vou buscar uma aspirina. – Vianne começou a se levantar.

– Não – retrucou Isabelle. – Não saia de perto de mim. Por favor. Deite comigo.

Vianne se deitou na pequena cama. Abraçou a irmã com todo o cuidado, temerosa de que o menor toque provocasse hematomas.

– Sinto muito por Beck. Desculpe... – disse Isabelle, tossindo. Tinha esperado tanto tempo para dizer aquilo, imaginara aquela conversa mil vezes – por ter colocado você e Sophie em perigo...

– Não, Isabelle – replicou mansamente Vianne. – Eu é que peço desculpas. Por nunca ter apoiado você. Desde que papai nos deixou com madame Dumas. E quando você fugiu para Paris, como pude acreditar naquela história ridícula de um caso amoroso? Isso tem me atormentado. – Vianne se aproximou mais da irmã. – Vamos começar de novo? Ser as irmãs que mamãe queria que fôssemos?

Isabelle lutava para ficar acordada.

– Eu gostaria disso.

– Eu me sinto tão orgulhosa do que você fez nessa guerra, Isabelle.

Os olhos de Isabelle se encheram de lágrimas.

– E você, Vi?

Vianne desviou o olhar.

– Outro nazista ficou aquartelado aqui depois de Beck. Um homem mau.

Será que Vianne percebeu que tocou na própria barriga ao dizer isso? Será que a vergonha fez seu rosto corar? Isabelle sabia instintivamente o que a irmã havia aguentado. Já tinha ouvido inúmeras histórias de mulheres estupradas por soldados aquartelados em suas casas.

– Sabe uma coisa que aprendi nos campos de concentração?

Vianne se voltou para ela:

– O quê?

– Que eles não podiam tocar no meu coração. Não podiam mudar quem eu era por dentro. O meu corpo... eles destruíram nos primeiros dias, mas não o meu coração, Vi. O que quer que ele tenha feito, foi no seu corpo e seu corpo vai se recuperar.

Queria dizer mais coisas, talvez acrescentar "Eu te amo", mas foi acometida por uma tosse dolorosa. Quando o acesso passou, ela voltou a se deitar, exausta, respirando com dificuldade e sofreguidão.

Vianne chegou mais perto, colocando um pano úmido na testa febril da irmã.

Isabelle olhou para o sangue na coberta, lembrando-se dos últimos dias de vida da mãe. Na época também houve muito sangue. Olhou para Vianne e viu que a irmã também estava se lembrando.

🐦

Isabelle acordou sobre um chão de madeira. Morrendo de frio e pegando fogo ao mesmo tempo, tremendo e suando.

Não ouviu nada, nem ratos, nem baratas andando pelo chão, nem água vazando por paredes rachadas e transformando-se em grandes lesmas de gelo, nem tosses, nem choros. Sentou-se devagar, fazendo caretas a cada movimento, por menor que fosse. Tudo doía. Os ossos, a pele, a cabeça, o peito; ela não tinha mais músculos para doer, mas as juntas e ligamentos doíam.

Ouviu um *ra-tá-tá-tá* alto. Tiros. Cobriu a cabeça e se arrastou para o canto, encolhendo-se.

Não.

Ela estava em Le Jardin, não em Ravensbrück.

Era o som da chuva batendo no telhado.

Levantou-se devagar, sentindo-se zonza. Quanto tempo ficara lá?

Quatro dias? Cinco?

Seguiu mancando até a mesa de cabeceira, onde havia um jarro de porcelana ao lado de uma bacia de água morna. Lavou as mãos, jogou um pouco de água no rosto e vestiu as roupas que Vianne lhe emprestara – um vestido de Sophie de quando a menina tinha 10 anos, mas que ficou folgado em Isabelle. Começou a longa e lenta jornada escada abaixo.

A porta da frente estava aberta. Lá fora, as macieiras pareciam embaçadas pela chuva que caía. Isabelle foi até a porta, respirando o ar puro.

– Isabelle? – disse Vianne, chegando a seu lado. – Vou fazer um caldo quente para você. O médico disse que você pode tomar.

Ela concordou distraída, deixando Vianne fazer de conta que as poucas colheres de caldo que seu estômago conseguia aguentar fariam alguma diferença.

Isabelle saiu na chuva. O mundo era vívido de sons – pássaros gralhando, sinos de igreja soando, a chuva martelando o telhado, respingando em poças. O tráfego congestionava a estrada enlameada e estreita; pessoas dentro de automóveis, caminhões e bicicletas buzinavam e acenavam, saudando umas às outras enquanto voltavam para casa. Um caminhão americano passou roncando, cheio de soldados descansados e sorridentes que cumprimentavam os passantes.

Ao avistar os soldados, Isabelle se lembrou de que Vianne contara que Hitler tinha se suicidado em Berlim e que a rendição logo seria anunciada.

Seria verdade? A guerra tinha acabado? Ela não sabia, não conseguia se lembrar. Sua cabeça andava confusa naqueles dias.

Isabelle saiu mancando em direção à estrada, percebendo tarde demais que estava descalça (*iria ser espancada por estar sem sapatos*), mas seguiu em frente. Tremendo, tossindo, encharcada de chuva, passou pela pista de pouso agora ocupada por tropas aliadas.

– Isabelle!

Virou-se tossindo muito, cuspindo sangue na mão. Tremia de frio, o vestido ensopado.

– O que está fazendo aqui? – perguntou Vianne. – E onde estão os seus sapatos? Você está com tifo e pneumonia e saiu na chuva. – Vianne tirou o casaco e cobriu os ombros de Isabelle.

– A guerra acabou?

– Nós falamos sobre isso ontem à noite, lembra?

A chuva turvava a visão de Isabelle, escorria por suas costas. Aspirou uma golfada de ar úmido e sentiu lágrimas queimando seus olhos.

Não chore. Sabia que isso era importante, mas não se lembrava por quê.

– Isabelle, você está doente.

– Gaëton prometeu me procurar quando a guerra acabasse – sussurrou ela. – Preciso ir a Paris para que ele consiga me encontrar.

– Ele viria até a nossa casa se estivesse procurando você.

Isabelle não entendeu. Fez que não com a cabeça.

– Ele já esteve aqui, lembra? Depois de Tours. Ele trouxe você para casa.

Meu rouxinol, eu trouxe você para casa.

– Ah.

– Ele não vai mais me achar bonita. – Isabelle tentou sorrir, mas sabia que a tentativa era um fracasso.

Vianne abraçou Isabelle e, gentilmente, fez com que a irmã se virasse.

– Vamos escrever uma carta para ele.

– Eu não sei para onde mandar – replicou Isabelle, apoiando-se na irmã, tremendo de frio e de febre.

Como tinha voltado para casa? Não sabia ao certo. Lembrava-se vagamente de Antoine levando-a escada acima, beijando sua testa, e de Sophie trazendo um caldo quente, mas devia ter adormecido em algum momento, pois de repente já tinha anoitecido.

Vianne dormia em uma cadeira perto da janela.

Isabelle tossiu.

Vianne levantou-se no mesmo instante e ajeitou os travesseiros atrás de Isabelle na cama. Molhou um pano com água, torceu o excesso e colocou-o na testa de Isabelle.

– Você quer um caldo quente?

– Meu Deus, não.

– Você não está comendo nada.

– Nada fica no meu estômago.

Vianne arrastou a cadeira para perto da cama.

Tocou a bochecha quente e molhada de Isabelle e fitou seus olhos fundos.

– Eu tenho uma coisa para você.

Levantou-se da cadeira e saiu do quarto. Pouco depois, voltou com um envelope amarelado que entregou a Isabelle.

– Isto é para nós. Do papai. Ele passou por aqui antes de ir a Girot para ver você.

– Passou? Ele disse que ia se entregar para me salvar?

Vianne aquiesceu e entregou a carta a Isabelle.

As letras do nome dela pareciam borradas e alongadas na página. A desnutrição tinha arruinado sua visão.

– Você pode ler pra mim?

Vianne abriu o envelope, tirou a carta e começou a ler.

Isabelle e Vianne,

O que vou fazer agora, faço sem nenhuma apreensão. Não lamento a minha morte, mas minha vida. Peço desculpas por ter sido o pai que fui para vocês.

Poderia arranjar desculpas – dizer que fui arruinado pela guerra, que bebia demais, que não consegui viver sem a mãe de vocês –, mas nada disso importa.

Isabelle, eu me lembro da primeira vez em que você fugiu

para ficar comigo. Você foi sozinha a Paris. Tudo o que você fazia gritava: Eu quero ser amada. E quando vi você naquela estação, precisando de mim, eu a rejeitei.

Como não pude ver que você e Vianne eram uma dádiva, que eu só precisava ter aceitado?

Perdoem-me por tudo isso, minhas filhas, e saibam que, ao me despedir, eu amei as duas com todo o meu coração destruído.

Isabelle fechou os olhos e se recostou nos travesseiros. Durante toda a sua vida ela havia esperado por aquelas palavras – pelo amor dele – e agora só conseguia sentir uma grande perda. Eles não se amaram o bastante durante o tempo que tiveram, e agora o tempo tinha acabado.

– Não se descuide de Sophie, de Antoine e do novo bebê, Vianne. O amor é uma coisa escorregadia.

– Não faça isso – disse Vianne.

– O quê?

– Não se despeça. Você vai ficar forte e saudável, vai encontrar Gaëton, vai se casar e estar aqui quando meu bebê nascer.

Isabelle suspirou e fechou os olhos.

– Que lindo futuro seria.

Uma semana depois, Isabelle estava em uma cadeira no quintal dos fundos, enrolada em dois cobertores e um edredom. Mesmo sob o sol do começo de maio, continuava tremendo de frio. Sophie lia uma história sentada na grama à sua frente. A sobrinha tentava usar uma voz diferente para cada personagem e às vezes, apesar de se sentir tão mal, apesar dos ossos parecerem muito pesados para a pele aguentar, Isabelle se surpreendia abrindo um sorriso ou até dando risada.

Antoine estava em algum lugar, tentando construir um

berço com os restos de madeira que Vianne não tinha queimado durante a guerra. Era óbvio para qualquer um que ela logo entraria em trabalho de parto: movimentava-se devagar e parecia que sempre estava com uma das mãos apoiada na lombar.

Isabelle saboreava a linda normalidade do dia com os olhos fechados. O sino de uma igreja tocou ao longe. Os sinos estavam sempre tocando na última semana, anunciando o fim da guerra.

A voz de Sophie silenciou de repente, no meio de uma sentença.

Isabelle pensou ter dito "Continue lendo", mas não sabia ao certo.

Ouviu a irmã dizer "Isabelle" com um tom de voz que significava alguma coisa.

Isabelle ergueu os olhos. Vianne estava à sua frente, o rosto e o avental empoados de farinha, o cabelo avermelhado preso em um turbante puído.

– Tem alguém aqui querendo ver você.

– Pode dizer ao médico que eu estou bem.

– Não é o médico. – Vianne sorriu e disse: – É Gaëton quem está aqui.

Isabelle sentiu que seu coração poderia romper as paredes de papel de seu peito. Tentou se levantar, mas voltou a cair na cadeira. Vianne a ajudou a se pôr de pé, mas ela não conseguiu andar. Como poderia encarar Gaëton? Parecia um esqueleto careca e sem sobrancelha, tendo perdido alguns dentes e quase todas as unhas. Levou a mão à cabeça, lembrando pouco depois que não tinha mais cabelo para enfiar atrás da orelha.

Vianne beijou seu rosto.

– Você está linda – disse.

Isabelle se virou devagar e lá estava ele, de pé na porta aberta. Viu que ele também não tinha uma boa aparência – perdera peso, os cabelos e a vibração –, mas nada daquilo importava. Ele estava *ali*.

Gaëton se aproximou mancando e a abraçou.

Isabelle tremia ao abraçá-lo. Pela primeira vez em dias, semanas, em um ano, o coração dela pulsava de vida. Quando ele se afastou, olhou para ela e o amor em seus olhos cauterizou todos os males; só havia o aqui e agora, Gaëton e Isabelle, que de alguma forma se apaixonaram em um mundo em guerra.

– Você está tão bonita quanto eu me lembrava – disse ele, e Isabelle chegou a dar risada, antes de começar a chorar.

Enxugou os olhos, sentindo-se tola, mas as lágrimas continuaram escorrendo pelo rosto. Finalmente estava chorando por tudo: pela dor e pelas perdas, pelo medo e pela raiva, pelo que a guerra havia feito com ela e com todos, pela noção do mal do qual nunca poderia se libertar, pelo horror dos lugares onde estivera e pelo que tinha feito para sobreviver.

– Não chore.

Como poderia não chorar? Os dois deveriam ter tido toda uma vida para compartilhar verdades e segredos, para se conhecer.

– Eu te amo – murmurou ela, lembrando-se da última vez que dissera isso a ele, tanto tempo antes. Quando era jovem e cheia de vida.

– Eu também te amo – retribuiu ele, com a voz embargada. – Amei desde o primeiro minuto em que a vi. Achei que estaria protegendo-a ao não dizer isso. Se eu soubesse...

Como a vida era frágil, como eles eram frágeis.

Amor.

Era o começo e o fim de tudo, a fundação, o teto e o ar existente entre as duas coisas. Não importava se estava destruída, feia e doente. Gaëton a amava e ela o amava. Ao longo de toda a vida ela desejara – ansiosamente – que as pessoas a amassem, mas agora via o que realmente importava. Ela havia conhecido o amor, tinha sido abençoada por ele.

Papai. Mamãe. Sophie.

Antoine. Micheline. Anouk. Henri.

Gaëton.

Vianne.

Desviou os olhos de Gaëton e olhou para a irmã, sua outra metade. Lembrou-se da mãe dizendo que um dia elas seriam grandes amigas, que o tempo uniria a vida das duas.

Vianne fez um sinal de cabeça, chorando também, a mão repousando no ventre protuberante.

Não se esqueça de mim, pensou Isabelle. Gostaria de ter força para dizer aquilo em voz alta.

TRINTA E NOVE

7 de maio de 1995
Em algum lugar sobre a França

As luzes da cabine do avião se acendem de repente.

Ouço o *ding!* do sistema de comunicação, informando que estamos iniciando a descida a Paris.

Julien se debruça para ajustar meu cinto de segurança, verificando se está fechado, na posição certa; que estou segura.

– Qual é a sensação de estar pousando em Paris, mãe?

Não sei o que responder.

Horas depois, o telefone toca a meu lado.

Ainda estou meio dormindo quando atendo.

– Alô?

– Ei, mãe. Você dormiu?

– Dormi.

– São três horas. A que horas quer sair para o encontro?

– Vamos andar um pouco por Paris. Em uma hora estou pronta.

– Vou passar aí para pegar você.

Saio de uma cama do tamanho do estado de Nebraska e vou até o banheiro todo de mármore. Um belo chuveiro quente me desperta e faz com que eu me sinta eu mesma de novo, mas só quando estou sentada na penteadeira, olhando meu rosto ampliado no espelho oval iluminado, é que a coisa fica real.

Estou em casa.

Não importa que eu seja uma cidadã americana, que tenha passado mais tempo da minha vida nos Estados Unidos do que na França; a verdade é que nada disso faz diferença. Eu estou em casa.

Faço a maquiagem com todo o cuidado. Depois escovo os cabelos brancos como a neve, fazendo um coque na nuca com mãos que não param de tremer. No espelho, vejo uma senhora elegante, de pele aveludada, lábios pintados de rosa-choque e o olhar preocupado.

É o melhor que posso fazer.

Saio da frente do espelho, vou até o armário e tiro a calça de inverno e a blusa de gola alta brancas que trouxe na bagagem. De repente me ocorre que deveria ter escolhido algo mais colorido. Não pensei muito bem enquanto fazia as malas.

Quando Julien chega, já estou pronta.

Ele me leva pelo corredor, me ajudando como se eu fosse cega e inválida. Atravessamos o elegante saguão do hotel e saímos na luminosidade mágica de Paris na primavera.

Quando ele pede um táxi ao porteiro, eu insisto:

– Vamos andando até o encontro.

Julien franze o cenho.

– Mas a reunião é na Île de la Cité.

Faço uma careta pela pronúncia dele, mas a culpa é minha, realmente.

Vejo o porteiro sorrir.

– Meu filho adora mapas – digo. – E nunca esteve em Paris.

O homem concorda com a cabeça.

– É muito longe, mãe – diz Julien, de pé a meu lado. – E você está...

– Velha? – Não posso deixar de sorrir. – Mas também sou francesa.

– Você está de salto alto.

Volto a dizer:

– Eu sou francesa.

Julien olha para o porteiro, que ergue uma das mãos enluvadas e diz:

– *C'est la vie*, monsieur.

– Tudo bem – diz Julien afinal. – Vamos andando.

Pego no braço dele e, por um momento de glória, começamos a andar pela calçada, de braços dados, e me sinto uma garota de novo. O tráfego passa apressado, com guinchos e freadas; garotos de skate na calçada desviam-se da multidão de turistas e moradores naquela linda tarde. O ar recende a botões de nogueira e cheiro de pão no forno, canela, óleo diesel, canos de escapamento e pedra quente; cheiros que sempre me farão lembrar de Paris.

À minha direita vejo uma das *pâtisseries* favoritas da minha mãe e de repente me lembro dela me dando um macaron.

– Mãe?

Sorrio para Julien.

– Venha comigo – digo imperiosamente, levando-o para o pequeno estabelecimento. Vejo uma longa fila e ocupo meu lugar no fim.

– Achei que você não gostava de biscoitos.

Ignoro a observação e olho para uma vitrine cheia de macarons coloridos e *pains au chocolat*.

Quando chega minha vez, peço dois macarons – um de coco e um de amora. Abro o pacote e dou o de coco a Julien.

Já estamos na rua de novo, conversando, quando ele dá uma mordida e para no ato.

– Uau – diz em seguida. Depois, de novo: – Uau.

Sorrio. Todo mundo se lembra do primeiro gosto que sentiu em Paris. Esse vai ser o gosto dele.

Só volta a me pegar pelo braço quando lambe os dedos e joga a embalagem fora.

Quando vejo um pequeno bistrô com vista para o Sena, digo:

– Vamos tomar uma taça de vinho.

Acaba de passar das 17h. Hora de coquetel elegante.

Nós nos sentamos a uma mesa do lado de fora, sob um dossel de nogueiras em flor. Do outro lado da rua, ao longo da margem do rio, vendedores ofertam de tudo em quiosques verdes, de quadros a óleo a antigas capas da *Vogue* e chaveiros com a Torre Eiffel.

Dividimos um cone de papel de fritas engorduradas e bebericamos o vinho. Um cálice transforma-se em dois e a tarde começa a abrir caminho para a névoa do anoitecer.

Eu tinha me esquecido de como o tempo passa devagar em Paris. Por mais agitada que seja a cidade, há uma tranquilidade no ar, uma paz aconchegante. Em Paris, com uma taça de vinho na mão, é possível simplesmente *estar*.

Luzes se acendem ao longo do Sena, janelas de apartamentos ganham uma luminosidade dourada.

– São sete horas – diz Julien, e percebo que ele está matando tempo, só esperando. Ele é tão americano. Não sabe se esquecer do mundo e ficar sem fazer nada, esse meu rapaz. Também está deixando que eu me prepare.

Concordo com a cabeça e fico observando enquanto ele paga a conta. Quando nos levantamos, um casal bem-vestido ocupa o nosso lugar, fumando.

Julien e eu saímos andando de braços dados pela Pont Neuf, a ponte mais antiga sobre o Sena. Do outro lado fica a Île de la Cité, a ilha que já foi o coração de Paris. A Notre-Dame, com suas imensas paredes cor de giz, parece uma gigantesca ave de rapina, linda com suas asas abertas. O Sena capta e reflete pontinhos dos postes de luz ao longo das margens, coroas douradas deformadas pelas marolas.

– É mágico – observa Julien, o que é exatamente a verdade.

Caminhamos devagar, atravessando essa graciosa ponte, construída mais de quatrocentos anos antes. Do outro lado, deixando a imensa e gótica Catedral de Notre-Dame para trás, vemos um vendedor ambulante fechando sua loja portátil.

Julien para, pegando um antigo globo de neve. Flocos redemoinham dentro do vidro, ofuscando a delicada Torre Eiffel dourada.

Vejo os floquinhos brancos e sei que é tudo falso – não é nada –, mas me faz lembrar terríveis invernos, com sapatos furados e os corpos enrolados em jornais e revistas embaixo de todas as roupas que conseguíamos encontrar.

– Mãe? Você está tremendo.

– Nós estamos atrasados – comento. Julien devolve o antigo globo de neve e voltamos a andar, passando pela multidão que aguarda para entrar na Notre-Dame.

O hotel fica em uma rua secundária perto da catedral. Ao lado do Hôtel-Dieu, o mais antigo hospital de Paris.

– Eu estou com medo – digo, surpreendendo-me com a admissão.

Há anos não me lembro de ter declarado tal coisa, embora tivesse sido um sentimento frequente. Quatro meses atrás, quando me disseram que o câncer tinha voltado, o medo me fez chorar no chuveiro até a água esfriar.

– Nós não precisamos entrar – diz ele.

– Precisamos, sim – respondo.

Vou pondo um pé na frente do outro até chegarmos à recepção, onde um cartaz nos direciona para o salão de festas no quarto andar.

Quando saímos do elevador, ouço um homem falando ao microfone, que amplifica e deturpa sua voz na mesma medida. Uma das mesas do salão está cheia de nomes e crachás, me remetendo a um antigo programa de televisão:

Concentração. Quase todos os crachás já foram retirados, mas o meu ainda está lá.

E reconheço outro nome; o do crachá embaixo do meu. Ao ver aquilo, meu coração falseia, se enoda. Pego o crachá com meu nome. Tiro o adesivo e colo o crachá em meu peito magro, mas o tempo todo continuo olhando aquele outro nome. Pego o outro crachá e fico olhando para ele.

– Madame! – diz a mulher atrás da mesa. Ela se levanta, parecendo agitada. – Nós estávamos esperando a senhora. O seu lugar é...

– Tudo bem. Eu prefiro ficar no fundo.

– Nada disso. – A recepcionista me pega pelo braço. Penso em resistir, mas não sinto vontade naquele momento. Ela me conduz pela grande multidão sentada de ponta a ponta do salão de festas em cadeiras dobráveis, em direção a um estrado onde três senhoras estão sentadas. Um jovem vestindo um amarrotado paletó esporte azul e calça cáqui – americano, obviamente – está no pódio. Quando eu chego, ele para de falar.

O salão fica em silêncio. Sinto que todos olham para mim.

Passo pelas senhoras no estrado e ocupo meu lugar na cadeira vaga ao lado do apresentador.

O homem ao microfone olha para mim e diz:

– Esta noite temos alguém muito especial entre nós.

Vejo Julien no fundo do salão, encostado à parede, de braços cruzados. Com a testa franzida. Sem dúvida está pensando se alguém vai me ajudar a subir no pódio.

– A senhora gostaria de dizer alguma coisa?

Acho que o homem no pódio fez a pergunta duas vezes antes de eu registrá-la.

O salão fica tão silencioso que ouço cadeiras ranger, pés baterem no tapete, mulheres se abanarem. Quero dizer "Não, não, não", mas como posso ser tão covarde?

Levanto-me devagar e vou até o pódio. Enquanto tento organizar meus pensamentos, olho para a direita, para as senhoras sentadas na plataforma e leio seus nomes: Almadora, Eliane e Anouk.

Meus dedos se apoiam nas laterais de madeira do pódio.

– Minha irmã, Isabelle, era uma mulher de grande paixão – começo a dizer em voz baixa. – Tudo o que fazia, fazia à velocidade total, sem freios. Quando era pequena, estávamos sempre preocupados com ela. Vivia fugindo de internatos, conventos e escolas de boas maneiras, escapulindo pelas janelas e para dentro de trens. Eu a considerava impetuosa e irresponsável, e quase linda demais de se ver. E ela usou isso contra mim durante a guerra. Disse que estava fugindo para Paris por conta de um caso amoroso e eu acreditei nela. Eu *acreditei* nela. Depois de todos esses anos, essa lembrança ainda me corta um pouco o coração. Eu deveria saber que ela não estava indo atrás de um homem, mas sim de suas convicções, que ia fazer algo importante.

Fecho os olhos por um momento e me vêm as lembranças: Isabelle abraçada com Gaëton, os olhos me fitando com um brilho de lágrimas. De amor. Logo depois fechando os olhos, dizendo uma coisa que nenhum de nós conseguiu ouvir, dando seu último suspiro nos braços do homem que a amava.

Na hora, vi tragédia naquilo; agora, vejo beleza.

Lembro-me de todas as nuances daquele momento no meu quintal, com os galhos das árvores esparramados acima e o aroma de jasmim no ar.

Olho para o segundo crachá em minha mão.

Sophie Mauriac.

Minha linda filhinha, que se transformou em uma mulher solene e reflexiva, que esteve perto de mim a vida toda, sempre se preocupando, adejando ao meu redor como uma mamãe gansa. Com medo. Sempre sentia um pouco de medo do mundo depois de tudo o que vivemos juntas e eu detestava isso. Mas ela sabia como amar, a minha Sophie, e não teve medo quando o câncer a chamou. No fim, eu estava se-

gurando a mão dela quando fechou os olhos e disse: *"Tante...*
você está aqui."

Agora elas devem estar me esperando, minha irmã e minha filha.

Desvio relutantemente o olhar do crachá e volto a encarar
a plateia. Eles não se incomodam com as lágrimas em meus
olhos.

– Isabelle e meu pai, Julien de Rossignol, administraram a
rota de fuga Rouxinol com outros amigos. Juntos, eles salvaram mais de 117 homens.

Engulo em seco.

– Isabelle e eu não nos falamos muito durante a guerra.
Ela ficou longe para me proteger do perigo que corria pelo
que estava fazendo. Por isso, só fiquei sabendo de tudo o que
Isabelle tinha feito quando ela voltou de Ravensbrück.

Enxugo os olhos. Agora as cadeiras não rangem mais, ninguém tamborila com o pé no chão. A plateia está completamente imóvel, olhando para mim. Vejo Julien no fundo, o
belo rosto parecendo um modelo de aturdimento. Tudo isso
é novidade para ele. Pela primeira vez na vida, ele entende o
abismo existente entre nós dois, não a ponte. Agora não sou
apenas a mãe dele, uma extensão dele mesmo.

– A Isabelle que voltou do campo de concentração não era
a mulher que sobreviveu ao bombardeio de Tours ou atravessou os Pireneus. A Isabelle que voltou estava doente e alque-
brada. Não tinha certeza acerca de muitas coisas, mas sabia
o que tinha feito.

Olho para as pessoas sentadas a minha frente.

– Um dia antes de morrer, ela estava ao meu lado embaixo
de uma sombra quando segurou minha mão e falou: "Para
mim chega, Vi." Perguntei o que ela queria dizer e ela respondeu: "Minha vida. Já chega." E era verdade. Sei que ela salvou
muitos homens aqui presentes, mas sei que vocês também
a salvaram. Isabelle Rossignol morreu como uma heroína e
como uma mulher apaixonada. E não poderia ter feito outra

escolha. Tudo o que Isabelle queria era ser lembrada. Por isso, agradeço a todos por terem dado um significado à vida dela, por despertarem nela o melhor que ela tinha a dar e por se lembrarem dela tantos anos depois.

Desço do pódio e me afasto.

A plateia fica de pé, aplaudindo com entusiasmo. Vejo quantas pessoas mais velhas estão chorando e de repente fico surpresa: são as famílias dos homens que ela salvou. Todos os resgatados voltaram para casa e fizeram suas famílias; eram pessoas que deviam a vida a uma corajosa garotinha, ao pai dela e aos seus amigos.

Logo depois, sou sugada por um redemoinho de gratidão, lembranças e fotografias. Todos no recinto querem me agradecer pessoalmente, dizer quanto Isabelle e meu pai significaram para eles. Em algum momento Julien se põe a meu lado, tornando-se uma espécie de guarda-costas. Ouço quando ele diz:

– Parece que nós dois temos muito que conversar.

Eu concordo com a cabeça e continuo andando, apoiada no braço dele. Faço o melhor possível para ser a embaixadora da minha irmã, aceitando os agradecimentos que ela merece.

Estamos quase saindo da multidão – agora menos densa, com as pessoas se dirigindo ao bar para tomar vinho –, quando ouço alguém me chamar, uma voz conhecida:

– Olá, Vianne.

Mesmo depois de todos aqueles anos eu reconheço aqueles olhos. Gaëton. Ele é mais baixo do que eu me lembrava, com os ombros meio caídos, e o rosto bronzeado está marcado por rugas profundas, tanto devido ao tempo como ao clima. O cabelo é comprido, quase chegando aos ombros, branco como gardênias, mas ainda assim eu o reconheceria onde quer que o visse.

– Vianne. Gostaria que conhecesse minha filha – diz ele apresentando uma jovem de beleza clássica, com um vestido de noite preto e uma vibrante echarpe no pescoço.

Ela vem em minha direção sorrindo, como se fôssemos amigas.

– Eu sou Isabelle – diz.

Firmo meu apoio no braço de Julien. Fico pensando se Gaëton sabe o que essa pequena lembrança significaria para Isabelle.

Claro que ele sabe.

Ele se aproxima e me beija dos dois lados do rosto, murmurando, antes de se afastar:

– Eu amei sua irmã durante toda a minha vida.

Ficamos conversando mais alguns minutos, sobre nada específico, e ele vai embora.

De repente me sinto cansada. Exausta. Liberto-me do abraço possessivo de meu filho, atravesso a multidão e saio em uma varanda tranquila. Ali, a noite se descortina para mim. A Notre-Dame está iluminada a meu lado, seu brilho colorindo as ondas escuras do Sena. Ouço as marolas batendo na pedra, os barcos rangendo.

Julien surge a meu lado.

– Então – ele começa a dizer –, quer dizer que sua irmã... minha tia... esteve em um campo de concentração na Alemanha por ter ajudado a criar uma rota de fuga para salvar aviadores abatidos. E por "rota" você quer dizer que ela atravessou a pé as montanhas dos Pireneus?

É tão heroico quanto ele faz parecer.

– Por que eu nunca soube nada a respeito de tudo isso... e não só de você? Sophie nunca disse uma palavra. Que diabo, eu nem sabia que as pessoas tinham fugido por essas montanhas, nem da existência de um campo de concentração só para mulheres que se opunham aos nazistas.

– Os homens contam histórias – respondo. É a resposta mais simples para a pergunta dele. – As mulheres seguem em frente com essas histórias. Para nós foi uma guerra nas sombras. Ninguém organizou desfiles para nós quando a guerra acabou, não nos deram medalhas nem nos mencionaram nos livros de história. Fizemos o que precisávamos fazer durante a guerra, e quando tudo acabou nós recolhemos os cacos para começar a vida de novo. Sua irmã estava tão desesperada para esquecer tudo aquilo quanto eu. Talvez tenha sido mais um erro que cometi... deixar que ela esquecesse. Talvez devêssemos ter falado mais sobre isso.

– Então Isabelle estava salvando aviadores, papai estava em um campo de prisioneiros e você ficou sozinha com Sophie. – Sei que ele já está me vendo de um jeito diferente, matutando sobre quanto ainda não sabia. – E você, o que fez na guerra, mãe?

– Sobrevivi – respondo em voz baixa.

Ao admitir isso, sinto uma saudade de minha filha que quase não consigo aguentar, porque a verdade é que *nós* sobrevivemos.

Juntas.

Contra todas as probabilidades.

– Não deve ter sido nada fácil.

– Não foi. – A admissão é involuntária, me surpreende.

E de repente estamos nos olhando, mãe e filho. Ele me dá seu olhar de cirurgião, a quem nada escapa – nem minhas rugas mais recentes, nem o jeito como meu coração bate um pouco mais forte ou o pulso lateja no meu pescoço.

Toca meu rosto, sorrindo meigamente. Meu garoto.

– Você acha que o passado poderia mudar o que sinto por vocês? Realmente, mãe?

– Sra. Mauriac?

Fico contente com a interrupção. É uma pergunta que não quero responder.

Viro-me e vejo um jovem bonito esperando para conversar comigo. Americano, mas não muito óbvio. Talvez nova-iorquino, com o cabelo grisalho cortado rente e óculos de grife. Usa um blazer preto caro e bem cortado, uma elegante camisa branca e jeans desbotado. Dou um passo à frente, estendendo a mão. Ele faz a mesma coisa e, quando nossos olhares se encontram, dou um tropeção. É só isso, um tropeção, entre os tantos da minha idade, mas Julien está lá para me amparar.

– Mãe?

Olho para o homem à minha frente e vejo ao mesmo tempo o garoto que tanto amei e a minha melhor amiga.

– Ariel de Champlain – digo e seu nome soa como um sussurro, uma prece.

Ele me dá um abraço apertado, que desperta todas as velhas lembranças. Quando afinal nos separamos, nós dois estamos chorando.

– Eu nunca me esqueci de você nem de Sophie – diz ele. – Eles me diziam para esquecer e eu até tentei, mas não consegui. Há anos tento encontrar vocês duas.

Sinto de novo aquela contrição no coração.

– Sophie faleceu há uns quinze anos.

Ari olha para o outro lado antes de dizer, mansamente:

– Eu dormi com o bicho de pelúcia que ela me deu durante anos.

– Bebê – digo, recordando.

Ari põe a mão no bolso e tira a fotografia em que estou ao lado de Rachel.

– Minha mãe me deu isso quando me formei na faculdade.

Olho para a foto com os olhos turvos de lágrimas.

– Você e Sophie salvaram a minha vida – diz Ari de maneira direta.

Ouço Julien suspirar a meu lado e sei o que isso significa. Ele tem perguntas a fazer.

– Ari é filho da minha melhor amiga – explico. – Quando Rachel foi deportada para Auschwitz, eu o escondi na nossa casa, mesmo com um nazista aquartelado com a gente. Foi muito... assustador.

– Sua mãe está sendo modesta – intervém Ari. – Ela salvou dezenove crianças judias durante a guerra.

Vejo a incredulidade nos olhos de meu filho e aquilo me faz sorrir. Nossos filhos nos veem muito imperfeitas.

– Eu sou uma Rossignol – digo em voz baixa. – Um rouxinol com seu próprio jeito de ser.

– Uma sobrevivente – acrescenta Ari.

– Papai sabia disso? – pergunta Julien.

– Seu pai... – Faço uma pausa, respiro fundo. *Seu pai*. E lá está o segredo que me fez enterrar tudo isso.

Passei a vida toda tentando fugir, tentando esquecer, mas agora vejo que foi tudo uma perda de tempo.

Antoine foi o pai de Julien em todos os sentidos mais importantes. Não é a biologia que determina a paternidade. É o amor.

Toco no rosto dele e olho em seus olhos.

– Você me fez renascer, Julien. Quando segurei você no meu colo, depois de toda aquela feiura, consegui respirar de novo. Consegui voltar a amar o seu pai.

Nunca tinha percebido aquela verdade. Julien me trouxe de volta. Seu nascimento foi um milagre no meio do desespero. Ele fez de mim, de Antoine e de Sophie uma família de novo. Dei a ele o nome de meu pai, que aprendi a amar tarde demais, quando ele já tinha morrido. Sophie se tornou a irmã mais velha que sempre quis ser.

Vou contar afinal a história da minha vida a meu filho. As lembranças serão dolorosas, mas também haverá alegrias.

– Você vai me contar tudo?

– Quase tudo – respondo com um sorriso. – As francesas têm os seus segredos. – E eu vou... guardar o meu.

Sorrio para os dois, meus dois meninos que deveriam ter me alquebrado, mas que de alguma forma me salvaram, cada um à sua maneira. Por causa deles, agora sei o que é importante, e não é o que eu perdi. São as minhas lembranças. Feridas cicatrizam. O amor perdura.

Nós continuamos.

AGRADECIMENTOS

$\mathcal{E}$ ste livro foi um trabalho de amor e, assim como uma mulher em trabalho de parto, muitas vezes me senti transtornada e em desespero naquele estado de "por favor me ajude, eu não sabia que iria ser assim, me dê um analgésico". Mas, milagrosamente, no fim tudo acabou bem.

Literalmente, é preciso uma multidão de pessoas dedicadas e incansáveis, de personalidades classe A para fazer um livro atingir seu potencial e encontrar um público. Nos vinte anos de minha carreira, meu trabalho teve o apoio de indivíduos realmente incríveis. Gostaria de usar um ou dois parágrafos – muito importantes e necessários – para agradecer a alguns que fizeram diferença na minha escrita e na minha carreira. Susan Peterson, Leona Nevler, Linda Grey, Elisa Wares, Rob Cohen, Chip Gibson, Andrew Martin, Jane Berkey, Meg Ruley, Gina Centrello, Linda Marrow e Kim Hovey. Agradeço a todos por terem acreditado em mim antes mesmo que eu o fizesse. Um "viva" especial para Ann Patty, que mudou o curso da minha carreira e me ajudou a encontrar minha verdadeira voz.

Ao pessoal da St. Martins e da Macmillan. O apoio e o entusiasmo de vocês tiveram um impacto profundo na minha carreira e nos meus escritos. Agradeço a Sally Richardson por seu incansável entusiasmo e sua permanente amizade. A Jennifer Enderlin, minha incrível editora, obrigada por me desafiar e por exigir o melhor de mim. Você é demais. Agradeço também a Alison Lazarus, Anne Marie Tallberg, Lisa Senz, Dori Weintraub, John Murphy, Tracey Guest, Martin Quinn, Jeff Capshew, Lisa Tomasello, Elizabeth Catalano, Kathryn Parise, Astra Berzinskas e ao sempre fabuloso e absolutamente talentoso Michael Storrings.

As pessoas costumam dizer que escrever é uma profissão solitária, e é verdade, mas também pode ser uma festa esfuziante, cheia de convidados incríveis e interessantes, que falam uma linguagem que poucos entendem. Tenho algumas pessoas muito especiais que me escoram quando sinto necessidade, que não têm medo de me servir uma tequila quando ela é requisitada e que me ajudam a comemorar as menores vitórias. Agradeço principalmente e em primeiro lugar a minha agente de longa data, Andrea Cirillo. Sinceramente, eu não teria conseguido sem você – e, mais importante, nem gostaria que tivesse sido sem você. A Megan Chance, minha primeira e última leitora, a caneta vermelha da maldade, agradeço do fundo do coração. Eu não estaria aqui sem sua valiosa parceria literária. A Jill Marie Landis, que me ensinou uma preciosa lição literária este ano, transformando *O Rouxinol* no romance que veio a ser.

Gostaria de agradecer também à colega escritora Tatiana de Rosnay, cuja generosidade foi um presente inesperado na criação deste romance. Ela encontrou tempo em seu congestionado cronograma para fazer de *O Rouxinol* o mais realista possível. Sou profunda e eternamente grata por isso. Claro que todos os equívocos (e licenças poéticas) são de minha responsabilidade.

Por fim, mas não menos importante, à minha família: Benjamin, Tucker, Kaylee, Sara, Laurence, Debbie, Kent, Julie, Mackenzie, Laura, Lucas, Logan, Frank, Toni, Jacqui, Dana, Doug, Katie e Leslie. Todos contadores de histórias. Eu amo vocês.

Amigas para sempre
Kristin Hannah

Aos 14 anos, Tully Hart era linda, alegre e popular. O que ninguém imaginava era o sofrimento que ela vivia: nunca conhecera o pai, e a mãe, viciada em drogas, desaparecia por longos períodos.

Sua vida se transformou quando ela se mudou para a alameda dos Vaga-lumes e conheceu Kate Mularkey. A garota era inteligente, compreensiva e tão amorosa que logo fez Tully se sentir parte de sua família.

Ao longo de mais de trinta anos, Tully ajudou Kate a descobrir a própria beleza e a encorajou a enfrentar seus medos, enquanto Kate ensinou Tully a enxergar além das aparências e a fez entender que certos riscos não valem a pena.

As duas juraram que seriam amigas para sempre. Essa promessa resistiu ao frenesi dos anos 1970, às reviravoltas políticas das décadas de 1980 e 1990 e às promessas do novo milênio, até que algo abalou a confiança entre elas.

Será possível perdoar uma traição da melhor amiga? Neste livro, Kristin Hannah nos conta uma linda história sobre duas pessoas que sabem tudo a respeito uma da outra – e que por isso mesmo podem tanto ferir quanto curar.

O Dossiê Pelicano

John Grisham

Numa mesma noite, dois juízes da Suprema Corte americana são assassinados, em cidades e circunstâncias diferentes. Apesar de o país inteiro exigir respostas, não há nenhuma pista em relação à motivação para os crimes.

Intrigada com o mistério, Darby Shaw, uma brilhante estudante de Direito em Nova Orleans, decide buscar evidências por conta própria. Ela descobre uma possível conexão entre as vítimas, que aponta para um nome inesperado – algo tão improvável que ela mesma duvida do dossiê que produziu.

Quando pessoas muito próximas a Darby começam a morrer, fica claro que ela chegou perto demais da verdade e que agora sua própria vida está em perigo.

Em fuga, Darby não tem escolha senão confiar no ambicioso repórter Gray Grantham. Ele só está interessado em encontrar seu próximo grande furo, mas é o único que pode ajudá-la a revelar a conspiração por trás dos assassinatos.

O melhor de mim

Nicholas Sparks

Na primavera de 1984, os estudantes Amanda Collier e Dawson Cole se apaixonaram perdidamente.

Criado em um ambiente violento e desestruturado, o solitário Dawson acreditava que seu sentimento por Amanda lhe daria a força necessária para fugir do destino sombrio que parecia traçado para ele.

De família tradicional, Amanda via no namorado um porto seguro para toda a sua paixão e seu espírito livre.

Infelizmente, quando o verão do último ano de escola chegou ao fim, a realidade os separou de maneira cruel e implacável.

Vinte e cinco anos depois, eles estão de volta à sua cidade natal para o velório de Tuck Hostetler, o homem que acobertou o namoro e se tornou o melhor amigo dos dois.

Seguindo as instruções de cartas deixadas por Tuck, Amanda e Dawson redescobrirão sentimentos sufocados há décadas. Eles vão perceber que não tiveram a vida que esperavam e que nunca conseguiram esquecer o primeiro amor. Um único fim de semana juntos e talvez seus destinos mudem para sempre.

CONHEÇA OS LIVROS DE KRISTIN HANNAH

Quando você voltar

Amigas para sempre

O Rouxinol

As cores da vida

O caminho para casa

As coisas que fazemos por amor

A grande solidão

Tempo de regresso

Os quatro ventos

CONHEÇA OS TÍTULOS DA COLEÇÃO POP CHIC

Origem, de Dan Brown
O símbolo perdido, de Dan Brown
O Dossiê Pelicano, de John Grisham
O melhor de mim, de Nicholas Sparks
O príncipe dos canalhas, de Loretta Chase
Uma longa jornada, de Nicholas Sparks
Amigas para sempre, de Kristin Hannah
O Rouxinol, de Kristin Hannah

Série As Quatro Estações do Amor, de Lisa Kleypas
Segredos de uma noite de verão
Era uma vez no outono
Pecados no inverno

PRÓXIMOS LANÇAMENTOS

Não conte a ninguém, de Harlan Coben
A estrada da noite, de Joe Hill
Tempo de matar, de John Grisham
As espiãs do dia D, de Ken Follett
O código Da Vinci, de Dan Brown
A mulher na janela, de A. J. Finn
Inferno, de Dan Brown
Uma curva na estrada, de Nicholas Sparks

Série As Quatro Estações do Amor, de Lisa Kleypas
Escândalos na primavera

Série A Maldição do Tigre, de Colleen Houck
A maldição do tigre
O resgate do tigre
A viagem do tigre
O destino do tigre

Série As Sete Irmãs, de Lucinda Riley
As sete irmãs
A irmã da tempestade
A irmã da sombra
A irmã da pérola

POP *(s.m.)*

popular, relativo ao público geral,
conveniente à maioria das pessoas,
aceito ou aprovado pela maioria.

CHIC *(adj.)*

elegante, gracioso, que se destaca
pelo bom gosto e pela ausência
de afetação, preparado com
cuidado e com esmero.

A coleção Pop Chic é nossa maneira de reafirmar
a crença de que milhões de brasileiros desejam e
poderão ler mais se oferecermos nossas melhores
histórias em livros leves e fáceis de carregar,
impressos em papel de qualidade, com texto em
tamanho agradável aos olhos e preços acessíveis.

Para saber mais sobre os títulos e autores da Editora Arqueiro,
visite o nosso site e siga as nossas redes sociais.
Além de informações sobre os próximos lançamentos,
você terá acesso a conteúdos exclusivos
e poderá participar de promoções e sorteios.

editoraarqueiro.com.br